# EL MANUAL DEL CRISTIANO

## lleno del Espíritu

FUNDAMENTOS

BIBLICOS PARA LA

VIDA CRISTIANA

## Derek Prince

EDITORIAL
Carisma

Publicado por
Editorial **Carisma**
Miami, Fl. 33172
© 1995 Derechos reservados

Primera edición 1995

Traducido al español por: Alicia Valdés Dapena

Citas bíblicas tomadas de "Biblia de las Américas"
© 1986 The Lockman Foundation.
y  Reina Valera, (RV) revisión 1960
© Sociedades Bíblicas Unidas
Usadas  con permiso.

Producto: 550071
ISBN1-56063-745-5
Impreso en Colombia
*Printed in Colombia*

Porque nadie puede poner otro
fundamento que el que está puesto,
el cual es Jesucristo.

1 Corintios 3:11

Octubre 8/2001

Queridos Ofelia y Andy:

Que alegría haberlos encontrado y haberlos encontrado "en Cristo Jesús", pues como dice arriba, este es el precioso fundamento de nuestra fe y lo único firme que puede haber bajo nuestros pies y sobre el cual construir nuestras vidas, nuestros hogares y el edificio espiritual que Dios quiere que seamos. Sabemos que este libro los ayudará en esto, pero que sobre todo el Señor terminará en Uds. la obra que Él ha comenzado (Filipenses 2:6).

Reciban todo nuestro amor, de sus primos

Mayda y Julio

# CONTENIDO GENERAL

# CONTENIDO

## PARTE II: ARREPENTIOS Y CREED

## PARTE III: LOS BAUTISMOS DEL NUEVO TESTAMENTO

## PARTE IV: LOS PROPOSITOS DE PENTECOSTES

## Sección A: El cristiano lleno del Espíritu

## Sección B: La congregación llena del Espíritu

## Sección C: El predicador lleno del Espíritu

# PARTE V: LA IMPOSICION DE MANOS

# PARTE VI: LA RESURRECCION DE LOS MUERTOS

## PARTE VII: EL JUICIO ETERNO

# PROLOGO

Durante cincuenta años he estado enseñando, aconsejando y orando por cristianos de una multitud de orígenes nacionales y denominacionales. Los problemas de sus vidas han sido tan variados como sus orígenes, pero bajo todos he discernido continuamente una deficiencia básica: nunca han establecido cimientos doctrinales sólidos. Por consecuencia, jamás han sido capaces de edificar una vida cristiana estable y victoriosa.

Considero a esos cristianos como personas que se han comprado un terreno para edificarse un hogar. En ese lugar han acumulado, a través de los años, mucho material, adquirido asistiendo a varias iglesias, conferencias, seminarios o incluso escuelas bíblicas. Sin embargo, con todo esto, no han edificado casa alguna. Todo lo que tienen que mostrar como fruto de su actividad es un montón cada vez mayor de cosas que han adquirido: materiales de construcción, muebles, artefactos y cosas así.

De tiempo en tiempo asisten a otra conferencia más y regresan con algún artículo especial para la casa; quizás un baño de mármol o una puerta de roble. Pero la casa jamás toma forma. La razón es simple: nunca han puesto los cimientos necesarios.

¿Responde esta descripción a su caso? ¿o quizás a alguien a quien está tratando de orientar?

En este libro se enfrentará —posiblemente por primera vez en su vida— con la realidad de que hay un cimiento específico de doctrinas bíblicas que tiene que colocar antes de poder edificar una vida cristiana victoriosa. Descubrirá que la Biblia revela seis de esas doctrinas (ver Hebreos 6:1-2).

Si penetra cuidadosamente en este libro, quedará completamente cimentado en todas las seis. También descubrirá que encajan en la revelación total de las Escrituras.

Una vez que usted domine estas doctrinas fundamentales y aprenda a aplicarlas en su vida, estará en condiciones de usar todo ese material que ha venido amontonando a lo largo de los años... ¡incluidos el baño de mármol y la puerta de roble!

Estos no son sueños o ilusiones. Es algo sumamente real y práctico. ¡Funciona!

Lo he probado de dos formas: Primera, ha funcionado en mi propia vida. He logrado edificar una vida de éxitos en el servicio cristiano que ha resistido la prueba de más de cincuenta difíciles y extenuantes años.

Segunda, ha producido resultados similares en la vida de incontables personas a quienes he ministrado. Escasamente voy a una iglesia o a una conferencia en cualquier nación donde no se me acerque algún cristiano agradecido que me diga: "Hermano Prince, quiero agradecerle sus enseñanzas que me han dado una base sólida sobre la que he estado edificando por años."

Las palabras *lleno del Espíritu* se usan intencionalmente en el título de este libro. Con frecuencia el Espíritu Santo es la Persona más olvidada de la Divinidad, pero todo lo que sabemos de Dios depende de él. Unicamente él puede revelar a Cristo e interpretar la Escritura. Cualquier base para la fe cristiana sería incompleta sin reconocer su papel y su función (ver Secciones III, IV y V).

El material para este libro fue desarrollado para mi primer programa radial, "La Hora de Estudio", que se transmitió una vez por semana durante 1963 y 1964. Continué el programa por un año, que resultó en cincuenta y dos estudios independientes. Finalmente se transcribieron y compilaron en siete tomos. Doce años después revisé y edité todo el material, que se publicó entonces en Gran Bretaña en un solo volumen.

El presente volumen ha sido sometido a una nueva revisión y examen. En cada caso el propósito ha sido lograr que el contenido sea lo más exacto y fácil de leer posible.

Este material ha sido traducido —todo o en parte— por lo menos en veinte idiomas, incluidos el árabe, el albanés, el chino, el hebreo, el húngaro, el indonesio, el mongol, el serbo-croata y el ruso.

No ha sido posible mantener un control exacto de todas las copias que se han distribuido, pero suman decenas de miles.

En 1983 se desarrolló un amplio curso por correspondencia titulado "Fundamentos Cristianos" para profundizar en el estudio personal de este libro. Los estudiantes que se han matriculado —tanto ministros como laicos— han sido de todos los continentes.

Aunque el material ha tenido un impacto mundial, nunca ha sido publicado en un solo volumen ni ha estado al acceso del público en las librerías cristianas de América. Me deleita que este tomo de la edición americana haya llegado a ser realidad. Contiene también un índice temático ampliado y un índice bíblico totalmente nuevo (especialmente útil para pastores y maestros).

Para terminar, ofrezco el siguiente consejo a cada lector: Acérquese a estos estudios con una mente y un corazón abiertos. Dé su mejor esfuerzo para echar a un lado cualquier prejuicio personal o idea preconcebida que pudiera tener, tanto intelectual como religiosa. Permita que Dios le hable directamente en sus propias palabras. El tiene mucho que decirle... y todo es para bien de usted.

Derek Prince
Fort Lauderdale, Florida
Enero 8 de 1993

# ANTECEDENTES DEL AUTOR

Derek Prince nació en la India en 1915 de padres británicos. Estudió griego y latín en dos de las instituciones docentes más famosas de Gran Bretaña: Eton College y la Universidad de Cambridge. Desde 1940 a 1949 fue profesor residente de la facultad de filosofía antigua y moderna de King College en Cambridge. También estudió hebreo y arameo, en la Universidad de Cambridge y en la Universidad Hebrea de Jerusalén. Además, habla muchos otros idiomas modernos.

En los primeros años de la Segunda Guerra Mundial, mientras servía en el Cuerpo Médico del Ejército Real Británico, Derek Prince tuvo un encuentro con Jesucristo que cambió su vida, y que él comenta:

> De este encuentro saqué dos conclusiones que desde entonces no he tenido razón de cambiar: 1) que Jesucristo está vivo; 2) que la Biblia es un libro verdadero, pertinente y al día. Estas dos conclusiones alteraron el curso entero de mi vida radical y permanentemente.

Al finalizar la guerra, permaneció donde el Ejército Británico lo había destacado: en Jerusalén. Su matrimonio con su primera esposa, Lydia, lo convirtió en padre de ocho hijas adoptivas en el hogar para niños de Lydia. Junta la familia vio el renacimiento del estado de Israel en 1948.

Mientras trabajaban como maestros en Kenia, Derek y Lydia adoptaron su novena hija, una bebita africana. Lydia murió en 1975, y en 1978, Derek se volvió a casar con su actual esposa, Ruth. El enfoque no denominacional y sin sectarismo de las enseñanzas de Derek Prince ha abierto las puertas de sus enseñanzas a gente de muchos y diferentes antecedentes raciales y religiosos. Se le reconoce internacionalmente como uno de los más destacados expositores bíblicos de nuestra época. Su transmisión diaria por radio, "Today With Derek Prince" llega a más de la mitad del globo, con traducciones al árabe, cinco dialectos chinos (mandarín, amoy, cantonés, shanghaiés y swatow), español ("Llaves para vivir con éxito"), ruso, mongol y el dialecto polinesio de Tonga. Ha publicado más de treinta libros, algunos han sido traducidos a más de cincuenta idiomas.

A través del Programa para Líderes de Extensión Mundial de los Ministerios Derek Prince, sus libros, audiocasetes y videocasetes se envían gratis a cientos de líderes cristianos del Tercer Mundo, China, Europa Oriental y la antigua Unión Soviética. Con más de setenta y cinco años, Derek Prince todavía viaja por todo el mundo impartiendo la verdad revelada de Dios, orando por los enfermos y los afligidos, y compartiendo su visión profética de los acontecimientos mundiales a la luz de las Escrituras.

La base internacional de los Ministerios Derek Prince está en Fort Lauderdale, Florida, con oficinas en Australia, Canadá, Alemania, Holanda, Hong Kong, Nueva Zelandia, Nigeria, Suráfrica y el Reino Unido.

# COMO USAR
## *EL MANUAL DEL CRISTIANO LLENO DEL ESPIRITU*

El *Manual del cristiano lleno del Espíritu* está proyectado para ayudarle a usted a poner un fundamento sólido sobre el que pueda edificar su fe cristiana. Sus características y ayudas especiales para el estudio incluyen:

### Tabla de contenido
El índice ha sido ampliado para relacionar todos los subtítulos de cada capítulo. Esto le ayudará a localizar la información que busca y le proporcionará un marco de referencia útil para leer toda la sección.

### Indice Bíblico
Este índice le ayudará a localizar comentarios sobre versículos específicos e incluye cada pasaje citado aquí, con número de página a la derecha de cada anotación.

### Indice Temático
Para ayudarle a encontrar respuestas a las más básicas preguntas de la fe cristiana, todo el volumen ha sido analizado exhaustivamente a fin de proporcionar una relación minuciosa. Los números de las páginas están incluidos a la derecha de cada anotación.

# Parte I

# Los Cimientos

# de

# La Fe

*Todo aquel que viene a mí, y oye mis palabras*
*y las hace, os indicaré a quién es semejante:*
*semejante es al hombre que al edificar*
*una casa, cavó y ahondó y puso*
*el fundamento sobre la roca.*

Lucas 6:47-48

# INTRODUCCION DE LA PARTE

# Acerca de la Biblia

Los seguidores de la fe cristiana alrededor del mundo suman hoy por lo menos mil millones de personas. Este total incluye a cristianos de todos los sectores de la Iglesia, de todas las zonas de la tierra y multitud de antecedentes raciales. No todos éstos practican activamente su fe, pero todos son reconocidos como seguidores. Como tales, constituyen uno de los mayores y más importantes componentes de la población mundial.

Virtualmente todos estos cristianos reconocen que la Biblia es la base autorizada de su fe y su práctica. La Biblia también desempeña un importante papel en otras dos de las más extendidas religiones del mundo: el judaísmo y el islamismo. De acuerdo con todas las normas objetivas, es el libro más ampliamente difundido, leído e influyente en la historia del género humano. Año tras año continúa encabezando la lista de los libros más vendidos del mundo. Es obvio, por lo tanto, que toda persona deseando adquirir una buena educación general no puede omitir su estudio.

La Biblia, como la conocemos hoy, está dividida en dos secciones mayores: la primera, el Antiguo Testamento, contiene treinta y nueve libros. Fue escrito principalmente en hebreo, aunque algunas porciones se escribieron en un dialecto semítico llamado arameo. La segunda sección, el

Nuevo Testamento, contiene veintisiete libros. Los más antiguos manuscritos existentes están en griego.

El Antiguo Testamento describe brevemente la creación del mundo y, en particular, de Adán. Relata que Adán y su esposa, Eva, desobedecieron a Dios y por consiguiente se trajeron una sucesión de consecuencias malignas sobre sí mismos, sus descendientes y todo el entorno en que Dios los había puesto. Entonces procede a trazar en forma resumida la historia de las primeras generaciones de los descendientes de Adán.

Después de once capítulos, el Antiguo Testamento se concentra en Abraham, un hombre escogido por Dios para ser el padre de un pueblo especial, por medio de quien Dios se dispone a proporcionar redención para todo el género humano. Relata el origen y la historia de este pueblo especial, al que Dios da el nombre de Israel. En conjunto, el Antiguo Testamento narra el trato de Dios con Abraham y sus descendientes durante un período de dos mil años.

El Antiguo Testamento revela varios aspectos importantes del carácter de Dios y sus tratos, tanto con individuos como con naciones. Incluida en esta revelación están la justicia de Dios y sus juicios; su sabiduría y su poder; su misericordia y su fidelidad. El Antiguo Testamento hace hincapié sobre todo en la fidelidad de Dios para guardar los pactos y las promesas que hace, tanto si se trata de individuos como de naciones.

Céntrico en los planes especiales de Dios para Israel estaba su promesa, sellada por su pacto, de que él les enviaría a un libertador con la misión encomendada por Dios de redimir a la humanidad de todas las consecuencias de su rebelión y de restaurarla en el favor de Dios. El título hebreo de este libertador es Mesías —que literalmente significa "el ungido".

El Nuevo Testamento relata el cumplimiento de esa promesa en la persona de Jesús de Nazaret. Esto lo indica el título que se le da: Cristo. El nombre se deriva de la palabra griega *Cristos,* que significa lo mismo que el título hebreo de Mesías, "el ungido". Jesús vino a Israel como el ungido que Dios había prometido en el Antiguo Testamento. El cumplió todo lo que el Antiguo Testamento había pronosticado acerca de su venida. Visto desde esta perspectiva, el Antiguo y el Nuevo Testamento forman una única y armoniosa revelación de Dios y de su propósito para el hombre.

# 1

# Los cimientos de la fe cristiana

En varios lugares la Biblia compara la vida de un creyente a la construcción de un edificio. Por ejemplo, en la epístola de Judas dice: *Edificándoos sobre vuestra santísima fe, orando en el Espíritu Santo* (v. 20).

El apóstol Pablo también usa la misma descripción en varios lugares:

> Vosotros sois (...) edificio de Dios. (...) yo como perito arquitecto puse el fundamento, y otro edifica encima; pero cada uno mire cómo sobreedifica. Porque nadie puede poner otro fundamento que el que está puesto, el cual es Jesucristo.
>
> 1 Corintios 3:9-11

> En quien vosotros también sois juntamente edificados para morada de Dios en el Espíritu.
>
> Efesios 2:22

> Os encomiendo (...) a la palabra de su gracia, que tiene poder para sobreedificaros.
>
> Hechos 20:32

En todos estos pasajes se compara la vida del creyente con la construcción de un edificio.

Ahora, en el orden natural, la primera parte y la más importante de cualquier estructura permanente es el cimiento. El cimiento fija por necesidad el límite del peso y la altura del edificio que se erigirá sobre él. Un cimiento débil soportará un pequeño edificio. Uno fuerte puede soportar un gran edificio. Hay una relación fija entre los cimientos y el edificio.

En la ciudad de Jerusalén viví una vez en una casa que había sido construida por un asirio. Este hombre había obtenido de la municipalidad una licencia para construir una casa de dos pisos, y los cimientos habían sido puestos de acuerdo con eso. Sin embargo, a fin de aumentar sus ingresos alquilando el edificio, este asirio había construido un tercer piso sin el permiso para hacerlo. El resultado fue, que mientras estábamos viviendo en la casa, todo el edificio empezó a hundirse en una esquina y finalmente se salió de la perpendicular. ¿Por qué razón? Los cimientos no eran lo bastante fuertes para soportar la casa que aquel hombre trató de construir sobre ellos.

Aun así en el orden espiritual sucede lo mismo en la vida de muchos que profesan ser cristianos. Empiezan con la intención de erigir un magnífico edificio de cristiandad en sus vidas. Pero, por desgracia, antes de mucho tiempo su estupendo edificio empieza a hundirse, a vacilar, a salirse de la verdad. Se inclina grotescamente. A veces se derrumba por completo y no quedan más que las ruinas de un montón de promesas y oraciones y buenas intenciones que no se cumplieron.

Debajo de esta masa de ruinas yace enterrada la razón de ese fracaso: sus cimientos. Por no haberse puesto como es debido, no pudieron soportar el estupendo edificio que estaba planeado.

## Cristo la Roca

Entonces, ¿cuál es el cimiento designado por Dios para la vida cristiana? La respuesta clara la da el apóstol Pablo: *Porque nadie puede poner otro fundamento que el que está puesto, el cual es Jesucristo* (1 Corintios 3:11).

Esto también lo confirma Pedro cuando habla de Jesucristo: *Por lo cual también contiene la Escritura: He aquí, pongo en Sion la principal piedra del ángulo, escogida, preciosa...* (1 Pedro 2:6).

Aquí Pedro se está refiriendo al pasaje en Isaías que dice: *Por tanto, así dice el Señor Dios: He aquí, pongo por fundamento en Sion una piedra, una piedra probada, angular, preciosa, fundamental, bien colocada* (Isaías 28:16 BLA). Así, el Antiguo Testamento y el Nuevo por igual concuerdan en este hecho vital: el verdadero fundamento de la vida cristiana es

Jesucristo mismo; nada más, ni nadie más. No es un credo, una iglesia, una denominación, una ordenanza o una ceremonia. Es Jesucristo mismo y "nadie puede poner otro fundamento."

Analicemos las palabras de Jesús:

> Viniendo Jesús a la región de Cesarea de Filipo, preguntó a sus discípulos, diciendo: ¿Quién dicen los hombres que es el Hijo del Hombre? Ellos dijeron: Unos, Juan el Bautista; otros, Elías; y otros, Jeremías, o alguno de los profetas. El les dijo: Y vosotros, ¿quién decís que soy yo? Respondiendo Simón Pedro, dijo: Tú eres el Cristo, el Hijo del Dios viviente. Entonces le respondió Jesús: Bienaventurado eres, Simón, hijo de Jonás, porque no te lo reveló carne ni sangre, sino mi Padre que está en los cielos. Y yo también te digo, que tú eres Pedro, y sobre esta roca edificaré mi iglesia; y las puertas del Hades no prevalecerán contra ellas.
>
> Mateo 16:13-18

Se ha sugerido que estas palabras de Jesús significan que Pedro es la roca sobre la que se ha de edificar la Iglesia cristiana, y por lo tanto que Pedro es en cierto sentido el cimiento de la cristiandad más bien que Cristo mismo. Esta cuestión es de tan vital importancia y alcance, que es imperativo examinar las palabras de Jesús muy cuidadosamente para asegurarse de su sentido exacto.

En el griego original del Nuevo Testamento en la respuesta de Cristo a Pedro, hay un deliberado juego de palabras. En griego el nombre "Pedro" es *Petros;* la palabra que significa "roca" es *petra*. Jugando con la similitud de ambos sonidos, Jesús dice: *Tú eres Pedro* [Petros], *y sobre esta roca* [petra] *edificaré mi iglesia* (Mateo 16:18).

Aunque los sonidos de estas dos palabras son muy parecidos, su significado es muy diferente. *Petros* significa una piedrecita o guijarro. *Petra* es una gran roca. La idea de construir una iglesia sobre un guijarro es obviamente ridícula y por lo tanto no podría ser lo que Cristo quiso decir.

Jesús utiliza este juego de palabras para mostrar la verdad que él está tratando de enseñar. No está identificando a Pedro con la roca, sino destacando cuán pequeño e insignificante es el guijarro, Pedro, comparado con la gran roca sobre la que se ha de edificar la Iglesia.

Tanto el sentido común como la Escritura confirman este hecho. Si la Iglesia de Cristo estuviera realmente fundada sobre el apóstol Pedro, sería con certeza el más inseguro e inestable edificio del mundo. Más adelante en ese mismo capítulo del Evangelio de Mateo leemos que Jesús empieza a advertir a sus discípulos de su inminente rechazo y crucifixión. El relato continúa así:

> Entonces Pedro, tomándolo aparte, comenzó a reconvenirle, diciendo: Señor, ten compasión de ti; en ninguna manera esto te acontezca. Pero él, volviéndose, dijo: ¡Quítate de delante de mí, Satanás!; me eres tropiezo, porque no pones la mira en las cosas de Dios, sino en las de los hombres.

Mateo 16:22-23

Aquí Cristo inculpa directamente a Pedro de dejarse dominar por las opiniones de los hombres, e incluso por incitaciones del mismo Satanás. ¿Cómo podría semejante hombre ser el cimiento de toda la Iglesia cristiana?

Más adelante en los evangelios leemos que, en vez de confesar a Cristo ante una doncella, Pedro niega públicamente a su Señor tres veces.

Incluso después de la resurrección y del día de pentecostés, Pablo nos cuenta que Pedro, dejándose dominar por el miedo a sus compatriotas, transige en un punto concerniente a la verdad del evangelio (ver Gálatas 2:11-14).

Con toda seguridad Pedro no era una roca. Era un líder nato, impetuoso, que se daba a querer... pero un hombre como cualquier otro, con todas las debilidades inherentes a su humanidad. La única roca sobre la que puede basarse la fe cristiana es sobre el mismo Cristo.

La confirmación de este hecho vital se encuentra también en el Antiguo Testamento. David el salmista, inspirado proféticamente por el Espíritu Santo, dice esto:

> El Señor es mi roca (...) en quien me refugio; mi escudo, y el cuerno de mi salvación, mi altura inexpugnable.

Salmo 18:2 (BLA).

En el Salmo 62 David hace una confesión de fe parecida:

> En Dios solamente está acallada mi alma;
> De él viene mi salvación.
> El solamente es mi roca y mi salvación;
> Es mi refugio, no resbalaré mucho.
> Alma mía, en Dios solamente reposa, (...)
> El solamente es mi roca y mi salvación.
> Es mi refugio, no resbalaré,
> En Dios está mi salvación y mi gloria;
> En Dios está mi roca fuerte, y mi refugio.

Salmo 62:1-2, 5-7

Nada podría ser más claro que esto. La palabra *roca* aparece tres veces, y la palabra *salvación,* cuatro. Es decir, las palabras *roca* y *salvación* son íntima e inseparablemente asociadas por la Escritura. Las dos se encuentran sólo en una persona, y esa persona es el mismo Señor. Esto lo acentúa la repetición de la palabra *solamente*.

Si alguien necesitara mayor confirmación podemos aprovechar las palabras del mismo Pedro. Hablando del pueblo de Israel respecto de Jesús, Pedro dice:

> Y en ningún otro hay salvación; porque no hay otro nombre bajo el cielo, dado a los hombres, en que podamos ser salvos.
>
> Hechos 4:12

El Señor Jesucristo, por lo tanto, es la verdadera roca, la roca de los siglos, en quien hay salvación. La persona que edifica sobre este fundamento puede decir, como David:

> El solamente es mi roca y mi salvación
> El es mi refugio, no resbalaré mucho.
>
> Salmo 62:6

## Enfrentamiento

Entonces, ¿cómo edifica una persona sobre esa roca, que es Cristo?

Regresemos al momento dramático en que Cristo y Pedro están cara a cara y Pedro dice: *"Tú eres el Cristo, el Hijo del Dios viviente"* (Mateo 16:16). Hemos visto que Cristo es la roca. Pero no aislado o abstracto. Pedro tenía una experiencia personal definida. Hubo cuatro etapas sucesivas en esta experiencia:

1. Un encuentro directo y personal de Pedro con Cristo. Ambos estaban cara a cara. No hubo mediador entre ellos. Ningún otro ser humano tomó parte alguna en la experiencia.
2. Una revelación personal directa concedida a Pedro. Jesús dijo a Pedro: *"No te lo reveló carne ni sangre, sino mi Padre que está en los cielos"* (Mateo 16:17). No fue el resultado del razonamiento natural o de la comprensión intelectual. Fue el fruto de una revelación espiritual directa a Pedro del mismo Dios Padre.
3. Un reconocimiento personal por parte de Pedro de la verdad que así le ha sido revelada.
4. Una confesión abierta y pública por parte de Pedro de la verdad que ha reconocido.

En estas cuatro etapas sucesivas vemos lo que significa edificar sobre la roca. No hay nada abstracto, intelectual o teórico acerca de todo eso. Cada etapa implica una experiencia individual definida.

La primera etapa es un encuentro personal y directo con Cristo. La segunda, es una revelación espiritual directa de Cristo. La tercera, es un reconocimiento personal de Cristo. La cuarta, es una confesión abierta y personal de Cristo.

A través de estas cuatro experiencias, Cristo se convierte, para cada creyente, en la roca sobre la que se edifica su fe.

## Revelación

Surge la pregunta: ¿Puede una persona hoy llegar a conocer a Cristo de la misma forma directa y personal en que Pedro llegó a conocerlo?

La respuesta es sí, por las dos razones siguientes: Primera, quien fue revelado a Pedro no fue Cristo en su naturaleza puramente humana; Pedro ya conocía a Jesús de Nazaret, el hijo del carpintero. Quien fue revelado a Pedro entonces fue el divino, eterno e inmutable Hijo de Dios. El mismo Cristo que vive ahora exaltado en el cielo, a la diestra del Padre. En el transcurso de casi dos mil años no ha habido cambio alguno en él. Sigue siendo Jesucristo, el mismo ayer, y hoy, y por los siglos. Como fue revelado a Pedro, todavía puede ser revelado hoy a los que sinceramente lo buscan.

Segunda, la revelación no vino de "carne y sangre"; por algún medio físico o sensorial. Fue una revelación espiritual, la obra del Espíritu Santo. El mismo Espíritu que dio a Pedro esta revelación todavía obra en todo el mundo, revelando al mismo Cristo. Jesús prometió a sus discípulos:

> Pero cuando venga el Espíritu de verdad, él os guiará a toda la verdad; porque no hablará por su propia cuenta, sino que hablará todo lo que oyere, y os hará saber las cosas que habrán de venir. El me glorificará; porque tomará de lo mío, y os lo hará saber.
>
> Juan 16:13-14

Puesto que la revelación espiritual está en el plano eterno, espiritual, no está limitada por factores físicos, tales como el paso del tiempo o los cambios de idioma, costumbres, ropas o circunstancias.

Esta experiencia personal con Jesucristo, el Hijo de Dios —revelado por el Espíritu Santo, reconocido y confesado— sigue siendo la única roca inalterable, el único cimiento inconmovible, sobre el cual tiene que basarse toda verdadera fe cristiana. Los credos y las opiniones, las iglesias y las denominaciones, todos pueden cambiar, pero esta única roca de la salvación de Dios mediante la fe personal en Cristo permanece eterna e inmutable.

Sobre ella una persona puede edificar su fe en el tiempo y para toda la eternidad con una confianza y seguridad que nada podrá derrumbar jamás.

## Reconocimiento

Nada es más impactante en los escritos y testimonios de los primeros cristianos que su serenidad y confianza en lo concerniente a su fe en Cristo. Jesús dice:

> Y esta es la vida eterna: que te conozcan a ti, el único Dios verdadero, y a Jesucristo, a quien has enviado.
>
> Juan 17:3

Esto no significa conocer a Dios de una manera general mediante la naturaleza o la consciencia como Creador o Juez. Es conocerlo revelado personalmente en Jesucristo. Tampoco es conocer a Jesucristo como un personaje histórico o como un gran maestro. Es conocerlo directa y personalmente, y a Dios en él. El apóstol Juan escribe:

> Estas cosas os he escrito a vosotros que creéis en el nombre del Hijo de Dios, para que sepáis que tenéis vida eterna.
>
> 1 Juan 5:13

Los primeros cristianos no sólo creían, también sabían. Tenían la experiencia de la fe, que producía un conocimiento definido de lo que ellos habían creído.

Un poco más adelante en el mismo capítulo Juan repite:

> Pero sabemos que el Hijo de Dios ha venido, y nos ha dado entendimiento para conocer al que es verdadero; y estamos en el verdadero, en su Hijo Jesucristo. Este es el verdadero Dios, y la vida eterna (v.20).

Observe la humilde aunque serena confianza de estas palabras. Se basan en el conocimiento de una persona, y esa Persona es Jesucristo mismo. Pablo tenía la misma clase de testimonio personal cuando decía:

> Yo sé a quién he creído, y estoy seguro de que es poderoso para guardar mi depósito para aquel día.
>
> 2 Timoteo 1:12

Pablo no dijo: "Yo sé lo que he creído", sino "Yo sé a quién he creído". El fundamento de su fe no era un credo o una iglesia, sino una Persona a quien él conocía en una relación directa: Jesucristo. Como resultado de esta relación personal con Cristo, tenía una confianza serena en lo concerniente al bienestar de su alma que nada podría echar abajo en esta vida o en la eternidad.

## Confesión

Durante años conduje reuniones callejeras en Londres, Inglaterra. Al final de las reuniones, a veces me acercaba a la gente que había estado escuchando el mensaje y les hacía esta simple pregunta: "¿Es usted cristiano?" Muchas veces recibía respuestas como: "Creo que sí" o "Espero que sí" o "Trato de serlo" o "No sé". Todos los que dan respuestas como esas dejan al descubierto un hecho: Su fe no está fundada sobre un conocimiento directo y personal de Jesucristo.

Supongamos que yo le hiciera la misma pregunta: ¿Es usted cristiano? ¿Qué respuesta me daría?

Un consejo final de Job:

> Vuelve ahora en amistad con él, y tendrás paz;
> Y por ello te vendrá bien .

Job 22:21

# 2

# Cómo edificar
# sobre el cimiento

Una vez que hemos puesto el cimiento de este encuentro personal con Cristo en nuestra propia vida, ¿cómo podemos continuar edificando sobre este cimiento?

La respuesta se encuentra en la bien conocida parábola del hombre sabio y del insensato, que construyeron cada uno su casa:

> Cualquiera, pues, que me oye estas palabras, y las hace, le compararé a un hombre prudente, que edificó su casa sobre la roca. Descendió lluvia, y vinieron ríos, y soplaron vientos, y golpearon contra aquella casa; y no cayó, porque estaba fundada sobre la roca. Pero cualquiera que me oye estas palabras y no las hace, le compararé a un hombre insensato, que edificó su casa sobre la arena; y descendió lluvia, y vinieron ríos, y soplaron vientos, y dieron con ímpetu contra aquella casa; y cayó, y fue grande su ruina.
>
> Mateo 7:24-27

Observe que la diferencia entre estos hombres no radica en las pruebas a que fueron sometidas sus casas. Cada casa tuvo que soportar la tormenta: el viento, la lluvia y la inundación. El cristianismo nunca ofreció a nadie un pasaje al cielo libre de tormentas. Por el contrario, se nos advierte que *es necesario que a través de muchas tribulaciones entremos en el reino de Dios* (Hechos 14:22).

Cualquier camino "Al Cielo" que eluda las tribulaciones es un engaño. No conducirá al destino prometido.

Entonces, ¿cuál fue la diferencia vital entre los hombres y sus casas? El hombre prudente edificó sobre un cimiento de roca; el insensato, sobre uno de arena. El prudente construyó de manera que su casa soportara segura e inconmovible la tormenta; el insensato, de forma que su casa no pudo resistirla.

## La Biblia — Cimiento de la fe

¿Qué debemos entender con esta metáfora de edificar sobre una roca? ¿Qué significa para cada uno de nosotros los cristianos? Cristo mismo lo deja bien claro:

> Cualquiera pues, que me oye estas palabras, y las hace, le compararé a un hombre prudente, que edificó su casa sobre la roca .
>
> Mateo 7:24

Por consiguiente, edificar sobre la roca significa escuchar y hacer lo que Cristo dice. Una vez puesto el fundamento —Cristo la Roca— en nuestra vida, edificamos sobre ese cimiento oyendo y cumpliendo la palabra de Dios; estudiando y aplicando diligentemente en nuestra vida las enseñanzas de la palabra de Dios. Por eso Pablo dijo a los ancianos de la iglesia en Efeso:

> Y ahora, hermanos, os encomiendo a Dios, y a la palabra de su gracia, que tiene poder para sobreedificaros...
>
> Hechos 20:32

La palabra de Dios, y únicamente su palabra —conforme la oímos y la cumplimos, la estudiamos y la aplicamos— es capaz de levantar dentro de nosotros un edificio de fe fuerte y seguro asentado sobre el fundamento del mismo Cristo.

Esto trae a colación un tema de suprema importancia en la fe cristiana: la relación entre Cristo y la Biblia, y, por lo tanto, la relación de cada cristiano con la Biblia.

En sus páginas, la Biblia declara ser la "palabra de Dios". Por otra parte, numerosos pasajes dan a Jesucristo mismo el título: "el Verbo (o Palabra) de Dios". Por ejemplo:

En el principio era el Verbo, y el Verbo era con Dios, y el Verbo era Dios.

Juan 1:1

Y aquel Verbo fue hecho carne, y habitó entre nosotros (y vimos su gloria, gloria como del unigénito del Padre)...

Juan 1:14

[Cristo] estaba vestido de una ropa teñida en sangre; y su nombre es: EL VERBO DE DIOS.

Apocalipsis 19:13

Esta identificación de nombre, revela una identificación de naturaleza. La Biblia es la palabra de Dios, y Cristo es el Verbo de Dios. Cada cual por igual es una revelación de Dios, autorizada y perfecta. Cada uno concuerda con el otro a la perfección. La Biblia revela perfectamente a Cristo; Cristo cumple con exactitud la Biblia. La Biblia es la palabra escrita de Dios; Cristo es la palabra encarnada de Dios. Antes de su encarnación, Cristo era el Verbo eterno con el Padre. En su encarnación Cristo es el Verbo hecho carne. El mismo Espíritu Santo que revela a Dios mediante su palabra escrita, también revela a Dios en el Verbo hecho carne, Jesús de Nazaret.

## La prueba del discipulado

Si en este sentido Cristo es perfectamente uno con la Biblia, se deduce que la relación entre el creyente y la Biblia tiene que ser la misma que su relación con Cristo. La Escritura da testimonio de esto en muchos lugares.

Veamos primero en Juan 14. En este capítulo Jesús advierte a sus discípulos que él está a punto de separarse de ellos en su presencia física, y que de ahí en adelante habrá un nuevo género de relación entre él y ellos. Los discípulos no pueden ni quieren aceptar este cambio inminente. En particular no pueden comprender cómo, si Cristo está a punto de irse, podrán verlo o tener comunión con él. Cristo les dice:

Todavía un poco, y el mundo no me verá más; pero vosotros me veréis.

Juan 14:19

La frase final de ese versículo también puede traducirse: "pero vosotros *seguiréis* viéndome." Debido a esta declaración Judas (no el Iscariote, sino el otro) pregunta:

Señor, ¿cómo es que te manifestarás a nosotros, y no al mundo?

Juan 14:22

En otras palabras: "Señor, si te vas y si el mundo no te verá más, ¿cómo puedes todavía manifestarte a nosotros, tus discípulos, pero no a los que no son discípulos tuyos? ¿Qué clase de comunicación mantendrás con nosotros, que no estará abierta al mundo?"

Jesús contesta:

El que me ama, mi palabra guardará; y mi Padre le amará, y vendremos a él, y haremos morada con él.

Juan 14:23

La clave para comprender esta respuesta se encuentra en la frase *mi palabra guardará*. La marca distintiva entre el verdadero discípulo y una persona del mundo es que un verdadero discípulo cumple la palabra de Cristo.

En la respuesta de Cristo se revelan cuatro hechos de vital importancia para toda persona que sinceramente desea ser cristiana.

Para que quede claro, repetiré la contestación de Jesús:

El que me ama, mi palabra guardará; y mi Padre le amará, y vendremos a él, y haremos morada con él.

Juan 14:23

He aquí cuatro hechos vitales:

1. Guardar y cumplir la palabra de Dios es la característica suprema que distingue al discípulo de Cristo del resto del mundo.
2. Guardar la palabra de Dios es la prueba suprema del amor del discípulo por Dios y la causa suprema del favor de Dios por el discípulo.
3. Cristo se manifiesta al discípulo a través de la palabra de Dios, cuando es guardada y obedecida.
4. El Padre y el Hijo vienen a la vida del discípulo y establecen su morada permanente con él a través de la palabra de Dios.

## La prueba del amor

Junto a esta respuesta de Cristo, pondré las palabras del apóstol Juan:

> El que dice: Yo le conozco, y no guarda sus mandamientos, el tal es mentiroso, y la verdad no está en él; pero el que guarda su palabra, en éste verdaderamente el amor de Dios se ha perfeccionado; por esto sabemos que estamos en él.
>
> 1 Juan 2:4-5

De estos dos pasajes se desprende que es absolutamente imposible sobreestimar la palabra de Dios en la vida del creyente cristiano.

En resumen, guardar la palabra de Dios es lo que le distingue a usted como discípulo de Cristo. Esta es la prueba de su amor por Dios. Es la causa del favor especial de Dios hacia usted. Es el medio en que Cristo se le manifiesta, y Dios el Padre y el Hijo vienen a su vida y hacen su morada con usted.

Dicho de otra manera:

Su actitud hacia la palabra de Dios es su actitud hacia el mismo Dios. No amará a Dios más de lo que ama su palabra. No obedecerá a Dios más de lo que obedece su palabra. No honrará más a Dios de lo que honra su palabra. No dará más lugar a Dios en su corazón y en su vida del que da a su palabra.

¿Quiere saber cuánto significa Dios para usted? Pregúntese: ¿Cuánto significa para mí la palabra de Dios? La respuesta a esta segunda pregunta es también la respuesta a la primera. Para usted Dios significa tanto como su palabra... ese tanto, y no más.

## Medios de revelación

Hay, en todos los sectores de la Iglesia cristiana de hoy, una conciencia general y creciente, de que hemos entrado en el período profetizado en Hechos 2:17-18.

> Y en los postreros días, dice Dios, derramaré de mi Espíritu sobre toda carne, y vuestros hijos y vuestras hijas profetizarán; vuestro jóvenes verán visiones, y vuestros ancianos soñarán sueños; y de cierto sobre mis siervos y sobre mis siervas en aquellos días derramaré de mi Espíritu, y profetizarán.

Humildemente doy gracias a Dios porque en los últimos años he tenido el privilegio de experimentar y observar en persona derramamientos del Espíritu en cinco continentes —Africa, Asia, Europa, América y Australia—

donde se ha cumplido repetidas veces cada detalle de esta profecía. En consecuencia, creo firmemente en la manifestación bíblica en estos días de todos los nueve dones del Espíritu Santo; creo que Dios habla a su pueblo creyente mediante profecías, visiones, sueños y otras formas de revelación sobrenatural.

Sin embargo, sostengo firmemente que la Escritura es el medio supremo y autorizado por el cual Dios habla a su pueblo, se revela a su gente, la guía y la dirige. Sostengo que toda otra forma de revelación tiene que ser probada muy cuidadosamente remitiéndose a la Escritura y aceptadas sólo mientras estén de acuerdo con las doctrinas, preceptos, prácticas y ejemplos mostrados en la Biblia. Se nos dice:

> No apaguéis al Espíritu. No menospreciéis las profecías. Examinadlo todo; retened lo bueno.
>
> 1 Tesalonicenses. 5:19-21

Está mal, por lo tanto, apagar cualquier manifestación genuina del Espíritu Santo. Es un error despreciar las profecías dadas por medio del Espíritu Santo. Mas por otra parte, es vitalmente necesario examinar cualquier manifestación del Espíritu, o profecía, refiriéndola a las normas de la Escritura y después retener —aceptar— sólo las que estén totalmente de acuerdo con estas normas divinas. Una vez más, en Isaías se nos advierte:

> ¡A la ley y al testimonio! Si no dijeren conforme a esto, es porque no les ha amanecido.
>
> Isaías 8:20

Por consiguiente la Biblia —la palabra de Dios— es la norma suprema por la que tiene que juzgarse y examinarse todo lo demás. No puede aceptarse doctrina, práctica, profecía ni revelación alguna que no esté en concordancia completa con la palabra de Dios. Ninguna persona, grupo, organización ni iglesia tiene autoridad para cambiar, pasar por alto o apartarse de la palabra de Dios. En cualquier aspecto o grado en que una persona, grupo, organización o iglesia se aparte de la palabra de Dios, en ese aspecto y a tal grado están en tinieblas. *No hay luz en ellos.*

Vivimos tiempos en los que es cada vez más necesario realzar la supremacía de la Escritura sobre toda otra fuente de revelación o doctrina. Ya nos hemos referido al gran derramamiento mundial del Espíritu Santo en los últimos días y a las diversas manifestaciones sobrenaturales que acompañarán a ese derramamiento.

Pero la Escritura también nos advierte que, paralelamente a esta cada vez mayor actividad y manifestación del Espíritu Santo, habrá un aumento en la actividad de las fuerzas demoníacas, que siempre buscan oponerse al pueblo de Dios y a los propósitos de Dios en la tierra.

Refiriéndose a este período Cristo mismo nos advierte:

Entonces, si alguno os dijere: Mirad, aquí está el Cristo, o mirad, allí está, no lo creáis. Porque se levantarán falsos Cristos, y falsos profetas, y harán grandes señales y prodigios, de tal manera que engañarán, si fuere posible, aun a los escogidos. Ya os lo he dicho antes.

Mateo 24:23-25

De la misma forma nos advierte el apóstol Pablo:

Pero el Espíritu dice claramente que en los postreros tiempos algunos apostatarán de la fe, escuchando a espíritus engañadores y a doctrinas de demonios; por la hipocresía de mentirosos que, teniendo cauterizada la conciencia, prohibirán casarse, y mandarán abstenerse de alimentos que Dios creó para que con acción de gracias participasen de ellos los creyentes y los que han conocido la verdad.

1 Timoteo 4:1-3

Pablo aquí nos pone sobre aviso de que en estos días habrá gran incremento en la propagación de falsas doctrinas y cultos y que la causa invisible detrás de ellos será la actividad de espíritus y demonios engañadores. De ejemplos, menciona las doctrinas y prácticas religiosas que imponen formas antinaturales y antibíblicas de ascetismo con respecto a la dieta y a la relación matrimonial normal. Pablo indica que la salvaguardia contra el ser engañado por estas formas de errores religiosos es *creer y conocer la verdad* —es decir, la verdad de la palabra de Dios.

Por medio de esta norma divina de la verdad somos capaces de detectar y rechazar todas las formas de error y engaño satánico. Pero para quienes profesan una religión, sin fe y sin conocimiento sanos de lo que enseñan las Escrituras, éstos son realmente días muy peligrosos.

Necesitamos aferrarnos a un gran principio guía establecido en la Biblia, que es: La palabra de Dios y el Espíritu de Dios siempre deben obrar juntos en perfecta unidad y armonía. Jamás debemos divorciar la palabra del Espíritu o el Espíritu de la palabra. No es el propósito de Dios que la palabra obre alguna vez separada del Espíritu o el Espíritu aparte de la palabra.

Por la palabra del Señor fueron hechos los cielos,
Y todo su ejército por el aliento de su boca.

Salmo 33:6 (BLA).

El término traducido aquí "aliento" es en realidad la palabra hebrea que normalmente se usa para "espíritu". No obstante, el uso de la palabra "aliento" sugiere una hermosa figura de la operación del Espíritu de Dios. Cuando la palabra de Dios sale de su boca, su Espíritu —que es su aliento— sale con ella.

En nuestro nivel humano, cada vez que abrimos la boca para pronunciar una palabra, nuestro aliento necesariamente sale junto con ella. Así mismo sucede con Dios. Cuando la palabra de Dios sale, su aliento —es decir, su Espíritu— también va. De esta forma, la palabra de Dios y el Espíritu de Dios siempre están juntos, perfectamente unidos en una sola operación divina.

Vemos ilustrado este hecho, que el salmista nos recuerda, en el relato de la creación. En Génesis leemos:

El Espíritu de Dios se movía sobre la faz de las aguas.

Génesis 1:2

En el siguiente versículo leemos:

Y Dios dijo: Sea la luz, y fue la luz.

La palabra de Dios salió; Dios pronunció la palabra *luz*. Y cuando la palabra y el Espíritu de Dios se juntaron, tuvo lugar la creación, la luz vino a existir y el propósito de Dios se cumplió.

Lo que sucedió en aquel gran acto de creación todavía sucede en la vida de cada individuo. La palabra de Dios y el Espíritu de Dios al unirse en nuestra vida, contienen toda la autoridad y el poder creadores de Dios mismo. A través de ellos Dios provee por cada necesidad y produce su perfecta voluntad y plan para nosotros. Pero si los divorciamos —buscando el Espíritu sin la palabra, o estudiando la palabra sin el Espíritu— nos desviamos y perdemos de vista el plan de Dios.

Buscar las manifestaciones del Espíritu separadas de la palabra terminará siempre en insensatez, fanatismo y error. Profesar la palabra sin el impulso del Espíritu produce únicamente ortodoxia y formalismo religiosos muertos e impotentes.

# 3

# La autoridad de la
# palabra de Dios

En nuestro estudio de este tema, volvamos primero a las palabras del mismo Cristo donde habla a los judíos justificando la afirmación que ha hecho, y que los judíos han rechazado, de que él es el Hijo de Dios. Con objeto de respaldar su reclamación, Cristo cita de los Salmos en el Antiguo Testamento, al que se refiere como "vuestra ley". He aquí lo que dice:

> ¿No está escrito en vuestra ley: Yo dije, dioses sois? Si llamó dioses a aquellos a quienes vino la palabra de Dios (y la Escritura no puede ser quebrantada), ¿al que el Padre santificó y envió al mundo, vosotros decís: Tú blasfemas, porque dije: Hijo de Dios soy?
>
> Juan 10:34-36

En esta respuesta Jesús utiliza los dos nombres con los que, desde entonces, más que todos los otros, sus seguidores han designado a la Biblia. El primero de ellos es "la palabra de Dios"; el segundo es "la Escritura". Será provechoso considerar lo que cada uno de estos dos títulos principales tiene que decir acerca de la naturaleza de la Biblia.

Cuando Jesús dijo que la Biblia era "la palabra de Dios", indicó que las verdades reveladas en ella no procedían de los hombres, sino de Dios. Aunque muchos hombres fueron usados de diferentes maneras para poner la Biblia a disposición del mundo, todos ellos sólo son instrumentos o canales. En ningún caso el mensaje ni la revelación de la Biblia tuvieron origen humano sino que siempre, y únicamente, vinieron del mismo Dios.

## La Biblia — La palabra escrita de Dios

Por otra parte, cuando Jesús usó el segundo título, "la Escritura", indicaba una limitación de la Biblia establecida divinamente. La frase "la Escritura" significa literalmente "lo que está escrito". La Biblia no contiene todo el conocimiento o el propósito del Dios Todopoderoso en cada aspecto o detalle. Ni siquiera contiene todos los mensajes divinos inspirados por Dios que él ha dado alguna vez por medio de instrumentos humanos. Prueba de esto es que en muchos lugares la Biblia se refiere a los pronunciamientos de profetas cuyas palabras ella misma no registra.

Vemos, por consiguiente, que la Biblia, aunque es completamente cierta y autorizada, también es sumamente selectiva. Su mensaje está dirigido en primer lugar al género humano. Está expresado en palabras que los seres humanos pueden comprender. Su propósito y tema central son la guerra espiritual del hombre. Revela en primer lugar la naturaleza y las consecuencias del pecado y la forma de liberarse del mismo y sus resultados mediante la fe en Cristo.

Demos ahora otro vistazo a las palabras de Jesús en Juan 10:35. No pone aquí su sello de aprobación personal sólo a los dos nombres principales dados a la Biblia —"la palabra de Dios" y "la Escritura"— sino también muy claramente sobre la atribución que la Biblia hace de su total autoridad, porque dice *...y la Escritura no puede ser quebrantada.*

Esta breve frase *no puede ser quebrantada* contiene en sí todas las reclamaciones de autoridad suprema y divina que pudieran alguna vez hacerse en favor de la Biblia. Pueden escribirse volúmenes de controversias a favor o en contra de la Biblia, mas en última instancia Jesús ha dicho todo lo necesario en seis cortas y sencillas palabras: *la Escritura no puede ser quebrantada.*

Cuando le damos el peso que corresponde a la afirmación de que los hombres asociados con la Biblia fueron, en todos los casos, meros instrumentos o canales y que cada mensaje y revelación provino del mismo Dios, no queda base razonable o lógica para rechazar el reclamo que hace la Biblia de tener completa autoridad. Vivimos días cuando los hombres pueden lanzar satélites al espacio y, mediante fuerzas invisibles como la radio, el radar o la electrónica, controlar el curso de estos satélites a distancias de miles o millones de kilómetros y mantener comunicación con ellos.

Si los hombres pueden alcanzar semejantes resultados, entonces sólo el prejuicio ciego de la clase menos científica negaría la posibilidad de que

Dios pudiera crear seres humanos con facultades mentales y espirituales que él pudiera controlar o dirigir, mantener comunicación con ellos y recibir sus comunicaciones. La Biblia afirma que eso es en realidad lo que Dios ha hecho y continúa haciendo todavía.

Los descubrimientos e invenciones de la ciencia moderna, lejos de desacreditar las afirmaciones de la Biblia, facilitan que gente sincera y de mente abierta conciba la clase de relación entre Dios y los hombres que hiciera posible la Biblia.

## Inspirada por el Espíritu Santo

La Biblia indica claramente que hay una influencia suprema e invisible mediante la que Dios, en realidad, controló, dirigió y se comunicó con el espíritu y la mente de los hombres por medio de quienes se escribió la Biblia. Esta influencia invisible es el Espíritu Santo; el propio Espíritu de Dios. Por ejemplo, el apóstol Pablo dice:

> Toda la Escritura es inspirada por Dios, y útil para enseñar, para redargüir, para corregir, para instruir en justicia.
>
> 2 Timoteo 3:16

El vocablo traducido aquí "inspirada" significa literalmente "insuflada por Dios" y está vinculado de modo directo con el término *Espíritu*. En otras palabras, el Espíritu de Dios el Espíritu Santo fue la influencia invisible, pero infalible que controló y dirigió a todos los que escribieron los distintos libros de la Biblia.

Esto lo afirma quizás con mayor claridad el apóstol Pedro:

> ...entendiendo primero esto, que ninguna profecía de la Escritura es de interpretación privada.
>
> 2 Pedro 1:20

Dicho de otro modo, como ya explicamos, en ningún caso el mensaje o la revelación de la Biblia se originó en el hombre, sino siempre en Dios. Entonces Pedro prosigue explicando cómo sucedió esto:

> Porque nunca la profecía fue traída por voluntad humana, sino que los santos hombres de Dios hablaron siendo inspirados por el Espíritu Santo.
>
> 2 Pedro 1:21

El término griego traducido como "inspirados por" significa más literalmente "llevados por", o pudiéramos decir, "dirigidos en su rumbo por". En otras palabras, tal como los hombres controlan hoy el curso de sus satélites en el espacio mediante la radio y la electrónica, también Dios controlaba a los hombres que escribieron la Biblia por medio de su divino Espíritu, valiéndose de las facultades espirituales y mentales del hombre. Frente a la evidencia de la ciencia contemporánea, negar la posibilidad de que Dios hiciera esto es sólo una expresión de prejuicio.

El Antiguo Testamento nos presenta otra ilustración de la misma verdad acerca de la inspiración divina, tomada de una actividad que va mucho más atrás en la historia humana que los lanzamientos modernos de satélites al espacio. El salmista David dice:

> Las palabras del Señor son palabras puras, plata probada en un crisol en la tierra, siete veces refinada.
>
> Salmo 12:6 , (BLA)

La ilustración es tomada del proceso de purificar la plata en un horno de barro. (Estos hornos de barro se usan hoy todavía entre los árabes con varios propósitos.) El horno de barro representa el elemento humano; la plata el mensaje divino que se transmite por medio del canal humano; el fuego que garantiza la pureza absoluta de la plata, es decir, la exactitud absoluta del mensaje, representa al Espíritu Santo. La frase "siete veces" indica como lo hace el número siete en muchos pasajes de la Biblia la perfección absoluta de la obra del Espíritu Santo.

De este modo, la figura completa nos garantiza que la exactitud total del mensaje divino en la Escritura se debe a la obra perfecta del Espíritu Santo, declarando sin lugar la fragilidad del barro humano y purgando toda escoria de error humano en la plata sin defecto del mensaje de Dios para el hombre.

## Eterna y autorizada

Es probable que ningún otro personaje del Antiguo Testamento tuviera un concepto más claro de la verdad y de la autoridad de la palabra de Dios que el salmista David, quien escribe:

> Para siempre, oh Señor, tu palabra está firme en los cielos
>
> Salmo 119:89, (BLA)

Aquí David recalca que la Biblia no es un producto del tiempo sino de la eternidad. Contiene el pensamiento y el consejo eternos de Dios, formado antes del comienzo de los tiempos o de la fundación del mundo. Fueron proyectados por medio de canales humanos desde la eternidad hasta este mundo de tiempo, pero cuando el tiempo y el mundo pasen, el pensamiento y el consejo de Dios, revelados en la Escritura, permanecerán inconmovibles e inmutables. Esta misma idea la expresa Cristo:

El cielo y la tierra pasarán, pero mis palabras no pasarán.

Mateo 24:35

Y una vez más dice David:

La suma de tu palabra es verdad, y eterno es todo juicio de tu justicia.

Salmo 119:160

En el último siglo o dos, se han dirigido constantes ataques y críticas contra la Biblia, tanto al Antiguo como al Nuevo Testamento. No obstante, casi todos ellos han sido contra el Génesis y los otros cuatro libros que lo siguen. Estos primeros cinco libros de la Biblia, conocidos como el Pentateuco o la Tora, se le atribuyen a Moisés.

Es notable, por lo tanto, que cerca de tres mil años antes que la mente de los hombres concibiera esos ataques contra el Pentateuco, David ya había dado el testimonio del Espíritu Santo, de la fe del pueblo creyente de Dios a través de las edades.

La suma de tu palabra es verdad (Salmo 119:160).

Dicho de otra forma, la Biblia es verdad desde Génesis 1:1 hasta el último versículo de Apocalipsis.

Cristo y sus apóstoles, igual que todos los creyentes judíos de su tiempo, aceptaron la verdad y autoridad absolutas de todas las Escrituras del Antiguo Testamento, incluidos los cinco libros del Pentateuco.

En el relato de la tentación de que fuera objeto Cristo en el desierto por parte de Satanás, leemos que Cristo contestó a cada tentación de Satanás con citas literales del Antiguo Testamento (ver Mateo 4:1-10). Tres veces inició su respuesta con la frase "Escrito está..." En cada ocasión citaba textualmente del quinto libro del Pentateuco, Deuteronomio. Es digno destacar que no sólo Cristo, sino Satanás, aceptaran la autoridad absoluta de este libro.

En el Sermón del Monte, Cristo dijo:

No penséis que he venido para abrogar la ley o los profetas; [Esta frase "la ley o los profetas" se usaba en general para designar las Escrituras del Antiguo Testamento como un todo.] *no he venido para abrogar, sino para cumplir. Porque de cierto os digo que hasta que pasen el cielo y la tierra, ni una jota ni una tilde pasará de la ley, hasta que todo se haya cumplido.*

Mateo 5:17-18. (Cursivas del autor).

El término *jota* designa aquí a la letra más pequeña del alfabeto hebreo, que más o menos corresponde al tamaño y la forma de una coma invertida en la escritura moderna. El término *tilde* designa a un diminuto rasgo en forma de cuerno, menor que una coma, añadido en la esquina de ciertas letras del alfabeto hebreo para distinguirlas de otras, con formas muy similares.

Por consiguiente, lo que dice Cristo, en realidad, es que el texto original de las Escrituras hebreas es tan exacto y autorizado que ni siquiera una parte de ellas, más pequeña que una coma, puede ser alterada o quitada. Es difícil concebir otra fraseología que Cristo pudiera haber usado, con el fin de respaldar mejor la exactitud y autoridad absolutas de las Escrituras del Antiguo Testamento.

Durante todo su ministerio de enseñanza en la tierra, él mantuvo constantemente la misma actitud hacia las Escrituras del Antiguo Testamento. Por ejemplo, leemos que cuando los fariseos plantearon la pregunta acerca del matrimonio y el divorcio, Cristo contestó refiriéndolos a los primeros capítulos del Génesis (ver Mateo 19:3-9), y presentó su respuesta con la pregunta:

¿No habéis leído que el que los hizo al principio, varón y hembra los hizo? (v. 4).

La frase *al principio* constituye una referencia directa al libro de Génesis, puesto que ése es su título en hebreo.

Además, cuando los saduceos formularon la pregunta de la resurrección de los muertos, Cristo les contestó refiriéndolos al relato de Moisés ante la zarza ardiente en el libro de Exodo (Mateo 22:31-32). Como hizo con los fariseos, replicó en forma de pregunta:

¿No habéis leído lo que os fue dicho por Dios, cuando dijo: Yo soy el Dios de Abraham, el Dios de Isaac y el Dios de Jacob?

Mateo 22:32

Aquí Cristo cita de Exodo 3:6. Pero al citar estas palabras escritas por Moisés cerca de quince siglos antes, Cristo dijo, a los saduceos de su día: ¿No habéis leído lo que os habló Dios? Observe que en la frase "os fue dicho por Dios", Cristo no consideró estos escritos de Moisés como un simple documento histórico del pasado, sino más bien como un mensaje vivo, actualizado y autorizado, directo de Dios para el pueblo de su tiempo. El paso de quince siglos no había privado al relato de Moisés de su vitalidad, su exactitud o su autoridad.

Cristo no se limitó a aceptar la exactitud absoluta de las Escrituras del Antiguo Testamento en todo lo que enseñó, sino que reconoció la autoridad y el control absolutos de ésta sobre el curso total de su propia vida terrenal. Desde su nacimiento hasta su muerte y resurrección, hubo un principio supremo y dominante expresado en la frase "para que se cumpliese". Lo que debía cumplirse era, en cada caso, algún pasaje notable de la Escritura del Antiguo Testamento. Por ejemplo, la Biblia registra específicamente que cada uno de los siguientes incidentes en la vida terrenal de Jesús, tuvo lugar en cumplimiento de las Escrituras del Antiguo Testamento:

> Su nacimiento de una virgen; su nacimiento en Belén; su huida a Egipto; su residencia en Nazaret; su unción con el Espíritu Santo; su ministerio en Galilea; su curación de los enfermos; el rechazo de sus enseñanzas y sus milagros por parte de los judíos; su uso de las parábolas; la traición que le hizo un amigo; el abandono de sus discípulos; el odio sin motivo del que fue víctima; su condena con criminales; la repartición de sus vestidos por suertes; el ofrecimiento de vinagre para calmar su sed; el traspasar su cuerpo sin que sus huesos se quebraran; su entierro en la tumba de un hombre rico; su resurrección de los muertos al tercer día.

La vida entera de Jesús fue dirigida en todos sus aspectos por la autoridad absoluta de las Escrituras del Antiguo Testamento. Cuando colocamos este hecho junto a su propia aceptación sin objeciones de esas Escrituras en todas sus enseñanzas, nos queda sólo una conclusión lógica: si las Escrituras del Antiguo Testamento no son una revelación totalmente exacta y autorizada de Dios, entonces Jesucristo mismo estaba engañado o era un engañador.

## Coherente, completa y todo suficiente

Consideremos ahora la autoridad reclamada por el Nuevo Testamento.

Primero debemos observar el hecho notable que, hasta donde sabemos, Cristo mismo jamás escribió una sola palabra... excepto en una ocasión que escribió en la tierra delante de una mujer sorprendida en adulterio.

No obstante, ordenó explícitamente a sus discípulos que transmitieran el relato de su ministerio y sus enseñanzas a todas la naciones de la tierra:

> Por tanto, id, y haced discípulos a todas las naciones, bautizándolos en el nombre del Padre, y del Hijo, y del Espíritu Santo; enseñándoles que guarden todas las cosas que os he mandado.
>
> Mateo 28:19-20

Antes él había dicho:

> Por tanto, he aquí yo os envío profetas y sabios y escribas .
>
> Mateo 23:34

El término *escribas* significa "escritores", es decir, los que asientan las enseñanzas religiosas en forma escrita. Por consiguiente está claro que Jesús tenía intención de que sus discípulos dejaran constancia permanente de su ministerio y sus enseñanzas.

Además, Jesús tomó las medidas necesarias para que todo lo que sus discípulos escribieran fuera absolutamente exacto, porque prometió enviarles el Espíritu Santo con ese objetivo.

> Mas el Consolador, el Espíritu Santo, a quien el Padre enviará en mi nombre, él os enseñará todas las cosas, y os recordará todo lo que yo os he dicho.
>
> Juan 14:26

Otra promesa similar aparece en Juan 16:13-15. Observe que en estas palabras Cristo hizo provisión para el pasado y el futuro; tanto para el registro exacto de lo que los discípulos ya habían visto y oído, como para que recibieran con exactitud las nuevas verdades que el Espíritu Santo habría de revelar en adelante. El pasado lo cubre la frase: *El (...) os recordará todo lo que yo os he dicho* (Juan 14:26) El futuro está previsto en el mismo versículo por la frase *él os enseñará todas las cosas* y otra vez, en Juan 16:13: *él os guiará a toda la verdad.*

Por consiguiente, vemos que la exactitud y la autoridad del Nuevo Testamento, como la del Antiguo, no depende de la observación, la memoria o la comprensión humanas, sino de la enseñanza, la dirección y el control del Espíritu Santo. Por esta razón, el apóstol Pablo dice: *Toda la Escritura [Antiguo y Nuevo Testamento por igual] es inspirada por Dios* (2 Timoteo 3:16).

Encontramos que los mismos apóstoles comprendían esto con claridad y reclamaban esta autoridad para sus escritos. Por ejemplo, Pedro escribe:

> Amados, esta es la segunda carta que os escribo (...) para que tengáis memoria de las palabras que antes han sido dichas por los santos

profetas, y del mandamiento del Señor y Salvador dado por vuestros apóstoles.

2 Pedro 3:1-2

Aquí Pedro ubica en el mismo lugar las Escrituras del Antiguo Testamento y los mandamientos escritos por los apóstoles de Cristo, como gozando de igual autoridad. Pedro también reconoce la autoridad divina de los escritos de Pablo, porque dice:

> Y tened entendido que la paciencia de nuestro Señor es para salvación; como también nuestro amado hermano Pablo, según la sabiduría que le ha sido dada, os ha escrito, casi en todas sus epístolas, hablando en ellas de estas cosas; entre las cuales hay algunas difíciles de entender, las cuales los indoctos e inconstantes tuercen, como también las otras Escrituras, para su propia perdición .

2 Pedro 3:15-16

La frase "las otras Escrituras" indica que incluso en vida de Pablo los otros apóstoles reconocían que sus epístolas poseían la total autoridad de las Escrituras, aunque Pablo mismo nunca conoció a Jesús durante su ministerio terrenal. Por consiguiente, la exactitud y autoridad de las enseñanzas de Pablo dependen únicamente de la inspiración sobrenatural y la revelación del Espíritu Santo.

Lo mismo se aplica a Lucas, quien nunca recibió el título de apóstol. Sin embargo, en el preámbulo de su evangelio declara que él "ha investigado con diligencia todas las cosas desde su origen" (Lucas 1:3). El término griego traducido "desde su origen" significa literalmente "de arriba".

En Juan 3:3, donde Jesús habla de "nacer de nuevo", es el mismo término griego que se ha traducido "otra vez" o "de arriba". En cada uno de estos pasajes la palabra indica la intervención directa y sobrenatural, así como la obra del Espíritu Santo.

De este modo, haciendo un cuidadoso examen, encontramos que la aseveración de exactitud y autoridad absolutas del Antiguo y del Nuevo Testamento por igual, no depende de las facultades variables y falibles de los seres humanos, sino de la divina y sobrenatural dirección, revelación y control del Espíritu Santo. Interpretados juntos de esta forma, el Antiguo y el Nuevo Testamento se confirman y complementan uno al otro y constituyen una coherente revelación de Dios, completa y toda suficiente.

También hemos visto que nada hay en esta percepción total de las Escrituras que no sea consecuente con la lógica, la ciencia o el sentido común. Al contrario, hay mucho en estas tres para confirmarla y hacerla fácil de creer.

**4**

# Los primeros efectos de la palabra de Dios

Examinaremos ahora los efectos prácticos que la Biblia afirma producir en quienes la reciben. En Hebreos 4:12 se nos dice que *la palabra de Dios es viva y eficaz.*

El término griego traducido "eficaz" significa *enérgico.* La idea que nos transmite es una de energía y actividad intensa y vibrante.

De igual manera Jesús mismo dice:

> Las palabras que yo os he hablado son espíritu y son vida (Juan 6:63).

Y otra vez, el apóstol Pablo dice a los cristianos de Tesalónica:

> Por lo cual también nosotros sin cesar damos gracias a Dios, de que cuando recibisteis la palabra de Dios que oísteis de nosotros, la recibisteis no como palabra de hombres, sino según es en verdad, la palabra de Dios, la cual actúa en vosotros los creyentes.
> 1 Tesalonicenses 2:13

Así vemos que la palabra de Dios no puede ser reducida a meros sonidos en el aire o a marcas en una hoja de papel. Por el contrario, la palabra de Dios es vida; es Espíritu; es activa; es enérgica; obra con efectividad en quienes la creen.

## La reacción determina el efecto

No obstante, la Biblia también deja bien en claro que la reacción y la acogida que le den quienes la escuchan determina la manera y el grado en que ella obra en cada circunstancia. Por eso Santiago dice:

> Por lo cual, desechando toda inmundicia y abundancia de malicia, recibid con mansedumbre la palabra implantada, la cual puede salvar vuestras almas.
>
> Santiago 1:21

Antes que el alma pueda recibir la palabra de Dios con efectos salvadores, hay que desechar ciertas cosas. Santiago especifica dos de ellas: la "inmundicia" y la "abundancia de malicia", o picardía. La inmundicia denota una complacencia perversa en lo que es licencioso e impuro. Esta actitud cierra la mente y el corazón a la influencia salvadora de la palabra de Dios.

Por otra parte, la picardía sugiere en particular el mal comportamiento de un niño. Llamamos "pícaro" a un niño respondón que se niega a aceptar las amonestaciones de sus mayores, y las discute. Esta actitud hacia Dios se encuentra con frecuencia en el alma no redimida. Muchos pasajes de la Escritura se refieren a ella:

> Mas antes, oh hombre, ¿quién eres tú para que alterques con Dios?
>
> Romanos 9:20

> ¿Es sabiduría contender con el Omnipotente? El que disputa con Dios, responda a esto.
>
> Job 40:2

Esta actitud, como la inmundicia, cierra el corazón y la mente a los efectos benéficos de la palabra de Dios.

Santiago describe como mansedumbre lo opuesto a la inmundicia y a la picardía. La mansedumbre sugiere las ideas de quietud, humildad, sinceridad, paciencia, apertura de corazón y de mente. Estas características con frecuencia se asocian con lo que la Biblia llama "el temor de Dios"; una actitud de reverencia y respeto hacia Dios. Así leemos en los Salmos la siguiente descripción de un hombre abierto para recibir los beneficios y las bendiciones de las amonestaciones de Dios por medio de su palabra:

> Bueno y recto es el Señor;
> por tanto, El muestra a los pecadores el camino.

Dirige a los humildes en la justicia,
y enseña a los humildes su camino (...)
¿Quién es el hombre que teme al Señor?
El le instruirá en el camino que debe escoger (...)
Los secretos del Señor son para los que le temen,
y El les dará a conocer su pacto.

Salmo 25:8-9,12,14, BLA

Vemos aquí que la mansedumbre y el temor del Señor son las dos actitudes necesarias en quienes desean recibir instrucción y bendiciones de Dios mediante su palabra. Estas dos actitudes son opuestas a las que Santiago describe como "inmundicia" y "malicia".

Así descubrimos que la palabra de Dios puede producir efectos muy diferentes en distintas personas y que estos efectos están determinados por las reacciones de quienes la escuchan. Por esta razón leemos en Hebreos 4:12 no sólo que la palabra de Dios es "viva" y "eficaz", sino también que *discierne los pensamientos y las intenciones del corazón*. Dicho de otro modo, la palabra de Dios saca a la luz la naturaleza íntima y el carácter de quienes la oyen, y distingue marcadamente entre los diferentes tipos de oyentes.

De la misma manera Pablo describe el carácter revelador y separador del evangelio:

Porque la palabra de la cruz es locura a los que se pierden; pero a los que se salvan, esto es, a nosotros, es poder de Dios.

1 Corintios 1:18

No hay diferencia en el mensaje predicado; el mensaje es el mismo para todos los hombres. La diferencia radica en la reacción de quienes lo oyen. Para quienes reaccionan de un modo, el mensaje parece ser una mera tontería; para quienes reaccionan del modo opuesto, el mensaje se convierte en el poder salvador de Dios experimentado realmente en sus vidas.

Esto nos conduce a otra realidad más acerca de la palabra de Dios que declara el versículo clave de Hebreos 4:12. La palabra de Dios no sólo es viva y eficaz; no sólo discierne o revela los pensamientos e intenciones del corazón; también es *más cortante que toda espada de dos filos*. Es decir, que divide a todos los que la escuchan en dos clases: los que la rechazan y la llaman tontería, y los que la reciben y encuentran en ella el poder salvador de Dios.

Fue en ese sentido que Cristo dijo:

No penséis que he venido para traer paz a la tierra; no he venido para traer paz, sino espada. Porque he venido para poner en disensión al hombre contra su padre, a la hija contra su madre, y a la nuera contra su suegra.

Mateo 10:34-35

La espada que Cristo vino a traer sobre la tierra es la que Juan vio saliendo de la boca de Cristo: la espada cortante de dos filos de la palabra de Dios (ver Apocalipsis 1:16). Esta espada, mientras sigue adelante por la tierra, divide incluso a los miembros de la misma familia, cercenando los vínculos terrenales más estrechos, siendo sus efectos determinados por la reacción de cada individuo a ella.

## La fe

Volviendo ahora a quienes reciben la palabra de Dios con mansedumbre y sinceridad, con corazones y mentes abiertos, examinemos en orden los diversos efectos que produce.

El primero de estos efectos es la fe:

Así que la fe es por el oír, y el oír, por la palabra de Dios.

Romanos 10:17

Hay tres etapas sucesivas en el proceso espiritual descrito aquí: 1) la palabra de Dios, 2) el oír, 3) la fe. La palabra de Dios no produce fe de inmediato, sino únicamente escuchándola. Escuchar puede describirse como una actitud de interés y atención vivos, un sincero deseo de recibir y comprender el mensaje presentado. Entonces, al escucharla, se desarrolla la fe.

Es importante ver que el escuchar la palabra de Dios inicia un proceso en el alma a partir del cual se desarrolla la fe y que este proceso requiere un período de tiempo mínimo. Esto explica por qué se encuentra tan poca fe hoy en los que profesan ser cristianos: porque nunca dedican suficiente tiempo a escuchar la palabra de Dios para permitir que ésta produzca en ellos una porción de fe substancial. Si llegan a dedicar algún tiempo a las devociones privadas y al estudio de la palabra de Dios, todo el proceso se desenvuelve de un modo tan apresurado y accidentado que se termina antes que la fe haya tenido tiempo de desarrollarse.

Conforme estudiamos la manera en que se produce la fe, también llegamos a comprender con mucha más claridad cómo debe definirse la fe bíblica. En la conversación general usamos la palabra *fe* con mucha ligereza. Hablamos de tener fe en un doctor o en una medicina o fe en un periódico o fe en un político o en un partido político. En términos bíblicos, sin embargo, el término *fe* tiene que definirse mucho más estrictamente. Puesto que la fe viene sólo de escuchar la palabra de Dios, su relación es siempre directamente con ésta. La fe bíblica no consiste en creer cualquier cosa que nosotros mismos podamos desear o imaginar o nos parezca. La fe bíblica puede definirse como creer que Dios significa lo que ha dicho en su palabra; que Dios hará lo que ha prometido hacer en su palabra.

Por ejemplo, David ejerce esta clase de fe bíblica cuando dice al Señor:

> Y ahora, Señor, que la palabra que tú has hablado acerca de tu siervo y acerca de su casa, sea afirmada para siempre, y haz según has hablado.
>
> 1 Crónicas 17:23, (BLA).

La fe bíblica está expresada en esas cuatro cortas palabras: *haz según has hablado.*

De la misma forma, la virgen María ejerció la misma clase de fe bíblica cuando el ángel Gabriel le trajo un mensaje de promesa de Dios y ella replicó:

> Hágase conmigo conforme a tu palabra .
>
> Lucas 1:38

Ese es el secreto de la fe bíblica: *conforme a tu palabra.* La fe bíblica se forma dentro del alma escuchando la palabra de Dios, y se expresa por la reacción dinámica de reclamar el cumplimiento de lo que Dios ha dicho.

Hemos recalcado que la fe es el primer efecto que la palabra de Dios produce en el alma porque esta clase de fe es básica para cualquier transacción positiva entre Dios y el alma humana:

> Pero sin fe es imposible agradar a Dios; porque es necesario que el que se acerca a Dios crea que le hay, y que es galardonador de los que le buscan.
>
> Hebreos 11:6

Vemos que la fe es la reacción primera e indispensable del alma humana cuando se acerca a Dios:

> Es necesario que el que se acerca a Dios crea.
>
> Hebreos 11:6

## El nuevo nacimiento

Después de la fe, el siguiente gran efecto producido por la palabra de Dios dentro del alma es la experiencia espiritual que en la Escritura se llama "el nuevo nacimiento" o "nacer de nuevo". Por eso Santiago dice con respecto a Dios:

> El, de su voluntad, nos hizo nacer por la palabra de verdad, para que seamos primicias de sus criaturas.
>
> Santiago 1:18

El cristiano que ha vuelto a nacer, posee un nuevo género de vida espiritual, engendrada dentro de él por la palabra de Dios, recibida por fe en su alma.

De la misma forma, el apóstol Pedro describe a los cristianos como *siendo nacidos, no de simiente corruptible, sino de incorruptible, por la palabra de Dios que vive y permanece para siempre* (1 Pedro 1:23).

Es un principio, de la naturaleza y de la Escritura, que el tipo de semilla determina el tipo de vida que nacerá de ésta. Una semilla de maíz produce maíz; una semilla de cebada produce cebada; una semilla de naranja produce naranjas.

Así mismo es en el nuevo nacimiento. La simiente es la divina, incorruptible y eterna palabra de Dios. La vida que produce, cuando se recibe por fe en el corazón del creyente, es como la simiente: divina, incorruptible y eterna.

Es, en realidad, la misma vida de Dios que viene a un alma humana a través de su palabra.

Juan escribe:

> Todo aquel que es nacido de Dios, no practica el pecado, porque la simiente de Dios permanece en él; y no puede pecar, porque es nacido de Dios.
>
> 1 Juan 3:9

Aquí Juan relaciona directamente la vida victoriosa del cristiano vencedor con la naturaleza de la semilla que produce esa vida dentro de él: la propia simiente de Dios; la incorruptible simiente de la palabra de Dios. Como la simiente es incorruptible, la vida que produce es también incorruptible; es absolutamente pura y santa.

No obstante, esta Escritura no asevera que el cristiano nacido de nuevo no cometa pecado jamás. Dentro de cada cristiano vuelto a nacer surge una naturaleza completamente nueva. Pablo la llama "el nuevo hombre" y lo compara con "el viejo hombre"; la antigua naturaleza corrupta, depravada y caída que domina a toda persona que nunca ha nacido de nuevo (ver Efesios 4:22-24).

Hay un contraste total entre estos dos: el "nuevo hombre" es recto y santo; el "viejo hombre" es depravado y corrupto. El "nuevo hombre", habiendo nacido de Dios, no puede cometer pecado; el "viejo hombre", por ser el producto de la rebelión y la caída, no puede dejar de pecar.

La clase de vida que lleve cualquier cristiano nacido de nuevo, es el resultado de la interacción dentro de sí de estas dos naturalezas. Mientras el "viejo hombre" sea mantenido en sujeción y el "nuevo hombre" ejerza apropiado control sobre él, hay rectitud sin mácula, victoria y paz. Pero cuando quiera que se permita al "viejo hombre" campar por su respeto y volver a dominar, la inevitable consecuencia es el fracaso, la derrota y el pecado.

Podemos resumir el contraste de este modo: el verdadero cristiano que ha vuelto a nacer de la incorruptible simiente de la palabra de Dios, tiene dentro de sí la posibilidad de llevar una vida de victoria completa sobre el pecado. El hombre sin redimir que jamás ha nacido de nuevo no tiene más alternativa que pecar. Es inevitablemente esclavo de su propia naturaleza corrupta y caída.

## El alimento espiritual

Hemos dicho que nacer de nuevo mediante la palabra de Dios produce dentro del alma una naturaleza totalmente nueva; un género nuevo de vida. Esto nos lleva a considerar el siguiente efecto importante que produce la palabra de Dios.

En cada ámbito de la vida hay una ley inmutable: tan pronto nace una nueva vida, la primera y mayor necesidad de esa vida recién nacida es el alimento apropiado para sostenerla. Por ejemplo, cuando nace un bebé humano, puede ser sano y saludable en todos los aspectos; pero a menos que reciba alimento rápidamente, desfallecerá y morirá.

Lo mismo sucede en el ámbito espiritual. Cuando una persona vuelve a nacer, la nueva naturaleza espiritual surgida dentro de esa persona, necesita inmediatamente alimento espiritual, para mantener la vida y poder crecer. El alimento espiritual que Dios ha proporcionado para todos sus hijos nacidos de nuevo se encuentra en su propia palabra. La palabra de Dios es tan rica y variada que contiene alimento adaptado para cada etapa del desarrollo espiritual.

La provisión de Dios en las primeras etapas del crecimiento espiritual se describe en la primera epístola de Pedro. Inmediatamente después de hablar en el capítulo 1 acerca de nacer de nuevo de la simiente incorruptible de la palabra de Dios, prosigue en el capítulo 2 diciendo:

> Desechando, pues, toda malicia, todo engaño, hipocresía, envidias, y todas las detracciones, desead como niños recién nacidos, la leche espiritual no adulterada, para que por ella crezcáis para salvación...
>
> 1 Pedro 2:1-2

Para los niños espirituales en Cristo recién nacidos, el alimento indicado por Dios es la leche no adulterada de su propia palabra. Esta leche es una condición necesaria para la continuación de la vida y el crecimiento.

Sin embargo, esta indicación viene con una advertencia. En lo natural, no importa cuán pura y fresca sea la leche, se contamina y echa a perder si entra en contacto con cualquier cosa agria o rancia. Lo mismo sucede en lo espiritual. A fin de que los cristianos recién nacidos reciban el alimento adecuado de la leche pura de la palabra de Dios, primero es preciso limpiar con esmero su corazón de todo lo amargo o rancio.

Por esta razón Pedro nos advierte que debemos echar a un lado toda malicia, todo engaño, toda hipocresía, toda envidia y todas las detracciones. Esos son los componentes amargos y rancios de la antigua vida que, si no son eliminados de nuestro corazón, frustrarán los efectos benéficos de la palabra de Dios dentro de nosotros y obstaculizarán la salud y el crecimiento espirituales.

No obstante, la voluntad de Dios no es que los cristianos permanezcan en la infancia espiritual demasiado tiempo. Cuando empiezan a crecer, la palabra de Dios les ofrece un alimento más substancioso. Cuando fue tentado por Satanás para que convirtiera las piedras en pan, Cristo contestó:

> Escrito está: No sólo de pan vivirá el hombre, sino de toda palabra que sale de la boca de Dios.
>
> Mateo 4:4

Cristo indica aquí que la palabra de Dios es la contraparte espiritual del pan en la dieta natural del hombre. Dicho de otro modo, es el principal elemento de la dieta y la fuente de la fortaleza.

Es significativo que Cristo diga enfáticamente: *toda palabra que sale de la boca de Dios.* Es decir, que los cristianos que desean la madurez espiritual, tienen que aprender a estudiar toda la Biblia, no sólo algunos de los pasajes más familiares.

Se dice que George Müller leía con regularidad la Biblia de punta a cabo varias veces cada año. Esto explica en gran medida los triunfos de su fe y lo fructífero de su ministerio. Pero hay muchos que profesan ser cristianos y miembros de la iglesia que a duras penas conocen dónde encontrar en sus

Biblias libros como los de Esdras o Nehemías o alguno de los profetas menores. Mucho menos han estudiado alguna vez por sí mismos los mensajes de tales libros.

No en balde permanecen para siempre en una especie de infancia espiritual. Son, en realidad, tristes ejemplos de retrasados en su desarrollo debido a una dieta inadecuada.

Más allá de la leche y el pan, la palabra de Dios también proporciona alimento sólido. El escritor de Hebreos, reprendió a los creyentes hebreos de su época porque habían conocido las Escrituras durante mucho tiempo, pero jamás habían aprendido a estudiarlas adecuadamente o aplicar sus enseñanzas. Por consiguiente, todavía eran espiritualmente inmaduros e incapaces de ayudar a otros que necesitaban auxilio espiritual. Esto es lo que dice:

> Porque debiendo ser ya maestros, después de tanto tiempo, tenéis necesidad de que se os vuelva a enseñar cuáles son los primeros rudimentos de las palabras de Dios; y habéis llegado a ser tales que tenéis necesidad de leche, y no de alimento sólido. Y todo aquel que participa de la leche es inexperto en la palabra de justicia, porque es niño; pero el alimento sólido es para los que han alcanzado madurez, para los que por el uso tienen los sentidos ejercitados en el discernimiento del bien y del mal.
>
> Hebreos 5:12-14

¡Qué descripción de una gran masa de los que profesan ser cristianos y miembros de la iglesia hoy! Han poseído una Biblia y asistido a la iglesia durante muchos años. Pero ¡qué poco conocen lo que enseña la Biblia! ¡Qué débiles e inmaduros son en su experiencia espiritual; cuán incapaces de aconsejar a un pecador o instruir a un nuevo convertido! ¡Después de tantos años todavía son bebés espirituales, incapaces de digerir algún alimento que vaya más allá de la leche!

No obstante, no es necesario permanecer en esa condición. El escritor de Hebreos nos dice cuál es el remedio. Es tener los sentidos ejercitados por el uso. El estudio sistemático y regular de toda la palabra de Dios, desarrollará y madurará nuestras facultades espirituales.

# 5

# Los efectos físicos y mentales de la palabra de Dios

En el estudio anterior descubrimos los siguientes tres efectos de la palabra de Dios:

1. La palabra de Dios produce fe, y la fe, a su vez, se relaciona directamente con la palabra de Dios porque la fe es creer y actuar según lo que Dios ha dicho en su palabra.
2. La palabra de Dios, recibida como la simiente incorruptible en el corazón de un creyente, produce el nuevo nacimiento; una naturaleza nueva y espiritual creada dentro del creyente y llamada en las Escrituras "el nuevo hombre".
3. La palabra de Dios es el alimento espiritual que Dios asignó, al creyente para que alimente con regularidad su nueva naturaleza, si es que espera crecer hasta ser un cristiano saludable, fuerte y maduro.

## Sanidad física

La obra de la palabra de Dios es tan variada y maravillosa que proporciona no solamente salud y fuerza espiritual para el alma, sino también salud y fortaleza física para el cuerpo. Vayamos primero a los Salmos:

Por causa de sus caminos rebeldes,
y por causa de sus iniquidades, los insensatos fueron afligidos.
Su alma aborreció todo alimento,
y se acercaron hasta las puertas de la muerte.
Entonces en su angustia clamaron al Señor,
y El los salvó de sus aflicciones.
El envió su palabra, y los sanó, y los libró de la muerte.

Salmo 107:17-20, (BLA).

El salmista nos ofrece la descripción de hombres tan desesperadamente enfermos que han perdido todo apetito por los alimentos y yacen a las puertas de la muerte. En su situación extrema claman al Señor, y él les envía lo que piden: sanidad y liberación. ¿Por qué medio se las envía? Por su palabra. Porque el salmista dice:

El envió su palabra, y los sanó,
Y los libró de la muerte.

Salmo 107:20

Junto a este pasaje del Salmo 107 podemos colocar el pasaje de Isaías 55:11 donde Dios dice:

Así será mi palabra que sale de mi boca;
No volverá a mí vacía,
Sino que hará lo que yo quiero,
Y será prosperada en aquello para que la envié.

Isaías 55:11

En el Salmo 107:20 leemos que Dios envió su palabra para sanar y liberar. En Isaías 55:11 Dios dice que su palabra hará lo que él quiere y será prosperada en aquello para lo que la envió. De esta manera Dios garantiza absolutamente que él proveerá la sanidad mediante su palabra.

Esta verdad de sanidad física a través de la palabra de Dios se declara aun más completamente en Proverbios, donde Dios dice:

Hijo mío, está atento a mis palabras;
Inclina tu oído a mis razones.
No se aparten de tus ojos;
Guárdalas en medio de tu corazón;
Porque son vida a los que las hallan,
Y medicina a todo su cuerpo.

Proverbios 4:20-22

¿Qué promesa de sanidad física podría ser más amplia que ésa? "Medicina a todo su cuerpo." En esa frase está incluida cada parte de nuestro organismo. No se omite nada. En la edición de 1984 de la Biblia al Día el término alternativo de "medicina" es "salud", pues la misma palabra hebrea tiene ambos significados. De esta manera Dios se ha comprometido a proporcionar sanidad y salud completas.

Observe la frase de introducción al inicio del versículo 20: *Hijo mío.* Eso indica que Dios está hablándole a sus propios hijos creyentes. Cuando una mujer sirofenicia vino a Cristo para pedirle la sanidad de su hija, Cristo le replicó:

> No está bien tomar el pan de los hijos, y echarlo a los perrillos.
>
> Mateo 15:26

Con estas palabras Cristo indicaba que la sanidad era el pan de los hijos; dicho de otro modo, es parte de la porción diaria que Dios ha destinado para todos sus hijos. No es un lujo por el que deberán hacer ruegos especiales y que pudiera o no serles concedido. No, es su "pan", parte de la provisión diaria asignada por su Padre celestial. Esto concuerda exactamente con el pasaje que leímos en Proverbios 4, donde la promesa de Dios de perfecta sanidad y salud se la dirige a cada creyente hijo de Dios. Tanto en el Salmo 107 como en Proverbios 4, el medio en que Dios proporciona la sanidad es su palabra. Este es otro ejemplo más de la verdad vital que hemos recalcado antes: que Dios mismo está en su palabra y que es en ella que él viene a nuestra vida.

En tanto examinamos el reclamo hecho en Proverbios 4:20-22 de que la palabra de Dios es medicina para todo nuestro cuerpo, podemos llamar a estos tres versículos la gran "botella de medicina" de Dios. Contienen una medicina, jamás preparada en la tierra; una medicina que está garantizada para curar todas las enfermedades.

Sin embargo, cuando un médico receta una medicina, normalmente se asegura de que en la etiqueta estén claras las instrucciones para tomarla. Esto implica que no puede esperarse una curación a menos que la medicina se tome regularmente, de acuerdo con las instrucciones. Lo mismo sucede con la "medicina" de Dios en Proverbios. Las instrucciones están "en la etiqueta", y no puede garantizarse la curación si no se sigue el método prescrito.

¿Cuáles son esas instrucciones? Se especifican cuatro:

1. *Está atento a mis palabras.*
2. *Inclina tu oído.*
3. *No se aparten de tus ojos.*
4. *Guárdalas en medio de tu corazón.*

Analicemos estas instrucciones un poco más de cerca. La primera es *está atento a mis palabras*. Cuando leemos la palabra de Dios, necesitamos prestarle atención detenida y cuidadosa. Necesitamos concentrar nuestro entendimiento en ella. Es preciso que le demos acceso libre a todo nuestro ser interior. Con frecuencia leemos la palabra de Dios sin prestarle toda nuestra atención. La mitad de nuestra mente está concentrada en lo que leemos; la otra mitad está ocupada con lo que Jesús llamó "los cuidados de la vida." Leemos algunos versículos, o quizás incluso un capítulo o dos, pero al final no tenemos una idea clara de lo que hemos leído. Nuestra mente divagaba.

Recibida de esta forma, la palabra de Dios no producirá los efectos que Dios quiere. Cuando leamos la Biblia, es preciso hacer lo que Jesús recomendó cuando habló de la oración: que nos retiremos a nuestro rincón privado y cerremos la puerta. Debemos encerrarnos con Dios y dejar afuera las cosas del mundo.

La segunda instrucción en la botella de medicina de Dios es *inclina tu oído*. El oído inclinado indica humildad. Es lo contrario de ser orgulloso y altanero. Tenemos que ser dóciles a la enseñanza. Debemos estar dispuestos a permitir que Dios nos enseñe. En el Salmo 78:41 el salmista habla de la conducta de los israelitas mientras vagaban por el desierto entre Egipto y Canaán, y les acusa de que limitaron al Santo de Israel.

Por su testarudez e incredulidad pusieron límites a lo que permitirían que Dios hiciera por ellos. Hoy, muchos que profesan ser cristianos hacen lo mismo. No se acercan a la Biblia con una mente abierta o un espíritu dócil. Están llenos de prejuicios o ideas preconcebidas —a menudo inculcadas por la secta o denominación en particular a que pertenecen— y no están dispuestos a aceptar ninguna enseñanza o revelación de las Escrituras que vaya más allá, o contradiga, sus propias creencias fijas. Jesús acusó a los líderes religiosos de su tiempo con esta falta:

> Así habéis invalidado el mandamiento de Dios por vuestra tradición (...) Pues en vano me honran, enseñando como doctrinas, mandamientos de hombres.

> Mateo 15:6,9

El apóstol Pablo había sido un prisionero de las tradiciones y los prejuicios religiosos pero, mediante la revelación de Cristo en el camino de Damasco, quedó libre de ellos. A partir de entonces en Romanos 3:4 lo encontramos diciendo:

> ...antes bien sea Dios veraz, y todo hombre mentiroso.

Si queremos recibir todo el beneficio de la palabra de Dios, tenemos que aprender a tomar la misma actitud.

La tercera instrucción en la botella de medicina de Dios es *no se aparten de tus ojos,* donde el sujeto implícito son los dichos y palabras de Dios. El fallecido evangelista Smith Wigglesworth dijo una vez: "El problema con muchos cristianos es que tienen estrabismo espiritual: con un ojo miran a las promesas del Señor, y con el otro, miran en otra dirección."

A fin de recibir los beneficios de la sanidad física prometida en la palabra de Dios, es necesario mantener ambos ojos fijos sin desviarlos de las promesas del Señor. El error que cometen muchos cristianos es apartar los ojos de las promesas de Dios y mirar al caso de otros cristianos que no han logrado recibir la sanidad. Cuando hacen eso, su propia fe vacila, y ellos, a su vez, no reciben la sanidad.

> El que duda es semejante a la onda del mar, que es arrastrada por el viento y echada de una parte a otra. No piense, pues, quien tal haga, que recibirá cosa alguna del Señor. El hombre de doble ánimo es inconstante en todos sus caminos.
>
> Santiago 1:6-8

En semejante situación es útil recordar este versículo:

> Las cosas secretas pertenecen al Señor nuestro Dios; mas las cosas reveladas nos pertenecen a nosotros y a nuestros hijos para siempre, a fin de que guardemos todas las palabras de esta ley.
>
> Deuteronomio 29:29, (BLA).

La razón por la que algunos cristianos no reciben sanidad sigue siendo un secreto, que únicamente Dios conoce y no lo ha revelado al hombre. No tenemos que preocuparnos de secretos como éste. Más bien necesitamos preocuparnos de las cosas que han sido reveladas: las declaraciones y promesas claras de Dios, que nos han sido dadas en su palabra. Por consiguiente, las cosas reveladas en la palabra de Dios nos pertenecen a nosotros y a nuestros hijos para siempre; ellas son nuestra herencia como creyentes; son nuestro derecho inalienable. Y nos pertenecen "para que las realicemos todas"; es decir, que podamos actuar en base a ellas por fe. Cuando lo hacemos, las probamos ciertas por experiencia propia.

La primera instrucción habló de "atender"; la segunda, de "inclinar el oído"; la tercera, de "fijar los ojos". La cuarta instrucción en la botella de medicina de Dios se refiere al corazón, el centro íntimo de la personalidad humana, porque habla de "guardarlas en medio de tu corazón". En Proverbios 4:23 se recalca la influencia decisiva del corazón en las experiencias humanas:

Sobre toda cosa guardada, guarda tu corazón,
Porque de él mana la vida.

En otras palabras, lo que está en nuestro corazón controla el curso completo de nuestra vida y todo lo que experimentamos.

Si recibimos las palabras de Dios con atención cuidadosa —si les damos entrada regularmente, tanto a través de los oídos como de los ojos, para que ocupen y controlen nuestro corazón— entonces descubrimos que son exactamente lo que Dios ha prometido: vida para nuestras almas y salud para nuestro cuerpo.

Durante la Segunda Guerra Mundial, mientras trabajaba con los servicios médicos en el Norte de Africa, me enfermé con un problema de la piel y de los nervios que la Medicina, en aquel clima y bajo aquellas condiciones, no tenía cura. Pasé más de un año en el hospital, donde me aplicaron todos los tratamientos disponibles. Por más de cuatro meses seguidos estuve confinado a una cama. Finalmente, se me dio de alta en el hospital a petición propia, sin haberme curado.

Decidí no buscar más tratamiento médico, sino poner a prueba en mi caso personal la promesa de Dios en Proverbios 4:20-22. Tres veces al día me apartaba, encerrándome a solas con Dios y su palabra, oraba y pedía a Dios que su palabra en mí fuera lo que él había prometido que debía ser: medicina a todo mi cuerpo.

El clima, la dieta y todas las otras circunstancias externas eran todo lo desfavorables que podían ser. En realidad, muchos hombres sanos estaban enfermando a mi alrededor. No obstante, mediante la sola palabra de Dios, sin recurrir a otros medios de curación de ninguna clase, recibí una sanidad completa y permanente en corto tiempo.

Debo añadir que en modo alguno estoy criticando o disminuyendo a la Medicina: agradezco todo el bien que logra. En realidad, yo mismo estaba trabajando con los servicios médicos. Pero el poder de la ciencia médica tiene un límite; el poder de la palabra de Dios es ilimitado.

Muchos cristianos de diferentes procedencias denominacionales tienen testimonios similares al mío. Tengo una carta de una mujer presbiteriana a quien se le pidió que diera testimonio en un servicio donde había muchos enfermos por quienes se iba a orar. Mientras esta mujer testificaba y en realidad citaba las palabras de Proverbios 4:20-22, otra mujer en el asiento contiguo, que había estado sufriendo de un espantoso dolor producido por un disco aplastado en su cuello, quedó sanada al instante —sin que siquiera se orara por ella— sencillamente por escuchar con fe la palabra de Dios.

Más tarde, dediqué una semana de mi programa radial de enseñanza bíblica a este tema de la botella de medicina de Dios. Una oyente que sufría de eczema crónico decidió tomar la medicina de acuerdo con las "indicaciones". Tres meses después me escribió para decirme que por primera vez en veinticinco años su piel estaba completamente libre de eczema. Las palabras del Salmo 107:20 se cumplen todavía hoy:

> Envió su palabra y los sanó,
> Y los libró de su ruina.

Los cristianos que testifican hoy del poder sanador de la palabra de Dios pueden decir, como el mismo Cristo le dijo a Nicodemo:

> De cierto, de cierto te digo, que lo que sabemos hablamos, y lo que hemos visto, testificamos.
> 
> Juan 3:11

Para los que necesitan sanidad y liberación:

> Probad y ved que el Señor es bueno.
> ¡Cuán bienaventurado es el hombre que en El se refugia!.
> 
> Salmo 34:8, (BLA).

¡Pruebe esta medicina de la palabra de Dios por usted mismo! ¡Observe cómo obra! No es como muchas medicinas terrenales, amarga y desagradable. Ni obra, como muchas medicinas modernas, aliviando un órgano del cuerpo, pero causando una reacción que daña a algún otro órgano. No, la palabra de Dios es totalmente buena, totalmente benéfica. Cuando se toma de acuerdo con su dirección, trae vida y salud a todo nuestro ser.

## Iluminación mental

En el campo de la mente, también, el efecto de la palabra de Dios es único.

> La exposición de tus palabras alumbra;
> Hace entender a los simples.
> 
> Salmo 119:130

El salmista habla de dos efectos producidos en la mente por la palabra de Dios: "iluminación" y "entendimiento".

En el mundo de hoy la educación es mucho más apreciada y universalmente ambicionada que en cualquier otro período de la historia del hombre. No obstante, la educación secular no es lo mismo que "iluminación" o "entendimiento". Ni es un sustituto para éstos. En realidad, no hay sustituto para la luz. Ninguna otra cosa en todo el universo puede hacer lo que hace la luz.

Así mismo es en la mente humana la palabra de Dios: nada puede hacer lo que ella hace en la mente humana, ni nada puede ocupar el lugar de la palabra de Dios.

La educación secular es algo bueno, pero se puede usar mal. Una mente sumamente educada es un instrumento precioso... igual que un cuchillo afilado. Pero un cuchillo puede usarse mal. Un hombre puede empuñar un cuchillo afilado y usarlo para cortar comida para su familia. Otro hombre puede empuñar un cuchillo similar y usarlo para matar a otro ser humano.

Lo mismo sucede con la educación secular. Es algo maravilloso, pero puede ser usada indebidamente. Divorciada de la iluminación de la palabra de Dios, puede volverse extremadamente peligrosa. Una nación o civilización que se concentra en la educación secular sin darle lugar a la palabra de Dios está sencillamente forjando los instrumentos de su propia destrucción. Los acontecimiento recientes en la técnica de la fisión nuclear es uno entre muchos ejemplos históricos de esta realidad.

Por otra parte, la palabra de Dios revela al hombre las cosas que él nunca sería capaz de descubrir por su propio intelecto: la realidad de Dios el Creador y Redentor; el verdadero propósito de la existencia; la naturaleza íntima del hombre; su origen y su destino. A la luz de este revelación, la vida toma un significado enteramente nuevo. Con una mente iluminada así, un hombre se ve a sí mismo como una parte de un solo plan general que abarca el universo. Al encontrar su lugar en este plan divino, alcanza un sentido de dignidad propia y logro personal que satisfacen sus más profundos anhelos.

El efecto de la palabra de Dios sobre la mente, no menos que su efecto sobre el cuerpo, se ha hecho realidad para mí por experiencia propia. Tuve el privilegio de recibir la más selecta educación que la Gran Bretaña podía ofrecer a mi generación, culminada con siete años en la Universidad de Cambridge, estudiando filosofía antigua y moderna. Todo el tiempo buscaba algo que le diera un significado y propósito real a la vida. Desde el punto de vista académico, tuve éxito, pero en mi fuero interno permanecía frustrado, sin colmar mis anhelos.

Finalmente, como último recurso, empecé a estudiar la Biblia solamente como una obra filosófica. La estudié con escepticismo, habiendo rechazado todas las formas de religión. Sin embargo, antes que pasaran muchos meses, e incluso antes de llegar al Nuevo Testamento, la entrada de la palabra de Dios me había impartido la luz de la salvación, la seguridad del perdón de los pecados, la conciencia de la paz interior y la vida eterna. Había encontrado lo que había estado buscando: el verdadero significado y propósito de la vida.

Es oportuno terminar esta sección regresando a Hebreos 4:12.

Porque la palabra de Dios es viva y eficaz, y más cortante que toda espada de dos filos; y penetra hasta partir el alma y el espíritu, las coyunturas y los tuétanos, y discierne los pensamientos y las intenciones del corazón.

Esto confirma y resume las conclusiones a que hemos llegado con respecto a la palabra de Dios: no hay dimensión de la personalidad humana que no penetre. Llega hasta lo más íntimo al espíritu y al alma, al corazón y a la mente, e incluso hasta la esencia más profunda de nuestro cuerpo físico, la coyunturas y los tuétanos.

En perfecto acuerdo, hemos visto en éste y en el anterior capítulo, que la palabra de Dios, implantada como una semilla en el corazón, da el fruto de la vida eterna. A partir de entonces proporciona alimento espiritual para la nueva vida que así ha nacido. Recibida en nuestros cuerpos produce salud perfecta, y recibida en nuestra mente, produce iluminación mental y entendimiento.

# 6

# Efectos victoriosos
# de la palabra de Dios

## La victoria sobre el pecado

Ya hemos observado que probablemente ningún otro personaje del Antiguo Testamento tuvo una visión más clara de la autoridad y el poder de la palabra de Dios que el salmista David. Como introducción a nuestro tema presente —la victoria sobre el pecado y Satanás— podemos volver una vez más a las palabras de David:

> En mi corazón he guardado tus dichos,
> Para no pecar contra ti.
>
> Salmo 119:11

La palabra hebrea traducida aquí como "guardado" significa, con más exactitud, "atesorar". David no quería decir que él había escondido la palabra de Dios para que no se detectara su presencia. Más bien quiso decir que la había guardado en el lugar más seguro, reservado para las cosas que él valoraba más, a fin de tenerla a mano para valerse de ella inmediatamente en cada momento de necesidad.

En el Salmo 17:4 David expresa de nuevo el poder protector de la palabra de Dios:

> En cuanto a las obras humanas,
> Por la palabra de tus labios,
> Yo me he guardado de las sendas de los violentos.

He aquí un consejo en lo que respecta a nuestra participación en "las obras humanas": actividades humanas e interacción social. Algunas de estas actividades son seguras, sanas, aceptables para Dios; otras son peligrosas para el alma y contienen asechanzas ocultas del destructor. ("El destructor" es uno de los muchos nombres que se dan en la Biblia al diablo.) ¿Cómo distinguir entre las que son sanas y seguras, y las que son espiritualmente peligrosas? La respuesta es: aplicando la palabra de Dios.

Por ejemplo, recuerdo que un grupo de estudiantes cristianas africanas me preguntó una vez, siendo ministro cristiano, si estaba mal que ellas asistieran a los bailes celebrados en la universidad donde estudiaban para maestras. En respuesta no les ofrecí mi opinión personal o los reglamentos de alguna junta misionera, sino que las invité a que volvieran a leer conmigo dos pasajes de la Biblia:

Si, pues, coméis o bebéis, o hacéis otra cosa, hacedlo todo para la gloria de Dios.

1 Corintios 10:31

Y todo lo que hacéis, sea de palabra o de hecho, hacedlo todo en el nombre del Señor Jesús, dando gracias a Dios Padre por medio de El.

Colosenses 3:17

Señalé que estos pasajes de la Escritura contenían dos grandes principios para decidir y orientar lo que hacemos los cristianos. Primero, todo lo que hacemos debe ser para la gloria de Dios. Segundo, debemos hacer todo en el nombre del Señor Jesús, dando gracias a Dios por medio de él. Por consiguiente, cualquier actividad que podamos hacer para la gloria de Dios y en el nombre del Señor Jesús, es buena y aceptable; cualquier actividad que no podamos hacer para la gloria de Dios y en el nombre del Señor Jesús, está mal y hace daño.

Entonces apliqué estos principios a la pregunta que me habían planteado, y les dije: "Si pueden asistir a esos bailes para la gloria de Dios, y pueden dar gracias libremente a Dios en el nombre del Señor Jesús mientras están bailando, entonces está bien que bailen. Pero si no pueden bailar de esta manera y con estas condiciones, entonces está mal que bailen."

Consideré que era mi responsabilidad dar a aquellas jóvenes principios bíblicos básicos. De ahí en adelante era responsabilidad de ellas, no mía, aplicar esos principios a su situación particular.

Investigaciones médicas han descubierto un medio bien definido por el que muchos cristianos modernos —como David en la antigüedad— han sido protegidos del destructor, mediante la aplicación de la palabra de Dios.

Las Escrituras enseñan claramente que el cuerpo de los cristianos, habiendo sido redimido del dominio de Satanás por la sangre de Cristo, es un templo para que more el Espíritu Santo, y por consiguiente, tiene que mantenerse limpio y santo. Por ejemplo, Pablo dice:

> ¿No sabéis que sois templo de Dios, y que el Espíritu de Dios mora en vosotros? Si alguno destruyere el templo de Dios, Dios le destruirá a él; porque el templo de Dios, el cual sois vosotros, santo es.
>
> 1 Corintios 3:16-17

> ¿O ignoráis que vuestro cuerpo es templo del Espíritu Santo, el cual está en vosotros, el cual tenéis de Dios, y que no sois vuestros? Porque habéis sido comprados por precio; glorificad, pues, a Dios en vuestro cuerpo y en vuestro espíritu, los cuales son de Dios.
>
> 1 Corintios 6:19-20

> Porque esta es la voluntad de Dios, vuestra santificación (...) que cada uno de vosotros sepa cómo poseer su propio vaso [es decir, su cuerpo físico] en santificación y honor.
>
> 1 Tesalonicenses 4:3-4 (BLA)

Basados en estos pasajes y otros similares, muchos cristianos se han abstenido de consumir tabaco en cualquier forma. Hasta hace muy poco, los incrédulos sugerían con frecuencia que esta abstención por parte de los cristianos era solamente una tontería, un capricho anticuado, rayano en el fanatismo. Sin embargo, los descubrimientos médicos modernos han demostrado, más allá de toda posibilidad de duda, que el fumar —sobre todo cigarrillos— contribuye directamente a causar el cáncer del pulmón. Las sociedades médicas, en Estados Unidos y en Gran Bretaña, han respaldado esta conclusión. Se calcula que en Estados Unidos este año morirán alrededor de 146,000 personas por cáncer del pulmón (Sociedad Americana Contra el Cáncer). Otro hecho indisputable, probado por la experiencia y respaldado por la ciencia médica, es que la muerte de cáncer del pulmón es, por lo regular, lenta y dolorosa.

Frente a hechos como éstos, la negativa de los cristianos a fumar no puede seguir descartándose de tontería o fanatismo. Si hubiera que inculpar a alguien de insensato hoy, por cierto no sería al cristiano sino la persona que desperdicia grandes sumas de dinero para satisfacer un vicio que aumenta considerablemente la posibilidad de una muerte dolorosa causada por cáncer del pulmón. Y si se puede acusar de tontos a las víctimas de este vicio, ciertamente nada menos que de maldad cabe acusar a quienes, por todos los medios de persuasión en la publicidad moderna, procuran intencionalmente y para su propio provecho financiero, esclavizar a seres humanos con este cruel, degradante y destructivo hábito.

Casi exactamente lo mismo que se ha dicho acerca de fumar tabaco, se aplica a la bebida de alcohol.

Otra vez, la mayoría de los cristianos sinceros se han abstenido de esta clase de exceso, basándose en las advertencias de la Biblia. Es un hecho bien establecido que beber alcohol en exceso es un importante factor que contribuye a una multitud de enfermedades físicas y mentales, y también a la actual tasa de accidentes de tránsito.

Nuevamente, como en el caso de fumar, millones de cristianos han sido preservados de perjuicios y desastres porque han puesto en práctica las enseñanzas bíblicas.

Una nueva plaga, "moderna" —el SIDA— cayó sobre el mundo en la década de los años ochenta. Los cristianos que practican la monogamia y se abstienen de la inmoralidad, se protegen a sí mismos y a sus hijos de la devastación de esa enfermedad. Por otra parte, la homosexualidad, con frecuencia considerada como un "estilo de vida alternativo", ha probado ser un estilo de muerte alternativo. Los cristianos que han sido protegidos de estos males, ciertamente pueden hacer eco, con profundo agradecimiento, a las palabras de David:

> En cuanto a las obras humanas, por la palabra de tus labios
> yo me he guardado de las sendas de los violentos.
>
> Salmo 17:4

## La victoria sobre Satanás

La palabra de Dios, aplicada de este modo, no sólo da la victoria sobre el pecado. También es el arma que Dios ha destinado para derrotar al mismo Satanás. El apóstol Pablo ordena:

> Y tomad (...) la espada del Espíritu, que es la palabra de Dios.
>
> Efesios 6:17

Por lo tanto, la palabra de Dios es un arma indispensable en la guerra cristiana. Las otras partes de la armadura cristiana enumeradas en Efesios 6 —el cinto, la coraza, el calzado, el escudo y el yelmo— son para defenderse. La única arma de ataque es la espada del Espíritu: la palabra de Dios.

Sin un minucioso conocimiento de la palabra de Dios y cómo aplicarla, un cristiano carece de arma de ataque, no tiene arma con qué lanzarse sobre Satanás y los poderes de las tinieblas para ponerlos en fuga. En vista de esto, no sorprende que Satanás, a lo largo de la historia de la Iglesia cristiana, se haya valido de todos los ardides y medios a su alcance para impedir que los cristianos conozcan la verdadera naturaleza, autoridad y poder de la palabra de Dios.

El mejor y supremo ejemplo para el cristiano, en el uso de la palabra de Dios como arma, es el mismo Señor Jesucristo. Satanás lo tentó especialmente tres veces, y Jesús enfrentó y derrotó cada una de esas tentaciones con la misma arma: la espada de la palabra escrita de Dios (Lucas 4:1-13), pues en cada caso Jesús comenzó su respuesta con la frase: "Escrito está" citando a continuación textualmente las Escrituras.

Es importante notar las dos frases diferentes que Lucas usa en ese relato de la tentación de Cristo por Satanás y sus consecuencias. En Lucas 4:1 él dice:

> Jesús, lleno del Espíritu Santo, (...) fue llevado por el Espíritu al desierto.

Pero al terminar las tres tentaciones, en Lucas 4:14, leemos:

> Y Jesús volvió en el poder del Espíritu a Galilea.

Antes de enfrentarse con Satanás, Jesús ya estaba *lleno del Espíritu Santo*. Pero sólo después de haber confrontado y vencido a Satanás con la espada de la palabra de Dios, fue capaz de iniciar *en el poder del Espíritu* el ministerio que Dios le había asignado. Por consiguiente, hay una distinción entre ser lleno con el Espíritu y ser capaz de ministrar en el poder del Espíritu. Jesús entró en el poder del Espíritu únicamente después de usar primero la espada de la palabra de Dios para superar el intento de Satanás de desviarlo en el ejercicio de su ministerio facultado por el Espíritu.

Esta es la lección que los cristianos necesitan aprender hoy. Muchos cristianos que han sido llenos del Espíritu Santo en forma perfectamente bíblica, nunca prosiguen a servir a Dios en el poder del Espíritu. La razón es que no han seguido el ejemplo de Cristo. Jamás aprendieron a empuñar la espada de la palabra de Dios y así vencer a Satanás y repeler su oposición al ejercicio del ministerio para el que Dios los ha llenado con el Espíritu Santo.

Puede decirse con absoluta seguridad que nadie tiene mayor ni más apremiante necesidad de estudiar la palabra de Dios que el cristiano que acaba de recibir el Espíritu Santo. Tristemente, sin embargo, esos cristianos con frecuencia parecen imaginar que ser llenos del Espíritu sustituye de alguna manera el estudio y aplicación diligentes de la palabra de Dios. En realidad, la verdad es exactamente lo contrario.

Ningún otro elemento en la armadura de un soldado puede sustituir a su espada, y no importa cuán completamente armado esté en todos los otros aspectos, un soldado sin su espada está en grave peligro. Así es con el cristiano. Ninguna otra provisión o experiencia espiritual puede sustituir a un esmerado conocimiento de la palabra de Dios, y no importa qué bien pertrechado pueda estar en todos los otros aspectos, un cristiano sin la espada de la palabra de Dios está siempre en grave peligro.

Los primeros cristianos de la era apostólica, aunque por lo general sencillos e indoctos, ciertamente seguían el ejemplo del Señor, aprendiendo a conocer y a valerse de la palabra de Dios como arma ofensiva en el intenso conflicto espiritual que les vino cuando hicieron profesión de fe en Cristo. Por ejemplo, el apóstol Juan en su ancianidad escribió a los jóvenes cristianos que habían crecido bajo su enseñanza:

Os he escrito a vosotros, jóvenes, porque sois fuertes, y la palabra de Dios permanece en vosotros, y habéis vencido al maligno.

1 Juan 2:14

Juan declara tres cosas acerca de estos jóvenes: 1) son fuertes, 2) la palabra de Dios permanece en ellos, y 3) ellos han vencido al maligno (Satanás). La segunda de estas declaraciones se relaciona con la primera y la tercera, es de causa y efecto. La razón por que estos jóvenes cristianos fueran fuertes y capaces de vencer a Satanás, era que tenían la palabra de Dios morando en ellos. Fue la palabra de Dios dentro de ellos la que les dio su fuerza espiritual.

Tenemos que hacernos esta pregunta: ¿Cuántos de los jóvenes cristianos de nuestras iglesias de hoy son fuertes y han vencido al diablo? Si hoy no vemos a muchos jóvenes cristianos que manifiesten esta clase de fuerza y victoria espiritual, no hay duda de la respuesta. Es sencillamente ésta: la causa que produce estos efectos no está en ellos.

La única causa de semejante fuerza y victoria es un prolijo y perdurable conocimiento de la palabra de Dios. Los jóvenes cristianos que no son cabalmente instruidos en la palabra de Dios, jamás podrán ser realmente fuertes y vencedores en la práctica.

Hoy estamos en peligro de menospreciar la capacidad espiritual de la juventud y de tratarlos de un modo paternalista. Incluso hay la tendencia de crear en los jóvenes la impresión de que Dios ha provisto para ellos una especie de cristianismo especial, con normas menos rígidas y menos exigencias que el impuesto a los adultos. Refiriéndose a esto Salomón dejó unos comentarios muy pertinentes y perspicaces:

Porque la adolescencia y la juventud son vanidad.

Eclesiastés 11:10

En otras palabras, la adolescencia y la juventud son apariencias efímeras y externas, que en modo alguno alteran las realidades espirituales perdurables que atañen a todas las almas por igual.

La hija de William Booth, Catherine Booth-Clibborn, expresó una idea similar cuando dijo: "El alma no tiene sexo." Las diferencias de edad o de sexo no afectan las realidades espirituales profundas y perdurables sobre las que se basa el cristianismo. Este se fundamenta en cualidades como el arrepentimiento, la fe, la obediencia, la devoción, y el sacrificio de sí mismo y la devoción. Estas virtudes son las mismas para hombres y mujeres, niños y niñas por igual.

Algunas veces se ha sugerido que la forma de suplir esta necesidad de una enseñanza bíblica cabal a la juventud es enviarlos a universidades bíblicas. Sin embargo, este propuesto remedio puede aceptarse únicamente con dos condiciones: Primera, es preciso dejar sentado que hay una tendencia creciente hoy, incluso en las universidades evangélicas o del evangelio completo, de dedicar cada vez menos tiempo al estudio verdadero de la Biblia y más y más tiempo a otros estudios seculares. Pablo advirtió a los colosenses:

> Mirad que nadie os engañe por medio de filosofías y huecas sutilezas, según las tradiciones de los hombres, conforme a los rudimentos del mundo, y no según Cristo.
>
> Colosenses 2:8

Pablo también advirtió a Timoteo:

> Oh Timoteo, guarda lo que se te ha encomendado, evitando las profanas pláticas sobre cosas vanas, y los argumentos de la falsamente llamada ciencia, la cual profesando algunos, se desviaron de la fe.
>
> 1 Timoteo 6:20-21

Hace falta repetir estas advertencias hoy. En muchos casos, es posible que un joven termine un curso en una universidad bíblica moderna y que salga con un conocimiento inadecuado de las enseñanzas bíblicas y de cómo aplicarlas en la práctica.

La segunda condición que debemos establecer es que ningún curso de universidad bíblica, por muy sólido y completo que sea, puede jamás exonerar a los pastores en las iglesias locales de su deber de proporcionar a todos los miembros en sus congregaciones una enseñanza regular y sistemática de la palabra de Dios.

La iglesia local es el punto central de todo el plan del Nuevo Testamento para la enseñanza bíblica, y ninguna otra institución puede nunca usurpar la función de la iglesia local. Los apóstoles y cristianos del Nuevo Testamento no tenían otra institución para impartir la enseñanza bíblica que la iglesia local. Pero tuvieron más éxito en su tarea que nosotros hoy.

Otras instituciones, como los seminarios bíblicos, pueden proporcionar enseñanza especial, suplementaria a la que ofrecen las iglesias locales, pero jamás pueden ocupar su lugar. La necesidad más apremiante de la gran mayoría de las iglesias locales hoy no es más organización ni mejores programas ni más actividades. Sino sencillamente ésta: una prolija enseñanza práctica y habitual de las verdades fundamentales de la palabra de Dios y cómo aplicarlas en cada aspecto de la vida cristiana.

Unicamente así podrá la Iglesia de Cristo, como un todo, alzarse poderosa, administrar en el nombre de Cristo la victoria del Calvario y cumplir la tarea encomendada a ella por su Señor y Maestro.

Esto está de acuerdo con el cuadro en Apocalipsis de una iglesia victoriosa al final de esta era:

> Y ellos (los cristianos) le han vencido (a Satanás) por medio de la sangre del Cordero y de la palabra del testimonio de ellos.
>
> Apocalipsis 12:11

Aquí se revelan los tres elementos de la victoria: la sangre, la palabra y nuestro testimonio. La sangre es el símbolo y sello de la obra terminada de Cristo en la cruz y de todo lo que ella nos pone al alcance, en bendiciones, y poder y victoria. Por medio de la palabra llegamos a conocer y a comprender todo lo que la sangre de Cristo ha comprado para nosotros. Finalmente, con nuestro testimonio de lo que la palabra revela respecto de la sangre, convertimos en realidad eficaz, en nuestra experiencia personal, la victoria de Cristo sobre el maligno.

A medida que estudiamos este programa divino de victoria sobre Satanás, vemos una vez más que la palabra ocupa el lugar principal. Sin un adecuado conocimiento de la palabra, no podemos comprender el verdadero mérito y poder de la sangre de Cristo, y por lo tanto, nuestro testimonio cristiano carece de una verdadera convicción y autoridad. Todo el programa de Dios para su pueblo se concentra alrededor del conocimiento de su palabra y el potencial de aplicarla. Sin este conocimiento, la Iglesia se encuentra en las mismas condiciones que Israel en los días de Oseas, con respecto a la que declaró el Señor:

> Mi pueblo fue destruido, porque le faltó conocimiento. Por cuanto desechaste el conocimiento, yo te echaré del sacerdocio.
>
> Oseas 4:6

Una iglesia que rechace el conocimiento de la palabra de Dios se enfrenta con certeza al rechazo de Dios, y a la destrucción en manos de su gran adversario, el diablo.

# 7

# Efectos purificadores de la palabra de Dios

## La limpieza

El séptimo gran efecto de la palabra de Dios es limpiar y santificar. El texto clave es Efesios 5:25-27:

> Cristo amó a la iglesia, y se entregó a sí mismo por ella, para santificarla, habiéndola purificado en el lavamiento del agua por la palabra, a fin de presentársela a sí mismo, una iglesia gloriosa, que no tuviese mancha ni arruga ni cosa semejante, sino que fuese santa y sin mancha.

Hay varios puntos importantes en este pasaje que merecen atención.

Observe, primero, que los dos procesos de limpieza y santificación están estrechamente unidos. Sin embargo, aunque estos están íntimamente relacionados, no son idénticos.

La distinción entre ellos es ésta: lo que está ciertamente santificado, tiene por necesidad que estar absolutamente puro y limpio; pero lo que es puro y limpio no es menester que esté santificado en toda la extensión de la palabra. Dicho de otra forma: es posible tener pureza, o limpieza, sin santificación, pero no es posible la santificación sin la pureza, o la limpieza.

Por consiguiente, la limpieza es una parte esencial de la santificación, pero no lo es todo. Más adelante en este estudio examinaremos más de cerca el significado exacto de la palabra *santificación*.

Volviendo a Efesios 5 observe, segundo, que el propósito definido y principal por el cual Cristo redimió a su Iglesia es *para santificarla, habiéndola purificado* (v.26).

Es decir, que el propósito de la muerte expiatoria de Cristo por la Iglesia en general, y por cada individuo cristiano en particular, no se logra hasta cuando los que son redimidos por su muerte hayan pasado por un subsecuente proceso de limpieza y santificación. Está bien claro que sólo los cristianos que han pasado por este proceso estarán en la condición necesaria para presentarse finalmente a Cristo como su novia; y la condición que él especifica es la de una Iglesia gloriosa, *sin mancha ni arruga ni cosa semejante (...) santa y sin mancha* (v. 27).

El tercer punto que observar en este pasaje es que el medio del que se valió Cristo para limpiar y santificar la Iglesia es *el lavamiento del agua por la palabra* (v. 26). El medio de santificar y limpiar es la palabra de Dios; respecto de esto la obra de la palabra de Dios se compara con el lavamiento del agua pura.

Incluso antes que la muerte expiatoria de Cristo en la cruz se hubiese consumado en realidad, él ya había asegurado a sus discípulos del poder limpiador de la palabra, que él les había hablado:

> Ya vosotros estáis limpios por la palabra que os he hablado.
>
> Juan 15:3

Vemos, por lo tanto, que la palabra de Dios es un agente divino de limpieza espiritual, comparado en esta operación, con el lavamiento del agua pura.

Junto a la palabra, también tenemos que colocar al otro agente de limpieza espiritual a que se refiere el apóstol Juan:

> Si andamos en la luz, como él está en luz, tenemos comunión unos con otros, y la sangre de Jesucristo su Hijo nos limpia de todo pecado.
>
> 1 Juan 1:7

Aquí Juan habla del poder limpiador de la sangre de Cristo, derramada en la cruz, para redimirnos del pecado.

La provisión de Dios para la limpieza espiritual siempre incluye estos dos agentes divinos: la sangre de Cristo derramada en la cruz y el lavamiento con el agua de su palabra. Ninguno está completo sin el otro. Cristo nos redimió con su sangre para poder limpiarnos y santificarnos con su palabra.

Juan coloca estas dos grandes obras de Cristo asociándolas de la forma más íntima. Hablando de Cristo, dice:

> Este es Jesucristo, que vino mediante agua y sangre; no mediante agua solamente, sino mediante agua y sangre. Y el Espíritu es el que da testimonio; porque el Espíritu es la verdad.
>
> 1 Juan 5:6

Declara que Cristo no es sólo el gran Maestro que vino a exponer la verdad de Dios a los hombres: sino que también es el gran Salvador que vino a derramar su sangre para redimir a los hombres de sus pecados. En cada caso es el Espíritu Santo que da testimonio de la obra de Cristo; de la verdad y la autoridad de su palabra, y de los méritos y poder de su sangre.

Juan nos enseña, por consiguiente, que nunca podemos separar estos dos aspectos de la obra de Cristo. Jamás podemos separar al Maestro del Salvador, ni al Salvador del Maestro.

No es suficiente aceptar las enseñanzas de Cristo en la palabra sin aceptar y experimentar también el poder de su sangre para redimirnos y para limpiarnos del pecado. Por otra parte, quienes reclaman la redención mediante la sangre de Cristo tienen que someterse habitualmente de ahí en adelante a la limpieza interna de su palabra.

Hay varios pasajes en el Antiguo Testamento relativos a las ordenanzas para los sacrificios que fijan, como tipo, y la estrecha asociación entre la limpieza por la sangre de Cristo y la limpieza por su palabra. Por ejemplo, en las ordenanzas del tabernáculo de Moisés leemos que Dios ordenó que se colocara una pila de bronce con agua limpia cerca del altar de bronce del sacrificio, para usarse regularmente junto con éste:

> Y el Señor habló a Moisés diciendo: "Harás también una pila de bronce, con su base de bronce, para lavatorio; y la colocarás entre el tabernáculo de reunión y el altar, y pondrás agua en ella. Y con ella se lavarán las manos y los pies Aarón y sus hijos. Al entrar en la tienda de reunión, se lavarán con agua para que no mueran; también cuando se acerquen al altar a ministrar para quemar una ofrenda encendida al Señor. Y se lavarán las manos y los pies para que no mueran; y será estatuto perpetuo para ellos, para Aarón y su descendencia, por todas sus generaciones.
>
> Exodo 30:17-21 (BLA)

Si aplicamos esta figura al Nuevo Testamento, el sacrificio sobre el altar de bronce habla de la sangre de Cristo derramada en la cruz para la redención del pecado; el agua en la pila habla de la limpieza espiritual frecuente que sólo podemos recibir mediante la palabra de Dios. Cada uno de ellos por igual es esencial para el bienestar eterno de nuestra alma. Lo mismo que Aarón y sus hijos, tenemos que recibir frecuentemente los beneficios de ambos, "para que no muramos".

## La santificación

Después de haber observado el proceso de limpieza mediante la palabra de Dios, prosigamos a considerar el otro proceso de la santificación.

Primero debemos examinar brevemente el significado de esta palabra *santificación*. La terminación *"ificación"* es común en muchas palabras y siempre denota la acción de algo que se hace. Por ejemplo: clarificación denota la "acción de clarificar"; rectificación la "acción de rectificar o enderezar; purificación expresa la "acción y efecto de purificar o purificarse; y así por el estilo. La raíz de la palabra *santificación* es una derivación directa del término *santo;. Santo* a su vez es otra forma de decir "sagrado".

Por consiguiente, el significado literal de santificación es la "acción y efecto de hacer santo o sagrado".

El Nuevo Testamento menciona cinco agentes distintos relacionados con la santificación: 1) el Espíritu de Dios, 2) la palabra de Dios, 3) el altar, 4) la sangre de Cristo y 5) nuestra fe. A continuación están los principales pasajes que mencionan estos varios agentes de la santificación:

> ... Dios os haya escogido desde el principio para salvación, mediante la santificación por el Espíritu y la fe en la verdad.
>
> 2 Tesalonicenses 2:13

Pedro les dice a los cristianos que ellos son ...*elegidos según la presciencia de Dios Padre en santificación del Espíritu, para obedecer y ser rociados con la sangre de Jesucristo* (1 Pedro 1:2).

Así que, tanto Pablo como Pedro mencionan la "santificación por [o del] Espíritu Santo" como un elemento de la experiencia cristiana.

Cristo mismo se refirió a la santificación mediante la palabra de Dios cuando oró al Padre por sus discípulos:

> Santifícalos en tu verdad; tu palabra es verdad.
>
> Juan 17:17

Aquí vemos que la santificación viene por la palabra de Dios.

Asimismo Cristo se refiere a la santificación por el altar, cuando dijo a los fariseos:

¡Necios y ciegos! porque ¿cuál es mayor, la ofrenda, o el altar que santifica la ofrenda?

Mateo 23:19

Cristo respalda lo que ya se había enseñado en el Antiguo Testamento: que la ofrenda que se ofrecía en sacrificio a Dios era santificada, hecha sagrada, apartada, al ser colocada sobre el altar de Dios. En el Nuevo Testamento, como veremos, se cambia la naturaleza de la ofrenda y del altar, pero el principio permanece invariable que es "el altar el que santifica la ofrenda".

En Hebreos 10:29 se habla de la santificación por la sangre de Cristo. El autor examina el caso del apóstata: la persona que ha conocido todas las bendiciones de la salvación pero deliberada y abiertamente rechaza al Salvador. Respecto de tal persona pregunta:

¿Cuánto mayor castigo pensáis que merecerá el que pisoteare al Hijo de Dios, y tuviere por inmunda la sangre del pacto en la cual fue santificado, e hiciere afrenta al Espíritu de gracia?

El pasaje demuestra que el verdadero creyente que persevera en la fe es santificado por la sangre del nuevo pacto, que él ha aceptado; la propia sangre de Cristo.

Cristo mismo se refiere a la santificación por la fe, según lo cita Pablo cuando relaciona la comisión que ha recibido de él para predicar el evangelio a los gentiles:

Para que abras sus ojos, para que se conviertan de las tinieblas a la luz, y de la potestad de Satanás a Dios; para que reciban, por la fe que es en mí, perdón de pecados y herencia entre los santificados.

Hechos 26:18

Aquí vemos que la santificación es mediante la fe en Cristo. Recapitulando estos pasajes, llegamos a esta conclusión: La santificación, de acuerdo con el Nuevo Testamento, viene por cinco grandes medios o agentes: 1) el Espíritu Santo, 2) la verdad de la palabra de Dios, 3) el altar del sacrificio, 4) la sangre de Cristo, y 5) la fe en Cristo.

El proceso revelado puede resumirse como sigue: El Espíritu Santo inicia la obra de santificación en el corazón y la mente de cada uno de los que Dios ha escogido en sus propósitos eternos. Conforme el corazón y la mente reciben la verdad de la palabra de Dios, el Espíritu Santo habla, revela el altar del sacrificio, separa al creyente de todo lo que lo aparta de Dios y lo lleva a someterse y consagrarse sobre el altar. Allí el creyente es santificado y apartado para Dios, tanto por el contacto con el altar como por el poder limpiador y purificador de la sangre que ha sido derramada sobre el altar.

Sin embargo, lo que decide hasta qué punto cada uno de estos cuatro agentes santificadores —el Espíritu, la palabra, el altar y la sangre— logra completar su obra santificadora en cada creyente, es el quinto factor en el proceso; es decir, la fe individual de cada creyente. En la obra de santificación, Dios no viola la mayor ley que rige en todas las obras de su gracia en cada creyente: la ley de la fe.

> Ve, y como creíste, te sea hecho.
>
> Mateo 8:13

Examinemos ahora un poco más de cerca el papel desempeñado por la palabra de Dios en este proceso de santificación. Primero debemos observar que hay dos aspectos para la santificación: uno es negativo y el otro positivo. El aspecto negativo consiste en mantenerse apartado del pecado y del mundo, y de todo lo que es sucio e impuro. El aspecto positivo en ser hecho copartícipe de la naturaleza santa de Dios.

En muchas prédicas, sobre éste y otros temas relacionados, hay una tendencia general a insistir demasiado en el aspecto negativo a expensas del positivo. Como cristianos tendemos a hablar mucho más acerca de "lo que no se debe hacer" según la palabra de Dios, que acerca de "lo que se debe hacer". Por ejemplo, en Efesios 5:18 por lo regular insistimos mucho más en el negativo *no os embriaguéis con vino*, que en el positivo *sed llenos del Espíritu*. Pero esta forma de presentar la palabra de Dios es inexacta y poco satisfactoria.

Con respecto a la santidad, las Escrituras dejan bien claro que es mucho más que una actitud de abstenerse del pecado y de la inmundicia. Por ejemplo, en Hebreos 12:10 se nos dice que Dios, nuestro Padre celestial, disciplina a sus hijos para beneficio de ellos, para que podamos ser copartícipes de su santidad. También en 1 Pedro 1:15-16 leemos:

> Sino, como aquel que os llamó es santo, sed también vosotros santos en toda vuestra manera de vivir; porque escrito está: Sed santos, porque yo soy santo.

Vemos que la santidad es una parte de la naturaleza eterna e inmutable de Dios. El era santo antes que el pecado entrara siquiera en el universo, y seguirá siendo santo cuando el pecado sea expulsado otra vez para siempre. Nosotros, el pueblo de Dios, seremos copartícipes de esta parte de su naturaleza eterna. El apartarse del pecado, igual que la limpieza del pecado, es una fase de este proceso, pero no es todo el proceso. El resultado final y positivo que Dios desea en nosotros va mucho más allá, de la limpieza y la separación del pecado.

La palabra de Dios desempeña su parte, tanto en el aspecto negativo como en el positivo de la santificación. En Romanos 12:1-2 Pablo describe el aspecto negativo:

> Hermanos, os ruego por las misericordias de Dios, que presentéis vuestros cuerpos en sacrificio vivo, santo, agradable a Dios, que es vuestro culto racional. No os conforméis a este siglo, sino transformaos por medio de la renovación de vuestro entendimiento, para que comprobéis cuál sea la buena voluntad de Dios, agradable y perfecta.

Hay cuatro etapas sucesivas en el proceso que Pablo describe aquí:

1. *Presentar nuestros cuerpos en sacrificio vivo sobre el altar de Dios.* Ya hemos visto que el altar santifica lo que se presenta sobre él.
2. *No conformarse a este mundo;* apartarse de su vanidad y su pecado.
3. *Transformarse mediante la renovación de la mente:* aprender a pensar en términos y valores totalmente nuevos.
4. *Llegar a conocer la voluntad de Dios para nuestra vida.* Esta revelación de la voluntad de Dios se concede sólo a la mente renovada. La antigua mente carnal jamás podrá conocer o comprender la perfecta voluntad de Dios.

Es ahí, en la renovación de la mente, donde se siente la influencia de la palabra de Dios. Conforme leemos, estudiamos y meditamos en la palabra de Dios, ésta cambia todo nuestro modo de pensar. Nos limpia con su baño interno, al mismo tiempo que nos aparta de todo lo que es sucio y malvado. Aprendemos a pensar acerca de las cosas —a evaluarlas, a juzgarlas— como Dios piensa de ellas.

Al aprender a pensar distinto, por necesidad también actuamos de un modo diferente. Nuestra vida externa cambian en armonía con nuestro nuevo proceso mental interior. No nos conformamos a este mundo, porque ya no pensamos como el mundo. Somos transformados por la renovación de nuestra mente.

Ahora bien, no conformarse al mundo es sólo la parte negativa. No es una meta positiva en sí: Si no hemos de conformarnos al mundo, ¿a qué entonces debemos ser conformados? La respuesta de Pablo es clara:

> Porque a los que antes conoció, también los predestinó para que fuesen hechos conformes a la imagen de su Hijo, para que él sea el primogénito entre muchos hermanos.
>
> Romanos 8:29

Aquí está el fin positivo de la santificación: ser conformados a la imagen de Cristo. No es suficiente que no nos conformemos al mundo; que no pensemos ni digamos ni hagamos las cosas que el mundo piensa, dice o hace. Eso es sólo lo negativo. A cambio de todo esto, debemos ser conformados a Cristo: tenemos que pensar y decir y hacer las cosas que Cristo pensaría, diría y haría.

Pablo descarta la santidad en su aspecto negativo como absolutamente insuficiente:

> Pues si habéis muerto con Cristo en cuanto a los rudimentos del mundo, ¿por qué, como si vivieseis en el mundo, os sometéis a preceptos tales como: No manejes, ni gustes, ni aun toques (en conformidad a mandamientos y doctrinas de hombres), cosas que todas se destruyen con el uso?
>
> Colosenses 2:20-22

La verdadera santificación va mucho más allá de esta actitud estéril, legalista y negativa. Es una conformación positiva a la imagen de Cristo mismo; una participación positiva en la santidad personal de Dios.

Pedro resume este aspecto positivo de la santificación y de la función que desempeña en ella la palabra de Dios:

> Como todas las cosas que pertenecen a la vida y a la piedad nos han sido dadas por su divino poder [el de Dios], mediante el conocimiento de aquel que nos llamó por su gloria y excelencia, por medio de las cuales nos ha dado preciosas y grandísimas promesas, para que por ellas llegaseis a ser participantes de la naturaleza divina, habiendo huido de la corrupción que hay en el mundo a causa de la concupiscencia.
>
> 2 Pedro 1:3-4

Hay tres puntos principales que observar aquí:

1. El poder de Dios ya nos ha proporcionado todo lo que necesitamos para la vida y la piedad. La provisión ya fue hecha. No necesitamos pedirle a Dios que nos dé más de lo que ya nos ha dado. Necesitamos únicamente aprovecharnos de la plenitud de lo que el Señor ya proveyó.

2. Dios nos da esta provisión completa en las preciosas y grandísimas promesas de su palabra. Las promesas de Dios ya contienen en sí todo lo que lleguemos a necesitar para la vida y la piedad. Todo lo que nos resta hacer ahora es apropiarnos de estas promesas y aplicarlas activamente mediante nuestra fe personal.

3. El resultado de apropiarse y aplicar las promesas de Dios es doble, es negativo y es positivo. En su aspecto negativo, escapamos de la corrupción que está en el mundo a causa de la concupiscencia; en su aspecto positivo, nos hace participantes de la naturaleza divina. He aquí el proceso completo de la santificación que hemos descrito: tanto el escape negativo de la corrupción del mundo, como la participación positiva de la naturaleza de Dios, de su propia santidad.

Todo esto —lo negativo y lo positivo— está a nuestra disposición a través de las promesas de la palabra de Dios. En la medida en que nos apropiemos de las promesas de la palabra de Dios y las apliquemos, experimentaremos la verdadera santificación bíblica.

Jacob soñó una vez con una escalera que llegaba desde la tierra al cielo. Para el cristiano, la contraparte de esta escalera se encuentra en la palabra de Dios. Está apoyada en la tierra, pero su extremo alcanza hasta el cielo: el plano donde está Dios. Cada peldaño de esa escalera es una promesa. Cuando asentamos los pies en las promesas de la palabra de Dios y nos agarramos de ellas con las manos de la fe salimos por medio de ellas fuera del ámbito terrenal y nos acercamos al celestial. Cada promesa de la palabra de Dios, cuando la reclamamos, nos levanta un poco más, por encima de la corrupción de la tierra y nos imparte una medida más de la naturaleza de Dios.

La santificación se obtiene por la fe. Pero esa fe no es sólo negativa o pasiva. La fe que santifica en realidad consiste de una apropiación y aplicación activas y continuas de las promesas de la palabra de Dios. Por eso Jesús oró al Padre:

Santifícalos en tu verdad; tu palabra es verdad.

Juan 17:17

# 8

# Efectos reveladores de la palabra de Dios

En los últimos cuatro capítulos hemos examinado siete efectos prácticos que la palabra de Dios produce en nosotros, mientras con fe y obediencia, recibimos y aplicamos sus enseñanzas. Estos siete efectos son:

1. La fe
2. El nuevo nacimiento
3. Completo alimento espiritual
4. Sanidad y salud para nuestro cuerpo físico
5. Iluminación y comprensión mental
6. Victoria sobre el pecado y Satanás
7. Limpieza y santificación

Examinemos ahora otras dos formas más en que la Biblia, como la palabra de Dios, obra en el creyente.

## Nuestro espejo

La primera de éstas es que la Biblia es *un espejo de revelación espiritual*. Santiago 1:23-25 describe esta operación de la palabra de Dios. En los versículos anteriores Santiago ya ha advertido que hay dos condiciones básicas para que la palabra de Dios produzca sus efectos apropiados en nosotros: 1) debemos "recibirla con mansedumbre" (v.21); es decir, con una actitud apropiada del corazón y la mente; 2) tenemos que ser "hacedores de la palabra y no tan solamente oidores" (v.22); es decir, tenemos que ponerla inmediatamente en práctica en nuestra vida diaria.

Si no hacemos esto, Santiago advierte que nos engañamos a nosotros mismos; estaremos llamándonos cristianos o discípulos o estudiantes de la Biblia, pero no estaremos aprovechando ninguna de sus bendiciones y beneficios prácticos. Podemos resumir esto diciendo que la Biblia obra en forma práctica en los que la aplican y la ponen en práctica.

Después de esta advertencia, Santiago prosigue en los siguientes tres versículos:

> Porque si alguno es oidor de la palabra pero no hacedor de ella, éste es semejante al hombre que considera en un espejo su rostro natural. Porque él se considera a sí mismo y se va, y luego olvida cómo era. Mas el que mira atentamente en la perfecta ley, la de la libertad, y persevera en ella, no siendo oidor olvidadizo, sino hacedor de la obra, éste será bienaventurado en lo que hace.
>
> Santiago 1:23-25

Santiago compara la palabra de Dios con un espejo. La única diferencia es que un espejo normal nos muestra solamente lo que Santiago llama nuestro "rostro natural"; las facciones y la apariencia externas y físicas. El espejo de la palabra de Dios, cuando nos miramos en él, revela no nuestras facciones externas y físicas, sino nuestra naturaleza y condición espiritual interna. Revela los rasgos que ningún espejo material ni obra humana alguna puede revelar; características que jamás podríamos conocer de ninguna otra manera.

Alguien lo ha resumido de esta manera: "Recuerde que mientras esté leyendo su Biblia, su Biblia también lo está leyendo a usted."

Todavía recuerdo, después de muchos años, cuán gráficamente comprobé esto en carne propia. Empecé a leer la Biblia siendo un escéptico y un incrédulo; con antecedentes de investigador y maestro de filosofía. Me acerqué a ella como si fuera uno más entre los muchos sistemas de filosofía en el mundo. Sin embargo, conforme proseguía estudiándola, tuve consciencia, incluso contra mi voluntad, de ciertos cambios extraños y profundos que estaban ocurriendo dentro de mí. Mi actitud de superioridad intelectual, mi sentido de confianza en mí mismo y autosuficiencia empezaron a desmoronarse.

Yo había adoptado la actitud del antiguo filósofo griego que dijo: "El hombre es la medida de todas las cosas." Había presumido que por mis propias facultades intelectuales y críticas era capaz de evaluar cualquier libro o sistema de sabiduría que quisiera estudiar. Pero, para sorpresa mía, mientras estudiaba la Biblia, si bien no podía comprenderlo del todo, tomé consciencia de que estaba siendo medido por alguna norma que no era la mía ni la de ningún ser humano. Como Belsasar a la hora de su banquete, parecía como si ante mis ojos renuentes se escribieran las palabras "Pesado has sido en balanza, y fuiste hallado falto."

Sin ningún cambio de circunstancias externas, interiormente me volví inquieto e insatisfecho. Los placeres y las actividades que antes me había atraído y ocupado, perdieron todo su poder para divertir o entretener. Me volví cada vez más consciente de una profunda necesidad dentro de mí que no podía definir ni satisfacer. No lo comprendí con claridad, pero en el espejo de su palabra, Dios me estaba mostrando la verdad respecto de mi necesidad y mi vacío internos.

Después de varios meses, esta revelación me llevó, incluso en mi ignorancia y ceguera espiritual, a buscar a Dios con humildad y sinceridad. Al encontrarlo de esta forma, descubrí que quien así había revelado mi necesidad en su palabra escrita, era capaz también de satisfacerla por completo en la Persona de su palabra viva, el Señor Jesucristo.

Sí, la Biblia es el espejo del alma. Pero en ésta, como en sus otras acciones, el resultado que produce en nosotros depende en gran medida de nuestra reacción a ella.

En el orden natural, cuando miramos en un espejo, normalmente lo hacemos con la intención de actuar de acuerdo con lo que nos revele. Si vemos que nuestro cabello está despeinado, nos peinamos; si vemos que nuestro rostro está sucio, nos lavamos; si nuestras ropas están en desorden, las arreglamos; si vemos la evidencia de alguna infección, consultamos a un médico para que nos recete un tratamiento apropiado.

Para beneficiarnos del espejo de la palabra de Dios, tenemos que actuar de un modo semejante. Si el espejo revela una condición de suciedad espiritual, sin tardanza tenemos que buscar la limpieza que nos proporciona la sangre de Cristo. Si el espejo revela alguna infección espiritual, tenemos que consultar al gran Médico de nuestras almas, al que *perdona todas tus iniquidades, el que sana todas tus dolencias* (Salmo 103:3).

Sólo poniendo en práctica y sin demora, el remedio para lo que el espejo de la palabra de Dios nos revela, podemos recibir el perdón, la limpieza y la sanidad, y todas las otras bendiciones que Dios ha provisto para nosotros.

Es precisamente en este punto donde mucha gente deja de aprovechar debidamente el espejo de Dios, para su propia pérdida espiritual y eterna. Como consecuencia de oír o leer la palabra de Dios y del mover del Espíritu de Dios, se sienten culpables de lo que hay en su corazón y en su vida que son inmundas, dañinas y desagradables para Dios. Mirándose en el espejo de la palabra de Dios, ven su propia condición espiritual tal como Dios la ve.

Su reacción inmediata es de congoja y remordimiento. Comprenden su necesidad y el peligro que corren. Tal vez incluso pasen adelante al altar de alguna iglesia, oren y derramen lágrimas. Pero su reacción no va más allá. No hay un cambio real en su forma de vida. Al día siguiente la impresión ha empezado a borrarse, y empiezan a acomodarse otra vez a sus hábitos de antes.

Muy pronto esa persona olvida *qué clase de hombre era.* No recuerda las verdades desagradables que el espejo de Dios le reveló tan clara y fielmente. Indiferente y satisfecho de sí mismo, sigue un derrotero que lo aleja cada vez más de Dios.

No obstante, el espejo de la palabra de Dios puede revelar no sólo lo desagradable, sino lo agradable también. Además de descubrir lo que somos en nuestra propia condición caída sin Cristo, también puede reflejar en lo que podemos convertirnos por la fe en Cristo. Puede revelar no sólo los trapos inmundos de nuestra propia justicia, sino también las vestiduras sin mancha de la salvación y la resplandeciente túnica de justicia que podemos recibir por la fe en Cristo. No sólo puede descubrir la corrupción y las imperfecciones del "viejo hombre" sin Cristo, sino también la santidad y la perfección del "nuevo hombre" en Cristo.

Si al principio, cuando el espejo de Dios revela la verdad de nuestro pecado e inmundicia, actuamos de inmediato —si nos arrepentimos, si creemos y obedecemos el evangelio— la próxima vez que miremos en el espejo, no veremos ya nuestra vieja naturaleza pecadora, sino como Dios nos ve entonces en Cristo: perdonados, limpios, justificados: nuevas criaturas. Nos hace comprender que ha ocurrido un milagro.

El fiel espejo ya no revela nuestros pecados o fracasos:

> De modo que si alguno está en Cristo, nueva criatura es; las cosas viejas pasaron; he aquí todas son hechas nuevas. Y todo esto proviene de Dios, quien nos reconcilió consigo mismo por Cristo.
>
> 2 Corintios 5:17-18

No sólo han pasado las cosas viejas y todas han sido hechas nuevas, sino que *todo esto proviene de Dios.* En otras palabras, Dios mismo acepta la responsabilidad por cada aspecto y característica de la nueva criatura en Cristo, tal como está revelado en su propio espejo. Nada hay en ello de la forma de ser o hacer del hombre. Todo proviene de Dios.

Un poco más adelante en ese mismo capítulo Pablo repite:

> Al que no conoció pecado, por nosotros lo hizo pecado, para que nosotros fuésemos hechos justicia de Dios en él. (v. 21).

Observe cuán completo es el intercambio: Cristo fue hecho pecado con nuestra pecaminosidad para que a su vez nosotros pudiésemos ser hechos justos con la justicia de Dios. ¿Qué es la justicia de Dios? Es una justicia sin mancha y sin arruga; una justicia que jamás ha conocido pecado. Esta es la justicia que nos es atribuida en Cristo. Necesitamos contemplarnos prolongada y constantemente en el espejo de Dios hasta que nos veamos allí como Dios nos ve.

Encontramos la misma revelación en el Antiguo Testamento, en el Cantar de los Cantares de Salomón, donde Cristo (el Novio) habla a la Iglesia (su novia) y dice:

> Toda tú eres hermosa, amiga mía, y en ti no hay mancha.
>
> Cantares 4:7

Aquí el espejo impecable revela una justicia impecable, que es nuestra en Cristo.

Pablo insiste en la necesidad de los cristianos de mirar continuamente en el espejo de la palabra de Dios:

> Por tanto, nosotros todos, mirando a cara descubierta como en un espejo la gloria del Señor, somos transformados de gloria en gloria en la misma imagen, como por el Espíritu del Señor.
>
> 2 Corintios 3:18

Pablo, como Santiago, se refiere al espejo de la palabra de Dios. Dice que este espejo revela a los que creen, no sus pecados, que han sido eliminados en Cristo para no ser recordados más, sino las glorias del Señor, que él espera concederles por la fe. Pablo afirma que, mientras estamos mirando en el espejo y contemplando allí las glorias del Señor, el Espíritu de Dios es capaz de obrar en nosotros y transformarnos en la misma imagen de esas glorias que contemplamos.

En éste, como en tantos otros ejemplos de las Escrituras, vemos que el Espíritu y la palabra de Dios deben obrar siempre juntos y en armonía. Es mientras miramos en el espejo de la palabra de Dios que el Espíritu obra en nosotros y nos cambia en la semejanza de lo que muestra. Si dejamos de mirar en el espejo de la palabra, frustramos entonces la obra del Espíritu.

En 2 de Corintios Pablo regresa al mismo tema:

> Porque esta leve tribulación momentánea produce en nosotros un cada vez más excelente y eterno peso de gloria; no mirando nosotros las cosas que se ven, sino las que no se ven; pues las cosas que se ven son temporales, pero las que no se ven son eternas. (4:17-18)

Aquí Pablo enseña que el soportar fiel y victoriosamente las aflicciones temporales puede producir en nosotros los creyentes, resultados de grande y eterna gloria; pero añade el mismo requisito del capítulo anterior. Este obrar de la gloria espiritual dentro de nosotros es efectivo únicamente ... *no mirando nosotros las cosas que se ven, sino las que no se ven* (v. 18).

Si apartamos los ojos de las cosas eternas que revela la palabra de Dios, nuestras aflicciones ya no producen el mismo efecto benéfico dentro de nosotros. Por lo tanto, es en este espejo que tenemos que continuar mirando constantemente.

Por ejemplo, observe cómo soportó Moisés cuarenta años de exilio en el desierto después que huyó de Egipto.

> Por la fe dejó a Egipto, no temiendo la ira del rey; porque se sostuvo como viendo al Invisible.
>
> Hebreos 11:27

Observe la fuente del poder de Moisés para soportar la aflicción: *se sostuvo como viendo al Invisible.* Fue la visión que tuvo del eterno e invisible Dios y Salvador de su pueblo, que le dio la fe y el valor de soportar y triunfar sobre todas sus aflicciones. La misma visión puede dar la misma fe y valor a nosotros hoy. ¿Dónde encontraremos esta continua visión de Dios en nuestras necesidades y pruebas diarias? En el maravilloso espejo espiritual que él nos ha dado para ese mismo propósito: el espejo de su propia palabra. Tanto el secreto de la gracia transformadora como la de vivir en victoria reside ahí: en el uso que hagamos del espejo de Dios. Mientras usamos correctamente este espejo, el Espíritu de Dios obra esos efectos en nuestra vida.

## Nuestro juez

Finalmente, la palabra de Dios también es nuestro juez. De principio a fin, la Biblia insiste que por eterno y soberano derecho el cargo de juez le pertenece a Dios solo. Este tema transcurre a lo largo de todo el Antiguo Testamento. Por ejemplo, Abraham dice al Señor: *El Juez de toda la tierra, ¿no ha de hacer lo que es justo?* (Génesis 18:25). Jefté declaró: *El Señor, el Juez, juzgue hoy entre los hijos de Israel y los hijos de Amón* (Jueces 11:27, BLA). El salmista escribió: *Ciertamente hay Dios que juzga en la tierra* (Salmo 58:11). E Isaías sentenció: *Porque el Señor es nuestro juez* (Isaías 33:22).

Cuando llegamos al Nuevo Testamento, entramos en una revelación completa de los motivos y los métodos de los juicios de Dios. Cristo dice:

> Porque no envió Dios a su Hijo al mundo para condenar al mundo, sino para que el mundo sea salvo por él.
>
> Juan 3:17

También en 2 Pedro 3:9 leemos:

> El Señor no retarda su promesa, según algunos la tienen por tardanza, sino que es paciente para con nosotros, no queriendo que ninguno perezca, sino que todos procedan al arrepentimiento.

Estos versículos —y muchos otros como éstos— revelan que Dios se deleita en conceder misericordia y salvación, pero que es renuente para administrar ira y juicio.

Esta renuencia de Dios para administrar juicio encuentra expresión en la forma en que al final se llevará a cabo el juicio de Dios, tal como lo revela el Nuevo Testamento. En primera instancia, por derecho eterno y soberano, el juicio pertenece a Dios el Padre. Pedro habla del Padre *que sin acepción de personas juzga según la obra de cada uno...* (1 Pedro 1:17). No obstante, Cristo revela que el Padre ha escogido en su soberana sabiduría, encomendar todo juicio al Hijo:

> Porque el Padre a nadie juzga, sino que todo el juicio dio al Hijo, para que todos honren al Hijo como honran al Padre. El que no honra al Hijo, no honra al Padre que le envió.
>
> Juan 5:22-23

Además, Cristo dice:

> Porque como el Padre tiene vida en sí mismo, así también ha dado al Hijo el tener vida en sí mismo; y también le dio autoridad de hacer juicio, por cuanto es el Hijo del Hombre.
>
> Juan 5:26-27

Aquí vemos que el encargo de juzgar ha sido transferido del Padre al Hijo.

Se dan dos razones para esto: Primera, porque con el cargo de juez va también el honor debido al juez, y de esta forma todos los hombres se verán obligados a demostrar el mismo honor hacia Dios el Hijo que hacia Dios el Padre. Segunda, porque Cristo es también el Hijo del Hombre, al igual que el Hijo de Dios; él participa de la naturaleza humana y de la divina, y por lo tanto, en su juicio es capaz de tenerlas en cuenta, por haber experimentado él, todas las debilidades y tentaciones de la carne.

Sin embargo, tal es la gracia y la misericordia de la naturaleza divina en el Hijo, como en el Padre, que Cristo también se muestra reacio para administrar el juicio. Por esta razón él, a su vez, ha transferido la autoridad final del juicio, de su propia Persona a la palabra de Dios:

Al que oye mis palabras y no las guarda, yo no le juzgo; porque no he venido a juzgar al mundo, sino a salvar al mundo. El que me rechaza, y no recibe mis palabras, tiene quien le juzgue; la palabra que he hablado, ella le juzgará en el día postrero.

Juan 12:47-48

Esto revela que la autoridad final de todo juicio está investida en la palabra de Dios. Esta es la norma imparcial e inmutable de juicio ante la que todos los hombres deberán responder un día.

En Isaías 66:2 el Señor dice:

...pero miraré a aquel que es pobre y humilde de espíritu, y que tiembla a mi palabra.

A la luz de la revelación del Nuevo Testamento, podemos comprender por qué un hombre debe temblar ante la palabra de Dios. Porque mientras leemos sus páginas y escuchamos sus enseñanzas, nos encontramos, de antemano, de pie ante el tribunal de Dios Todopoderoso. Ahí, ya revelados a quienes los recibirán, serán presentados los principios y las normas del juicio divino para toda la especie humana. Cristo describió así el juicio de Dios:

Porque de cierto os digo que hasta que pasen el cielo y la tierra, ni una jota ni una tilde pasará de la ley, hasta que todo se haya cumplido.

Mateo 5:18

El cielo y la tierra pasarán, pero mis palabras no pasarán.

Mateo 24:35

En los últimos capítulos de la Biblia, el velo del futuro es descorrido para revelar lo que sucederá cuando, en cumplimiento de las palabras de Cristo, pasen el cielo y la tierra, y el trono de Dios se prepare para el juicio final:

Y vi un gran trono blanco, y al que estaba sentado en él, de delante del cual huyeron la tierra y el cielo, y ningún lugar se encontró para ellos. Y vi a los muertos, grandes y pequeños, de pie ante Dios (...) y fueron juzgados los muertos (...) cada uno según sus obras.

Apocalipsis 20:11-13

En esta última gran escena Cristo asegura que habrá una, y sólo una, norma de juicio: la eterna e inmutable palabra de Dios. Esto será en cumplimiento del Salmo 119:160,

La suma de tu palabra es verdad,
Y eterno es todo juicio de tu justicia.

Aquí será expuesto, en su absoluta integridad, cada uno de los justos juicios de la inmutable palabra de Dios.

Poder apreciar la revelación, que todo juicio será de acuerdo con la palabra de Dios, es una provisión de su gracia y misericordia, puesto que nos permite aquí, en esta vida, anticipar y así escapar el juicio de Dios. Por esta razón Pablo dice:

Si, pues, nos examinásemos a nosotros mismos, no seríamos juzgados.

1 Corintios 11:31

¿Cómo podemos examinarnos a nosotros mismos? Aplicando el juicio de la palabra de Dios en cada aspecto y detalle de nuestra vida. Si hacemos esto y entonces, por medio del arrepentimiento y la fe, aceptamos la provisión de su perdón y su misericordia, Dios nunca nos juzgará. Cristo lo asegura:

De cierto, de cierto os digo: El que oye mi palabra, y cree al que me envió, tiene vida eterna; y no vendrá a condenación, mas ha pasado de muerte a vida.

Juan 5:24

Esta seguridad se repite en Romanos 8:1.

Ahora, pues, ninguna condenación hay para los que están en Cristo Jesús, los que no andan conforme a la carne, sino conforme al Espíritu.

¿Qué tenemos que hacer para escapar a la condenación de Dios? Tenemos que escuchar su palabra. En humildad y arrepentimiento debemos aceptar cada uno de sus justos juicios mientras los aplicamos en nuestra vida. En fe debemos aceptar su afirmación que Cristo tomó nuestra condenación y sufrió nuestro castigo. Aceptando estas verdades de la palabra de Dios, somos absueltos, somos justificados, pasamos de la condenación y la muerte al perdón y a la vida eterna.

Todo esto es por la palabra de Dios. Negada y rechazada, será nuestro juez en el último día. Aceptada y obedecida, nos asegura ya perdón perfecto y la salvación completa por la justicia que no es nuestra, sino la justicia de Dios.

# Parte II

# ARREPENTIOS

# Y

# CREED

*Arrepentíos y creed en el evangelio.*

Marcos 1:15

# INTRODUCCION DE LA PARTE II

# Las doctrinas básicas

Una vez dispuestos a estudiar la Biblia en detalle, ¿habrá alguna forma fácil de identificar las doctrinas básicas y más importantes que debamos estudiar primero?

Esta es una pregunta razonable y, como todas las que se relacionan con el estudio de la Biblia, la respuesta puede encontrarse en sus mismas páginas. La Biblia establece con claridad que ciertas de sus doctrinas son más importantes que el resto y deben, por consiguiente, estudiarse primero. La Biblia da una lista de seis de esas doctrinas básicas o fundamentales.

> Por tanto, dejando ya los rudimentos de la doctrina de Cristo, vamos adelante a la perfección, no echando otra vez el fundamento del arrepentimiento de obras muertas, de la fe en Dios, de la doctrina de bautismos, de la imposición de manos, de la resurrección de los muertos y del juicio eterno.
>
> Hebreos 6:1-2

En el margen de la Biblia de las Américas, la otra acepción sugerida para "los rudimentos de la doctrina de Cristo" es "la palabra del principio de Cristo". Esto sugiere aquí el punto que estamos tratando de las doctrinas que deben constituir el principio —el punto de partida— de nuestro estudio de Cristo y sus enseñanzas en general.

El uso de la frase "el fundamento" en el mismo versículo, recalca aún más el significado de este punto. El escritor de Hebreos junta estas dos ideas: 1) echar el fundamento doctrinal correcto; y 2) proseguir hasta la perfección; al edificio terminado de la doctrina y la conducta cristianas. El propósito de esta exhortación es que debemos proseguir a la perfección, hasta que el edificio sea terminado. Pero deja bien claro que no podemos hacerlo a menos que primero hayamos echado los cimientos completos y estables de estas doctrinas básicas. Al hablar de estos cimientos, el escritor relaciona en orden las siguientes seis doctrinas sucesivas: 1) el arrepentimiento de obras muertas, 2) la fe en Dios, 3) los bautismos, 4) la imposición de manos, 5) la resurrección de los muertos, y 6) el juicio eterno.

Es necesario que observemos una característica particularmente importante de este esquema inspirado de las doctrinas básicas. Si seguimos el orden dado, comprende toda la gama de la experiencia cristiana: comienza —en el tiempo— desde la reacción inicial del pecador: el arrepentimiento, y nos lleva adelante, por sucesión lógica, hasta el clímax —en la eternidad— de toda la experiencia cristiana: la resurrección y el juicio final.

Aunque es importante estudiar cuidadosamente cada una de estas doctrinas individuales, nunca debemos perder de vista el plan único, perfecto y divino que corre por ellas de principio a fin. Sobre todo, jamás debemos estar tan ocupados con las cosas temporales que perdamos de vista la eternidad. De ser así, podríamos sufrir la tragedia descrita por Pablo en 1 Corintios 15:19:

> Si hemos esperado en Cristo para esta vida solamente, somos, de todos los hombres, los más dignos de lástima. (BLA)

Los estudios que siguen en esta sección se concentran en las dos primeras doctrinas: el arrepentimiento y la fe.

# 9

# El arrepentimiento

## Explicación del griego y del hebreo

Primero, necesitamos tener una comprensión clara del significado de la palabra *arrepentimiento* según su uso en la Escritura.

En el Nuevo Testamento el verbo griego *metanoein* se traduce normalmente como "arrepentirse". Este verbo griego tiene un significado definido en toda la historia de la lengua griega, desde el griego clásico hasta el griego del Nuevo Testamento. Ese significado básico es siempre el mismo: "cambiar de idea". Por consiguiente, el "arrepentimiento" en el Nuevo Testamento no es un sentimiento, sino una decisión.

El conocimiento de esta realidad sirve para disipar muchas impresiones e ideas falsas relacionadas con el arrepentimiento. Mucha gente asocia el arrepentimiento con las emociones; con derramar lágrimas y cosas semejantes. Es posible, sin embargo, que una persona se emocione mucho y derrame muchas lágrimas, y sin embargo, jamás se arrepienta en el sentido bíblico. Otras personas asocian el arrepentimiento con ritos o ceremonias religiosas especiales; lo que llaman "hacer penitencia". Pero también aquí se aplica lo mismo: es posible cumplir con muchos ritos y ceremonias religiosas y jamás arrepentirse en el sentido bíblico.

El verdadero arrepentimiento es una decisión interna, firme; un cambio de idea.

Si volvemos al Antiguo Testamento, encontramos que la palabra más comúnmente traducida como "arrepentirse" significa literalmente "volverse", "retornar", "volver atrás". Esto concuerda perfectamente con el significado de arrepentirse en el Nuevo Testamento. La palabra del Nuevo Testamento denota la decisión interna, el cambio profundo de manera de pensar; la palabra del Antiguo Testamento denota la acción externa que es la expresión del cambio interno en la manera de pensar; el acto de volver atrás, de darse vuelta.

Así, el Nuevo Testamento hace hincapié en la naturaleza interna del verdadero arrepentimiento, en tanto que el Antiguo Testamento recalca la expresión externa de un cambio interno. Juntando las dos, formamos esta definición completa: el arrepentimiento es un cambio interno de idea, que provoca una acción externa de volverse, o dar la vuelta; de hacer un vuelco completo en una dirección totalmente nueva.

## La primera respuesta del pecador

El ejemplo perfecto del verdadero arrepentimiento, definido de esta forma se encuentra en la parábola del hijo pródigo (ver Lucas 15:11-32). Aquí leemos que el hijo pródigo dio la espalda a su padre y al hogar, y partió a una tierra lejana, donde malgastó todo lo que tenía viviendo en pecado y disipación. Al final volvió en sí, hambriento, solo y en harapos, sentado en medio de cerdos, deseando algo con qué llenar su estómago. En este punto toma una decisión y dice: *Me levantaré e iré a mi padre* (v.18). Inmediatamente llevó a cabo su decisión: "Y levantándose vino a su padre" (v.20). Este es el verdadero arrepentimiento: primero, la decisión interna; después la acción externa resultado de esa decisión: el acto de regresar a su padre y al hogar.

En su condición pecaminosa e impenitente, cada hombre que ha nacido ha dado la espalda a Dios, su Padre, y al cielo, su hogar. Cada paso que da lo aleja de Dios y del cielo. La luz queda a su espalda, y las sombras delante de él. Cuanto más camina, más largas y oscuras las sombras. Cada paso que da es un paso que lo acerca al final; un paso más cerca de la tumba, más cerca del infierno, más cerca de las tinieblas infinitas de una eternidad perdida.

Todo hombre que toma este curso, tiene que hacer algo esencial: detenerse, cambiar de idea, cambiar su curso, volverse en dirección contraria, dar su espalda a las sombras y su frente a la luz.

En la Biblia, este primer y esencial acto se llama arrepentimiento. Es el primer acto que debe realizar cualquier pecador que desee reconciliarse con Dios.

## Diferente del remordimiento

Por supuesto, hay pasajes en algunas traducciones donde el verbo "arrepentirse" se usa con un sentido diferente, pero un examen cuidadoso revela que se ha usado para traducir alguna otra palabra en el idioma original. Por ejemplo, en la versión Reina-Valera de 1960 leemos en Mateo 27:3-4 de Judas Iscariote "arrepentido" de traicionar a Cristo por dinero después que Cristo había sido condenado a muerte:

> Entonces Judas, el que le había entregado, viendo que era condenado, devolvió arrepentido las treinta piezas de plata a los principales sacerdotes y a los ancianos, diciendo: Yo he pecado entregando sangre inocente. Mas ellos dijeron: ¿Qué nos importa a nosotros? ¡Allá tú!

Aquí leemos de Judas "arrepentido". Pero la palabra griega usada en el original no es *metanoein* definida antes, sino *metamelein,* que con frecuencia se interpreta erróneamente como arrepentimiento, pero que significa remordimiento, angustia. No hay duda que en este momento Judas sentía una angustia y remordimiento intensos. Sin embargo, no tuvo un verdadero arrepentimiento bíblico; no cambió de idea, ni de rumbo.

Por el contrario, el versículo siguiente dice que fue y se ahorcó; en Hechos 1:25 se expresa con las palabras:

> Cayó Judas por transgresión, para irse a su propio lugar.

Es cierto que Judas sintió una emoción muy fuerte, angustia y remordimiento amargos. Pero no tuvo un verdadero arrepentimiento, no cambió de idea ni de dirección. La verdad es que no podía cambiar de rumbo; ya había ido demasiado lejos. A pesar de las advertencias del Salvador, deliberadamente se había encaminado por un derrotero del que no había regreso posible. Había sobrepasado "el punto del arrepentimiento."

¡Qué terrible y solemne lección es ésta! Es posible que un hombre, por testarudez y por empecinarse en seguir su propio camino, llegue a un lugar de donde no pueda volverse atrás; donde, por su propia obstinación, la puerta del arrepentimiento le haya sido cerrada.

Otro hombre que cometió este mismo error trágico fue Esaú, quien por una sola comida vendió su primogenitura.

> Porque ya sabéis que aun después, deseando heredar la bendición, fue desechado, y no hubo oportunidad para el arrepentimiento, aunque la procuró con lágrimas.
>
> Hebreos 12:17

En un momento de irreflexión, Esaú vendió la primogenitura a su hermano Jacob a cambio de un plato de lentejas. Génesis 25:34 dice: *Así menospreció Esaú la primogenitura.* Debemos recordar que al menospreciar su primogenitura, despreció todas las bendiciones y las promesas de Dios asociadas con ésta. Más tarde, Esaú lamentó lo que había hecho. Quiso recuperar la primogenitura y la bendición, pero fue rechazado. ¿Por qué? Porque no halló lugar para el arrepentimiento. No encontró manera de cambiar lo sucedido (Hebreos 12:17).

He aquí una evidencia más de que una fuerte emoción no es necesariamente prueba de arrepentimiento. Esaú lloró amargamente, pero aun así, no halló lugar para el arrepentimiento. Un acto superficial e impetuoso decidió el curso y destino para el resto de su vida aquí y por la eternidad. Estaba comprometido a seguir un rumbo del que no pudo encontrar después el camino de regreso.

¡Cuántos hombres hacen hoy exactamente lo mismo que Esaú! Por algunos momentos de placer sensual o complacencia carnal, desprecian todas las bendiciones y promesas del Dios Todopoderoso. Más tarde, cuando sienten su equivocación, cuando lloran por esas eternas bendiciones espirituales que despreciaron, para su consternación, son rechazados. ¿Por qué? Porque no encontraron lugar para el arrepentimiento, ni modo de cambiar de idea.

## El único camino para una fe verdadera

El Nuevo Testamento concuerda con este punto: el verdadero arrepentimiento tiene que ir siempre antes que la verdadera fe. Sin arrepentimiento verdadero nunca podrá haber fe verdadera.

El llamado al arrepentimiento comienza en la misma introducción del Nuevo Testamento con el ministerio de Juan el Bautista:

> Voz del que clama en el desierto: Preparad el camino del Señor; Enderezad sus sendas. Bautizaba Juan en el desierto, y predicaba el bautismo de arrepentimiento para perdón de pecados.
>
> Marcos 1:3-4

El llamado de Juan el Bautista al arrepentimiento era una preparación necesaria para que el Mesías se revelara a Israel. Hasta que Israel hubiera sido llamado a volverse a Dios en arrepentimiento, su muy esperado Mesías no podría revelarse entre ellos.

Un poco más adelante leemos el primer mensaje que el mismo Cristo predica después que Juan ha preparado el camino delante de él:

> Después que Juan fue encarcelado, Jesús vino a Galilea predicando el evangelio del reino de Dios, diciendo: El tiempo se ha cumplido, y el reino de Dios se ha acercado; arrepentíos, y creed en el evangelio.
>
> Marcos 1:14-15

El primer mandamiento que salió de los labios de Cristo no fue que creyeran, sino que se arrepintieran. Primero, arrepentirse; después, creer.

Después de su muerte y resurrección, Cristo comisionó a sus apóstoles para que fueran a todas las naciones con el evangelio, y una vez más la primera palabra de su mensaje fue "arrepentimiento":

> Y les dijo: Así está escrito, y así fue necesario que el Cristo padeciese, y resucitase de los muertos al tercer día; y que se predicase en su nombre el arrepentimiento y el perdón de pecados en todas las naciones, comenzando desde Jerusalén.
>
> Lucas 24:46-47

Otra vez el arrepentimiento viene primero, y después, la remisión de los pecados.

Poco después de la resurrección, los apóstoles, por medio de su vocero, Pedro, empezaron a cumplir esta comisión de Cristo. Después de la venida del Espíritu Santo en el día de pentecostés, la multitud sintiéndose compungidos de corazón (pero todavía sin convertirse) preguntó: *Varones hermanos, ¿qué haremos?* (Hechos 2:37). A esta pregunta viene la respuesta inmediata y definitiva:

> Pedro les dijo: Arrepentíos, y bautícese cada uno de vosotros en el nombre de Jesucristo para perdón de los pecados; y recibiréis el don del Espíritu Santo.
>
> Hechos 2:38

Aquí también viene primero el arrepentimiento, después de eso, el bautismo y la remisión de los pecados.

Cuando Pablo habló a los ancianos de la iglesia en Efeso, resumió el mensaje del evangelio que él les había predicado a ellos:

> Y como nada que fuese útil he rehuido de anunciaros y enseñaros, públicamente y por las casas, testificando a judíos y a gentiles acerca del arrepentimiento para con Dios, y de la fe en nuestro Señor Jesucristo.
>
> Hechos 20:20-21

El orden del mensaje de Pablo es el mismo: primero, el arrepentimiento, después, la fe.

Por último, como hemos visto ya en Hebreos 6:1-2, el orden básico de las doctrinas fundamentales de la fe cristiana es: primero, el arrepentimiento de obras muertas; después, la fe, los bautismos, y las otras.

Sin excepción, en todo el Nuevo Testamento, la primera respuesta al evangelio que Dios exige es el arrepentimiento. Nada puede venir antes, ni ninguna otra cosa puede ocupar su lugar.

El verdadero arrepentimiento siempre tiene que preceder a la verdadera fe. Sin ese arrepentimiento, la fe sola es una confesión vacía. Esa es una razón que explica por qué la experiencia de tantos cristianos de hoy es tan inestable e insegura. Están tratando de edificar sin la primera de las grandes doctrinas fundamentales. Están confesando una fe pero nunca han practicado un verdadero arrepentimiento. Como resultado, la fe que profesan no les proporciona ni el favor de Dios ni el respeto del mundo.

La simplificación del mensaje del evangelio se ha llevado demasiado lejos en muchos lugares. Con frecuencia el mensaje predicado hoy es: "Solamente cree." Pero ese no es el mensaje de Cristo. Cristo y sus apóstoles predicaron "Arrepiéntete y cree." Cualquier predicador que deja fuera el llamado al arrepentimiento está engañando a los pecadores y representando mal a Dios. Porque Pablo nos dice que es el mismo Dios quien manda a todos los hombres en todo lugar, que se arrepientan (Hechos 17:30). Ese es el edicto general de Dios para todo el género humano: "Todos los hombres en todas partes tienen que arrepentirse."

En Hebreos 6:1 se define y como "arrepentimiento de obras muertas"; en Hechos 20:21 se define como "arrepentimiento para con Dios". Esto significa que, en el acto del arrepentimiento, nos volvemos apartándonos de nuestras obras muertas y damos la cara a Dios, listos para escuchar y obedecer su siguiente orden.

La frase "obras muertas" incluye todos los actos y actividades que no estén basadas en el arrepentimiento y la fe. Incluye los actos y las actividades de la religión —hasta del cristianismo practicante— si no se hacen en base al arrepentimiento. Es en ese mismo sentido que Isaías exclama:

> Y todas nuestras justicias [son] como trapo de inmundicia.
>
> Isaías 64:6

Aquí no hay referencia a actos abiertos de maldad o de pecado. Aun los actos que se hacen en el nombre de la religión y la moral, si no están basados en el arrepentimiento y la fe, no son aceptables para Dios. Hacer caridad, oraciones, asistir a la iglesia, participar en toda clase de ritos y ceremonias religiosas, si no se basan en el arrepentimiento y la fe.... ¡son meras "obras muertas" y "trapos de inmundicia"!

Hay otra realidad acerca del arrepentimiento bíblico que es preciso recalcar. El verdadero arrepentimiento empieza con Dios y no con el hombre. Se origina no en la voluntad del hombre, sino en la libre y soberana gracia de Dios. Separado del obrar de la gracia de Dios y el mover del Espíritu de Dios, el hombre por su propia cuenta es incapaz de arrepentirse. Por esta razón el salmista clama por la restauración:

Oh Dios, restáuranos, (...) y seremos salvos.

Salmo 80:3,7

La palabra traducida como "restáuranos" significa literalmente "haznos volver." En Lamentaciones 5:21 Jeremías usa la misma palabra:

Vuélvenos, oh Jehová, a ti, y nos volveremos.

A menos que Dios mueva primero al hombre a sí, éste no puede por su propia voluntad, sin ayuda, volverse a Dios y ser salvo. Dios siempre se mueve primero.

En el Nuevo Testamento Cristo expresa la misma verdad:

Ninguno puede venir a mí, si el Padre que me envió no le trajere.

Juan 6:44

La crisis suprema de toda vida humana viene en el momento cuando el Espíritu la provoca al arrepentimiento. Aceptada, esta provocación conduce a la fe salvadora y a la vida eterna; rechazada, deja al pecador en su camino a la tumba y a la oscuridad sin fin de una eternidad lejos de Dios. La Escritura deja bien claro que incluso en esta vida es posible que un hombre vaya más allá del "lugar de arrepentimiento"; a un punto donde el Espíritu de Dios nunca más lo volverá a provocar al arrepentimiento, y donde se pierde toda esperanza incluso antes de entrar por los portales de la eternidad.

Es apropiado terminar este estudio con las palabras de Cristo en Lucas 13:3 (también repetidas en el versículo 5):

Si no os arrepentís, todos pereceréis igualmente.

Cristo se refería a unos hombres que murieron cuando realizaban un rito religioso; una compañía de galileos cuya sangre Pilato había mezclado con los sacrificios de ellos. Mientras ofrecían sus sacrificios en el templo, estos hombres habían sido ejecutados por órdenes del gobernador romano, y su sangre se había mezclado en el suelo del templo con la de sus sacrificios.

Y sin embargo, Cristo dice que aquellos hombres perecieron; fueron a una eternidad perdida. Ni siquiera su acto religioso de sacrificio en el templo pudo salvar sus almas, porque no estaba fundado en un verdadero arrepentimiento.

Lo mismo es cierto de las ceremonias religiosas de muchos cristianos practicantes de hoy. Ninguna de esas actividades religiosas puede sustituir al verdadero arrepentimiento. Sin ese arrepentimiento, Cristo mismo dijo ...*todos pereceréis igualmente* (Lucas 13:3).

# 10

# La naturaleza
# de la fe

Fuera de las Escrituras, la palabra *fe* tiene muchos significados diferentes, pero en este estudio no necesitamos preocuparnos de ellos. En las Escrituras se disciernen dos características definidas: Primero, la fe siempre se origina en la palabra de Dios; segundo, siempre está relacionada de forma directa con la palabra de Dios.

*Fe* es una de las comparativamente pocas palabras que la Biblia define. En Hebreos 11:1 se encuentra esta definición:

> Es, pues, la fe la certeza de lo que se espera, la convicción de lo que no se ve.

Este versículo pudiera traducirse también: "Es, pues, la fe la base, o la confianza, de que recibiremos lo que esperamos, la persuasión o convencimiento absoluto, de alcanzar lo que todavía no se ve."

## Diferente de la esperanza

Este importante versículo expresa varias realidades acerca de la fe. Primero, indica una diferencia entre la fe y la esperanza. Hay dos aspectos principales en los que la fe difiere de la esperanza. El primero es que la esperanza apunta hacia el futuro, pero la fe se establece en el presente. La esperanza es una actitud de expectativa relativa a lo que todavía no ha sucedido, pero la fe es una substancia —una confianza, algo real y definido dentro de nosotros— que poseemos aquí y ahora.

La segunda diferencia principal entre la fe y la esperanza es que la esperanza está anclada en la facultad de la mente, y la fe en la facultad del corazón. Esto es muy patente en la descripción de la armadura bíblica que requiere el soldado cristiano:

> Pero nosotros, que somos del día, seamos sobrios, habiéndonos vestido con la coraza de fe y de amor, y con la esperanza de salvación como yelmo.
>
> 1 Tesalonicenses 5:8

Observemos que la fe —junto con el amor— se encuentra en el pecho; en la región del corazón. Pero la esperanza se describe como yelmo, para la cabeza, o la mente. Por lo tanto, la esperanza es una actitud mental de expectativa relacionada con el futuro; la fe es una condición del corazón, que produce en nosotros aquí y ahora algo tan real que puede describirse con la palabra *substancia*.

En Romanos, Pablo asocia otra vez al corazón con el ejercicio de la fe, o de creer:

> Porque con el corazón se cree para [literalmente para entrar en] justicia.
>
> Romanos 10:10

Mucha gente hace una confesión de fe en Cristo y en la Biblia, pero su fe se queda en el plano mental solamente. Es una aceptación intelectual de ciertos hechos y doctrinas. Esta no es la verdadera fe bíblica, y no produce ningún cambio vital en la vida de quienes la profesan.

Pero la fe del corazón siempre produce un cambio definido en los que la profesan. Cuando se asocia con el corazón, el verbo "creer" se convierte en un verbo de movimiento. Por eso Pablo dice, *con el corazón se cree "para" [entrar en] justicia*. Una cosa es creer "en la justicia" con la mente meramente como una teoría o ideal abstractos, y otra muy diferente creer con el corazón "para entrar en justicia"; es decir, creer de manera que produzca una transformación de los hábitos, del carácter y de la vida.

En las palabras de Cristo, el verbo "creer" es seguido generalmente por una preposición que expresa cambio o dirección de un movimiento. Por ejemplo:

> Creéis en [literalmente para entrar en] Dios, creed también en [literalmente para entrar en] mí.
>
> Juan 14:1

El verbo "creer" está asociado con un proceso de cambio o movimiento. No es suficiente creer "en" Cristo con una mera aceptación mental de los hechos de su vida o las verdades de sus enseñanzas. Tenemos que creer "para entrar en" Cristo; tenemos que ser movidos por una fe sincera que nos saque de nosotros mismos a fin de entrar en Cristo; fuera de nuestro pecado para entrar en su justicia; fuera de nuestra debilidad para entrar en su poder; fuera de nuestro fracaso para entrar en su victoria; fuera de nuestras limitaciones para entrar en su omnipotencia. La fe bíblica del corazón siempre produce cambios. Siempre se cree *para entrar en* Cristo y en la justicia; y el resultado es siempre algo definido, que se vive aquí y ahora, no algo esperado sólo en el futuro.

Demasiada gente tiene una religión que esperan les reportará algún bien cuando hayan traspuesto el umbral de la eternidad. Pero la fe bíblica verdadera da al creyente una vivencia de aquí-y-ahora y una seguridad de vida eterna ya dentro de él. Su fe es una substancia, una realidad dentro de él. Debido a esta fe en el presente, también tiene una esperanza serena, una confianza segura en el futuro. La esperanza que se basa en esta clase de fe, soportará la prueba de la muerte y la eternidad; pero la esperanza que carece en el presente de esta substancia de la fe, es un mero anhelo, condenado a terminar en amarga desilusión.

## Fundada solamente en la palabra de Dios

Volvamos a la definición de fe dada en Hebreos 11:1 y observemos otra importante realidad acerca de la fe.

La fe es *la convicción [o la evidencia segura] de lo que no se ve.* Esto demuestra que la fe trata con "lo que no se ve."

La fe no se basa en la evidencia de nuestros sentidos sino en las verdades y realidades invisibles y eternas reveladas en la palabra de Dios. Pablo contrasta los objetos de la fe con los objetos de la percepción de los sentidos cuando dice: *Porque por fe andamos, no por vista* (2 Corintios 5:7).

La fe se contrasta aquí con la vista. La vista y los otros sentidos físicos, funcionan con relación a los objetos del mundo físico. La fe funciona con relación a las verdades reveladas en la palabra de Dios. Nuestros sentidos tratan con cosas materiales, temporales y cambiantes. La fe con las verdades de Dios reveladas, que son invisibles, eternas e inmutables.

Si tenemos una mente carnal, podemos aceptar únicamente lo que revelan nuestros sentidos. Pero si tenemos una mente espiritual, nuestra fe hace que las verdades de la palabra de Dios nos sean más reales que ninguna otra cosa que nuestros sentidos puedan revelarnos. No basamos nuestra fe en lo que podemos ver o sentir, sino en la palabra de Dios. De ahí en adelante, lo que vemos o sentimos es el resultado de lo que ya hemos creído. En la experiencia espiritual, la vista viene después de la fe, no antes. David dice:

> Hubiera yo desmayado, si no hubiera creído que había de ver la bondad del Señor en la tierra de los vivientes.
>
> Salmos 27:13

David no vio primero y después creyó. El creyó primero, y entonces vio. Observemos también que la experiencia que la fe produjo en él no fue sólo para después de la muerte, en el mundo venidero, sino para aquí y ahora, en la tierra de los vivientes.

Esta misma lección sale a relucir en la conversación entre Jesús y Marta cuando estaban frente a la tumba de Lázaro:

> Jesús dijo: Quitad la piedra. Marta, la hermana del que había muerto, le dijo: Señor, hiede ya, porque es de cuatro días. Jesús le dijo: ¿No te he dicho que si crees, verás la gloria de Dios?
>
> Juan 11:39-40

Aquí Jesús deja bien claro que la fe consiste en creer primero, y después ver; no al revés. Mucha gente con mente carnal invierten este orden. Dicen: "Yo sólo creo en lo que puedo ver." Pero esto es un error. Cuando vemos algo realmente, no necesitamos ejercer la fe para creer en ello. Es cuando no podemos ver que precisamos ejercer la fe. Como dice Pablo, la fe y la vista tienen naturalezas opuestas.

Muy a menudo nos encontramos con un aparente conflicto entre la evidencia de nuestros sentidos y la revelación de la palabra de Dios. Por ejemplo, podemos ver y sentir en nuestro cuerpo todas las evidencias de una enfermedad física. Sin embargo la Biblia revela que Jesús *mismo tomó nuestras enfermedades, y llevó nuestras dolencias* (Mateo 8:17); y *por cuya herida fuisteis sanados* (1 Pedro 2:24).

Aquí se presenta un conflicto aparente. Nuestros sentidos nos dicen que estamos enfermos. La Biblia nos dice que estamos sanados. Este conflicto entre el testimonio de nuestros sentidos y el de la palabra de Dios enfrenta a los creyentes, con la posibilidad de dos reacciones alternativas.

Por un lado, podemos aceptar el testimonio de nuestros sentidos y así aceptar nuestra enfermedad física. De esta forma nos convertimos en esclavos de nuestra mente carnal. Por otro lado, podemos aferrarnos firmemente al testimonio de la palabra de Dios de que estamos sanados.

Si hacemos esto con fe genuina y activa, el testimonio de nuestros sentidos terminará por concordar con el testimonio de la palabra de Dios, y entonces podremos decir que estamos sanados, no sólo en base de la fe en la palabra de Dios, sino también respaldados por la experiencia física real y el testimonio de nuestros sentidos.

En este punto, sin embargo, es necesario volver a recalcar que la clase de fe que produce estos resultados es la fe en el corazón, no en la mente. Debemos reconocer que la mera aceptación mental de las afirmaciones de la Biblia relacionadas a la sanidad y la salud carece del poder para convertirlas en realidad en nuestra experiencia física. Las palabras de Pablo en Efesios 2:8-9 relativas a la fe para la salvación se aplican igualmente a la fe para la sanidad. Así que podemos decir:

> Porque por gracia sois salvos [sanos] por medio de la fe; y esto [la fe] no de vosotros, pues es don de Dios; no por obras, para que nadie se gloríe.

La fe que trae sanidad es un regalo de la gracia soberana de Dios. Ninguna clase de gimnasia mental o técnica psicológica puede producirla. Unicamente la mente espiritual puede asimilar esta clase de fe. A la mente carnal le parece tontería. La mente carnal acepta el testimonio de los sentidos en todas las circunstancias y así se rige por los sentidos. La mente espiritual acepta el testimonio de la palabra de Dios como verdad invariable e inmutable y entonces acepta el testimonio de los sentidos sólo en la medida en que está de acuerdo con el testimonio de la palabra de Dios. Así resume David la actitud de la mente espiritual hacia el testimonio de la palabra de Dios:

> Me apego a tus testimonios; Señor, no me avergüences.
>
> Salmo 119:31 (BLA)

> Hace ya mucho que he entendido tus testimonios,
> Que para siempre los has establecido.
>
> Salmo 119:152

La pauta bíblica para esta clase de fe se encuentra en la experiencia de Abraham (ver Romanos 4:17-21). Pablo cuenta que la fe de Abraham estaba dirigida a Dios...

> ...el cual da vida a los muertos, y llama las cosas que no son, como si fuesen.
>
> Romanos 4:17

Esta declaración que Dios *llama las cosas que no son como si fuesen* significa que tan pronto como Dios ha declarado que una cosa es verdadera enseguida la fe la considera verdadera, aunque los sentidos no tengan evidencia de esta verdad.

Así, Dios llamó a Abraham "padre de muchas naciones", y a partir de ese momento, Abraham se consideró a sí mismo como lo que Dios lo había llamado, "el padre de muchas naciones," a pesar de que en ese momento no tenía ni un hijo que le hubiera nacido de Sara y de él.

Abraham no esperó hasta ver la evidencia física antes de aceptar como cierta la declaración de Dios. Por el contrario, aceptó la declaración de Dios como verdadera primero, y después su experiencia física se puso de acuerdo con lo que Dios había declarado.

En el siguiente versículo Pablo nos cuenta que Abraham *creyó en esperanza contra esperanza* (Romanos 4:18).

Esta frase "creyó en esperanza" nos revela que en ese momento Abraham tenía no sólo fe sino esperanza —esperanza en lo relativo al futuro, y fe en el presente— y que su esperanza concerniente al futuro era el resultado de su fe en el presente:

> Y no se debilitó [Abraham] en la fe al considerar su cuerpo, que estaba ya como muerto (siendo de casi cien años), o la esterilidad de la matriz de Sara.
>
> Romanos 4:19

Abraham se negó a aceptar el testimonio de sus sentidos, que sin dudas le decían que ya no era posible que él y Sara tuvieran un hijo. Pero Abraham no aceptó ese testimonio porque no estaba de acuerdo con lo que Dios había dicho. Abraham no hizo caso al testimonio de sus sentidos; se negó a tomarlo en cuenta:

> Tampoco dudó [Abraham], por incredulidad, de la promesa de Dios, sino que se fortaleció en fe, dando gloria a Dios, plenamente convencido de que era también poderoso para hacer todo lo que había prometido.
>
> Romanos 4:20-21

Esto muestra claramente en qué estaba enfocada la fe de Abraham: en la promesa de Dios. Así es que la fe está fundamentada en las promesas y las declaraciones de la palabra de Dios, y acepta el testimonio de los sentidos sólo en lo que esté de acuerdo con la palabra de Dios.

Un poco antes, en Romanos 4, Pablo llama a Abraham "el padre de todos los creyentes" (v. 11), y en el siguiente versículo habla de *los que (...) también siguen las pisadas de la fe que tuvo nuestro padre Abraham* (v.12).

Esto muestra que la fe bíblica consiste en actuar como Abraham y en seguir los pasos de su fe. Analizando la naturaleza de la fe de Abraham, hemos visto que hay tres pasos o etapas sucesivas:

1. Abraham aceptó la promesa de Dios como verdadera desde el mismo momento en que fue pronunciada.
2. Abraham se negó a aceptar el testimonio de sus sentidos en tanto no estuvieran de acuerdo con la declaración de Dios.
3. Debido a que Abraham se aferró a lo que Dios le había prometido, su vivencia física y el testimonio de sus sentidos acabaron por concordar con la declaración de Dios.

Así, lo que él había aceptado primero por la simple fe, a pesar del testimonio de sus sentidos, se volvió realidad en su propia vivencia física, confirmada por el testimonio de sus sentidos.

Muchos desecharían de mera tontería o fanatismo esta actitud de aceptar la palabra de Dios como verdad, desafiando el testimonio de nuestros sentidos. Y sin embargo, lo sorprendente es que filósofos y psicólogos de muy diferentes épocas y antecedentes, están de acuerdo en declarar que el testimonio de nuestros sentidos físicos es variable, subjetivo e inseguro.

Entonces, si el testimonio de nuestros sentidos no puede ser aceptado por sí mismo de verdadero y confiable, ¿dónde podemos encontrar la norma correcta de la verdad y la realidad por medio de la que pueda juzgarse el testimonio de los sentidos? Ni filósofos ni psicólogos han sido nunca capaces de ofrecer una respuesta satisfactoria.

En realidad, a lo largo de los siglos, filósofos y psicólogos han repetido la pregunta que hizo Pilato cuando estaba sentado en el tribunal: *¿Qué es la verdad?* (Juan 18:38). Sin embargo, el creyente cristiano halla la respuesta en las palabras de Cristo a su Padre: *Tu palabra es verdad* (Juan 17:17).

La norma fundamental e inmutable de toda verdad y realidad se encuentra en la palabra de Dios. La fe consiste en escuchar, creer y actuar conforme a esta verdad.

Al considerar la relación entre la fe y nuestros sentidos físicos, es necesario hacer una clara distinción entre la verdadera fe bíblica por un lado, y las enseñanzas como las del "dominio de la mente sobre la materia" o las de la falsamente llamada Ciencia Cristiana, por otro lado.

Las dos diferencias principales son: Primero, las enseñanzas como las del "dominio de la mente sobre la materia" o la Ciencia Cristiana, tienden a magnificar y exaltar el elemento puramente humano; tales como la mente del hombre, o la razón, o la fuerza de voluntad. Es decir, que estas enseñanzas se centran en el hombre. Por el contrario, la verdadera fe bíblica se concentra esencialmente en Dios. Rebaja todo lo que es humano y magnifica sólo a Dios, su verdad y su poder.

Segundo, las enseñanzas como las del "dominio de la mente sobre la materia" o la de la Ciencia Cristiana no están fundamentadas directamente, ni siquiera en su mayor parte, en la palabra de Dios. Muchas de las cosas que afirman y quieren hacer realidad mediante el ejercicio de la voluntad humana, no están de acuerdo con las enseñanzas de la palabra de Dios. En realidad, en ciertos aspectos, se oponen a la palabra. Por el contrario, la fe bíblica, por su misma naturaleza y definición, está circunscrita dentro de los límites de la palabra de Dios.

También es necesario distinguir entre la fe y la presunción. La línea que las separa es muy fina, pero marca los límites entre el éxito y el fracaso.

La presunción contiene un elemento de arrogancia humana y autoglorificación. Es la afirmación de la voluntad del hombre, incluso cuando viene envuelta en lenguaje espiritual. La fe, por el contrario, depende totalmente de Dios, y sus resultados siempre glorificarán a Dios. Nunca toma la iniciativa que corresponde a Dios.

Volvemos a las palabras de Pablo: Esa fe no es *de vosotros, pues es don de Dios, no por obras, para que nadie se gloríe* (Efesios 2:8-9). Juan el Bautista resume esta actitud:

No puede el hombre recibir nada, si no le fuere dado del cielo.

Juan 3:27

En pocas palabras, la fe *recibe,* y la presunción *arrebata.*

## Se expresa en la confesión

Llegamos ahora a otra importante característica de la fe bíblica. Ya hemos examinado, en la primera parte de Romanos 10:10, las palabras de Pablo:

Con el corazón se cree para justicia.

En la segunda parte de este versículo Pablo añade:

pero con la boca se confiesa para salvación.

Aquí sale a relucir la asociación directa entre la fe en el corazón y la confesión con la boca.

Esta asociación entre el corazón y la boca es uno de los grandes principios básicos de la Escritura. Cristo mismo dice:

> Porque de la abundancia del corazón habla la boca.
>
> Mateo 12:34

Podemos expresar esto en fraseología moderna diciendo: "Cuando el corazón está lleno, se desborda por la boca." Se deduce, por consiguiente, que cuando nuestro corazón está lleno de fe en Cristo, esta fe encontrará su expresión apropiada cuando confesamos a Cristo abiertamente con nuestra boca. Una fe que es suprimida en el silencio, sin confesarla abiertamente, es una fe incompleta, que no proporciona los resultados ni los beneficios que deseamos.

Pablo se refiere a esta asociación entre el creer y el hablar cuando dice:

> Teniendo el mismo espíritu de fe, conforme a lo que está escrito: Creí, por lo cual hablé, nosotros también creemos, por lo cual también hablamos.
>
> 2 Corintios 4:13

Observemos la relación lógica indicada por las palabras *por lo cual, nosotros también creemos, por lo cual también hablamos*. Pablo habla aquí del "espíritu de fe". La mera fe intelectual que se queda en la mente puede quizás permanecer en silencio; pero la fe que es espiritual —la fe que está en el espíritu y en el corazón del hombre— tiene que hablar. Tiene que expresarse en confesión con la boca.

En realidad esta fe se deduce lógicamente del mismo significado de la palabra *confesión*. La palabra *confesión* —al igual que la palabra griega *homología* de la que es traducción— significa literalmente "decir lo mismo que". Por lo tanto, la confesión, para los cristianos, significa que decimos con nuestra boca lo mismo que Dios ha dicho ya en su palabra. O, en resumen, las palabras de nuestra boca están de acuerdo con la palabra de Dios.

Así, en este sentido, la confesión es la expresión natural de la fe del corazón. Creemos en nuestro corazón lo que Dios ha dicho en su palabra; eso es fe. De ese momento en adelante decimos naturalmente con nuestra boca lo mismo que creemos en nuestro corazón; eso es confesión. La fe y la confesión se centran en una misma cosa: la verdad de la palabra de Dios.

Hay una revelación de Cristo en Hebreos que expresa con mayor fuerza todavía la importancia de la confesión con relación a la fe. A Cristo se le llama *el sumo sacerdote de nuestra profesión* [o confesión] (Hebreos 3:1).

Esto significa que Cristo en los cielos sirve de nuestro Abogado y Representante en lo que respecta a cada verdad de la palabra de Dios que nosotros en la tierra confesamos con nuestra boca. Pero cuando dejamos de confesar nuestra fe sobre la tierra, no le damos oportunidad a Cristo para actuar en beneficio nuestro en el cielo. La extensión del ministerio de sumo sacerdote de Cristo por nosotros en el cielo es determinada por la extensión de nuestra confesión en la tierra.

Entonces, ¿cuáles son las principales características de la fe, tal como se define y describe en la Biblia?

- La fe bíblica es una condición del corazón, no de la mente.
- Está en el presente, no en el futuro.
- Produce un cambio positivo en nuestra conducta y en nuestra vivencia.
- Está basada sólo en la palabra de Dios y acepta el testimonio de los sentidos únicamente cuando éste concuerda con el testimonio de la palabra de Dios.
- Se expresa en la confesión con la boca.

# 11

# La singularidad
# de la fe

Ya hemos estudiado la definición de la fe que da Hebreos 11:1. El escritor prosigue describiendo la función que desempeña ésta cuando el hombre trata de acercarse a Dios:

> Pero sin fe es imposible agradar a Dios; porque es necesario que el que se acerca a Dios crea que le hay, y que es galardonador de los que le buscan.
>
> Hebreos 11:6

Observemos las dos frases: *sin fe es imposible agradar a Dios* y *es necesario que el que se acerca a Dios crea que le hay.* Vemos aquí que la fe es la condición indispensable para acercarse a Dios y para complacerlo.

El aspecto negativo de esta verdad es que *todo lo que no proviene de fe, es pecado* (Romanos 14:23). Esto significa que cualquier cosa que haga una persona en cualquier momento, si no está basada en la fe, es considerada por Dios como pecaminosa. Esto se aplica incluso a las actividades religiosas, tales como asistir a la iglesia, orar, cantar himnos o hacer obras de caridad. Si no se llevan a cabo con fe sincera hacia Dios, de ninguna manera son aceptables para él.

A menos que tales actos hayan sido precedidos por un verdadero arrepentimiento y a menos que sean motivados por una verdadera fe, no son otra cosa que "obras muertas", totalmente inaceptables para Dios.

## El fundamento para vivir rectamente

En Habacuc 2:4 se encuentra la declaración que quizás sea la más completa en lo que respecta a la relación entre la fe y la justicia:

El justo por su fe vivirá.

Las palabras *justo* y *recto* son dos acepciones que traducen una misma palabra en el texto original. Lo mismo se aplica al hebreo del Antiguo Testamento que al griego del Nuevo. En ambos idiomas hay una sola raíz que, cuando es adjetivo, puede traducirse lo mismo "justo" que "recto", y cuando es sustantivo, puede traducirse "justicia" o "rectitud". Cualquier traducción que se use, no hay diferencia en el sentido original.

Por eso, en Habacuc 2:4 podemos decir tanto "el justo por su fe vivirá" como "el recto por su fe vivirá."

Esta declaración de Habacuc se cita tres veces en el Nuevo Testamento: en Romanos 1:17, en Gálatas 3:11 y en Hebreos 10:38. En los tres pasajes la versión Reina-Valera dice *El justo por su fe vivirá*. Sería difícil pensar en una oración más corta y simple como ésta que haya producido un impacto más grande en la historia del género humano.

La oración completa consta de seis palabras cortas. Sin embargo esta declaración proporciona la autoridad bíblica básica para el mensaje del evangelio predicado por la Iglesia apostólica. La proclamación de este simple mensaje por parte de una escasa y despreciada minoría, cambió el curso de la historia mundial. Antes que transcurrieran tres siglos, puso de rodillas al mismo gran César, la cabeza del imperio más poderoso, más extenso y más duradero que el mundo haya conocido jamás.

Doce siglos después, esta misma declaración, avivada por el Espíritu Santo en el corazón y la mente de Martín Lutero, proporcionó la palanca bíblica que desarticuló el poder papal de Roma y, mediante la Reforma Protestante, volvió a cambiar el curso de la historia; primero en Europa y en todo el mundo después.

No hay duda de que, todavía hoy, esta misma oración sencilla, una vez que se la ha apropiado y aplicado por fe, contiene en sí el poder de revolucionar la vida de individuos o el curso de naciones e imperios.

Aunque muy corta y sencilla, el alcance de esta oración: *El justo por su fe vivirá* es inmenso. La palabra *vivirá* abarca casi todos los actos o condiciones concebibles de cualquier ser consciente. Cubre todas las dimensiones de la personalidad y de la experiencia humanas en todos los aspectos imaginables: el espiritual, el mental, el físico, el material. Abarca la más amplia gama posible de actividades, como respirar, pensar, hablar, comer, dormir, trabajar, etcétera.

La Escritura enseña que, para ser aceptada de justa por Dios, todas estas actividades dentro de esa persona tienen que estar motivadas y controladas por el gran principio de la fe.

Pablo en realidad aplica este principio al acto familiar de comer, porque dice:

> Pero el que duda sobre lo que come, es condenado, porque no lo hace con fe; y todo lo que no proviene de fe, es pecado.
>
> Romanos 14:23

Esto demuestra que, en la vida de rectitud —que es la única aceptable para Dios— hasta un acto tan común que es comer tiene que provenir de la fe.

Consideremos entonces por un momento: ¿Qué quiere decir "comer con fe"? ¿Qué implica esto?

Primero, implica que reconocemos que Dios es quien nos ha proporcionado el alimento que comemos. Por lo tanto, la provisión de alimentos para nuestro cuerpo es un ejemplo del principio que Santiago 1:16-17 establece:

> Amados hermanos míos, no erréis. Toda buena dádiva y todo don perfecto desciende de lo alto, del Padre de las luces, en el cual no hay mudanza, ni sombra de variación.

También es un cumplimiento de la promesa contenida en Filipenses 4:19:

> Mi Dios, pues, suplirá todo lo que os falta conforme a sus riquezas en gloria en Cristo Jesús.

Segundo, puesto que reconocemos que Dios es quien proporciona nuestro alimento, naturalmente nos detenemos antes de comer para darle gracias. De esta forma, obedecemos el mandamiento de Colosenses 3:17,

> Y todo lo que hacéis, sea de palabra o de hecho, hacedlo todo en el nombre del Señor Jesús, dando gracias a Dios Padre por medio de él.

De este modo estamos seguros de la bendición de Dios sobre el alimento que comemos, para que obtengamos de éste el máximo de nutrición y beneficio. Pablo lo explica así:

> Porque todo lo que Dios creó es bueno, y nada es de desecharse, si se toma con acción de gracias; porque por la palabra de Dios y por la oración es santificado.
>
> 1 Timoteo 4:4-5

Así, mediante nuestra fe y la oración, el alimento que comemos es bendecido y santificado para nosotros.

Tercero, comer con fe implica reconocer que la salud y la fortaleza que recibimos a través de nuestro alimento, pertenecen a Dios y tienen que ser usadas en su servicio y para su gloria.

> Pero el cuerpo no es para la fornicación, [ni para un uso inmoral, inmundo, necio o dañino] *sino para el Señor, y el Señor para el cuerpo.*
>
> 1 Corintios 6:13

Puesto que nuestros cuerpos son así entregados al Señor por fe y por una vida santa, la responsabilidad de su cuidado y conservación también pertenece al Señor; y tenemos todo el derecho de esperar el cumplimiento de la oración de Pablo:

> Y todo vuestro ser, espíritu, alma y cuerpo, sea guardado irreprensible para la venida de nuestro Señor Jesucristo.
>
> 1 Tesalonicenses 5:23

Todas éstas —y muchas otras— son las implicaciones y los resultados del principio "el justo por la fe vivirá", aplicado a un solo y simple aspecto de nuestras vidas: el de comer. Y cuando analizamos así lo que está implicado en la frase "comer con fe", tenemos que llegar a la conclusión de que la gran mayoría de la gente, incluso los que profesan el cristianismo, no "comen con fe". No dedican a Dios ni un pensamiento en la provisión, preparación y consumo de su alimento diario.

Sin duda ésta es una de las principales causas de enfermedades de indigestión, úlceras, tumores, cáncer, del corazón y muchas otras. El mundo occidental ha disfrutado de una abundancia de alimento y dinero sin precedentes. Pero incontables miles están usando mal y desperdiciando esta abundancia, provocando su propia aflicción física, pues por causa de su indiferencia e incredulidad, han expulsado a Dios de sus vidas. Salomón nos da una descripción del hombre carnal y sensual, que no deja espacio para Dios en su vida diaria:

Todos los días de su vida comerá en tinieblas, con mucho afán y dolor y miseria.

Eclesiastés 5:17

Esta descripción es tan actual hoy, como cuando Salomón la escribió. No comer con fe es comer en "tinieblas", y las tres consecuencias que con frecuencia le siguen son "afán y dolor y miseria."

Hay otro acto sencillo, familiar y esencial para todos, en que el principio de la fe puede tener una influencia decisiva: el dormir. En el Salmo 127:2 el salmista dice:

Por demás es que os levantéis de madrugada, y vayáis tarde a reposar,
Y que comáis pan de dolores;
Pues que a su amado dará Dios el sueño.

La prosecución continua y agitada de la riqueza y el placer, es causa hoy que millones de personas están perdiendo la capacidad de disfrutar del alimento o el sueño. ¿Quién puede contar los millones de analgésicos, digestivos y somníferos que se consumen cada día en todo el mundo occidental... y con frecuencia con tan poco efecto? Pero para los creyentes hijos de Dios, cuyas vidas están fundadas en la fe en Dios, el sueño llega como un don del amor de Dios, una provisión de su misericordia de todos los días, *pues que a su amado dará Dios el sueño.*

Alguien ha dicho: "El dinero puede comprar medicina, pero no salud; una cama, pero no sueño." No es sólo muy costoso, sino muy perjudicial para nuestros cuerpos también, dejar a Dios fuera de nuestra vida diaria.

El salmista David fue un hombre cuyo camino lo condujo a través de muchos problemas y peligros, pero en medio de todos ellos lo sostuvo su fe en Dios y le dio la seguridad de un sueño dulce y tranquilo. Escuchemos su testimonio, contando lo que la oración y la fe hicieron por él:

Con mi voz clamé al Señor,
Y El me respondió desde su santo monte.
Yo me acosté y me dormí;
desperté, pues el Señor me sostiene.

Salmo 3:4-5 (BLA)

En paz me acostaré y así también dormiré;
porque sólo tú, Señor, me haces habitar seguro.

Salmo 4:8 (BLA)

La misma seguridad bendita de sueño apacible e ininterrumpido al final de cada día, está todavía al alcance de los que tomen posesión de todas la provisiones del amor y la misericordia de Dios, contenidas en esa simple frase: "El justo por su fe vivirá."

Sobre este asunto, puedo imaginar a un lector diciendo: "Usted habla de actos simples y familiares como comer y dormir, y de la parte que la fe puede desempeñar en ellos. Pero los problemas de nuestro mundo moderno son mucho mayores y más complejos que comer y dormir. ¿Qué soluciones puede ofrecer la fe para nuestros grandes problemas nacionales e internacionales de hoy?"

Sí, es efectivamente cierto que somos enfrentados con grandes e intrincados problemas: sociales, económicos, y políticos. Tenemos que reconocer esto. Pero llevemos la fe un paso más allá: no hay mente ni sabiduría humanas que puedan comprender todos estos problemas en toda su extensión, mucho menos ofrecer soluciones para todos ellos. Si tenemos que depender únicamente de la sabiduría humana para las soluciones, entonces el panorama es desolador.

Pero la fe siempre está unida a la humildad. La verdadera fe hace que el hombre reconozca sus propias limitaciones. Distingue entre lo que está dentro de las posibilidades del hombre y lo que está dentro de la providencia de Dios.

Alguien ha establecido la relación entre la parte que juega el hombre y la parte de Dios en la vida de fe como sigue: "Uno hace las cosas sencillas; Dios hará las complicadas. Uno hace las cosas pequeñas; Dios hará las grandes. Uno hace las cosas posibles; Dios hará las imposibles."

El plan de Dios para vivir que es sencillo, "el justo por su fe vivirá", sigue teniendo sentido hoy todavía. Dejemos que el hombre haga su parte; dejemos que, por fe y obediencia, busque la dirección y la bendición de Dios en los actos simples de la vida diaria, en las relaciones familiares en el hogar y la comunidad. Ahí vendrá un alivio y un desahogo de las cargas y tensiones, los colapsos nerviosos, físicos, mentales y morales de la vida moderna. Y en las vastas dimensiones del mundo moderno que están fuera de la comprensión y del control del hombre, Dios se moverá en respuesta a la fe del hombre, y gobernará los asuntos de las naciones de un modo tal que nos asombrará por su efectividad.

Este sencillo principio, "el justo por su fe vivirá", que dos veces ha cambiado el curso de la historia, todavía hoy contiene el poder de revolucionar la vida y el destino de cualquier nación moderna que lo aplique. Todavía es la respuesta de Dios para los problemas del hombre, la provisión de Dios para las necesidades del hombre:" El justo por su fe vivirá."

De todas las facultades y capacidades del hombre, sólo hay una por medio de la que él puede resolver los problemas que enfrenta hoy —una facultad humana que es potencialmente mayor que todos sus logros materiales y científicos— y es su fe en Dios.

A fin de comprender las posibilidades latentes de la fe del hombre en Dios, es necesario examinar dos declaraciones hechas por el Señor Jesucristo durante su ministerio terrenal:

> Y mirándolos Jesús, les dijo: "Para los hombres esto es imposible; mas para Dios todo es posible".
>
> Mateo 19:26

> Jesús le dijo: "Si puedes creer, al que cree todo le es posible".
>
> Marcos 9:23

Juntemos estas dos declaraciones: *Para Dios todo es posible* y *al que cree todo le es posible*. Esto significa que mediante la fe, las posibilidades de Dios se vuelven nuestras. La fe es el canal que pone a nuestra disposición la omnipotencia de Dios. El límite de lo que la fe puede recibir es sólo el límite de lo que Dios mismo puede hacer.

## Apropiarse de todas las promesas de Dios

Hasta ahora hemos visto la fe como una experiencia del corazón del hombre que revoluciona su conducta y proporciona un principio por medio del cual orientar todo el curso de su vida. Sin embargo, es de suma importancia añadir que la fe no es sólo algo subjetivo, algo privado y personal en el corazón de cada creyente. Es eso, pero también es más.

La fe está fundamentada en hechos objetivos y definidos. ¿Cuáles son esos hechos? Es posible dar una respuesta muy amplia a esta pregunta. Por otra parte, también es posible circunscribir nuestra respuesta dentro de límites muy estrechos.

En el sentido más amplio, la fe tiene su fundamento en toda la Biblia. Cada declaración y cada promesa en la Biblia es potencialmente un objeto de la fe. Como ya hemos dicho, la fe viene de oír la palabra de Dios; y por consiguiente, la fe tiene su fundamento en todo el contenido de la palabra de Dios. Para el creyente cristiano no hay nada dentro de las declaraciones y promesas de Dios que esté fuera del ámbito de su fe. Pablo deja esto muy claramente establecido:

> Porque todas las promesas de Dios son en él Sí, y en él Amén, por medio de nosotros, para la gloria de Dios.
>
> 2 Corintios 1:20

Junto con esto podemos poner Romanos 8:32:

> El que no escatimó ni a su propio Hijo, sino que lo entregó por todos nosotros, ¿cómo no nos dará también con él todas las cosas?

Todas las cosas que Dios posee —todas sus bendiciones, todas sus promesas— han sido libremente concedidas a toda persona que las reciba mediante la fe en la muerte expiatoria y la resurrección de Cristo.

Hay una tendencia hoy de fundar la interpretación de la Escritura en un sistema de dispensaciones, de modo que sólo una pequeña porción de las bendiciones y promesas de Dios están a disposición de los cristianos.

De acuerdo con este sistema de interpretación, muchas de las más selectas bendiciones y promesas son relegadas, a períodos del pasado, como las del pacto mosaico o a la Iglesia apostólica, o a períodos en el futuro, como el milenio o a la dispensación del cumplimiento de los tiempos.

No obstante, esto no concuerda con la declaración de Pablo en 2 Corintios 1:20, que podemos ampliar como sigue:

> Porque todas las promesas de Dios [no algunas de las promesas, sino todas las promesas de Dios] son [no eran ni serán, sino son aquí y ahora] en él [Cristo] Sí, y en él Amén [no sólo Sí, sino una doble afirmación: Sí y Amén], por medio de nosotros [no a través varios grupos en diferentes épocas sino mediante nosotros que recibimos estas palabras hoy], para la gloria de Dios.

El contexto deja bien claro que "nosotros" incluye a todos los verdaderos creyentes en Cristo.

En la vida de cualquier creyente cristiano, no hay necesidad que esté fuera del alcance de las promesas de Dios:

> Mi Dios, pues, suplirá todo lo que os falta conforme a sus riquezas en gloria en Cristo Jesús.
>
> Filipenses 4:19

Para cada necesidad que surja en la vida de cualquier cristiano, hay, en algún lugar de la palabra de Dios, una promesa que satisface esa necesidad y que puede ser reclamada mediante la fe en Cristo.

Por consiguiente, cuando quiera que surja la necesidad en la vida de un cristiano, hay tres pasos que éste debe dar:

1. Debe pedir al Espíritu Santo que lo dirija a la promesa o promesas en particular que se aplican a su situación y que satisfacen su necesidad.

2. Debe cumplir obedientemente en su vida las condiciones particulares ligadas con esas promesas.
3. Debe esperar positivamente los resultados en su vida.

Esta es la fe en acción, y fe de esta clase es *la victoria que ha vencido al mundo* (1 Juan 5:4). El secreto de esta victoria radica en conocer y aplicar las promesas de la palabra de Dios.

Pedro establece con fuerza esta misma verdad:

> Como todas las cosas que pertenecen a la vida y a la piedad nos han sido dadas por su [de Dios] divino poder, mediante el conocimiento de aquel que nos llamó por su gloria y excelencia, por medio de las cuales nos ha dado preciosas y grandísimas promesas.
>
> 2 Pedro 1:3-4

El mensaje de Pedro está en completo acuerdo con el de Pablo. El nos dice que Dios ya nos ha provisto de todo lo que alguna vez podamos necesitar para la vida y la piedad y que esta provisión está a nuestra disposición mediante Cristo, al reclamar las promesas de Dios.

En el Antiguo Testamento, con Josué, Dios llevó a su pueblo a la tierra prometida. En el Nuevo Testamento, con Jesús, Dios lleva a su pueblo a una tierra de promesas. El paralelo se hace más exacto por el hecho de que Josué y Jesús son dos formas diferentes del mismo nombre.

En el Antiguo Testamento, Dios mostró a Josué el principio de la apropiación por medio de la fe personal activa:

> Yo os he entregado (...) todo lugar que pisare la planta de vuestro pie.
>
> Josué 1:3

En el Nuevo Testamento este principio permanece el mismo. Dios dice, en efecto, "Toda promesa de que tú personalmente te apropies, te la he entregado."

No obstante, es necesario añadir una palabra de advertencia: La gran mayoría de las promesas de Dios, en el Antiguo y en el Nuevo Testamento, son condicionales. Hay condiciones asociadas con ellas, reclamar la promesa. Por ejemplo:

> Encomienda al Señor tu camino,
> confía en El, que El actuará.
>
> Salmo 37:5 (BLA)

La promesa aquí es: *El actuará;* los problemas del creyente *Encomienda al Señor tu camino, y confía en El.* La palabra *encomienda* denota un acto solo y definitivo; la palabra *confía en El* denota una actitud continuada.

Así, las condiciones asociadas con esta promesa pueden interpretarse como sigue: 1) ejecuta un solo acto definitivo de entrega, 2) a partir de ese momento, mantén una continua actitud de confianza. Cuando estas dos condiciones han sido cumplidas, el creyente puede entonces reclamar la promesa siguiente: *El actuará,* en cualquier forma adecuada a su situación en particular.

Esta clase de fe activa y apropiadora es la clave de una vida cristiana victoriosa. Tiene que basarse en las promesas de la palabra de Dios, y tiene que seguir tres pasos sucesivos: 1) encontrar la promesa adecuada, 2) cumplir todas las condiciones asociadas con ella, y 3) reclamar el cumplimiento de la promesa. Sujeta a estas condiciones, el alcance de la fe cristiana es tan amplio como las promesas de Dios.

# 12

# La fe
# para salvación

Hasta ahora hemos considerado la fe en el sentido más amplio y general, en lo relacionado con todas las declaraciones y promesas de Dios en las Escrituras. Sin embargo, hay una parte del mensaje de la Biblia que es de la mayor importancia, porque decide el eterno destino de toda alma humana. Esta parte es llamada "el evangelio", y revela el camino de salvación del pecado y sus consecuencias.

Con frecuencia la gente piensa "del evangelio" como en algo con una naturaleza vaga y emotiva, imposible de explicar racionalmente. Incluso en la predicación del "evangelio" se hace tanto hincapié en una respuesta exaltada, que se crea la impresión de que toda la salvación consiste en una experiencia emocional.

Pero esto es incorrecto y engañoso. El mensaje real del evangelio, declarado en la Biblia, se compone de hechos definidos, y la salvación consiste en conocerlos, creerlos y actuar basándose en ellos.

## Los cuatro hechos fundamentales del evangelio

¿Cuáles son estos hechos que constituyen el evangelio? Para responder a esta pregunta podemos ir a dos pasajes Romanos 4:24-25 y 1 Corintios 15:1-4.

En Romanos 4 Pablo analiza las características principales de la fe de Abraham y expone que la fe de Abraham es un ejemplo digno de que todos los creyentes cristianos lo sigan. Señala que, de acuerdo con las Escrituras del Antiguo Testamento, Abraham no fue justificado ante Dios por sus obras, sino que su fe le fue contada por justicia. Entonces en los versículos 23-25 Pablo aplica directamente este ejemplo de Abraham a nosotros los creyentes en Cristo, porque dice:

> Y no solamente con respecto a él se escribió que le fue contada, sino también con respecto a nosotros a quienes ha de ser contada, esto es, a los que creemos en el que levantó de los muertos a Jesús, Señor nuestro, el cual fue entregado por nuestras transgresiones, y resucitado para nuestra justificación.

El evangelio, declarado por Pablo aquí, contiene tres hechos definidos: 1) Jesús fue entregado a la pena de muerte por nuestras transgresiones; 2) Dios levantó de los muertos a Jesús; 3) si creemos en la muerte y resurrección de Jesús en beneficio nuestro, seremos justificados o aceptados justos ante Dios.

En 1 Corintios 15:1-4 Pablo recuerda a los cristianos de Corinto el mensaje del evangelio que les ha predicado y mediante el que ellos fueron salvos, y vuelve a exponerles los hechos fundamentales del mensaje:

> Además os declaro, hermanos, el evangelio que os he predicado, el cual también recibisteis, en el cual también perseveráis; por el cual asimismo, si retenéis la palabra que os he predicado, sois salvos, si no creísteis en vano. Porque primeramente os he enseñado lo que asimismo recibí: que Cristo murió por nuestros pecados, conforme a las Escrituras; y que fue sepultado, y que resucitó al tercer día, conforme a las Escrituras.
>
> 1 Corintios 15:1-4

Volvemos a ver que el evangelio consiste en tres hechos definidos:1) Cristo murió por nuestros pecados, 2) fue sepultado, 3) resucitó al tercer día.

Pablo insiste también que el primero y más autorizado de todos los testimonios de la veracidad de estos hechos no es el de los hombres que fueron testigos de la muerte y resurrección de Cristo, sino el testimonio de las Escrituras del Antiguo Testamento, que habían profetizado los acontecimientos cientos de años antes que se cumplieran. El testimonio de los testigos oculares contemporáneos sólo se menciona después como comprobación de las Escrituras del Antiguo Testamento.

Si juntamos las enseñanzas de estos dos pasajes en las epístolas de Pablo —Romanos 4:24-25 y 1 Corintios 15:1-4— es posible determinar los hechos fundamentales que constituyen el evangelio.

Todos estos hechos se centran exclusivamente en la persona misma de Cristo no en su vida y enseñanzas terrenales, sino en su muerte y resurrección.

Aquí están los cuatro hechos fundamentales: 1) Cristo fue entregado por Dios el Padre al castigo de la muerte por causa de nuestros pecados; 2) Cristo fue sepultado; 3) Dios lo resucitó al tercer día; 4) recibimos la justificación de Dios cuando creemos estos hechos.

## El acto sencillo de la apropiación

Repito que hay una diferencia vital entre la fe de la mente, que no es nada más que la aceptación intelectual de los hechos del evangelio, y la fe del corazón, que siempre da por resultado una respuesta positiva a estos hechos. Todo el Nuevo Testamento establece claramente que la experiencia de la salvación viene a cada alma sólo como resultado de esta reacción personal al evangelio.

El Nuevo Testamento se vale de varias palabras para describir esta respuesta personal al evangelio. Todas tienen un punto esencial en común: describen actos sencillos y conocidos que cualquiera puede comprender y realizar.

Por ejemplo, Pablo explica que la salvación viene por creer con el corazón y confesar con la boca la verdad del evangelio (ver Romanos 10:8-9). Y termina su explicación del camino de la salvación diciendo: *Porque todo aquel que invocare el nombre del Señor, será salvo* (Romanos 10:13).

Aquí el simple acto que trae consigo la salvación es el de invocar el nombre del Señor Jesucristo.

En Mateo 11:28 Cristo usa la sencilla palabra *venid* para describir la respuesta que él requiere a la invitación del evangelio, porque dice:

Venid a mí todos los que estáis trabajados y cargados, y yo os haré descansar.

Y añade a esta invitación una promesa muy confortante y reafirmadora:

Al que viene a mí, no le echo fuera.

Juan 6:37

Así, la invitación está respaldada por la promesa, y la promesa produce la fe necesaria en los que desean aceptar la invitación.

Cuando habla a la mujer samaritana en el pozo de Jacob, Cristo se vale del acto sencillo de beber, que era el adecuado para aquella situación particular, a fin de exponer la respuesta necesaria al evangelio y dice:

> Mas el que bebiere del agua que yo le daré, no tendrá sed jamás; sino que el agua que yo le daré será en él una fuente de agua que salte para vida eterna.

> Juan 4:14

Aquí el acto de recibir la salvación se compara al de beber agua. En este caso la promesa se da primero —nunca tendrá sed— después en el Nuevo Testamento la promesa es respaldada por una invitación. Cristo dice:

> Si alguno tiene sed, venga a mí y beba.

> Juan 7:37

> Y el Espíritu y la Esposa dicen: Ven. Y el que oye, diga: Ven. Y el que tiene sed, venga; y el que quiera, tome del agua de la vida gratuitamente.

> Apocalipsis 22:17

En Juan 1:11-13 la palabra usada para describir esta reacción al evangelio es *recibir*. En estos tres versículos Juan escribe, con respecto a Cristo:

> A lo suyo vino, y los suyos no le recibieron. Mas a todos los que le recibieron, a los que creen en su nombre, les dio potestad de ser hechos hijos de Dios; los cuales no son engendrados de sangre, ni de voluntad de carne, ni de voluntad de varón, sino de Dios.

Aquí la idea clave es la de recibir personalmente a Cristo. El resultado de esta respuesta de fe la describe Juan como ser hecho un hijo de Dios, o "ser engendrado por Dios". Cristo se refiere a esta experiencia en Juan 3:3, donde la llama "ser nacido de nuevo". Aclara bien que sin esta experiencia personal definida, nadie puede esperar entrar jamás en el reino de Dios, porque dice:

> De cierto, de cierto te digo, que el que no naciere de nuevo, no puede ver el reino de Dios.

Una vez más este reto de responder al evangelio recibiendo personalmente a Cristo es respaldado por una promesa definida de Cristo mismo:

> He aquí, yo estoy a la puerta y llamo; si alguno oye mi voz y abre la puerta, entraré a él, y cenaré con él, y él conmigo.
>
> Apocalipsis 3:20

Aquí Cristo habla directamente a cada persona que ha oído el evangelio y desea responder abriendo la puerta de su corazón para recibirlo adentro.

A cada alma que responda así, Cristo le hace una promesa clara y directa: *Entraré.*

Hemos visto que en cada caso donde se presenta el evangelio, se requiere de la fe para hacer una respuesta personal sencilla. La palabra que describe esta reacción puede variar, pero la naturaleza esencial de la respuesta es siempre la misma. En los casos que hemos considerado, las palabras usadas son las siguientes: *invocar, venir, beber* y *recibir.*

Como hemos señalado, cada una de estas palabras describe un acto familiar sencillo, que cualquiera puede comprender y llevar a cabo. Hay otro rasgo vitalmente importante que es común a todos ellos: Cada uno es un acto que la persona debe hacer por sí misma; nadie puede realizar ninguna de estas acciones en beneficio de otro.

Cada persona tiene que *invocar* por sí misma; cada uno tiene que *venir* por sí mismo; cada persona tiene que *beber* por sí misma; cada cual tiene que *recibir* por sí mismo. Igual es con la reacción al evangelio. Cada individuo tiene que dar su propia respuesta; nadie puede responder por otro.

Cada alma se salvará o se perderá únicamente por su propia reacción.

El deber de todo cristiano responsable —ministros y legos— es familiarizarse completamente con estos actos sencillos del evangelio y también con la variedad de maneras en que el Nuevo Testamento presenta la necesidad de que cada alma dé una respuesta personal al evangelio.

La obra del reino de Cristo se beneficiaría enormemente si todos los ministros incorporaran continuamente estos hechos en los sermones que predica.

Donde los sermones se predican regularmente sin la presentación clara de estos hechos, es dudoso que haya algún fruto de valor eterno.

Nunca menciono estos puntos sin recordar un incidente que me sucedió mientras ministraba en Londres, Inglaterra. El incidente concierne a una mujer a quien llamaremos la señora H.

Esta señora había estado viniendo puntualmente a nuestra casa durante algunas semanas para darles lecciones de piano a nuestras dos hijas menores. No sabíamos mucho acerca de la señora H., excepto que era una respetable mujer que asistía con regularidad a una bien conocida iglesia protestante cercana a nuestro hogar. Nos dio a entender que tomaba parte activa en la organización misionera femenina de la iglesia.

Un día supimos que la señora H. había sido llevada de emergencia al hospital gravemente enferma, y que no se esperaba que sobreviviera.

Consideré mi deber visitarla en el hospital. Cuando solicité permiso para verla, la enfermera replicó que ella estaba demasiado grave para recibir visitas. Cuando expliqué que yo era un ministro, me contestó que podría verla por cinco minutos y ni uno más. Para cuando me presenté a la señora H. y me aseguré de que sabía quien era yo, casi había transcurrido uno de los cinco minutos. Sin perder tiempo le dije directamente que bien pudiera ser que estuviera en el umbral de la eternidad y le pregunté si, en tales condiciones, tenía la seguridad de que sus pecados habían sido perdonados y de que estaba lista para encontrarse con Dios. Me contestó que no.

Le expuse entonces muy clara y simplemente los hechos básicos del evangelio: que Cristo había sufrido la muerte como castigo por nuestros pecados; que había sido sepultado y resucitado al tercer día; que podíamos ser salvos cuando creíamos en estos hechos, pero que Dios esperaba de cada persona deseando ser salva que diera una respuesta personal definida de fe.

Le pregunté si deseaba dar esa respuesta y me contestó que sí.

Le pedí entonces que repiticra una oración que pronuncié en voz alta y en frases cortas, repitiendo los hechos del evangelio y reclamando la promesa de salvación de Dios. La señora H. repitió cada frase después de mí.

Una vez concluida la oración, le pregunté si entonces creía que era salva, y me dijo que sí.

Finalicé con otra corta oración, encomendándola al Señor y agradeciéndole la salvación de ella.

En ese momento todavía me restaba cerca de medio minuto. Así que, desde el momento en que empecé a tratar con la señora H. acerca de su alma, me tomó menos de cuatro minutos presentarle el evangelio y conducirla a la certeza de su salvación.

De este modo la señora H. obtuvo una paz en su corazón que nunca antes en toda su vida había conocido. Como consecuencia directa aquella paz en su corazón, logró una rápida e inesperada recuperación y pronto fue dada de alta del hospital.

Pocas semanas después, la señora H. estaba de vuelta en casa para reanudar sus clases de piano. Cuando las lecciones terminaron, le dije:

—¿Le molesta que le haga una pregunta personal? —Ella consintió.

— Señora H. —observé—, entiendo que durante muchos años usted ha estado asistiendo fielmente a su iglesia cada semana y ha tomado parte activa en la vida de la iglesia. Sin embargo, cuando llegó el momento de crisis y se encontró cara a cara con la eternidad, no estaba en modo alguno lista para morir o encontrarse con Dios. ¿Le importa que le pregunte sobre qué temas predica su ministro cada domingo?

—Bueno —replicó—, por lo regular predica acerca de la vida cristiana y de crecer en gracia.

—Pero —contesté yo—, no le servía a usted de nada cualquier predicación acerca de la vida cristiana o de crecer en gracia, porque usted jamás había nacido de nuevo, de manera que era imposible que usted llevara una vida cristiana o creciera en gracia. Es imposible que un bebé empiece a crecer si primero no ha nacido.

—Sí —respondió ella—, ahora comprendo que eso es verdad. Voy a hablar con mi ministro acerca de ello.

No pude evitar preguntarme cuál sería el resultado de aquello. Sin embargo, ella estaba obviamente determinada, y no vi razón para disuadirla.

Cuando me encontré con la señora H. otra vez a la semana siguiente, le pregunté:

—Bueno, ¿habló con su ministro?

—Sí, lo hice —contestó.

—Y ¿de qué predicó el domingo pasado?

—Que lo más importante es saber que uno es salvo.

¡Ah! Si estas palabras pudieran de algún modo quedar grabadas en cada persona que asiste a una iglesia que profesa la fe cristiana: "Lo más importante es saber que uno es salvo."

Imagínese que la señora H., había asistido regularmente a una iglesia cristiana varias veces por semana durante muchos años y jamás había llegado a comprender los hechos fundamentales en los que se basa el evangelio, ni de la respuesta personal que tenía que dar al evangelio a fin de ser salva. Y no obstante, en un momento de crisis fue posible, en un lapso de cuatro minutos, presentarle estos hechos de manera que dio la respuesta necesaria y alcanzó una experiencia de salvación definida.

¿Cuánto tiempo perdido y esfuerzo desaprovechado tiene que haber tras una historia como ésta! Indudablemente, este caso puede multiplicarse millones de veces entre las iglesias que profesan ser cristianas alrededor del mundo.

Una vez en Africa Occidental escuché a un joven evangelista africano hablando con un misionero blanco, responsable de orientar a un grupo de iglesias que se extendían por una amplia región. El joven expresó lo siguiente: "Sus iglesias son sólo almacenes, almacenando gente para el infierno."

Para algunas personas esto pudiera parecerles una afirmación chocante, especialmente viniendo de un nativo a un misionero. Pero, conociendo la situación como yo la conocía, comprendí que el joven africano decía la verdad.

A la mayoría de los miembros de aquellas iglesias jamás se les había presentado los hechos fundamentales del evangelio y nunca se habían enfrentado a la necesidad de tomar una decisión personal ante esos hechos. Habían cambiado el paganismo por una forma de cristianismo; habían memorizado un catecismo; habían pasado por una forma de bautismo; se les había aceptado de miembros en la iglesia; muchos de ellos se habían educado en las escuelas misioneras. Mas de los hechos esenciales del evangelio y de la experiencia de la salvación no sabían ni entendían nada en absoluto.

Iglesias como éstas —lo mismo en Africa, que en América o en cualquier otro lugar del mundo— son únicamente lo que el joven africano las llamó: "Almacenes que almacenan gente para el infierno."

El supremo propósito de toda iglesia cristiana verdadera, el primer deber de cada ministro cristiano, la responsabilidad principal de todo cristiano lego, es presentar a todos los que puedan alcanzar, del modo más claro y poderoso, los hechos fundamentales del evangelio de Cristo y exhortar a cada uno de los que oyen para que den a estos hechos la respuesta personal y definida que Dios requiere. Todo otro deber y actividad de la iglesia debe ser secundario y subordinado a ésta, la tarea primordial.

Permítanme ahora enunciar una vez más estos hechos fundamentales del evangelio y la respuesta que cada persona tiene que dar:

1. Cristo fue entregado por Dios el Padre a la pena muerte por causa de nuestros pecados.
2. Cristo fue sepultado.
3. Dios lo resucitó al tercer día.
4. Recibimos la justificación de Dios cuando creemos en estos hechos.

A fin de recibir la salvación, cada individuo tiene que dar una respuesta personal directa a Cristo. Esta reacción puede describirse en cualquiera de las siguientes formas: invocar el nombre de Cristo como Señor; venir a Cristo; recibir a Cristo; beber el agua de la vida que sólo Cristo puede dar.

A toda persona que haya leído hasta aquí yo le pregunto: ¿Ha creído usted estos hechos? ¿Ha dado esta respuesta definida y personal?

Si no lo ha hecho, le exhorto para que lo haga en este momento. Ore conmigo, tal como lo hizo la señora H. en aquella habitación del hospital. Diga estas palabras:

> Señor Jesucristo, yo creo que tú moriste por mis pecados; que fuiste sepultado y que resucitaste al tercer día.
>
> Ahora me arrepiento de mis pecados y vengo a ti en busca de misericordia y perdón.
>
> Por fe en tu promesa, te recibo personalmente como mi Salvador y te confieso como mi Señor.
>
> Ven a mi corazón, dame vida eterna y hazme un hijo de Dios.
> ¡Amén!

# 13

# La fe y
# las obras

La relación entre la fe y las obras es un tema importante al que se refiere el Nuevo Testamento en muchos pasajes diferentes. Sin embargo, acerca del que muy poco se enseña en la mayoría de los círculos cristianos hoy. Como resultado, muchos buenos cristianos permanecen en confusión o en parcial atadura, a mitad del camino entre la ley y la gracia. También, debido a la ignorancia en este punto, no pocos cristianos se extravían con falsas enseñanzas que insisten que no es bíblico guardar cierto día en particular o comer ciertos alimentos u otros asuntos similares de la ley.

¿Qué queremos decir por *fe* o por *obras*? Por *fe* queremos decir "lo que creemos", y por *obras* "lo que hacemos".

Podemos expresar la relación entre la fe y las obras, según la enseña el Nuevo Testamento, por medio de una comparación sencilla: La fe no se basa en las obras, pero las obras son el fruto de la fe. En otras palabras: Lo que creemos no se basa en lo que hacemos, pero lo que hacemos es el resultado de lo que creemos.

## La salvación exclusivamente por la fe

Empecemos considerando la primera parte de esta declaración: La fe no se basa en las obras; lo que creemos no se basa en lo que hacemos. Todo el Nuevo Testamento da testimonio consecuente con esta verdad vital. Este hecho está respaldado por el relato de los momentos finales de la pasión de Jesús en la cruz:

> Cuando Jesús hubo tomado el vinagre, dijo: "Consumado es." Y habiendo inclinado la cabeza, entregó el espíritu.
>
> Juan 19:30

La palabra griega traducida *Consumado es* es el término más fuerte que pudiera usarse. Es el tiempo perfecto de un verbo que de por sí significa hacer algo a la perfección. Quizás pudiéramos expresarlo traduciendo: "Está completamente terminado. "Nada en absoluto queda por hacer.

Todo lo que jamás hubiera precisado para pagar el castigo de los pecados de los hombres y para comprar la salvación de toda la humanidad, ya ha sido realizado por los sufrimientos y la muerte de Cristo en la cruz. Sugerir que un hombre pudiera alguna vez necesitar hacer algo más de lo que Cristo ya ha hecho, sería repudiar el testimonio de la palabra de Dios y desacreditar la eficacia de la expiación de Cristo.

Bajo esta luz, cualquier intento del hombre de ganar la salvación por medio de sus buenas obras es, en efecto, un insulto para Dios Padre y para Dios Hijo. Lleva en sí la implicación de que la obra de expiación y salvación, planeada por el Padre y llevada a cabo por el Hijo, es, en algún sentido, inapropiada o está incompleta. Esto es contrario al testimonio unánime de todo el Nuevo Testamento.

Pablo continúa e insistentemente enseña esto. Por ejemplo, en Romanos 4:4-5 dice:

> Pero al que obra no se le cuenta el salario como gracia, sino como deuda; mas al que no obra, sino cree en aquel que justifica al impío, su fe le es contada por justicia.

Observemos la frase "al que no obra, sino cree". A fin de obtener la salvación por fe, lo primero que todo hombre tiene que hacer es dejar de "obrar"; dejar de tratar de ganarse la salvación. La salvación viene únicamente a través de la fe, sin hacer nada más que creer. En tanto que una persona trate de hacer cualquier cosa para salvarse, no puede alcanzar la salvación de Dios que se recibe solamente por fe.

Este fue el gran error que cometió Israel, tal como Pablo —él mismo un israelita— explica:

> Mas Israel, que iba tras una ley de justicia, no la alcanzó. ¿Por qué? Porque iban tras ella no por fe, sino como por obras.
>
> Romanos 9:31-32

Y una vez más Pablo se refiere a Israel:

Porque ignorando la justicia de Dios, y procurando establecer la suya propia, no se han sujetado a la justicia de Dios.

Romanos 10:3

¿Por qué no alcanzó Israel la salvación que Dios había preparado para ellos? Pablo da dos razones, estrechamente relacionadas entre sí: 1) "porque iban tras ella no por fe, sino como por obras" y 2) "procuraron establecer su propia justicia."

En otras palabras, trataron de ganarse la salvación con algo que ellos mismos hicieran en su propia justicia. Por consecuencia, los que hicieron esto, nunca alcanzaron la salvación de Dios.

El mismo error en que cayó Israel en tiempos de Pablo, lo están cometiendo hoy millones de cristianos practicantes alrededor del mundo.

Hay incontables personas sinceras y bien intencionadas en iglesias cristianas por todas partes, que creen que tienen que hacer algo para ayudar a ganar su salvación. Se consagran a cosas como orar, hacer penitencia, ayunar, hacer obras de caridad, abstinencia, cuidadosa observancia de las reglas de la iglesia, ¡pero todo en vano! Jamás obtienen la verdadera paz del corazón ni la seguridad de la salvación porque —como el Israel de la antigüedad— no la buscan por la fe, sino por las obras.

Semejantes personas procuran establecer su propia justicia, y de esta manera no llegan a someterse a la justicia de Dios, que es sólo por la fe en Cristo.

Pablo persiste en la misma verdad cuando dice a los creyentes cristianos:

Porque por gracia sois salvos por medio de la fe; y esto no de vosotros, pues es don de Dios; no por obras, para que nadie se gloríe.

Efesios 2:8-9

Observemos el tiempo verbal que usa Pablo: *Por gracia* [ya] *sois salvos.* Esto prueba que es posible ser salvo en esta vida presente y saberlo. La salvación no es algo que tengamos que esperar hasta la vida venidera. Podemos ser salvos aquí y ahora.

¿Cómo puede recibirse esta seguridad presente de la salvación. Es el don de la gracia de Dios; es decir, un favor gratuito e inmerecido hacia el pecador y el inmerecedor. Este don se recibe por medio de la fe... *no por obras, para que nadie se gloríe.* Si al hombre le fuera posible hacer cualquier cosa para ganarse su propia salvación, entonces podría jactarse de lo que él ha hecho por sí mismo. No debería su salvación por completo a Dios, sino, en parte al menos, a sus propias buenas obras, a sus propios esfuerzos. Mas cuando el hombre recibe la salvación como un don gratuito de Dios, sencillamente por la fe, no tiene nada de qué alardear:

> ¿Dónde, pues, está la jactancia? Queda excluida. ¿Por cuál ley? ¿Por la de las obras? No, sino por la ley de la fe. Concluimos, pues, que el hombre es justificado por fe sin las obras de la ley.
>
> Romanos 3:27-28

En Romanos 6:23 Pablo presenta otra vez el contraste absoluto entre lo que ganamos por nuestras obras y lo que recibimos únicamente por fe, porque dice:

> Porque la paga del pecado es muerte, mas la dádiva de Dios es vida eterna en Cristo Jesús Señor nuestro.

Establece un contraste deliberado entre las dos palabras *paga* y *dádiva*. El término *paga* denota lo que hemos ganado por lo que hemos hecho. Por otro lado, el vocablo traducido *dádiva* —en griego *carisma*— está relacionado directamente con la palabra griega que significa "gracia", *caris*. Por lo tanto, el término denota explícitamente un don gratuito e inmerecido, de la gracia o favor de Dios.

Así, cada uno de nosotros queda frente a una disyuntiva: por un lado, podemos escoger cobrar nuestra paga; la recompensa merecida por nuestras obras. Pero debido a que nuestras obras son pecaminosas y desagradables para Dios, la paga que merecemos es la muerte; no sólo la física, sino también la expulsión eterna de la presencia de Dios.

Por otra parte, podemos escoger recibir por fe el don gratuito de Dios. Esta dádiva es la vida eterna, y está en Jesucristo. Cuando lo recibimos como nuestro Salvador personal, en él recibimos el don de la vida eterna.

> Nos salvó, [Dios] no por obras de justicia que nosotros hubiéramos hecho, sino por su misericordia, por el lavamiento de la regeneración y por la renovación en el Espíritu Santo.
>
> Tito 3:5

Nada puede ser más claro que esto: *Nos salvó, no por obras de justicia que nosotros hubiéramos hecho, sino por su misericordia...* Si deseamos la salvación, nunca la obtendremos en base a cualesquier obras de justicia que podamos haber hecho, sino únicamente en base a la misericordia de Dios. Nuestras obras deben quedar excluidas primero, a fin de que podamos recibir la misericordia de Dios en la salvación.

En la segunda parte de este mismo versículo Pablo nos habla de los cuatro hechos positivos acerca de la forma en que la salvación de Dios obra en nuestra vida: 1) es un lavamiento; somos limpiados de todos nuestros pecados; 2) es una regeneración; somos nacidos de nuevo, nos convertimos en hijos de Dios; 3) es una renovación; somos hechos nuevas criaturas en Cristo; 4) es del Espíritu Santo; es una obra del Espíritu de Dios realizada en nuestro corazón y en nuestra vida.

Nada de esto puede ser el resultado de nuestras propias obras, sino que todo se recibe únicamente mediante la fe en Cristo.

## La fe viva frente a la fe muerta

Si la salvación no es por obras, sino sólo por fe, podremos naturalmente preguntar: Entonces, ¿qué parte desempeñan las obras en la vida del creyente cristiano? Santiago da la respuesta más clara en el Nuevo Testamento:

> Hermanos míos, ¿de qué aprovechará si alguno dice que tiene fe, y no tiene obras? ¿Podrá la fe salvarle? Y si un hermano o una hermana están desnudos, y tienen necesidad del mantenimiento de cada día, y alguno de vosotros les dice: Id en paz, calentaos y saciaos, pero no les dais las cosas que son necesarias para el cuerpo, ¿de qué aprovecha? Así también la fe, si no tiene obras, es muerta en sí misma. Pero alguno dirá: Tú tienes fe, y yo tengo obras. Muéstrame tu fe sin tus obras, y yo te mostraré mi fe por mis obras. Tú crees que Dios es uno; bien haces. También los demonios creen, y tiemblan. ¿Mas quieres saber, hombre vano, que la fe sin obras es muerta? ¿No fue justificado por la obras Abraham nuestro padre, cuando ofreció a su hijo Isaac sobre el altar? ¿No ves que la fe actuó juntamente con sus obras, y que la fe se perfeccionó por las obras? Y se cumplió la Escritura que dice: Abraham creyó a Dios, y le fue contado por justicia, y fue llamado amigo de Dios. Vosotros veis, pues, que el hombre es justificado por las obras, y no solamente por la fe. Asimismo también Rahab la ramera, ¿no fue justificada por obras, cuando recibió a los mensajeros y los envió por otro camino? Porque como el cuerpo sin espíritu está muerto, así también la fe sin obras está muerta. (2:14-26).

En este pasaje Santiago da varios ejemplos para ilustrar la correspondencia entre la fe y las obras. Habla de un cristiano que despide a un hermano creyente, hambriento y desnudo, con palabras vacías de consuelo pero sin alimento o vestido. Habla de demonios que creen en la existencia de un verdadero Dios pero no tienen consuelo en su creencia, sólo miedo. Habla de Abraham que ofreció a su hijo Isaac, en sacrificio a Dios. Y habla de la ramera Rahab en Jericó, que recibió y protegió a los mensajeros de Josué.

Sin embargo, en el último versículo, Santiago resume su enseñanza acerca de la correspondencia entre la fe y las obras por medio del ejemplo de la relación entre el cuerpo y el espíritu. Y dice: *Porque como el cuerpo sin espíritu está muerto, así también la fe sin obras está muerta.*

Esta referencia al *espíritu,* con relación a la fe, proporciona la clave para comprender la operación de la fe en la vida del creyente.

En el capítulo "La naturaleza de la fe" nos referíamos a las palabras de Pablo en 2 Corintios 4:13,

> Pero teniendo el mismo espíritu de fe, conforme a lo que está escrito: "Creí, por lo cual hablé", nosotros también creemos, por lo cual también hablamos.

Aquí Pablo establece que la verdadera fe bíblica es algo espiritual: es el espíritu de fe. Con esto podemos entender el ejemplo de Santiago acerca del cuerpo y el espíritu.

En lo natural, mientras un hombre está vivo, su espíritu mora dentro de su cuerpo. Cada acto del cuerpo del hombre es una expresión de su espíritu dentro de él. Así, la verdadera existencia y carácter del espíritu dentro de él, aunque sea invisible, se revela claramente a través del comportamiento y los actos.

Cuando finalmente el espíritu abandona el cuerpo cesa de actuar y permanece inanimado. La inanimada inactividad del cuerpo indica que el espíritu ya no vive dentro de él.

Así es con el espíritu de fe dentro del verdadero cristiano. Este espíritu de fe está vivo y activo. El trae la vida de Dios mismo, en Cristo, para vivir en el corazón del creyente.

Esta vida de Dios dentro del creyente toma el control de toda su naturaleza: sus deseos, sus pensamientos, sus palabras, sus actos. El creyente empieza a pensar, hablar y actuar de un modo enteramente nuevo: un modo que es totalmente diferente al de antes. Dice y hace cosas que no podía ni quería hacer antes que la vida de Dios viniera a él, a través de la fe, para tomar el control. Su nueva manera de vivir —sus nuevas "obras", como las llama Santiago— es la evidencia y la expresión de la fe que mora dentro de su corazón.

Pero si los actos externos no se manifiestan en la vida del hombre —si sus obras no concuerdan con la fe que profesa— esto prueba que no hay una fe verdadera viviendo dentro de él. Sin esta fe viviente, expresada en los actos correspondientes, su profesión —o confesión— no es mejor que un cuerpo muerto habiéndose ido el espíritu de él.

Podemos examinar brevemente, en orden, los cuatro ejemplos que Santiago da y ver cómo cada uno ilustra este principio.

Primero, Santiago habla del creyente que ve a un hermano cristiano desnudo y hambriento y le dice: *Id en paz, calentaos y saciaos,* pero no le ofrece ni comida ni vestido.

Es obvio que las palabras de este hombre no fueron sinceras. Si de veras hubiera deseado ver a la otra persona calentada y alimentada, le hubiese dado comida y vestido. El hecho de no hacerlo, indica que en realidad no le importaba. Sus palabras fueron una confesión vacía sin ninguna verdad interior. Así es cuando un cristiano confiesa la fe pero no actúa de acuerdo con esa fe. Semejante fe no tiene valor ni es sincera, está muerta.

Segundo, Santiago habla de los demonios, que creen en un Dios verdadero, pero tiemblan. Estos demonios no tienen duda alguna de la existencia de Dios, pero también saben que son sus impenitentes enemigos, bajo la sentencia de su ira y de su juicio. Por consiguiente, su fe no les trae consuelo, sino sólo miedo.

Esto nos demuestra que la verdadera fe bíblica siempre se expresa con sumisión y obediencia a Dios. La fe que sigue testaruda y desobediente, es fe muerta que no puede salvar de la ira y el juicio de Dios.

Tercero, Santiago nos da el mismo ejemplo de fe que brinda Pablo en Romanos 4: el ejemplo de Abraham. Este le creyó a Dios, y *le fue contado por justicia* (Génesis 15:6).

La fe viviente de la palabra de Dios vino al corazón de Abraham. De allí en adelante esta fe se expresó externamente en un continuo andar en sumisión y obediencia a Dios. Cada acto de obediencia que Abraham realizó, desarrollaba y fortalecía su fe y lo preparaba para el próximo acto.

La prueba final de la fe de Abraham vino en Génesis 22, cuando Dios le pidió que le ofreciera a su hijo, Isaac, en sacrificio (ver también Hebreos 11):

> Por la fe Abraham, cuando fue probado, ofreció a Isaac; (...) pensando que Dios es poderoso para levantar aun de entre los muertos.
>
> Hebreos 11:17-19

Para entonces, mediante el ejercicio continuo de la obediencia, la fe de Abraham se había desarrollado y fortalecido hasta el punto donde incluso él realmente creía que Dios podía resucitar a su hijo y restaurarlo a él. Esta fe en el corazón de Abraham tuvo su expresión externa en su perfecta buena voluntad de ofrecer a Isaac, y fue únicamente la intervención directa de Dios la que impidió que matara a su hijo.

Con respecto a esto Santiago dice:

> ¿No ves que la fe actuó juntamente con sus obras, y que la fe se perfeccionó por las obras?
>
> Santiago 2:22

Por lo tanto, podemos resumir la experiencia de Abraham como sigue: Su andar con Dios empezó con la fe en la palabra de Dios en su corazón. Esta fe se expresó libremente en lo externo, en una vida de sumisión y obediencia. Cada acto de obediencia fortalecía y desarrollaba su fe y lo preparaba para la siguiente prueba. Finalmente, esta interrelación entre la fe y las obras en su vida lo llevó al clímax de su fe: al punto donde estuvo dispuesto incluso a ofrecer a Isaac.

El cuarto ejemplo que da Santiago de la relación entre la fe y las obras es el de Rahab. La historia de Rahab se cuenta en los capítulos 2 y 6 del libro de Josué.

Rahab era una mujer cananea pecadora de la ciudad de Jericó, condenada a la ira y juicio de Dios. Habiendo oído de la forma milagrosa en que Dios había sacado a Israel de Egipto, Rahab había llegado a creer que el Dios de Israel era el verdadero Dios y que él entregaría a Canaán y sus habitantes en manos de su pueblo Israel. Mas Rahab también creía que el Dios de Israel era lo suficientemente misericordioso y poderoso para salvarla a ella y a su familia. Esa era la fe que Rahab tenía en su corazón.

Esta fe se expresó en dos cosas que hizo:

Primero, cuando Josué envió dos hombres de su ejército en avanzada para infiltrarse en Jericó, Rahab los recibió en su casa, los escondió y les ayudó a escapar después. Con esto, Rahab arriesgó su propia vida.

Más tarde, a fin de reclamar la protección de Dios sobre su hogar y familia, colgó un cordón de grana de su ventana para que su casa se distinguiera de todas las otras. La misma ventana por la que antes había ayudado a descender y escapar a los dos hombres.

El resultado de estos dos actos, es que Rahab, su casa y su familia se salvaron de la destrucción que después cayó sobre todo el resto de Jericó. Si Rahab hubiese creído en el Dios de Israel secretamente en su corazón, pero no hubiera estado dispuesta a ejecutar estos actos decisivos, habría tenido una fe muerta que no hubiera podido salvarla del juicio que cayó sobre Jericó.

La lección para nosotros los cristianos es doble: Primero, si profesamos fe en Cristo, debemos estar dispuestos a identificarnos activamente con la causa de Cristo y sus mensajeros, aun cuando eso pudiera significar un verdadero sacrificio personal, incluso hasta arriesgar o entregar nuestra propia vida. Segunda, tenemos que estar dispuestos a hacer una confesión abierta y definitiva de nuestra fe, que nos distinga de todos los incrédulos que nos rodean. El cordón de grana habla en particular de confesar abiertamente nuestra fe en la sangre de Cristo para la remisión y limpieza de nuestros pecados.

Para un resumen final de la relación entre la fe y las obras, podemos volver una vez más a los escritos de Pablo:

> Ocupaos en vuestra salvación con temor y temblor, porque Dios es el que en vosotros produce así el querer como el hacer, por su buena voluntad.
>
> Filipenses 2:12-13

Aquí la relación es muy clara. Primero, Dios produce en nosotros tanto en el querer como en el hacer. Entonces nosotros producimos con nuestras acciones, lo que primero Dios produjo en nosotros.

Lo importante es comprender que la fe viene primero, y después las obras. Recibimos la salvación de Dios exclusivamente por la fe, sin obras. Una vez que hemos recibido la salvación de este modo, la fe surte efecto en nuestra vida produciendo obras. Si no nos ocupamos activamente en nuestra salvación de esta manera, después de haber creído, esto demuestra que la fe que decíamos tener no es más que fe muerta, y que no hemos experimentado en realidad la salvación.

No recibimos la salvación por las obras, pero nuestras obras son la prueba de que nuestra fe es real y son el medio por el que se desarrolla nuestra fe. Unicamente la fe viva y verdadera puede constituir un cristiano vivo y verdadero.

# 14

# La ley y
# la gracia

En nuestro capítulo anterior llegamos a la siguiente conclusión: de acuerdo con el Nuevo Testamento, la salvación se recibe mediante la fe sola —la fe en la obra consumada de la expiación de Cristo— sin obras humanas de clase alguna. Pero de ahí en adelante, esta fe siempre produce obras consecuentes; acciones que concuerdan con la fe que ha sido profesada (o confesada). Una fe que no produzca obras adecuadas, es sólo una declaración vacía —una fe muerta— incapaz de traer una verdadera experiencia de salvación.

Esta conclusión naturalmente nos conduce a una pregunta ulterior: ¿Qué obras debemos buscar en la vida de toda persona que profesa tener fe en Cristo para salvación? Más específicamente, ¿cuál es la relación entre la fe en Cristo y los requisitos de la ley de Moisés?

La respuesta del Nuevo Testamento es clara y firme: una vez que una persona ha confiado en Cristo para su salvación, su justicia ya no depende de observar la ley de Moisés, ni total, ni parcialmente.

Este es un tema que ha producido una gran cantidad de ideas y expresiones confusas entre los cristianos. Con el fin de aclarar la confusión, tenemos que reconocer primero ciertos hechos básicos relativos a la ley.

## La ley de Moisés:
## Un sistema singular y completo

El primer hecho importante es que la ley fue dada completa, de una vez por todas, por medio de Moisés:

> Pues la ley por medio de Moisés fue dada, pero la gracia y la verdad vinieron por medio de Jesucristo.
>
> Juan 1:17

Observemos la frase *la ley por medio de Moisés fue dada.* No "algunas leyes" ni "parte de la ley", sino *la ley* —toda la ley, en un sistema completo y entero— fue dada en un período de la historia y mediante la instrumentalidad humana de un solo hombre, y ese hombre fue Moisés. En la Escritura, a menos que se añada alguna frase calificativa especial para modificar o cambiar el significado, la frase "la ley" denota el sistema completo de la ley que Dios dio por medio de Moisés. En Romanos se encuentra confirmación de esto:

> Pues antes de la ley había pecado en el mundo; pero donde no hay ley, no se inculpa de pecado. No obstante, reinó la muerte desde Adán hasta Moisés, aun en los que no pecaron a la manera de la transgresión de Adán. (5:13-14).

Observemos las dos frases que indican un período definido de tiempo: *antes de la ley* y *desde Adán hasta Moisés.* Cuando Dios creó a Adán y lo puso en el huerto, le dio, no un sistema completo de leyes, sino un solo mandamiento negativo:

> No comáis (...) del fruto del árbol que está en medio del huerto.
>
> Génesis 3:1,3

Cuando Adán quebrantó ese mandamiento, el pecado entró en el género humano y cayó sobre Adán y sobre todos sus descendientes de ahí en adelante. La evidencia de que el pecado cayó sobre todos los hombres a partir del tiempo de Adán, es el hecho que todos los hombres quedaron expuestos a la muerte, que es el fruto del pecado.

Sin embargo, desde el tiempo en que Adán transgredió aquel primer y único mandamiento de Dios, hasta la época de Moisés, no hubo un sistema de leyes, dado y exigido por Dios, revelado y aplicado al género humano. Esto explica que las dos frases "antes de la ley" y "desde Adán hasta Moisés" se refieren al mismo período de la historia humana: el período desde la transgresión de Adán del único mandamiento en el huerto, hasta la época en que Dios, por medio de Moisés, dio un sistema completo de leyes divinas.

Durante este período, la humanidad carecía de un sistema de leyes dadas y exigidas por Dios. Esto concuerda por completo con la declaración de Juan 1:17 ya citada:

> La ley por medio de Moisés fue dada.

Esta ley consistía de un sistema singular y completo de leyes, mandamientos, estatutos, ordenanzas y juicios. Estaban contenidos, en su totalidad, en cuatro libros de la Biblia: Exodo, Levítico, Números y Deuteronomio.

Antes de la época de Moisés no había un sistema divino de leyes dado a los hombres. Además, después de terminado este período, nunca se añadió nada más a este sistema de leyes. Moisés deja bien claro que la ley había sido dada completa de una vez y para siempre con sus palabras:

> Ahora pues, oh Israel, escucha los estatutos y los juicios que yo os enseño para que los ejecutéis, a fin de que viváis y entréis a tomar posesión de la tierra que el Señor, el Dios de vuestros padres, os da. No añadiréis nada a la palabra que yo os mando, ni quitaréis nada de ella, para que guardéis los mandamientos del Señor vuestro Dios que yo os mando.
>
> Deuteronomio 4:1-2 (BLA)

Estas palabras muestran que el sistema de leyes dado por Dios a Israel a través de Moisés era completo y definitivo. Nada más se añadiría ni nada podía jamás quitársele.

Esto nos conduce naturalmente al siguiente hecho importante que tiene que quedar muy claro con relación a guardar la ley: toda persona que esté bajo la ley, está por consecuencia obligada a observar el sistema de leyes en su totalidad en todo momento. No hay posibilidad de observar ciertas partes de la ley y omitir otras. Ni tampoco hay posibilidad de guardar la ley en ciertos momentos y dejar de guardarla en otros. Toda persona que esté bajo la ley, está por necesidad obligada a guardarla toda y en todo momento.

> Porque cualquiera que guardare toda la ley, pero ofendiere en un punto, se hace culpable de todos. Porque el que dijo: "No cometerás adulterio", también ha dicho: "No matarás." Ahora bien, si no cometes adulterio, pero matas, ya te has hecho transgresor de la ley.
>
> Santiago 2:10-11

Esto es tan claro como lógico. Una persona no puede decir: "Considero que ciertos puntos de la ley son importantes, así que los obedeceré; pero otros puntos de la ley no lo son, así que no los observaré." Toda persona bajo la ley tiene que obedecer todos sus requisitos en todo momento. Si quebranta un solo punto, ha quebrantado toda la ley.

La ley es un sistema singular y completo y no se puede dividir en algunos puntos que se aplican y en otros que no se aplican. Como un medio de justicia, toda la ley tiene que ser aceptada y aplicada, completa y entera, como un sistema singular o de nada sirve ni tiene validez alguna:

> Porque todos los que dependen de las obras de la ley están bajo maldición, pues escrito está: "Maldito todo aquel que no permaneciere en todas las cosas escritas en el libro de la ley, para hacerlas".
>
> Gálatas 3:10

Observemos la frase *permaneciere en todas las cosas.* Esto indica que una persona bajo la ley tiene que observarla toda en todo momento. Una persona que en cualquier momento quebranta un punto de la ley, la ha transgredido entera y, por lo tanto, está bajo la maldición divina pronunciada sobre todos los transgresores de la ley.

A partir de esto, llegamos al tercer punto importante relacionado con la ley que se debe reconocer, y éste se refiere a una realidad histórica: el sistema de leyes que dio Moisés, Dios lo había destinado únicamente para una pequeña porción del género humano, el pueblo de Israel, después de su liberación de la esclavitud en Egipto.

En ninguna parte de la Biblia se sugiere que Dios alguna vez tuviera el propósito de que los gentiles, como naciones o individualmente, debieran observar la ley de Moisés, fuera en su totalidad o en parte. La única excepción de esto se encuentra en el caso de algunos individuos gentiles, que voluntariamente decidían asociarse con Israel y por consiguiente, colocarse bajo todas las obligaciones legales y religiosas que Dios había impuesto sobre ésta. El Nuevo Testamento llama prosélitos a estos gentiles convertidos al judaísmo.

Aparte de éstos, Dios jamás impuso las obligaciones de la ley sobre los gentiles.

De manera que podemos resumir brevemente los tres hechos importantes que es necesario reconocer antes que estudiemos la relación del creyente cristiano con la ley:

1. La ley se dio una vez por todas, como un sistema singular y completo, a través de Moisés; de allí en adelante, nada pudo añadirse ni quitarse al mismo.

2. La ley tiene que observarse siempre en su integridad como un sistema singular y completo; quebrantar uno solo de sus mandamientos es quebrantar toda la ley.
3. Desde el punto de vista de la historia de la humanidad, Dios jamás ordenó a los gentiles que guardaran este sistema de leyes, sino únicamente a Israel.

## Los cristianos no están bajo la ley

Habiendo establecido estos tres hechos de base, examinemos en detalle lo que el Nuevo Testamento enseña acerca de la relación entre el creyente cristiano y la ley. Este asunto se trata en muchos pasajes diferentes del Nuevo Testamento, y en cada uno de ellos se enseña la misma clara y definida verdad: la justicia del creyente cristiano no depende de que guarde parte alguna de la ley.

Examinemos algunos pasajes del Nuevo Testamento que establecen esto claramente.

El primero, Romanos 6:14 se dirige a los creyentes cristianos:

> Porque el pecado no se enseñoreará de vosotros; pues no estáis bajo la ley, sino bajo la gracia.

Este versículo revela dos importantes verdades: Primero, los creyentes cristianos no están bajo la ley, sino bajo la gracia. Estas son dos alternativas que se excluyen mutuamente: una persona que está bajo la gracia no está bajo la ley. Nadie puede estar bajo ambas, la ley y la gracia, al mismo tiempo.

Segundo, la razón precisa por la cual el pecado no tendrá dominio sobre los creyentes cristianos es porque ellos no están bajo la ley. Mientras una persona permanece bajo la ley, también está bajo el dominio del pecado. Para escapar del dominio del pecado, tiene que salir del señorío de la ley.

> El aguijón de la muerte es el pecado, y el poder del pecado, la ley.
> 1 Corintios 15:56

La ley en realidad fortalece el dominio del pecado sobre quienes están bajo la ley. Mientras más tratan de guardar la ley, más toman conciencia del poder del pecado ejerciendo su dominio sobre ellos, incluso contra su propia voluntad, y frustrando todo intento de vivir por la ley. El único escape de este dominio del pecado es salir del imperio de la ley y venir bajo la gracia:

> Porque mientras estábamos en la carne, las pasiones pecaminosas que eran por la ley obraban en nuestros miembros llevando fruto para muerte. Pero ahora estamos libres de la ley, por haber muerto para aquélla en que estábamos sujetos, de modo que sirvamos bajo el régimen nuevo del Espíritu y no bajo el régimen viejo de la letra.
>
> Romanos 7:5-6

Aquí Pablo dice que quienes están bajo la ley están sujetos a las pasiones pecaminosas en su naturaleza carnal, la cual produce fruto para muerte; pero que, como creyentes cristianos, *estamos libres de la ley*... para que podamos servir a Dios, no de acuerdo con la letra de la ley, sino bajo el régimen nuevo de la vida espiritual, que recibimos mediante la fe en Cristo.

Otra vez en Romanos 10:4 Pablo dice:

> Porque el fin de la ley es Cristo, para justicia a todo aquel que cree.

Tan pronto una persona pone su fe en Cristo para salvación, ése es el fin de la ley para esa persona como medio de conseguir la justicia. Pablo es muy preciso en lo que dice. El no dice que termine la ley como parte de la palabra de Dios. Por el contrario, la palabra de Dios "permanece para siempre". Termina la ley para el creyente como medio de conseguir la justicia.

La justicia del creyente ya no se deriva de guardar la ley, ni toda ni en parte, sino únicamente de la fe en Cristo.

Pablo declara que la ley como medio de justicia terminó con la muerte expiatoria de Cristo en la cruz.

> Y a vosotros estando muertos en pecados y en la incircuncisión de vuestra carne, os dio vida juntamente con él, perdonándoos todos los pecados, anulando el acta de los decretos que había contra nosotros, que nos era contraria, quitándola de en medio y clavándola en la cruz.
>
> Colosenses 2:13-14

Aquí dice que por medio de la muerte de Cristo, Dios "anuló el acta de los decretos que había contra nosotros" y la "quitó de en medio..." No habla de anular los pecados, sino de anular *el acta de los decretos,* o el documento de la deuda.

Estos decretos eran los de la ley, que se interponían entre Dios y los que los transgredían, y por lo tanto tenían que ser quitados de en medio antes que Dios pudiera concederles misericordia y perdón. La palabra *decretos* aquí denota todo el sistema de leyes que Dios había dado a través de Moisés, incluida esa porción particular de la ley que solemos llamar los Diez Mandamientos.

Más adelante en ese mismo capítulo Pablo confirma que esta "anulación" incluye los Diez Mandamientos:

> Por tanto, nadie os juzgue en comida o en bebida, o en cuanto a días de fiesta, luna nueva o días de reposo.
>
> Colosenses 2:16

Las palabras "por tanto" al principio de este versículo indica una relación directa con lo que ha sido establecido dos versículos antes, es decir, la anulación de los decretos de la ley mediante la muerte de Cristo.

Además, la mención de los "días de reposo" al final del versículo indica que la observación religiosa del día sábado, como día de reposo, estaba incluida entre los mandamientos que habían sido anulados. Pero el mandamiento religioso de observar el día de reposo es el cuarto de los Diez Mandamientos. Esto indica que el Decálogo estaban incluido en la totalidad de los mandamientos de la ley que habían sido anulados y quitados de en medio a través de la muerte de Cristo.

Esto confirma lo que hemos establecido: la ley, incluidos los Diez Mandamientos, es un sistema singular y completo. Moisés lo implantó como un sistema singular y completo como medio para alcanzar la justicia, y como tal, fue anulado por Cristo.

> Porque él es nuestra paz, que de ambos pueblos hizo uno, derribando la pared intermedia de separación, aboliendo en su carne las enemistades, la ley de los mandamientos expresados en ordenanzas, para crear en sí mismo de los dos un solo y nuevo hombre, haciendo la paz.
>
> Efesios 2:14-15

Cristo, mediante su muerte expiatoria en la cruz, ha abolido (dejado sin efecto) "la ley de los mandamientos"; a partir de ese momento él quitó la pared intermedia de la ley de Moisés que separaba a los judíos de los gentiles, haciendo posible para ambos, mediante la fe en Cristo, reconciliarse con Dios y unos con otros.

La frase "la ley de los mandamientos" indica, con claridad meridiana, que toda la ley de Moisés —incluidos los Diez Mandamientos— fue anulada por la muerte de Cristo en la cruz como medio de alcanzar la justicia.

En 1 Timoteo 1:8-10 Pablo trata de nuevo la relación del creyente cristiano con la ley y llega a la misma conclusión:

> Pero sabemos que la ley es buena, si uno la usa legítimamente; conociendo esto, que la ley no fue dada para el justo, sino para los transgresores y desobedientes, para los impíos y pecadores, para los

irreverentes y profanos, para los parricidas y matricidas, para los homicidas, para los fornicarios, para los sodomitas, para los secuestradores, para los mentirosos y perjuros, y para cuanto se oponga a la sana doctrina.

Aquí se define a dos clases de personas: por un lado, está el hombre justo; por el otro, están los culpables de los diversos pecados enumerados en la lista. Una persona culpable de estos pecados no es un verdadero creyente cristiano; semejante persona no ha sido salvada del pecado por la fe en Jesucristo.

Una persona que confía en Cristo para salvación ya no es culpable de tales pecados; ha sido justificada, ha sido hecha justa; no con su propia justicia, sino con la justicia de Dios *que viene mediante la fe en Jesucristo a todos los que creen.*

Pablo afirma que la ley no está hecha para un hombre justo como éste; ya él no está bajo el dominio de la ley.

> Porque todos los que son guiados por el Espíritu de Dios, éstos son hijos de Dios.
>
> Romanos 8:14

Los verdaderos creyentes, hijos de Dios son guiados por el Espíritu de Dios; eso los distingue como hijos de Dios. Con respecto a tales personas, Pablo dice:

> Pero si sois guiados por el Espíritu, no estáis bajo la ley.
>
> Gálatas 5:18

De ese modo, lo mismo que marca a los verdaderos creyentes, hijos de Dios —ser guiados por el Espíritu de Dios— también significa que tales personas no están bajo la ley.

Podemos resumirlo así: La evidencia de ser un verdadero hijo de Dios por la fe en Jesucristo, es que uno sea guiado por el Espíritu de Dios. Y si uno es guiado por el Espíritu de Dios, entonces no está bajo la ley. Por consiguiente, es imposible ser un hijo de Dios y estar bajo la ley al mismo tiempo.

Los hijos de Dios no están bajo la ley. Podemos ilustrar este contraste entre la ley y el Espíritu con el ejemplo de tratar de encontrar el camino a cierto lugar por dos medios diferentes: usando un mapa o siguiendo a un guía personal. La ley corresponde al mapa; el Espíritu Santo corresponde al guía.

Bajo la ley una persona recibe un mapa detallado muy exacto y completo, y se le dice que si sigue todas las instrucciones al pie de la letra, lo conducirá directamente de la tierra al cielo. Sin embargo, no hay ser humano que haya tenido éxito jamás siguiendo el mapa sin equivocarse nunca. Es decir, no hay ser humano que haya hecho nunca el viaje de la tierra al cielo obedeciendo la ley sin equivocarse jamás.

Bajo la gracia, una persona se entrega a Cristo como Salvador, y de ahí en adelante Cristo le envía al Espíritu Santo para que sea su guía personal. El Espíritu Santo, que viene del cielo, ya conoce el camino y no necesita el mapa. El creyente en Cristo que es guiado por el Espíritu Santo sólo necesita seguir a este guía personal para alcanzar el cielo. No necesita depender del mapa, que es la ley. Este creyente puede tener la absoluta confianza de una cosa: El Espíritu Santo jamás lo llevará a hacer nada contrario a su santa naturaleza.

Por consiguiente, el Nuevo Testamento enseña que los que están bajo la gracia son guiados por el Espíritu de Dios y no dependen de la ley.

Concluimos, por lo tanto, que Dios nunca esperó en realidad que los hombres lograran una verdadera justicia mediante la obediencia de la ley, fuese toda o en parte.

Esta conclusión plantea una pregunta muy interesante: Si Dios nunca esperó que los hombres alcanzaran la justicia por la obediencia a la ley, ¿por qué les dio la ley?

En el siguiente capítulo responderemos a esta pregunta.

# 15

# El propósito
# de la ley

## Revelar el pecado

El primer propósito importante de la ley es mostrar al hombre su condición de pecado:

> Pero sabemos que todo lo que la ley dice, lo dice a los que están bajo la ley, para que toda boca se cierre y todo el mundo quede bajo el juicio de Dios; ya que por las obras de la ley ningún ser humano será justificado delante de él; porque por medio de la ley es el conocimiento del pecado.
>
> Romanos 3:19-20

Observemos, primero la misma declaración categórica *por las obras de la ley ningún ser humano será justificado delante de él* (Romanos 3:20).

En otras palabras, ningún ser humano logrará jamás conseguir la justicia a la vista de Dios mediante la observación de la ley.

Junto a esto, Pablo afirma dos veces, en diferentes frases, el propósito primordial por qué se dio la ley. Primero, dice para que *todo el mundo quede bajo el juicio de Dios*. Otra posible traducción es para que "todo el mundo sea hecho responsable ante Dios." Segundo, dice que: *por medio de la ley es el conocimiento del pecado.*

Vemos, por lo tanto, que la ley no fue dada para hacer justos a los hombres, sino por el contrario, para que los hombres tomaran conciencia de que eran pecadores y, como tales, sujetos al juicio de Dios por su pecado:

¿Qué diremos, pues? ¿La ley es pecado? En ninguna manera. Pero yo no conocí el pecado sino por la ley; porque tampoco conociera la codicia, si la ley no dijera: "No codiciarás."

Romanos 7:7

De manera que la ley a la verdad es santa, y el mandamiento santo, justo y bueno. ¿Luego lo que es bueno, vino a ser muerte para mí? En ninguna manera; sino que el pecado, para mostrarse pecado, produjo en mí la muerte por medio de lo que es bueno, a fin de que por el mandamiento el pecado llegase a ser sobremanera pecaminoso.

Romanos 7:12-13

Hay tres frases distintas que ponen de manifiesto la misma verdad:

*Yo no conocí el pecado sino por la ley.*

Romanos 7:7

*sino que el pecado, para mostrarse pecado...*

Romanos 7:13

*a fin de que por el mandamiento el pecado llegase a ser sobremanera pecaminoso .*

Romanos 7:13

En otras palabras, el propósito de la ley era hacer que se manifestara el pecado a ojos de todos; para mostrarlo en sus verdaderos colores como la maldad sutil, destructiva y mortífera que realmente es. De allí en adelante no les quedó excusa a los hombres para dejarse engañar en cuanto al extremo de su condición pecaminosa.

En el ejercicio de la medicina, cuando se tratan las enfermedades del cuerpo humano, hay un cierto orden que se sigue siempre: primero, el diagnóstico; después, el remedio. Primero el doctor examina al enfermo y trata de cerciorarse de la naturaleza y causa de su enfermedad; sólo después que ha hecho esto, intenta recetar un remedio.

Dios sigue el mismo orden cuando trata las necesidades espirituales del hombre. Antes de recetar la cura, primero diagnostica la condición. La causa básica de todas la necesidades y sufrimientos humanos, radica en una condición común a todos los miembros del género humano: el pecado. No puede ofrecerse un remedio satisfactorio para las necesidades humanas hasta haber diagnosticado esta condición.

La Biblia es el único libro en el mundo que diagnostica correctamente la causa de las necesidades y sufrimientos de toda la humanidad. Por esta sola razón, aparte de todas las otras que ofrece, la Biblia es inestimable e irremplazable.

## Probar la incapacidad del hombre
## para salvarse a sí mismo

El segundo propósito principal en dar la ley fue mostrarle al hombre que, como pecador, no podía alcanzar la justicia por sus propios esfuerzos. Hay una tendencia natural en cada ser humano de independizarse de la misericordia y de la gracia de Dios. Este deseo de ser independientes de Dios es, propiamente, un resultado y una evidencia de la condición pecadora del hombre, aunque la mayoría de los hombres no lo reconozcan así.

Siempre que un hombre se siente condenado por su condición pecadora, su primera reacción es buscar algún medio por el que pueda curarse a sí mismo de esa condición y forjar su justicia con su esfuerzo personal, sin tener que depender de la gracia y la misericordia de Dios. Por esta razón, en todas las edades, las leyes y los mandamientos religiosos han tenido siempre una fuerte atracción para los hombres, indistintamente de nacionalidad o antecedentes. En el ejercicio de estas leyes y mandamientos, los hombres han buscado silenciar la voz interior de sus propias conciencias y hacerse justos por sus propios esfuerzos.

Esta fue precisamente la reacción de muchos israelitas religiosos a la ley de Moisés. Pablo describe este intento de Israel de establecer su propia justicia:

> Porque ignorando la justicia de Dios, y procurando establecer la suya propia, no se han sujetado a la justicia de Dios.
>
> Romanos 10:3

En su intento de establecer su propia justicia, Israel no se sometió a Dios ni a la forma de justicia de Dios. De modo que la causa fundamental de su error fue el orgullo espiritual; una negativa de someterse a Dios, un deseo de ser independientes de la gracia y la misericordia de Dios.

Sin embargo, cuando los hombres están realmente dispuestos a ser sinceros consigo mismos, siempre se ven obligados a admitir que por sí mismos jamás llegarán a hacerse justos obedeciendo leyes morales o religiosas. Pablo describe esta experiencia en primera persona; él mismo en un tiempo trató de hacerse a sí mismo justo, obedeciendo la ley. He aquí en Romanos 7:18-23 lo que dice:

> Y yo sé que en mí, esto es, en mi carne, no mora el bien; porque el querer el bien está en mí, pero no el hacerlo. Porque no hago el bien que quiero, sino el mal que no quiero, eso hago. Y si hago lo que no quiero, ya no lo hago yo, sino el pecado que mora en mí. Así que, queriendo yo hacer el bien, hallo esta ley: que el mal está en mí. Porque según el hombre interior, me deleito en la ley de Dios; pero veo otra ley en mis miembros, que se rebela contra la ley de mi mente, y que me lleva cautivo a la ley del pecado que está en mis miembros.

Aquí Pablo habla como uno que sinceramente reconoce lo justo y deseable que es vivir en la ley. Sin embargo, mientras más lucha por hacer lo que manda la ley, más consciente está de otra ley, de otro poder, dentro de su propia naturaleza carnal, que lucha constantemente contra la ley y frustra sus mayores esfuerzos para hacerse justo a sí mismo por medio de la obediencia a la ley.

El punto central de este conflicto interno se expresa en el versículo 21:

> Así que, queriendo yo hacer el bien, hallo esta ley: que el mal está en mí.

Esta es una paradoja aparente, aunque está confirmada por toda experiencia humana: un hombre nunca sabe cuán malo es, hasta que intenta de veras ser bueno. A partir de ese momento, cada intento de ser bueno sólo pone de manifiesto con más claridad la irremediable e incurable pecaminosidad de su propia naturaleza carnal, frente a la cual todos sus esfuerzos y buenas intenciones son en vano por completo.

El segundo propósito principal de la ley, entonces, era demostrarle a los hombres que no sólo son pecadores, sino también incapaces de salvarse del pecado y hacerse justos por sus propios esfuerzos.

## Una figura de Cristo

El tercer propósito principal en dar la ley fue para profetizar y servir de figura al Salvador que habría de venir, y por medio de quien únicamente, sería posible para el hombre recibir la verdadera salvación y la justicia. Esto se hizo mediante la ley de dos formas: el Salvador fue anunciado a través de profecías directas, y fue prefigurado a través de los tipos y ceremonias de los mandamientos de la ley.

Un ejemplo de la profecía directa, dentro del marco de la ley, se encuentra en Deuteronomio 18:18-19, donde el Señor dice a Israel a través de Moisés:

> Profeta les levantaré de en medio de sus hermanos, como tú; y pondré mis palabras en su boca, y él les hablará de todo lo que yo le mandare. Mas a cualquiera que no oyere mis palabras que él hablare en mi nombre, yo le pediré cuenta.

Pedro más tarde cita estas palabras de Moisés y las aplica directamente a Jesucristo (ver Hechos 3:22-26). Así, el profeta anunciado por Moisés en la ley se cumple en la persona de Cristo en el Nuevo Testamento.

En los sacrificios y ceremonias de la ley, muchos tipos prefiguran a Jesucristo como el Salvador que habría de venir.

Por ejemplo, en Exodo 12 el mandamiento del cordero pascual es figura de la salvación mediante la fe en la sangre expiatoria de Jesucristo, derramada durante el tiempo de la Pascua en la cruz del Calvario. Así mismo, los distintos sacrificios relacionados con la expiación del pecado y el acercamiento a Dios, descritos en los primeros siete capítulos de Levítico, prefiguran todos, diversos aspectos del sacrificio expiatorio que fue la muerte de Jesucristo en la cruz.

Por eso, Juan el Bautista presentó a Cristo ante Israel con estas palabras:

> He aquí el Cordero de Dios, que quita el pecado del mundo.
>
> Juan 1:29

Al comparar a Cristo con un cordero de sacrificio, guiaba al pueblo de Israel a ver a Cristo como el que había sido representado por todos los mandamientos concernientes a los sacrificios de la ley.

Este propósito de la ley se resume en las palabras de Pablo en Gálatas:

> Mas la Escritura lo encerró todo bajo pecado, para que la promesa que es por la fe en Jesucristo fuese dada a los creyentes. Pero antes que viniese la fe, estábamos confinados bajo la ley, encerrados para aquella fe que iba a ser revelada. De manera que la ley ha sido nuestro ayo, para llevarnos a Cristo, a fin de que fuésemos justificados por la fe.
>
> Gálatas 3:22-24

El término griego traducido "ayo" denota a un esclavo de más rango en la casa de un hombre rico, cuya responsabilidad especial era instruir en las primeras etapas de su enseñanza a los hijos del hombre rico, y de entonces en adelante, escoltarlos cada día a la escuela donde podían recibir una educación más avanzada.

De manera parecida, la ley instruyó a Israel en las primeras etapas elementales de su enseñanza acerca de los requisitos básicos de Dios relativos a la justicia, y a partir de entonces, fue un medio de guiarlos a poner su fe en Jesucristo y aprender de Cristo la lección de la verdadera justicia que es por la fe, sin las obras de la ley.

Igual que la tarea educativa de este esclavo terminaba tan pronto podía entregar a los hijos de su amo al cuidado de maestros mejor preparados en la escuela, así la tarea de la ley estaba terminada una vez que había llevado a Israel a su Mesías, Jesucristo, y les había ayudado a ver su necesidad de salvación a través de la fe en él. Por esta razón Pablo concluye:

Pero venida la fe, ya no estamos bajo ayo.

Gálatas 3:25

Es decir, ya no estamos bajo la ley.

## Proteger a Israel

En las palabras de Pablo, hay una frase que revela otra función importante de la ley con relación a Israel. Hablando como israelita, Pablo dice:

Pero antes que viniese la fe, estábamos confinados bajo la ley, encerrados para aquella fe que iba a ser revelada.

Gálatas 3:23

La ley mantuvo a Israel como una nación especial, apartada de todas las otras, separada por sus ritos y mandamientos distintivos, protegida para los propósitos especiales a que Dios los había llamado. El profeta Balaam, en la visión del destino de Israel que Dios le dio, presenta el plan de Dios para ellos:

He aquí un pueblo que habitará confiado,
Y no será contado entre las naciones.

Números 23:9

La voluntad perfecta de Dios para Israel era que ellos debían habitar solos, como única nación separada, en su propia tierra. Pero incluso cuando la desobediencia de Israel frustró este primer propósito de Dios para ellos y causó que fuesen esparcidos como exilados y vagabundos entre todas las naciones del mundo, Dios todavía mandó que no se contaran entre las naciones.

En los pasados diecinueve siglos de la diáspora judía entre las naciones gentiles, este decreto de Dios se ha cumplido del modo más maravilloso. En todas las tierras y naciones donde han ido los judíos siempre han permanecido como un elemento distinto y separado que jamás se ha asimilado ni ha perdido su identidad especial. El instrumento principal que mantiene a Israel como nación separada ha sido la adhesión continua a la ley de Moisés.

En conclusión, podemos resumir los cuatro propósitos primordiales por los que se dio la ley de Moisés:

1. La ley se dio para mostrarles a los hombres su condición pecaminosa.
2. La ley también demostró a los hombres que, como pecadores, eran incapaces de hacerse justos por sus propios esfuerzos.
3. La ley sirvió para vaticinar por profecía y para prefigurar por tipos al Salvador que habría de venir, y por medio de quien, únicamente, sería posible para el hombre recibir la verdadera salvación y justicia.
4. La ley ha servido para mantener a Israel como una nación separada a lo largo de muchos siglos de su diáspora, para que incluso ahora estén todavía protegidos para los propósitos especiales que Dios está obrando para ellos.

## Cumplida perfectamente por Cristo

Nuestro examen de la relación entre la ley y el evangelio no podría completarse sin tomar en cuenta las palabras en las que Cristo mismo resume su actitud y su relación con la ley:

> No penséis que he venido para abrogar la ley o los profetas; no he venido para abrogar, sino para cumplir. Porque de cierto os digo que hasta que pasen el cielo y la tierra, ni una jota ni una tilde pasará de la ley, hasta que todo se haya cumplido. (Mateo 5:17-18)

¿En qué sentido cumplió Cristo la ley? Primero la cumplió personalmente por su propia justicia impecable y por su constante e inobjetable cumplimiento de todos los mandamientos:

> Pero cuando vino el cumplimiento del tiempo, Dios envió a su Hijo, nacido de mujer y nacido bajo la ley, para que redimiese a los que estaban bajo la ley, a fin de que recibiésemos la adopción de los hijos.
>
> Gálatas 4:4-5

Observemos las palabras *nacido de mujer y nacido bajo la ley*. Por su nacimiento de hombre, Jesucristo era un judío, sujeto a todos los mandamientos y obligaciones de la ley. Estos los cumplió perfectamente en el curso completo de su vida en la tierra, sin que jamás se desviara un ápice de todo lo que se requería de cada judío bajo la ley. En este sentido, sólo Jesucristo, de todos los que alguna vez estuvieron bajo la ley, cumplió todo perfectamente.

Segundo, Jesucristo cumplió la ley en otro sentido por su muerte expiatoria en la cruz:

> El cual no hizo pecado, ni se halló engaño en su boca... Quien llevó él mismo nuestros pecados en su cuerpo sobre el madero, para que nosotros, estando muertos a los pecados, vivamos a la justicia.
>
> 1 Pedro 2:22, 24

Sin haber pecado en él Cristo tomó sobre sí los pecados de todos los que habían estado bajo la ley y en beneficio de ellos, pagó la pena máxima de la ley, que es la muerte. Con la pena máxima pagada así por Cristo, fue posible que Dios, sin transigir en su justicia divina, ofreciera un perdón completo y gratuito a todos los que aceptaran por fe la muerte expiatoria de Cristo en favor suyo.

Cristo cumplió la ley, primero por su vida de justicia perfecta, y segundo, por su muerte expiatoria, mediante la cual satisfizo la justa demanda de la ley sobre todos los que no la habían obedecido cabalmente.

Tercero, Cristo cumplió la ley combinando en sí mismo todas y cada una de las características predichas en la ley, relativas al Salvador y Mesías a quien Dios había prometido enviar. Aun al principio del ministerio terrenal de Cristo leemos de Felipe diciendo a Natanael:

> Hemos hallado a aquel de quien escribió Moisés en la ley, así como los profetas: a Jesús, el hijo de José, de Nazaret.
>
> Juan 1:45

Además, después de su muerte y resurrección, Cristo dijo a sus discípulos:

> Estas son las palabras que os hablé, estando aún con vosotros: que era necesario que se cumpliese todo lo que está escrito de mí en la ley de Moisés, en los profetas y en los salmos.
>
> Lucas 24:44

Vemos, entonces, que Cristo cumplió la ley de tres formas: 1) por su vida perfecta; 2) por su muerte redentora y resurrección; 3) por cumplir todo lo que la ley predijo y prefiguró respecto al Salvador y Mesías que había de venir.

Entonces estamos perfectamente de acuerdo con las palabras de Pablo:

> ¿Luego por la fe invalidamos la ley? En ninguna manera, sino que confirmamos la ley.
>
> Romanos 3:31

Al creyente que acepta la muerte expiatoria de Jesucristo como el cumplimiento de la ley en beneficio suyo, le es fácil aceptar, sin pensar en concesiones ni condiciones, que hasta la última jota y tilde de la ley es total e inalterablemente verdadera. La fe en Cristo para salvación no deja a un lado la revelación de la ley; por el contrario, la cumple.

> Porque el fin de la ley es Cristo, para justicia a todo aquel que cree.
>
> Romanos 10:4

El término griego traducido aquí "fin" tiene dos significados relacionados: 1) el objeto de hacer algo; 2) lo que lleva algo a su término. En ambos sentidos, la ley termina con Cristo.

En el primer sentido, una vez que la ley ha tenido éxito en llevarnos a Cristo, ya no se necesita en esa capacidad. En el segundo, Cristo, por su muerte, puso fin a la ley como medio de conseguir la justicia ante Dios. La fe en él es ahora el único requisito más que suficiente para la justicia.

Pero en todo otro respecto la ley todavía tiene vigencia, completa y entera, como una parte de la palabra de Dios, la cual "permanece para siempre". Su historia, su profecía y su revelación general del pensamiento y el consejo de Dios; todos estos permanecen eterna e inmutablemente verdaderos.

# 16

# La verdadera justicia

Un hombre fue al médico quejándose de un dolor en el abdomen. Después de examinarlo, el médico diagnosticó que tenía apendicitis.

—¡Apendicitis! —exclamó el hombre—. ¿Qué es eso?

—Es una condición de irritación o inflamación del apéndice —explicó el médico.

—Bueno —confesó el hombre—, ¡hasta ahora nunca supe que tenía un apéndice que podía inflamarse!

Del mismo modo, muchos cristianos profesantes tienen conciencia de algunos problemas muy profundos en su experiencia espiritual; problemas que se expresan en síntomas como la falta de paz, la inestabilidad, la inconsecuencia, la inseguridad. Si a esos cristianos se les dijera que la causa de su problema radica en no comprender las enseñanzas del Nuevo Testamento, tan fundamentales como la relación entre la fe y las obras, o entre la ley y la gracia, esos cristianos tendrían que confesar, igual que el hombre de la apendicitis, "Bueno, ¡hasta ahora ni siquiera sabía que el Nuevo Testamento tenía algo que decir acerca de cosas como esas!"

Resumiré brevemente las conclusiones a que hemos llegado hasta ahora acerca de estos dos temas afines:

1. Todo el Nuevo Testamento enseña con mucha energía que la salvación se recibe sólo mediante la fe —la fe en la obra de expiación terminada por Cristo— sin obras humanas de ninguna clase.
2. La fe que trae salvación, a partir de ese momento se expresa siempre en obras correspondientes, en actos consecuentes.

3. Las obras que expresan la fe salvadora no son obras de la ley. La justicia que Dios requiere no puede conseguirse observando la ley de Moisés.

Estas conclusiones concernientes a la naturaleza y el propósito de la ley de Moisés llevan naturalmente a otra pregunta: Si la fe salvadora no se expresa por la obediencia a la ley, entonces ¿cuáles son las obras que la expresan? ¿Cuáles son las acciones apropiadas que debemos esperar en la vida de toda persona que profese la fe salvadora en Cristo?

La respuesta a esta pregunta, así como la clave para comprender la relación entre la ley y la gracia, la da Pablo en Romanos:

> Porque lo que era imposible para la ley, por cuanto era débil por la carne, Dios, enviando a su Hijo en semejanza de carne de pecado y a causa del pecado, condenó al pecado en la carne; para que la justicia de la ley se cumpliese en nosotros, que no andamos conforme a la carne, sino conforme al Espíritu (8:3-4).

La frase clave aquí es *para que la justicia de la ley se cumpliese en nosotros,* donde "nosotros" se refiere a los cristianos que andan conforme al Espíritu. No es la ley en sí misma que haya de cumplirse en los cristianos, sino los requisitos justos de la ley.

¿Qué significa "los requisitos justos de la ley"?

El mismo Jesús lo dice muy claramente cuando contesta a un intérprete de la ley judío una pregunta relativa a la ley:

> Y uno de ellos, intérprete de la ley, preguntó por tentarle, diciendo: Maestro, ¿cuál es el gran mandamiento en la ley? Jesús le dijo: Amarás al Señor tu Dios con todo tu corazón y con toda tu alma, y con toda tu mente. Este es el primero y grande mandamiento. Y el segundo es semejante: Amarás a tu prójimo como a ti mismo. De estos dos mandamientos depende toda la ley y los profetas.
>
> Mateo 22:35-40

## Los dos grandes mandamientos

Con estas palabras Jesús define los requisitos justos de la ley a los que se refiere Pablo. La ley de Moisés se dio sólo durante un cierto período de la historia del hombre, a una pequeña parte de la humanidad. Mas detrás de todo este sistema completo de leyes, se yerguen las dos grandes, eternas e inmutables leyes de Dios para toda la humanidad: "Amarás al Señor tu Dios" y "Amarás a tu prójimo como a ti mismo."

El sistema de leyes dado por Moisés sólo fue una aplicación y elaboración detallada de estos dos grandes mandamientos: amar a Dios y amar al prójimo. Estos dos mandamientos fueron el fundamento de todo el sistema legal de Moisés y de todo el ministerio completo y mensaje de todos los profetas del Antiguo Testamento. He aquí pues, "los justos requisitos de la ley" resumidos que incluyen a todos los otros: "amar a Dios" y "amar al prójimo."

En 1 Timoteo 1:5-7 Pablo enseña esta misma ley:

> Pues el propósito de este mandamiento es el amor nacido de corazón limpio, y de buena conciencia, y de fe no fingida, de las cuales cosas desviándose algunos, se apartaron a vana palabrería, queriendo ser doctores de la ley, sin entender ni lo que hablan ni lo que afirman.

Observemos esta afirmación iluminadora: *el propósito de este mandamiento es el amor...*

El supremo propósito y objetivo por el cual toda la ley fue dada, era inculcar el amor; amor por Dios y amor por el hombre. Pablo sigue diciendo que todos los que enseñan o interpretan la ley de Moisés sin comprender este propósito básico de toda la ley *se apartan en vana palabrería (...) sin entender ni lo que hablan ni lo que afirman.*

En otras palabras, estos intérpretes han perdido por completo el punto principal de la ley, que es el amor —amor por Dios y amor por el hombre.

En Romanos 13:8-10 Pablo expresa la misma verdad acerca de esta ley suprema del amor:

> No debáis a nadie nada, sino el amaros unos a otros; porque el que ama al prójimo, ha cumplido la ley. Porque: No adulterarás, no matarás, no hurtarás, no dirás falso testimonio, no codiciarás y cualquier otro mandamiento, en esta sentencia se resume: Amarás a tu prójimo como a ti mismo. El amor no hace mal al prójimo; así que el cumplimiento de la ley es el amor.

Y en Gálatas 5:14 que es más conciso:

> Porque toda la ley en esta sola palabra se cumple: Amarás a tu prójimo como a ti mismo.

Por lo tanto, "los justos requisitos de la ley", con todas sus complejidades y obligaciones, pueden reducirse a una palabra: amor.

## Amor, el cumplimiento de la ley

En este punto alguien puede sentirse inclinado a decir: "¿Me quiere decir que el cristiano, no está bajo la ley o los mandamientos de Moisés? ¿Significa eso que soy libre de quebrantar esos mandamientos y hacer lo que me plazca? ¿Libre de asesinar, o robar, o cometer adulterio, si lo quisiera?"

La respuesta es que el cristiano es libre de hacer lo que quiera en amor perfecto en su corazón hacia Dios y el hombre. Pero no para lo que no pueda hacerse en amor.

El hombre, cuyo corazón está lleno del amor de Dios y es controlado por éste, es libre de hacer lo que su corazón desea. Por eso, Santiago se refiere dos veces a esta ley del amor como a "la ley de la libertad".

> Mas el que mira atentamente en la perfecta ley, la de la libertad, y persevera en ella, no siendo oidor olvidadizo, sino hacedor de la obra, éste será bienaventurado en lo que hace.
>
> Santiago 1:25

> Así hablad y así haced, como los que habéis de ser juzgados por la ley de la libertad.
>
> Santiago 2:12

Santiago llama a esta ley del amor "la perfecta ley de la libertad", porque el hombre cuyo corazón está lleno y es controlado en todo momento por el amor de Dios, tiene libertad de hacer exactamente lo que desea, estando siempre de acuerdo con la voluntad y la naturaleza de Dios, porque Dios mismo es amor. El hombre que vive por esta ley del amor es el único hombre sobre la faz de toda la tierra verdaderamente libre de hacer todo el tiempo lo que quiere. Semejante hombre no necesita otra ley que lo controle.

Santiago también le da a esta ley del amor otro nombre. La llama la "ley real":

> Si en verdad cumplís la ley real, conforme a la Escritura: Amarás a tu prójimo como a ti mismo, bien hacéis.
>
> Santiago 2:8

¿Por qué es ésta la "ley real"? Porque el hombre que vive de acuerdo con ella, vive verdaderamente como un rey. No está sujeto a otra ley. Es libre en todo momento de hacer cualquier cosa que su corazón le dicte. Al cumplir esta ley, satisface toda la ley. En toda circunstancia y relación con Dios y los hombres, él gobierna en la vida como un rey.

Este análisis de lo que significa "los justos requisitos de la ley" nos lleva a la siguiente conclusión: no hay conflicto ni inconsecuencia entre la norma de la verdadera justicia, expuesta en el Antiguo Testamento bajo la ley de Moisés, y la expuesta en el Nuevo Testamento en el evangelio de Jesucristo. En cada caso la norma de la verdadera justicia es una y la misma. Se resume en una palabra: amor; amor por Dios y amor por el hombre.

La diferencia entre las dos dispensaciones —la dispensación de la ley bajo Moisés y la dispensación de la gracia por medio de Jesucristo— no radica en el fin que debe lograrse, sino en los medios usados para conseguirlo.

En ambos casos por igual, tanto bajo la ley como bajo la gracia, el fin que debe lograrse es el amor. Pero bajo la ley el medio usado para ese fin es un sistema externo de mandamientos y ordenanzas impuestos sobre el hombre desde afuera; bajo la gracia el medio utilizado es una milagrosa y continuada operación del Espíritu Santo dentro del corazón del creyente.

La ley de Moisés no logró su fin, no porque hubiera algo malo en la ley en sí, sino por la inherente debilidad y pecaminosidad de la naturaleza carnal del hombre. En la última parte de Romanos 7 Pablo deja esto muy bien aclarado:

> De manera que la ley a la verdad es santa, y el mandamiento santo, justo y bueno.
>
> Romanos 7:12

> Porque sabemos que la ley es espiritual; mas yo soy carnal, vendido al pecado.
>
> Romanos 7:14

> Porque según el hombre interior, me deleito en la ley de Dios.
>
> Romanos 7:22

> Pero veo otra ley en mis miembros, que se rebela contra la ley de mi mente, y que me lleva cautivo a la ley del pecado que está en mis miembros.
>
> Romanos 7:23

La ley misma es justa y buena. El hombre que procura vivir por la ley puede ser perfectamente sincero en reconocer las normas de la ley y en intentar vivir por ellas. Pero a pesar de todo esto, el poder del pecado dentro de él y la debilidad de su propia naturaleza carnal, lo impiden continuamente vivir de acuerdo con esas normas.

Bajo el Nuevo Testamento, la gracia de Dios en Jesucristo también guía al hombre al mismo fin —amor por Dios y amor por su prójimo— pero pone a disposición del hombre un medio completamente nuevo y diferente de alcanzar ese fin. La gracia comienza con una operación milagrosa del Espíritu Santo dentro del corazón del creyente.

El resultado de esta operación se llama "nacer de nuevo" o "nacer del Espíritu". Esta experiencia la describe de forma profética el Antiguo Testamento cuando el Señor le dice a los hijos de Israel:

> Os daré corazón nuevo y pondré espíritu nuevo dentro de vosotros; y quitaré de vuestra carne el corazón de piedra, y os daré un corazón de carne.
>
> Ezequiel 36:26

Los efectos de este cambio interior se describen más en Jeremías:

> He aquí vienen días —declara el Señor— en que haré con la casa de Israel y con la casa de Judá un nuevo pacto.
>
> Jeremías 31:31 (BLA)

> Porque este es el pacto que haré con la casa de Israel después de aquellos días —declara el Señor—. Pondré mi ley dentro de ellos, y sobre sus corazones la escribiré; y yo seré su Dios y ellos serán mi pueblo.
>
> Jeremías 31:33 (BLA)

Este nuevo pacto prometido aquí por el Señor es el nuevo pacto de la gracia, mediante la fe en Jesucristo, que hoy llamamos el Nuevo Testamento.

A través de este nuevo pacto la naturaleza del pecador cambia internamente y por completo. El viejo e insensible corazón de piedra es quitado; en su lugar, se implantan un nuevo corazón y un nuevo espíritu. La nueva naturaleza está en armonía con la naturaleza y las leyes de Dios.

Por eso se vuelve normal para el hombre que ha sido recreado por el Espíritu de Dios, andar en los caminos de Dios y hacer la voluntad de Dios. El Espíritu mismo graba la ley soberana del amor en la obediente tablilla del corazón del creyente, y a partir de ese momento, ésta se desarrolla naturalmente en el nuevo carácter y conducta del creyente.

> Porque lo que era imposible para la ley, por cuanto era débil por la carne, Dios, enviando a su Hijo en semejanza de carne de pecado y a causa del pecado, condenó al pecado en la carne; para que la justicia

de la ley se cumpliese en nosotros, que no andamos conforme a la carne, sino conforme al Espíritu.

Romanos 8:3-4

La ley no alcanzó las normas de la justicia de Dios, no porque hubiera alguna falta en ella, sino por la debilidad de la naturaleza carnal del hombre. Bajo la gracia el Espíritu de Dios cambia la naturaleza carnal del hombre y la reemplaza con una nueva naturaleza, una capaz de recibir y manifestar el amor de Dios.

Podemos resumir la diferencia fundamental entre la operación de la ley y la de la gracia de esta manera: La ley depende de la capacidad y las obras del hombre desde fuera; la gracia depende de la milagrosa operación del Espíritu Santo y de las obras desde adentro.

El Nuevo Testamento nos dice que el corazón del hombre sólo puede acogerse a esta ley de divino y perfecto amor mediante la operación del Espíritu Santo de Dios.

Y la esperanza no avergüenza; porque el amor de Dios ha sido derramado en nuestros corazones por el Espíritu Santo que nos fue dado.

Romanos 5:5

Observemos que no es mero amor humano de alguna forma o grado, sino el amor de Dios —el propio amor de Dios— que el Espíritu de Dios puede derramar en nuestro corazón.

Este amor de Dios derramado en el corazón humano por el Espíritu de Dios produce, en su perfección, las nueve expresiones del fruto del Espíritu. Este fruto del Espíritu es el amor de Dios manifestado en cada aspecto del carácter y la conducta humanas. Pablo lo describe así:

Mas el fruto del Espíritu es amor, gozo, paz, paciencia, benignidad, bondad, fe, mansedumbre, templanza. Contra tales cosas no hay ley.

Gálatas 5:22-23

Una vez más Pablo recalca que la vida en la cual se manifiesta perfectamente este amor divino en estas nueve formas del fruto del Espíritu no necesita ser controlado por ninguna otra ley. Por lo tanto, dice: *Contra tales cosas no hay ley.*

Esta ley del amor es así el fin de todas las otras leyes y mandamientos. Es la ley perfecta, la ley real, la ley de la libertad.

## El modelo de obediencia
## del Nuevo Testamento

Sin embargo, debemos cuidarnos de dar la impresión de que el amor de Dios es algo vago, indefinido, sentimental o irreal. Por el contrario, el amor de Dios siempre es definido y práctico. De acuerdo con el Nuevo Testamento, el amor por Dios y el amor por el hombre por igual se expresan en formas que corresponden al mismo amor de Dios; en formas que son definidas y prácticas.

En la Biblia, la prueba suprema del amor del hombre por Dios puede expresarse en una palabra: obediencia.

En el Antiguo Testamento, en Jeremías 7:23, Dios declaró esta verdad a su pueblo:

> Escuchad mi voz y yo seré vuestro Dios y vosotros seréis mi pueblo.
> Jeremías 7:23

El verdadero amor por Dios, se expresa siempre en la obediencia a él.

De la misma forma en el Nuevo Testamento, Jesús, en su discurso de despedida a sus discípulos, destacó este punto de la obediencia sobre todos los otros requisitos. En Juan 14 lo acentúa tres veces sucesivas en el espacio de pocos versículos:

> Si me amáis, guardad mis mandamientos. (v. 15).

> El que tiene mis mandamientos, y los guarda, ése es el que me ama. (v. 21).

Entonces pone las alternativas de la obediencia y la desobediencia muy claras, una junto a la otra, porque dice:

> El que me ama, mi palabra guardará. ((v. 23).

Y lo contrario:

> El que no me ama, no guarda mis palabras. (v. 24).

Es evidente a la luz de estas palabras, que cualquier cristiano que profese amar a Cristo sin obedecer su voluntad revelada en sus palabras y sus mandamientos, se engaña a sí mismo.

El supremo mandamiento de Cristo en el Nuevo Testamento es el del amor. Sin amor, es imposible hablar de obediencia. Pero si examinamos la naturaleza y la obra del amor cristiano, descubrimos que el Nuevo Testamento nos ofrece el modelo de una vida que está controlada en todo aspecto por este amor.

El amor cubre la vida individual y personal del creyente, sus relaciones con Dios y con sus congéneres. Guía y controla el matrimonio cristiano y la vida de la familia cristiana, tanto de padres como de hijos. Dispone la vida y la conducta de la Iglesia cristiana. Regula la actitud y la relación entre el creyente con la sociedad secular y el gobierno.

Para seguir este modelo en nuestra vida, primero tenemos que estudiar y aplicar, orando, cada parte de las enseñanzas del Nuevo Testamento. Segundo, tenemos que reconocer continuamente nuestra dependencia cada segundo de la gracia sobrenatural y del poder del Espíritu Santo.

Así podremos probar la verdad de 1 Juan 2:5 en la experiencia personal:

> Pero el que guarda su palabra, en éste verdaderamente el amor de Dios se ha perfeccionado; por esto sabemos que estamos en él.

# Parte III

# Los Bautismos

# del

# Nuevo Testamento

*Porque Juan ciertamente bautizó con agua,
mas vosotros seréis bautizados con
el Espíritu Santo dentro de
no muchos días.*

Hechos 1:5

*Por tanto, id, y haced discípulos a todas las
naciones, bautizándolos en el nombre
del Padre, y del Hijo, y
del Espíritu Santo.*

Mateo 28:19

# 17

# El verbo *bautizar*

Hemos avanzado sistemáticamente en el estudio de las seis grandes doctrinas fundamentales de la fe cristiana, tal como se establecen en Hebreos 6:1-2. Las seis doctrinas enumeradas allí como las básicas de Cristo son las siguientes:

1. El arrepentimiento de obras muertas
2. La fe en Dios
3. La doctrina de bautismos
4. La imposición de manos
5. La resurrección de los muertos
6. El juicio eterno

En la Parte II de este libro estudiamos las primeras dos de estas seis doctrinas: el arrepentimiento de obras muertas y la fe en Dios; o más sencillamente, arrepentimiento y fe. Ahora proseguiremos hacia la tercera de estas grandes doctrinas fundamentales, la de los bautismos.

La forma lógica de empezar este estudio es descubrir, si es posible, el significado correcto original del término *bautismo;* o más exactamente, del verbo "bautizar", del que se deriva el vocablo *bautismo.*

Este término *bautismo* resulta ser una palabra muy original. En realidad no es castellana; es griega, transliterada con los signos alfabéticos de nuestra lengua. Si escribimos la palabra original griega con letras de nuestro alfabeto, lo más exactamente posible, nos da *baptizö,* con su correspondiente verbo bautizar.

En este punto alguien pudiera preguntar con razón: ¿Por qué es esta palabra tan especial?

Según veremos a su debido tiempo, el término griego *baptizö* tiene un significado definido y bien establecido.

## Significado de la raíz

Ha sido a través de las traducciones de la Biblia a los idiomas del mundo que el término *baptizö* llegó a todos ellos, a pesar de que en su origen y estructura, es en realidad por completo extraño a la mayoría de esos idiomas.

¿Cómo es que este vocablo exótico se introdujo en el lenguaje moderno? Por medio de la versión latina, en su traducción al castellano.

Muchas otras palabras pasaron directamente del griego al latín y de este al castellano, como *obispo* que en realidad quiere decir "inspector", resultado del verbo griego "inspeccionar", pero podía interpretarse de desafío para la jerarquía de la iglesia establecida. Por lo tanto los traductores dejaron la forma latinizada de obispo.

Volvamos a la palabra *baptizö* y su equivalente "bautizar". Este verbo tiene una forma característica especial del griego. Es la inserción de dos letras *iz* en una raíz simple básica, *baptö.*

La inserción de esta sílaba adicional en cualquier verbo griego produce un verbo que tiene un significado causal especial. Es decir, el verbo compuesto así formado siempre tiene un sentido de causar que algo sea o suceda. La naturaleza precisa de lo que así es causado queda decidido por el significado de la raíz simple del verbo, del cual procede la forma compuesta.

Con esto presente, podemos ahora formar un cuadro exacto del término griego *baptizö,* que es una forma compuesta de la raíz *baptö.* Y para eso necesitamos cerciorarnos del significado de ésta.

La raíz simple *baptö* aparece tres veces en el texto griego del Nuevo Testamento. En estos ejemplos, el original griego se traduce con el verbo castellano "mojar" y "teñir".

Los tres pasajes en que aparece son:

Primero: Lucas 16:24. Aquí el hombre rico, atormentado en el fuego del infierno, clama a Abraham:

> Padre Abraham, ten misericordia de mí, y envía a Lázaro para que moje la punta de su dedo en agua y refresque mi lengua.

Segundo: Juan 13:26. Es la Ultima Cena y Jesús identifica al que lo traicionará, dándoles una pista a sus discípulos:

A quien yo diere el pan mojado, aquél es.

Tercero: Apocalipsis 19:13. Juan describe al Señor Jesucristo como él lo ve viniendo en gloria, capitaneando los ejércitos vengadores del cielo:

Estaba vestido de una ropa teñida en sangre.

En los tres pasajes, tanto el término castellano usado por los traductores como el contexto de cada pasaje, deja bien claro que el verbo griego *baptö* significa "sumergir algo en un líquido y sacarlo otra vez."

El Diccionario Larousse da el origen del verbo *bautizar* del latín *baptizar,* "sumergir". También encontramos en el Nuevo Testamento una versión compuesta del verbo *baptö* formada por el prefijo griego *en-*, o *em-* que significa "en" o "dentro". Esto da la forma compuesta *embaptö que también ocurre tres veces en el Nuevo Testamento. Los tres pasajes son Mateo 26:23, Marcos 14:20 y Juan 13:26. Quien quiera verificar esto por sí mismo, verá enseguida que esta forma compuesta se traduce (igual que la forma simple) por el término castellano "mojar" o "meter". También en cada caso, el contexto indica claramente que la acción descrita por este verbo es la de sumergir algo en un líquido y sacarlo otra vez.*

Habiendo llegado al significado correcto del verbo simple, no hay dificultad alguna en descubrir el significado exacto del verbo compuesto causativo *baptizö.*

Si *baptö* significa "sumergir algo en un líquido y sacarlo," entonces *baptizö* sólo puede tener un posible significado literal: lógicamente tiene que ser "hacer que algo sea sumergido en un líquido y sacarlo otra vez". En resumen, *baptizö* —de donde proviene la palabra castellana *bautizar*— significa "hacer que algo se sumerja".

## Uso histórico

Esta conclusión puede confirmarse investigando el término *baptizö* hasta los orígenes de la historia del idioma griego.

En el siglo tercero antes de Cristo, las extensas conquistas de Alejandro Magno habían difundido el uso del idioma griego mucho más allá de las fronteras de la misma Grecia, e incluso de las ciudades y comunidades griegas de Asia Menor. De este modo, en los tiempos del Nuevo Testamento, el griego se había convertido en un medio aceptado de comunicación para la mayoría de los pueblos de las tierras que bordeaban el Mediterráneo.

Este es el dialecto griego que se encuentra en el Nuevo Testamento y cuyos orígenes lingüísticos se encuentran en la más pura forma del griego clásico que usaban originalmente las ciudades y estados griegos de los siglos anteriores. Por eso, la mayoría de los términos usados en el Nuevo Testamento se remontan, en origen y significado, a las primeras formas del griego clásico.

Este es el caso del verbo *baptizö*. Este vocablo puede rastrearse hasta el siglo quinto antes de Cristo, y su uso continúa hasta el primero y segundo siglos de nuestra era (es decir, a lo largo de todo el período de los escritos del Nuevo Testamento). Durante todo este lapso de seis o siete siglos, la palabra retiene sin cambiar un significado básico "sumergir", "meter", "mojar", "bañar", "zambullir". En este sentido puede usarse tanto literal como figuradamente.

A continuación, se dan algunos ejemplos de su uso durante este período:

1. En el siglo quinto o cuarto A.C. Platón lo usó refiriéndose a un joven que fue "anegado" por brillantes argumentos filosóficos.

2. En los escritos de Hipócrates (atribuidos al siglo cuarto A.C.) se usa para referirse a gente que es "sumergida" en agua y a esponjas "metidas" en agua.

3. En la Septuaginta (la versión en griego del Antiguo Testamento presumiblemente hecha en el siglo primero o segundo A.C.) se usa para traducir el pasaje de 2 Reyes 5:14 donde Naamán descendió y "se zambulló" siete veces en el Jordán. En este pasaje se usa *baptizö* en el versículo 14, pero en el 10 se usa un vocablo griego diferente, que se traduce como "lávate" en la Reina-Valera. En otras palabras, *baptizö* significa "sumergirse", no meramente "lavarse" sin meterse en un líquido.

4. Aproximadamente entre 100 A.C. y 100 D.C., Estrabón lo usa para describir gente que no puede nadar y queda "sumergida" debajo de la superficie del agua (al contrario de los troncos de madera, que flotan en la superficie).

5. En el siglo primero D.C. Josefo lo usa metafóricamente para describir a un hombre que "hunde" una espada en su propio cuello, y a la ciudad de Jerusalén "anegada" o "sumergida" en irremediable destrucción por conflictos internos. Es obvio que estos usos metafóricos no serían posibles a menos que el sentido literal del término estuviera ya claramente establecido.

6. En el siglo primero o segundo D.C. Plutarco lo usa dos veces para describir el cuerpo de una persona o la figura de un ídolo siendo "sumergida" en el mar.

De este breve estudio lingüístico se verá que el vocablo griego *baptizö* siempre ha tenido un significado claro y definido, que jamás ha cambiado. Desde sus orígenes en el griego clásico hasta el griego del Nuevo Testamento, siempre ha retenido el mismo significado: "hacer que algo se sumerja", "zambullir algo bajo la superficie del agua o de otro líquido". En la mayoría de los casos este acto de inmersión es temporal, no permanente.

Este breve análisis del significado de la palabra *bautismo* pone de manifiesto características distintivas que se encuentran donde quiera que se usa este término en el Nuevo Testamento. Todo bautismo, considerado como experiencia, es tanto total como de transición.

Es total en el sentido de que cubre a toda la persona y toda la personalidad del que es bautizado; es de transición en el sentido de que, para la persona bautizada, marca una transición: el paso de un estado o etapa de experiencia a un nuevo estado o etapa jamás antes conocido.

El acto de bautizarse puede así compararse a abrir y cerrar una puerta. La persona bautizada pasa por una puerta que le es abierta en el acto del bautismo, y pasa de algo viejo y familiar, a algo nuevo y desconocido. A partir de ese momento, la puerta se cierra a sus espaldas, y no hay modo de volverse atrás a través de esa puerta cerrada, a las viejas formas y las antiguas experiencias.

## Cuatro bautismos diferentes

Teniendo en cuenta este cuadro de la naturaleza del bautismo, volvamos una vez más a Hebreos 6:2 donde se especifica que el bautismo es una de las doctrinas fundamentales de la fe cristiana. Observamos que la palabra *bautismo* aquí se usa en plural, no en singular. Es "la doctrina de bautismos" (plural), no "la doctrina del bautismo" (singular). Esto indica muy claramente que la doctrina completa de la fe cristiana incluye más de un tipo de bautismo.

Siguiendo esta conclusión en las páginas del Nuevo Testamento, descubrimos que hay en realidad cuatro tipos de bautismos bien determinados a que se hace referencia en diferentes puntos. Si relacionamos estos cuatro tipos de bautismos en el orden cronológico, en que son revelados en el Nuevo Testamento, llegamos al siguiente resumen.

Primero, el bautismo predicado y practicado por Juan el Bautista —un bautismo en agua— está directamente ligado con el mensaje y la experiencia del arrepentimiento:

> Bautizaba Juan en el desierto, y predicaba el bautismo de arrepentimiento para perdón de pecados.
>
> Marcos 1:4

Segundo, hay un tipo de bautismo en el Nuevo Testamento que no se describe con precisión con una palabra pero que podemos llamar "el bautismo de sufrimiento". Jesús dijo:

> De un bautismo tengo que ser bautizado; y ¡cómo me angustio hasta que se cumpla!
>
> Lucas 12:50

También se alude a éste en Marcos 10:38. Este pasaje registra una solicitud hecha por los hijos de Zebedeo de tener el privilegio de sentarse con Cristo a ambos lados de él en su gloria. A esta petición Jesús contesta con la pregunta siguiente:

> No sabéis lo que pedís, ¿Podéis beber del vaso que yo bebo, o ser bautizados con el bautismo con que yo soy bautizado?

Es evidente que Jesús se refiere a la entrega espiritual y física que tiene por delante en su camino a la cruz —la entrega de todo su ser, espíritu, alma y cuerpo— a la voluntad decretada del Padre para que él tome sobre sí la culpa del pecado del mundo y pague con sus padecimientos vicarios el precio requerido para expiar ese pecado. Con estas palabras Jesús indica a sus discípulos que el cumplimiento de su plan para sus vidas, a su debido tiempo exigiría que ellos también entregaran todo su ser en las manos de Dios; incluso, si fuere necesario, hasta sufrir la muerte.

El tercer tipo de bautismo revelado en el Nuevo Testamento es el bautismo cristiano en agua. Cristo dijo a sus discípulos:

> Por tanto, id, y haced discípulos a todas las naciones, bautizándolos en el nombre del Padre, y del Hijo, y del Espíritu Santo.
>
> Mateo 28:19

La primera característica que distingue al bautismo cristiano del de Juan el Bautista, es que el primero debe realizarse en el nombre y autoridad completos del trino Dios: el Padre, el Hijo y el Espíritu Santo. No era así en el bautismo de Juan.

El cuarto tipo de bautismo revelado en el Nuevo Testamento es el del Espíritu Santo. Jesús habla acerca de éste en Hechos 1:5 y conscientemente lo distingue del bautismo de agua, diciendo a sus discípulos:

> Porque Juan ciertamente bautizó con agua, mas vosotros seréis bautizados con el Espíritu Santo dentro de no muchos días.

Aunque la preposición usada en la versión Reina-Valera es "con" —bautizados "con" el Espíritu Santo— en el texto griego la preposición que se usa en realidad es "en" —bautizados "en" el Espíritu Santo—. Hay sólo dos preposiciones usadas con el verbo "bautizar" en todo el texto griego del Nuevo Testamento. Son *en* y *dentro*. Esto está en completo acuerdo con nuestra conclusión de que el sentido literal de la palabra *bautizar* es "hacer que sea sumergido o mojado".

Jesús también revela el propósito básico del bautismo en el Espíritu Santo diciendo:

> Pero recibiréis poder, cuando haya venido sobre vosotros el Espíritu Santo, y me seréis testigos.
>
> Hechos 1:8

Primero, por consiguiente, el bautismo en el Espíritu Santo es una provisión sobrenatural de poder de lo alto para ser testigos de Cristo.

De los cuatro tipos de bautismo que enumeramos hay uno —el bautismo de sufrimiento— que pertenece a un nivel más avanzado de experiencia espiritual que el resto y por lo tanto no cae dentro del alcance de esta serie de estudios, que está deliberadamente limitada a las doctrinas y experiencias básicas de la fe cristiana. Por esta razón, nada más diremos acerca de este bautismo de sufrimiento, sino que circunscribiremos nuestra atención a los otros tres tipos de bautismo. Trataremos con éstos en el orden en que aparecen en el Nuevo Testamento: 1) el bautismo de Juan el Bautista; 2) el bautismo cristiano en agua; y 3) el bautismo en el Espíritu Santo.

# 18

# El bautismo de Juan comparado con el bautismo cristiano

Es posible que muchos cristianos no tengan una comprensión clara de la diferencia entre el bautismo de Juan el Bautista, y el bautismo cristiano. Por consiguiente, es útil empezar el estudio de estas dos formas de bautismo con Hechos 19:1-5, donde se comparan y se pone de manifiesto la importante diferencia entre ellas:

> Aconteció que entre tanto que Apolos estaba en Corinto, Pablo, después de recorrer las regiones superiores, vino a Efeso, y hallando a ciertos discípulos, les dijo: ¿Recibisteis el Espíritu Santo cuando creísteis? Y ellos le dijeron: Ni siquiera hemos oído si hay Espíritu Santo. Entonces dijo: ¿En qué, pues, fuisteis bautizados? Ellos dijeron: En el bautismo de Juan. Dijo Pablo: Juan bautizó con bautismo de arrepentimiento, diciendo al pueblo que creyesen en aquel que vendría después de él, esto es, en Jesús el Cristo. Cuando oyeron esto, fueron bautizados en el nombre del Señor Jesús.

Había en Efeso, un grupo de personas que se llamaban a sí mismos "discípulos". Al inicio Pablo los tomó como si fuesen discípulos de Cristo

—es decir, cristianos— pero al examinarlos más detenidamente, descubrió que eran sólo discípulos de Juan el Bautista.

Habían oído y aceptado el mensaje de arrepentimiento de Juan y la forma de bautismo que lo acompañaba, pero nada habían oído del mensaje del evangelio de Jesucristo, o de la forma cristiana de bautismo, directamente ligada con la aceptación del mensaje del evangelio.

Después que Pablo les explicó el mensaje del evangelio estas personas lo aceptaron y fueron bautizados de nuevo; esta vez, anota la Escritura, en el nombre del Señor Jesús.

Este incidente demuestra claramente que el bautismo de Juan y el cristiano son distintos en su naturaleza y significado y que una vez que terminó el ministerio de Juan y se inauguró la dispensación del evangelio, el bautismo de Juan ya no se aceptaba de equivalente o sustituto del bautismo cristiano. Por el contrario, los que habían recibido únicamente el de Juan, debían bautizarse otra vez con el bautismo cristiano.

## El bautismo de Juan - Arrepentimiento y confesión

Marcos 1:3-5 proporciona un resumen del mensaje y ministerio de Juan, con la forma de bautismo que lo acompañaba:

> Voz del que clama en el desierto:
> Preparad el camino del Señor; Enderezad sus sendas.

> Bautizaba Juan en el desierto, y predicaba el bautismo de arrepentimiento para perdón de pecados. Y salían a él toda la provincia de Judea, y todos los de Jerusalén; y eran bautizados por él en el río Jordán, confesando sus pecados.

En la providencia de Dios, el mensaje y ministerio de Juan sirvió dos propósitos especiales: 1) preparar los corazones del pueblo de Israel para el advenimiento y revelación de su largamente esperado Mesías, Jesucristo. 2) Proporcionar un puente entre la dispensación de la ley y los profetas —que terminó con el ministerio de Juan— y la dispensación del evangelio —que se inició tres años después como resultado de la muerte y resurrección de Jesucristo.

Para cumplir ambos propósitos de Dios, el ministerio de Juan fue necesariamente breve y temporal. No constituyó en sí mismo una dispensación, sino un período de transición.

En su mensaje y ministerio, Juan exigió dos cosas de la gente: 1) arrepentimiento, y 2) confesión pública de los pecados. Quienes estaban dispuestos a cumplir estas dos condiciones, eran bautizados por Juan en el río Jordán para dar testimonio público de que se habían arrepentido de sus pecados pasados y se estaban comprometiendo a llevar mejores vidas de ese momento en adelante.

> Bautizaba Juan en el desierto, y predicaba el bautismo de arrepentimiento para perdón de pecados.
>
> Marcos 1:4

Más literalmente, Juan predicó un bautismo de arrepentimiento *para* la remisión de pecados. Esto concuerda con una versión similarmente literal de Mateo 3:11, donde Juan mismo usa las dos preposiciones *en* y *para*.

> Yo a la verdad os bautizo en agua para arrepentimiento.

Vemos, entonces, que el bautismo de Juan era para *arrepentimiento* y *para* remisión de pecados. Por consiguiente es importante establecer el significado de la preposición *para* cuando se usa después del verbo "bautizar".

Es obvio que esto no significa que quienes fueron bautizados por Juan entraran en la experiencia del arrepentimiento y el perdón sólo después que fueron bautizados. Por el contrario, cuando muchos de los fariseos y saduceos vinieron a Juan a fin de ser bautizados, Juan rehusó aceptarlos y exigió que mostraran evidencias de un cambio real en sus vidas antes que él los bautizara:

> Al ver él que muchos de los fariseos y de los saduceos venían a su bautismo, les decía: ¡Generación de víboras! ¿Quién os enseñó a huir de la ira venidera? Haced, pues, frutos dignos de arrepentimiento.
>
> Mateo 3:7-8

En otras palabras Juan exigía de ellos: "Probad primero por vuestros actos que ha habido un cambio real en vuestras vidas antes de pedirme que os bautice."

Juan exigía que quienes vinieran a ser bautizados por él, debían presentar evidencias en sus vidas del arrepentimiento y la remisión de los pecados antes que él consintiera en bautizarlos. Claramente, por lo tanto, la frase "bautismo de arrepentimiento para remisión de pecados" no se debe interpretar como que estas dos experiencias de arrepentimiento y perdón sólo seguían al acto externo de ser bautizados. Más bien indicaba —como aclara el contexto— que el acto externo servía de una confirmación visible de que quienes se bautizaban ya habían pasado por las experiencias del arrepentimiento y el perdón.

Así, el bautismo servía de sello externo, dando la seguridad de una transformación interna que ya había tenido lugar.

Comprender este punto es de gran importancia, porque la frase "bautizar en (o dentro)" aparece en dos pasajes subsecuentes del Nuevo Testamento, una vez con relación al bautismo cristiano en agua, y otra vez al bautismo en el Espíritu Santo. En cada caso debemos seguir el mismo principio de interpretación que ya hemos establecido con respecto al bautismo de Juan. Sin embargo, dejaremos para más adelante el examen detallado de estos dos pasajes subsecuentes.

Volviendo al bautismo de Juan, podemos resumir sus efectos como sigue: quienes sinceramente cumplían las condiciones de Juan, experimentaban un verdadero arrepentimiento y perdón, que se manifestaba en un cambio de vida a efecto de mejorar. Sin embargo, estas experiencias eran similares en carácter al ministerio de Juan: eran esencialmente de transición.

Aquéllos a quienes Juan bautizaba no recibían paz interior y victoria permanentes sobre el pecado, que es posible sólo aceptando todo el mensaje del evangelio de Jesucristo; pero sus corazones estaban preparados para recibir y responder al mensaje del evangelio cuando se les proclamara.

## El bautismo cristiano — Cumpliendo toda justicia

Cambiemos ahora de lo transitorio a lo permanente: del bautismo de Juan al bautismo cristiano total ordenado por el mismo Cristo como parte integral del mensaje completo del evangelio. La mejor introducción al bautismo cristiano es el bautismo personal de Jesús:

> Entonces Jesús vino de Galilea a Juan al Jordán, para ser bautizado por él. Mas Juan se le oponía, diciendo: Yo necesito ser bautizado por ti, ¿y tú vienes a mí? Pero Jesús le respondió: Deja ahora, porque así conviene que cumplamos toda justicia. Entonces le dejó. Y Jesús, después que fue bautizado, subió luego del agua; y he aquí los cielos le fueron abiertos, y vio al Espíritu de Dios que descendía como paloma, y venía sobre él. Y hubo una voz de los cielos, que decía: Este es mi Hijo amado, en quien tengo complacencia.
>
> Mateo 3:13-17

Aunque Jesús fue bautizado por Juan el Bautista, la forma de bautismo que él pasó no estaba en absoluto al mismo nivel de toda la otra gente a quien Juan bautizaba. Como ya hemos señalado, el bautismo de Juan exigía dos requisitos principales de la gente: arrepentimiento y confesión de pecados.

No obstante, Jesús nunca había cometido pecados de los cuales necesitara arrepentirse o confesarlos. Por lo tanto, él no necesitaba ser bautizado por Juan de la misma forma que toda la otra gente que venían al bautismo de Juan.

Juan mismo reconoce este hecho, porque dice:

> Yo necesito ser bautizado por ti, ¿y tú vienes a mí?
>
> Mateo 3:14

Pero Jesús le contesta en el siguiente versículo:

> Deja ahora, porque así conviene que cumplamos toda justicia.
>
> Mateo 3:15

En la respuesta de Jesús encontramos la razón que Jesús mismo fuera bautizado, y también la verdadera significación del bautismo cristiano integral, tan distinto de la forma temporal del que administraba Juan. Jesús no fue bautizado por Juan a fin de dar evidencia externa de haberse arrepentido de sus pecados porque él no tenía pecados de qué arrepentirse. Por el contrario, como el mismo Jesús explicó, se bautizó a fin de cumplir (o completar) toda justicia.

En esto —como en muchos otros aspectos de su vida y su ministerio— Jesús estaba estableciendo, deliberada y conscientemente, una norma de conducta. Al ser bautizado por Juan, estaba sentando un ejemplo y modelo del bautismo que él deseaba que los creyentes cristianos siguieran.

Esto concuerda completamente con la descripción que hace Pedro de las acciones de Cristo:

> Pues para esto fuisteis llamados; porque también Cristo padeció por nosotros, dejándonos ejemplo, para que sigáis sus pisadas; el cual no hizo pecado, ni se halló engaño en su boca.
>
> 1 Pedro 2:21-22

También confirma lo que ya hemos dicho: Jesús no fue bautizado por Juan porque se hubiera arrepentido de sus pecados. Por el contrario, como Pedro declara, Jesús *no cometió pecado, ni se halló engaño en su boca*. Mas al ser bautizado de esa forma, dejó un ejemplo con el propósito de que todos los cristianos, siguieran sus huellas.

Con esto presente, volvamos a la razón que Jesús dio para ser bautizado y examinemos sus palabras con mayor detalle: *Así conviene que cumplamos toda justicia* (Mateo 3:15).

Podemos dividir esta razón en tres secciones: 1) el término *así,* 2) la frase "conviene que" y 3) la parte final, "cumplamos toda justicia."

Primero, el término *así,* o en otras palabras, "de esta manera": Su ejemplo establecía un modelo para el método del bautismo. Jesús no fue bautizado siendo un bebé. Cuando Jesús era todavía un bebé, sus padres *lo trajeron a Jerusalén para presentarlo al Señor,* pero no hay aquí ni idea ni sugerencia de bautismo (ver Lucas 2:22). Jesús no fue bautizado hasta que llegó a la edad del entendimiento, a fin de que supiera en ese momento, lo que estaba haciendo, y el porqué lo hacía.

Leemos el siguiente versículo en Mateo 3:16:

> Y Jesús, después que fue bautizado, subió luego del agua.

Por simple lógica se deduce de esto que al ser bautizado, Jesús primero fue sumergido y luego salió del agua. Tomado junto con el sentido literal del verbo "bautizar" (que ya hemos explicado), no cabe duda razonable de que Jesús permitió que lo sumergieran por completo bajo las aguas del Jordán.

Prosigamos a la segunda parte de la razón que dio Jesús para ser bautizado: "conviene que". Esta frase sugiere que, para quienes habrán de seguir a Cristo, ser bautizado es algo ordenado por Dios. No es exactamente un mandamiento legal, como los impuestos sobre Israel por la ley de Moisés, sino que es para los cristianos una expresión natural de discipulado sincero y de todo corazón.

Con el uso del plural —*conviene que cumplamos*— Jesús se identificaba por anticipado con todos los que subsecuentemente lo seguirían a través de este establecido acto de fe y obediencia.

Finalmente llegamos a la última parte: *cumplamos toda justicia.* Como ya hemos señalado, el bautismo de Jesús no fue una evidencia de haber confesado y haberse arrepentido de sus pecados. El jamás había pecado; era perfectamente justo. Esta justicia era, en primera instancia, una condición interna del corazón que Jesús ya poseía.

No obstante, al permitir que se le bautizara, Jesús cumplía —o completaba— esta justicia interna con un acto externo de obediencia a la voluntad de su Padre celestial. Con este acto externo de obediencia y dedicación a Dios, él entró realmente en la vida activa del ministerio con el que cumplió el plan de Dios el Padre.

Así es con todo verdadero creyente cristiano que se bautiza. No se bautizan sólo porque sean pecadores que han confesado y se han arrepentido de sus pecados. Esto pondría al bautismo cristiano en el mismo nivel que el bautismo de Juan. Es cierto que los cristianos han confesado y se han arrepentido de sus pecados. Sin esto, no podrían ser cristianos en modo alguno. Pero ellos han ido más allá; han alcanzado algo que es mucho más pleno y grande de lo que jamás fuera posible para los que conocieron sólo el mensaje y el bautismo de Juan.

> Justificados, pues, por la fe, tenemos paz para con Dios por medio de nuestro Señor Jesucristo.
>
> Romanos 5:1

Los verdaderos cristianos no sólo han confesado y se han arrepentido de sus pecados Han hecho eso y más. Por fe en la muerte expiatoria y la resurrección de Jesucristo, han sido justificados; Dios les ha acreditado la justicia del mismo Cristo en base a su fe.

Por eso son bautizados; no sólo con el fin de dar evidencia de que han confesado y se han arrepentido de sus pecados, sino "para cumplir [o completar] toda justicia." Por medio de este acto externo de obediencia completan la justicia interior que ya han recibido en sus corazones por fe. Esta explicación nos muestra cuán totalmente diferente es el bautismo cristiano, del que Juan predicaba. Ahora podemos comprender por qué Pablo no aceptaba el bautismo de Juan en quienes deseaban ser verdaderos cristianos. En su lugar, primero los instruía en toda la verdad del evangelio centrado en la muerte y resurrección de Cristo, y después insistía en que fueran bautizados una vez más con el bautismo cristiano integral.

En conclusión, el bautismo cristiano es un acto de obediencia externo por medio del cual el creyente cumple, o completa, la justicia interna de que disfruta ya en su corazón mediante la fe en la muerte y resurrección expiatorias de Cristo.

# 19

# Condiciones para
# el bautismo cristiano

Ahora procederemos a examinar las condiciones que tienen que cumplir quienes deseen recibir el bautismo cristiano.

## Arrepentirse

La primera condición se establece en Hechos 2:37-38, que relata la reacción de la multitud judía al sermón de Pedro en el día de pentecostés, y las instrucciones que él les dio:

> Al oír esto se compungieron de corazón, y dijeron a Pedro y a los otros apóstoles: Varones hermanos, ¿qué haremos? Pedro les dijo: Arrepentíos, y bautícese cada uno de vosotros en el nombre de Jesucristo para perdón de los pecados; y recibiréis el don del Espíritu Santo.

Aquí, en respuesta a la pregunta "¿Qué haremos?" Pedro les ordena dos cosas: primero, arrepentirse; después, bautizarse.

Ya hemos visto (en la Parte II) que el arrepentimiento es la primera respuesta que Dios requiere de cualquier pecador que desea ser salvo. El arrepentimiento, por consiguiente, tiene que preceder al bautismo. De ese momento en adelante, el bautismo es el símbolo externo o confirmación del cambio interno producido por el arrepentimiento.

# Creer

Cristo mismo establece la segunda condición para el bautismo cristiano:

> Y [Jesús] les dijo: Id por todo el mundo y predicad el evangelio a toda criatura. El que creyere y fuere bautizado, será salvo; mas el que no creyere, ser condenado.
>
> Marcos 16:15-16

Cristo establece aquí dos requisitos que tienen que cumplir los que deseen ser salvos: primero, creer; después, bautizarse. La Iglesia del Nuevo Testamento le tomó la palabra al pie de la letra. Una vez que la persona había creído en Jesús para salvación, inmediatamente era bautizado.

La experiencia del carcelero filipense proporciona un ejemplo dramático (ver Hechos 16:25-34). A medianoche, en repuesta a las alabanzas de Pablo y Silas, toda la prisión fue estremecida por un terremoto sobrenatural, y todas la puertas se abrieron. El carcelero, sabiendo que tendría que responder con su propia vida por cualquier prisionero que escapara, se dispuso a suicidarse. Pero Pablo lo detuvo diciendo: "No te hagas ningún mal, porque todos estamos aquí."

Sintiéndose hondamente culpable, el carcelero entonces preguntó: "Señores, qué tengo que hacer para ser salvo?" Pablo replicó: "Cree en el Señor Jesucristo y serás salvo tú y tu casa."

Pablo y Silas entonces presentaron el mensaje del evangelio a toda su familia. Reaccionando con fe, toda la familia fue inmediatamente bautizada. ¡No esperaron siquiera a que amaneciera!

La respuesta del carcelero y su familia es la norma modelo en el Nuevo Testamento. El bautismo se consideraba un requisito urgente, pero siempre estaba precedido por la fe.

Los primeros dos requisitos para el bautismo, arrepentirse y creer, concuerdan con las primeras tres doctrinas fundamentales presentadas en Hebreos 6:1-2: 1) arrepentimiento, 2) fe, y 3) la doctrina de los bautismos. En la experiencia, como en la doctrina, el fundamento del bautismo tiene que ser arrepentirse y creer.

## Una buena conciencia

Una tercera condición para el bautismo cristiano queda clara en el pasaje donde Pedro compara la ordenanza del bautismo cristiano en agua con la experiencia de Noé y su familia, que se salvaron de la ira y del juicio de Dios cuando entraron por fe en el arca. Una vez dentro, pasaron a salvo a través de las aguas del diluvio. En referencia directa a este relato, Pedro dice:

> El bautismo que corresponde a esto ahora nos salva (no quitando las inmundicias de la carne, sino como la aspiración de una buena conciencia hacia Dios) por la resurrección de Jesucristo.
>
> 1 Pedro 3:21

Aquí Pedro primero desecha la sugerencia grosera de que el propósito del bautismo cristiano sea alguna clase de limpieza o de baño del cuerpo físico. Más bien, dice, la condición esencial del bautismo cristiano radica en la respuesta interna del corazón del creyente: *la aspiración de una buena conciencia hacia Dios.* Pedro indica que esta respuesta interna de una buena conciencia hacia Dios, es posible a través de la fe en la resurrección de Jesucristo.

Podemos resumir brevemente las bases sobre las que un cristiano puede responder a Dios con buena conciencia respecto de su conducta a la hora de su bautismo.

1.  El creyente ha reconocido humildemente sus pecados.
2.  Ha confesado su fe en la muerte y resurrección de Cristo. como la propiciación necesaria por sus pecados.
3.  Con el acto externo de obediencia al bautizarse, está completando el requisito final de Dios necesario para darle la seguridad bíblica de la salvación.

Habiendo cumplido así todos los requisitos de Dios para la salvación, es apto para presentarse a Dios con una buena conciencia.

## Convirtiéndose en discípulo

Las primeras tres condiciones para el bautismo —arrepentirse, creer y tener una buena conciencia— están resumidas en un cuarto requisito: convertirse en un discípulo. Cristo comisionó a sus seguidores para que llevaran el mensaje del evangelio a todas las naciones:

> Por tanto, id, y haced discípulos a todas las naciones, bautizándolos en el nombre del Padre, y del Hijo, y del Espíritu Santo; enseñándoles que guarden todas las cosas que os he mandado.
>
> Mateo 28:19-20

Aquí hacer discípulos, que precede al bautismo, consiste en llevar a quienes escuchen el evangelio por las primeras tres etapas de arrepentirse, creer y tener una buena conciencia. Esto hace a los nuevos creyentes dignos del bautismo, con el que se comprometen públicamente a una vida de discipulado.

Después de este acto público de compromiso, los que han sido bautizados necesitan recibir enseñanza más detallada y extensa para que puedan convertirse en verdaderos discípulos —cristianos fuertes, inteligentes y responsables.

Ahora podemos resumir los requisitos bíblicos para el bautismo. La persona primero tiene que haber oído lo suficiente del evangelio para comprender la naturaleza de lo que hace. Tiene que haberse arrepentido de sus pecados; tiene que confesar su fe en que Jesucristo es el Hijo de Dios; tiene que ser capaz de presentarse a Dios con una buena conciencia en base a haber cumplido todos los requisitos de Dios para la salvación. Finalmente, tiene que comprometerse a una vida de discipulado.

Concluimos, por consiguiente, que para ser dignos del bautismo cristiano de acuerdo con la norma del Nuevo Testamento, una persona tiene que cumplir con estas cuatro condiciones; a la inversa, toda persona que no pueda cumplir con estas condiciones no es digna del bautismo.

## ¿Se puede bautizar a los párvulos?

Se puede ver inmediatamente que estas cuatro condiciones para el bautismo relacionadas arriba, automáticamente descalifican a los párvulos. Por su misma naturaleza, un infante no puede arrepentirse, no puede creer, no puede presentarse ante Dios con una buena conciencia y no puede convertirse en discípulo. Por lo tanto, un infante no puede cumplir los requisitos para bautizarse.

A veces se han sugerido ejemplos en el Nuevo Testamento de familias que fueron bautizadas completas, siendo probable que los miembros infantiles de estos hogares estuvieran incluidos con el resto en el acto del bautismo. Puesto que esto tiene una relación muy importante con todo el propósito y la naturaleza del bautismo, es bueno que se investigue esta sugerencia con cuidado.

Por lo general, las dos familias mencionadas son la de Cornelio en Hechos 10 y la del carcelero filipense en Hechos 16.

Examinemos primero la casa de Cornelio. Se nos dice que Cornelio era un hombre *piadoso y temeroso de Dios con toda su casa* es decir, todos los miembros de su casa eran gente temerosa de Dios (ver Hechos 10:2). Antes que Pedro empezara a predicarles, Cornelio dijo:

> Ahora, pues, todos nosotros estamos aquí en la presencia de Dios, para oír todo lo que Dios te ha mandado.
>
> Hechos 10:33

Esto indica que todos los presentes podían escuchar el mensaje de Pedro.

> Mientras aún hablaba Pedro estas palabras, el Espíritu Santo cayó sobre todos los que oían el discurso. Y los fieles de la circuncisión que habían venido con Pedro se quedaron atónitos de que también sobre los gentiles se derramase el don del Espíritu Santo. Porque los oían que hablaban en lenguas, y que magnificaban a Dios.
>
> Hechos 10:44-46

Esto indica que los presentes no solamente podían oír el mensaje de Pedro, sino también recibir el Espíritu Santo por fe como resultado del mensaje y hablar en otras lenguas. En realidad, fue en base a eso mismo que Pedro los aceptó como dignos de ser bautizados:

> Entonces respondió Pedro: ¿Puede acaso alguno impedir el agua, para que no sean bautizados estos que han recibido el Espíritu Santo también como nosotros?
>
> Hechos 10:47

Además, cuando Pedro relató a los apóstoles y hermanos en Jerusalén lo que había sucedido en la casa de Cornelio (ver Hechos 11), añadió otro hecho importante relativo a todos los miembros de la casa de Cornelio:

> Fueron también conmigo estos seis hermanos, y entramos en casa de un varón quien nos contó cómo había visto en su casa un ángel, que se puso en pie y le dijo: Envía hombres a Jope, y haz venir a Simón, el que tiene por sobrenombre Pedro; él te hablará palabras por las cuales serás *salvo tú, y toda tu casa.*
>
> Hechos 11:12-14, (cursivas del autor).

Conocemos por esto que, como resultado de la predicación de Pedro en la casa de Cornelio, todo miembro de su casa fue salvo.

Si juntamos todas las piezas de información que tenemos con respecto a la casa de Cornelio, llegamos a las siguientes conclusiones declaradas: Todos ellos eran temerosos de Dios; todos escucharon el mensaje de Pedro; todos recibieron el Espíritu Santo y hablaron otras lenguas; todos fueron salvos. Es claro, por lo tanto, que todos ellos eran capaces de cumplir las condiciones del Nuevo Testamento para bautizarse y que no había párvulos entre ellos.

Ya hemos considerado en este capítulo el segundo pasaje que describe el bautismo de todos los habitantes de una casa —la del carcelero filipense de Hechos 16—. En este pasaje nos enteramos de estos tres hechos:

1. Pablo y Silas predicaron la palabra del Señor al carcelero y a todos los que estaban en su casa (v. 32).
2. El y toda su familia fueron bautizados (v.33).
3. El y toda su casa creyeron (v. 34).

Esto demuestra que todos podían cumplir personalmente las condiciones del Nuevo Testamento para el bautismo y que no había infantes entre ellos.

Ni en la casa de Cornelio ni en la casa del carcelero de Filipos ni en ninguna otra parte del Nuevo Testamento se sugiere que los párvulos fuesen tomados en consideración para ser bautizados.

## Instrucción preliminar

Aunque es necesario recalcar las condiciones para el bautismo cristiano, tenemos que tener cuidado de no insistir tanto en la necesidad de enseñanza, de tal manera que produzca resultados que no son bíblicos. En algunos lugares —especialmente en ciertos campos misioneros en el extranjero— es común insistir que todos los que se presentan para bautizarse deben primero someterse a un prolongado período de instrucción, que se extiende por semanas o meses, antes que se les acepte para el bautismo. Las palabras de Cristo en Mateo 28:19-20 sirven de base para esta práctica:

> Por tanto, id, y haced discípulos a todas las naciones, bautizándolos en el nombre del Padre, y del Hijo, y del Espíritu Santo; enseñándoles que guarden todas las cosas que os he mandado.

Esta insistencia en la enseñanza preliminar se debe en parte a versiones antiguas de la Biblia que traducen estas palabras: "Id, y doctrinad a todos los Gentiles..." Sin embargo, la versión moderna que dice: *Id y haced discípulos...* es mucho más exacta.

Concedamos, no obstante, que primero hay que enseñar a quienes deseen ser bautizados. La cuestión es, ¿cuánto tiempo tiene que prolongarse este proceso preliminar? ¿Debe medirse el tiempo necesario en meses, en semanas, en días o en horas?

Los sucesos del día de pentecostés concluyen de este modo:

> Así que, los que recibieron su [de Pedro] palabra fueron bautizados; y
> se añadieron aquel día como tres mil personas.
>
> Hechos 2:41

Las tres mil personas cuyo bautismo se relata aquí, habían sido, pocas horas antes, abiertamente incrédulos rechazando la afirmación que Jesús de Nazaret fuera el Mesías de Israel o el Hijo de Dios. Desde el final del sermón de Pedro hasta el momento de ser bautizados, el tiempo requerido por los apóstoles para darles la instrucción necesaria no puede haberse excedido a pocas horas. Con toda certeza no pudo ser más de pocos días, o una semana o, a lo máximo, dos.

Felipe bautizó al eunuco etíope el mismo día que lo encontró y le predicó el evangelio (ver Hechos 8:36-39). Aquí de nuevo, el período de instrucción no pudo haber excedido a pocas horas.

También está el caso de Ananías, a quien Dios envió a Saulo de Tarso para que impusiera sus manos sobre él y orara por él:

> Y al momento le cayeron de los ojos como escamas, y recibió al
> instante la vista; y levantándose, fue bautizado.
>
> Hechos 9:18

Más tarde Pablo mismo relata que Ananías le dijo aquel día:

> Ahora, pues, ¿por qué te detienes? Levántate y bautízate.
>
> Hechos 22:16

Vemos, entonces, que Saulo de Tarso (más tarde Pablo) fue bautizado probablemente el día de su conversión; con toda certeza, a los tres días de que Jesucristo se le revelara en el camino de Damasco.

Pedro hizo bautizar a Cornelio y su casa el mismo día que les predicó el evangelio (ver Hechos 10:48).

El Señor abrió el corazón de Lidia, la vendedora de púrpura, al mensaje del evangelio, y fue bautizada entonces con toda su casa (ver Hechos 16:14-15). En este caso no se da más detalles, y no se menciona un período de tiempo específico.

El carcelero de Filipos y toda su casa fueron bautizados la misma noche que escucharon por primera vez el evangelio (Hechos 16:33).

En estos pasajes hemos examinado siete ocasiones del bautismo de recién convertidos. En cada caso se dio alguna instrucción primero. A partir de entonces, en la mayoría de los casos, siguió el bautismo a las pocas horas de la conversión. En ningún caso éste se demoró más que pocos días.

Por consiguiente, podemos tener una idea clara de la práctica del bautismo en la iglesia primitiva. Antes del bautismo ellos presentaban los hechos fundamentales del evangelio, centrados en la vida, muerte y resurrección de Cristo, y relacionaban estos hechos con el acto del bautismo.

De inmediato se procedía al bautismo; normalmente a las pocas horas; cuanto más, a los pocos días.

Finalmente, después del bautismo, los nuevos convertidos continuaban recibiendo la instrucción más detallada que se necesitaba para establecerlos firmemente en la fe cristiana. Esta fase posterior de instrucción se resume en Hechos 2:42, que sigue a continuación del relato del bautismo de los nuevos convertidos en el día de pentecostés:

> Y perseveraban [los recién bautizados] en la doctrina de los apóstoles, en la comunión unos con otros, en el partimiento del pan y en las oraciones.

Este es el modelo del Nuevo Testamento para establecer nuevos convertidos en la fe después que han sido bautizados.

# 20

# Significado espiritual del bautismo cristiano

En este capítulo completaremos nuestro estudio del bautismo cristiano exponiendo, de la enseñanza del Nuevo Testamento, el significado espiritual de esta ordenanza:

## Cómo opera la gracia de Dios

El texto clave que revela esta verdad se encuentra en Romanos:

¿Qué, pues, diremos? ¿Perseveraremos en el pecado para que la gracia abunde? En ninguna manera. Porque los que hemos muerto al pecado, ¿cómo viviremos aún en él? ¿O no sabéis que todos los que hemos sido bautizados en Cristo Jesús, hemos sido bautizados en su muerte? Porque somos sepultados juntamente con él para muerte por el bautismo, a fin de que como Cristo resucitó de los muertos por la gloria del Padre, así también nosotros andemos en vida nueva. Porque si fuimos plantados juntamente con él en la semejanza de su muerte, así también lo seremos en la de su resurrección; sabiendo esto, que nuestro viejo hombre fue crucificado juntamente con él, para que el cuerpo del pecado sea destruido, a fin de que no sirvamos más al pecado. Porque el que ha muerto, ha sido justificado del pecado. (6:1-7).

En Romanos 5 Pablo hace especial hincapié en la abundancia de la gracia de Dios para con las profundidades del pecado del hombre.

Cuando el pecado abundó, sobreabundó la gracia. (v. 20).

Esto nos lleva al planteamiento que hace en Romanos 6:1, *¿Qué, pues, diremos? ¿Perseveraremos en el pecado para que la gracia abunde?* En otras palabras, Pablo imagina a alguien preguntando: "Si la gracia de Dios viene en proporción con el pecado del hombre, sobreabundando donde el pecado abunda más, ¿pecaremos deliberadamente para que la gracia de Dios sobreabunde más hacia todos nosotros pecadores?"

La respuesta a esta peligrosa sugerencia señala que está basada en un total malentendido de cómo opera la gracia de Dios. A fin de que un pecador se beneficie de la gracia de Dios, tiene que haber una transacción personal definitiva por fe entre el pecador y Dios. La naturaleza de este intercambio es tal, que produce una transformación total en la personalidad del pecador.

Hay dos lados opuestos, pero complementarios, de esta transformación que la gracia de Dios produce en la personalidad del pecador. Primero hay una al pecado y a la antigua vida. Después, hay una nueva vida entregada a Dios y a la justicia.

A la luz de esta realidad acerca de la operación de la gracia de Dios en el pecador y los resultados que produce, nos enfrentamos con dos posibilidades mutuamente exclusivas: Si nos hemos aprovechado de la gracia de Dios, estamos muertos al pecado; por otro lado, si no estamos muertos al pecado, entonces no nos hemos valido de la gracia de Dios. Por consiguiente, es ilógico e imposible hablar de beneficiarse de la gracia de Dios y al mismo tiempo estar viviendo en pecado. Estas dos cosas no pueden estar juntas jamás. Así lo dice Pablo en Romanos 6:2: *En ninguna manera. Porque los que hemos muerto al pecado, ¿cómo viviremos aún en él?*

¿Qué hemos de entender exactamente por la frase "muertos al pecado"? A fin de tener una idea imaginemos a un hombre que ha sido un notorio pecador. Supongamos que ha sido brutal con su esposa e hijos; ha prohibido toda mención de Dios o de religión en su hogar; ha dicho palabras obscenas; y ha sido esclavo del alcohol y el tabaco.

Supongamos ahora que este hombre muere de repente en su casa de un ataque al corazón, mientras está sentado en un sillón. Sobre la mesa junto a él hay un cigarrillo encendido y un vaso de licor. Ni el cigarrillo ni el alcohol producirán ya más reacciones en este hombre; ni siente la agitación interna del deseo, ni su brazo se extenderá para tomarlos. ¿Por qué no? Porque está muerto; muerto para el alcohol y el tabaco por igual.

Poco después su esposa y sus hijos regresan del culto dominical vespertino en la iglesia local, cantando un coro nuevo que acaban de aprender. No hay reacción en el hombre: ni cólera, ni palabras obscenas.

¿Por qué? Porque está muerto; muerto para el enojo y la blasfemia por igual. En pocas palabras: ese hombre está "muerto al pecado". El pecado ya no le atrae; ya no le produce ninguna reacción; ya no tiene poder sobre él.

Esta es la descripción que da el Nuevo Testamento del hombre que se ha beneficiado, por fe, de la gracia de Dios. Mediante la operación de la gracia, el hombre ha muerto al pecado. El pecado ya no tiene atractivo para él; ya no le produce reacción alguna; ya no tiene poder sobre él. En cambio, está vivo para Dios y su justicia.

## Crucificados y resucitados con Cristo

Esta realidad, que el verdadero creyente cristiano está muerto al pecado, por medio de la gracia de Dios, se declara repetidamente en el Nuevo Testamento:

> Sabiendo esto, que nuestro viejo hombre fue crucificado juntamente con él, [Cristo] para que el cuerpo del pecado sea destruido, a fin de que no sirvamos más al pecado. Porque el que ha muerto, ha sido justificado [o liberado] del pecado.
>
> Romanos 6:6-7

El significado aquí es claro: para toda persona que ha aceptado la muerte expiatoria de Cristo en beneficio suyo, el viejo hombre —la naturaleza corrompida y pecadora— es crucificada, el cuerpo del pecado ha sido eliminado, a través de la muerte, esa persona ha sido liberada (o justificada) del pecado. Ya no necesita seguir siendo esclava del pecado.

Poco después en el mismo capítulo Pablo repite esta enseñanza con renovado interés:

> Así también vosotros consideraos muertos al pecado, pero vivos para Dios en Cristo Jesús, Señor nuestro. No reine, pues, el pecado en vuestro cuerpo mortal, de modo que lo obedezcáis en sus concupiscencias (...) Porque el pecado no se enseñoreará de vosotros; pues no estáis bajo la ley, sino bajo la gracia.
>
> Romanos 6:11-12,14

Otra vez, el significado es evidente: los cristianos tenemos que considerarnos muertos al pecado mediante la gracia de Dios en Jesucristo. El resultado es que no hay razón para que éste continúe ejerciendo ningún control o dominio sobre nosotros. Más tarde en Romanos, Pablo da especial relieve a la misma verdad:

Pero si Cristo está en vosotros, el cuerpo en verdad está muerto a causa del pecado, mas el espíritu vive a causa de la justicia.

Romanos 8:10

Las palabras *si Cristo está en vosotros,* indican que esta verdad se aplica a todo verdadero creyente cristiano en cuyo corazón habita Cristo por la fe. La doble consecuencia de que Cristo more dentro del creyente es: 1) la muerte de la vieja naturaleza carnal; "el cuerpo", es decir, el cuerpo de pecado, está muerto; 2) la nueva vida para la justicia mediante la obra del Espíritu de Dios; el Espíritu es vida a causa de la justicia.

Pedro presenta la misma verdad con igual claridad: Hablando del propósito de la muerte de Cristo en la cruz, dice:

Quien llevó él mismo nuestros pecados en su cuerpo sobre el madero, para que nosotros, estando muertos a los pecados, vivamos a la justicia; y por cuya herida fuisteis sanados.

1 Pedro 2:24

Pedro también presenta los dos aspectos complementarios de la transformación que tiene lugar dentro del creyente que acepta la muerte expiatoria de Cristo en beneficio suyo: 1) morir al pecado; 2) vivir para la justicia. En realidad, Pedro establece que éste es el supremo propósito de la muerte de Cristo en la cruz: *para que nosotros, estando muertos a los pecados, vivamos a la justicia.*

La condición de estar muerto para el pecado y vivos para la justicia va más allá del mero perdón de los pecados pasados. En realidad, lleva al creyente hasta una dimensión por completo diferente en la experiencia espiritual. La mayoría de los cristianos profesantes, en casi todas las denominaciones, creen de alguna manera que sus pecados pasados pueden serles perdonados. En realidad, ésta es probablemente la razón principal que los impulsa a asistir a la iglesia; con el propósito de confesar y lograr el perdón de los pecados que han cometido.

Sin embargo, no tienen idea ni esperanza de experimentar ninguna clase de transformación interna en su propia naturaleza.

El resultado es que, después de confesar sus pecados, salen de la iglesia sin cambiar y continúan cometiendo la misma clase de pecados. Al poco tiempo, regresan a la iglesia, confesando los mismos pecados.

Esta es una religión hecha por el hombre a nivel humano, a la que se han adherido algunas formas externas del cristianismo. Tiene muy poco o nada que ver con la salvación que Dios ofrece al verdadero creyente mediante la fe en la expiación de Cristo.

El propósito central de Dios en la expiación de Cristo no es para que el hombre pudiera recibir el perdón de sus pecados pasados sino más bien que, una vez perdonado por el pasado, pudiera entrar en una dimensión nueva de experiencia espiritual. A partir de ese momento, debe de estar muerto para el pecado pero vivo para Dios y la justicia; ya no debe de ser esclavo del pecado; el pecado ya no debe de tener ningún dominio sobre él.

Esto es posible gracias a que Cristo, en su expiación, no sólo tomó sobre él la culpa de nuestros pecados pagando así el castigo completo por ellos, sino que, sobre todo y más allá de eso, Cristo se identificó con nuestra naturaleza corrupta, pecadora y caída; y cuando murió en la cruz, de acuerdo con la Escritura, aquella vieja naturaleza nuestra —"el viejo hombre", "el cuerpo de pecado"— murió en él y con él.

A fin de que el creyente logre todo el propósito completo de la expiación de Cristo, hay que cumplir dos condiciones. Pablo las establece en Romanos 6, en su orden lógico:

> Sabiendo esto, que nuestro viejo hombre fue crucificado juntamente con él, para que el cuerpo del pecado sea destruido, a fin de que no sirvamos más al pecado.
>
> Romanos 6:6

La crucifixión del viejo hombre juntamente con Cristo fue un evento histórico, que sucedió en un momento dado en el pasado:

> Así también vosotros consideraos muertos al pecado, pero vivos para Dios en Cristo Jesús, Señor nuestro.
>
> Romanos 6:11

El término introductorio *así* destaca la correspondencia entre la experiencia de Cristo y la del creyente. El significado es: "Tal como Cristo murió, considérese que usted también murió con él." O más corto: "La muerte de Cristo fue la muerte de usted."

Aquí están, pues, las dos condiciones para estar muertos al pecado y vivos para Dios y la justicia: 1) saber, y 2) considerar. Primero, debemos saber lo que la palabra de Dios enseña acerca del propósito principal de la muerte de Cristo. Segundo, tenemos que considerar que la palabra de Dios es verdad en nuestro propio caso particular; tenemos que aplicar esta verdad de la palabra de Dios a nuestra propia condición. Podemos apropiarnos de la experiencia sólo cuando, y en tanto, sepamos y consideremos verdad lo que la palabra de Dios enseña acerca del propósito de la expiación de Cristo.

Con respecto al propósito principal de la expiación de Cristo —*para que nosotros, estando muertos a los pecados, vivamos a la justicia*— podemos hacer dos declaraciones que difícilmente puedan ser impugnadas: 1) No hay otra verdad de mayor importancia práctica en todo el Nuevo

Testamento. 2) No hay otra verdad acerca de la cual prevalezca mayor ignorancia, indiferencia o incredulidad entre los que profesan ser cristianos. La raíz de esta desdichada condición radica en la palabra *ignorancia*. Con mucha razón podemos aplicar a esta situación lo que dice el Señor en Oseas 4:6: *Mi pueblo fue destruido porque le faltó conocimiento.*

El primer requisito que Pablo estableció para disfrutar del propósito principal de la expiación de Cristo es "sabiendo esto". Si el pueblo de Dios no conoce esta verdad, no puede creer en ella; si no cree en ella, no puede experimentarla. Por lo tanto, la primera gran necesidad es presentar esta verdad ante la iglesia y mantenerla continuamente delante de ella, del modo más claro y enfático posible.

## Primero sepultura, después resurrección

¿Qué relación existe entre esta verdad central de la expiación de Cristo y la ordenanza del bautismo cristiano? La respuesta es simple y práctica. En el plano natural, a toda muerte sigue una sepultura. Lo mismo se aplica en el plano espiritual: primero la muerte, después, la sepultura. Mediante la fe en la expiación de Cristo, de acuerdo con la palabra de Dios, nos consideramos muertos junto con él; consideramos que nuestro viejo hombre, el cuerpo de pecado, está muerto. Por lo tanto, la palabra de Dios dice qué hacer a continuación: sepultar a este viejo hombre, a este cuerpo de pecado muerto.

La ordenanza con que lo sepultamos es el bautismo cristiano. En cada bautismo cristiano hay dos etapas sucesivas: 1) una sepultura; 2) una resurrección. Estas dos etapas del bautismo corresponden a las dos etapas de la transformación interior dentro del creyente que acepta la expiación de Cristo en su favor: 1) la muerte al pecado; 2) la nueva vida para Dios y la justicia.

El bautismo cristiano en agua es, primero, la sepultura en una típica tumba marina y, segundo, una resurrección de esa tumba a una vida para Dios y la justicia. Una es la manifestación externa de la muerte al pecado, la muerte del viejo hombre; la otra es la expresión externa de la nueva vida para Dios y la justicia. El Nuevo Testamento declara que ese es el propósito del bautismo cristiano:

> ¿O no sabéis que todos los que hemos sido bautizados en Cristo Jesús, hemos sido bautizados en su muerte? Porque somos sepultados juntamente con él para muerte por el bautismo, a fin de que como Cristo resucitó de los muertos por la gloria del Padre, así también nosotros andemos en vida nueva.
>
> Romanos 6:3-4

> Sepultados con él en el bautismo, en el cual fuisteis también resucitados con él, mediante la fe en el poder de Dios que le levantó de los muertos.
>
> Colosenses 2:12

Ambos pasajes exponen claramente las dos etapas sucesivas del bautismo: 1) somos sepultados con Cristo por el bautismo (término que significa literalmente "inmersión") en su muerte. 2) Somos resucitados con él, mediante la fe en la obra del poder de Dios, para andar con él en una nueva vida.

Además de esta verdad básica hay otras tres realidades importantes acerca del bautismo, contenidos en estos versículos.

Primero, por el verdadero bautismo cristiano, somos bautizados en el mismo Cristo, no en una iglesia o secta o denominación particular. Como dice Pablo:

> Porque todos los que habéis sido bautizados en Cristo, de Cristo estáis revestidos.
>
> Gálatas 3:27

No hay espacio para nada ni nadie más que Cristo: Cristo en su muerte expiatoria y en su resurrección triunfal.

Segundo, el efecto del bautismo depende de la fe personal del bautizado; es mediante la fe en la obra de Dios; dicho más simple, "mediante la fe en lo que Dios hace." Sin esta fe, la ordenanza del bautismo por sí sola no tiene efecto o validez de ninguna clase.

Tercero, el creyente que es levantado de la tumba líquida del bautismo para andar en una vida nueva, no lo hace en su propio poder, sino en el poder de la gloria de Dios, el mismo poder que levantó a Jesús de la tumba. Pablo revela que el poder que lo resucitó fue *el Espíritu de santidad*, el propio Espíritu Santo de Dios (Romanos 1:4). Así el creyente, a través de las aguas del bautismo, se compromete a una nueva vida para Dios y la justicia, que significa depender totalmente del poder del Espíritu Santo.

Esto concuerda con lo que dice Pablo en Romanos 8:10b:

> Pero si Cristo está en vosotros, el cuerpo en verdad está muerto a causa del pecado, mas el espíritu vive a causa de la justicia.

Unicamente el Espíritu de Dios puede dar al creyente bautizado el poder que necesita para esta nueva vida de justicia.

Es un principio general de la psicopedagogía que los niños recuerdan aproximadamente cuarenta por ciento de lo que oyen; sesenta por ciento de lo que oyen y ven; y ochenta por ciento de lo que oyen, ven y hacen. Al establecer esta ordenanza del bautismo cristiano en la iglesia, Dios ha aplicado este principio de la psicología a la enseñanza del gran propósito principal de la expiación de Cristo: que nosotros, habiendo muerto a los pecados, podamos vivir para la justicia.

De acuerdo con el modelo del Nuevo Testamento, cada vez que se añaden nuevos creyentes a la iglesia, ellos representan, mediante el bautismo, su identificación por fe con Cristo; primero, en su muerte y sepultura al pecado; segundo, en su resurrección a una nueva vida. De este modo, el bautismo mantiene delante de toda la iglesia el gran propósito principal de la expiación de Cristo.

Se deriva que esta verdad vital concerniente a la expiación de Cristo nunca podrá ser restaurada por entero en la iglesia cristiana, hasta que primero no se restaure el verdadero método y significado del bautismo cristiano; es preciso que vuelva a ser otra vez, para cada creyente individual y para la iglesia general, una representación de esta doble verdad: muerte y sepultura al pecado; resurrección y vida para Dios y la justicia.

Para completar este estudio, señalaré brevemente que el verdadero bautismo cristiano no produce dentro del creyente esta condición de muerte para el pecado, sino más bien es el sello externo de que el creyente, por fe, ya ha entrado en esta condición. En los versículos citados de Romanos 6, Pablo establece claramente que primero morimos con Cristo para el pecado, y después somos bautizados en la muerte de Cristo.

Con respecto a esto, el bautismo cristiano es paralelo al bautismo de Juan. En el bautismo de Juan la persona primero se arrepentía de sus pecados y después era bautizado en arrepentimiento. En el bautismo cristiano el creyente primero, por fe, muere con Cristo para el pecado, y después es bautizado en la muerte de Cristo. En cada caso el acto externo de bautizarse no produce por sí mismo la condición espiritual interna; más bien es un sello y afirmación de que, por fe, ya se ha producido esta condición interna en el corazón de la persona bautizada.

# 21

# El bautismo en
# el Espíritu Santo

Desde el comienzo del siglo veinte, el tema del bautismo en el Espíritu Santo ha venido despertando un marcado interés y hasta controversia entre los cada día más amplios círculos de la Iglesia cristiana. Hoy continúa siendo un tema de estudio, de intercambio de ideas y, muy frecuentemente, de controversia en casi todos los sectores de la cristiandad. En vista de esto, debemos tratar de enfocar este estudio de un modo muy cuidadoso, meticuloso y bíblico.

## Siete referencias en el Nuevo Testamento

Primero debemos enumerar los pasajes del Nuevo Testamento donde la palabra *bautizar* se usa con relación al Espíritu Santo. Bastante adecuadamente —puesto que siete es el número característico del Espíritu Santo— hay siete de tales pasajes.

Juan el Bautista compara su ministerio personal con el de Cristo como sigue:

> Yo a la verdad os bautizo en agua para arrepentimiento; pero el que viene tras de mí, cuyo calzado yo no soy digno de llevar, es más poderoso que yo; él os bautizará en Espíritu Santo y fuego.
>
> Mateo 3:11

Aunque en algunos de estos pasajes la versión Reina-Valera usa la preposición *con* junto al verbo "bautizar", la preposición en el original griego en todos los casos es *en*; y se usa igualmente para bautizar en agua y para bautizar en el Espíritu Santo. En ambos casos se emplea la misma preposición *en*. El uso desafortunado de otra proposición en la versión Reina-Valera ha oscurecido la clara enseñanza del texto original.

En Marcos 1:8 las palabras de Juan el Bautista refiriéndose a Cristo se traducen: "Yo a la verdad os he bautizado con agua; pero él os bautizará con Espíritu Santo."

En cada caso la preposición empleada por el texto griego original es *en*.

En Lucas 3:16 las palabras de Juan se refieren así:

> Respondió Juan, diciendo a todos: Yo a la verdad os bautizo en agua;
> pero viene uno más poderoso que yo, de quien no soy digno de desatar
> la correa de su calzado; él os bautizará en Espíritu Santo y fuego.

Aquí la traducción literal es "en Espíritu Santo".

En Juan 1:33 el testimonio de Juan el Bautista con respecto a Cristo se da como sigue:

> Y yo no le conocía; pero el que me envió a bautizar con agua, aquél
> me dijo: "Sobre quien veas descender el Espíritu y que permanece
> sobre él, ése es el que bautiza con el Espíritu Santo.

Otra vez, la preposición empleada en griego es *en*.

En Hechos 1:5, poco antes de su ascensión al cielo, Jesús dice a sus discípulos:

> Porque Juan ciertamente bautizó con agua, mas vosotros seréis bauti-
> zados con el Espíritu dentro de no muchos días.

Pero la traducción literal del griego es ¡*en el Espíritu Santo*.

En Hechos 11:16 Pedro describe los sucesos que ocurrieron en casa de Cornelio, y cita la traducción dada en Hechos 1:5 diciendo:

> Entonces me acordé de lo dicho por el Señor, cuando dijo: ciertamente
> bautizó en agua, mas vosotros seréis bautizados con [en] el Espíritu.

Finalmente, en 1 Corintios 12:13 Pablo dice:

> Porque por un solo Espíritu fuimos todos bautizados en un cuerpo,
> sean judíos o griegos, sean esclavos o libres; y a todos se nos dio a
> beber de un mismo Espíritu.

Aquí se usa la preposición *por,* "por un solo Espíritu". No obstante, la preposición usada en el original griego es *en:* "en un solo Espíritu fuimos todos bautizados en un cuerpo". Las palabras de Pablo están en perfecta armonía con la redacción de los evangelios y el libro de Hechos.

Desafortunadamente, el accidente de los traductores de la versión Reina-Valera que hayan usado la frase "por un solo Espíritu" en este pasaje en particular, ha dado lugar a que surjan algunas doctrinas extrañas. Se ha sugerido que Pablo se refiere a alguna experiencia especial, diferente de la aludida en los Evangelios o el libro de los Hechos, y que es el mismo Espíritu Santo el agente que bautiza. Si los autores de esas doctrinas se hubieran detenido lo suficiente para consultar el texto griego original, no hubiesen encontrado base alguna para semejante doctrina. En realidad, toda la enseñanza del Nuevo Testamento concuerda con este hecho, clara y determinantemente establecido: sólo Jesucristo —y no otro— es el que bautiza en el Espíritu Santo.

Debemos añadir que la frase "bautizado en", con relación al bautismo en el Espíritu Santo, concuerda con el uso de la misma frase relacionada con el bautismo de Juan y con el bautismo cristiano en agua. Hemos afirmado que el acto del bautismo era el sello y afirmación externos de una condición espiritual interna. Lo mismo se aplica a la declaración de Pablo aquí acerca de la relación entre el bautismo en el Espíritu Santo y el formar parte de los miembros del cuerpo de Cristo. El bautismo en el Espíritu Santo no hace a una persona miembro del cuerpo de Cristo. Más bien es una señal sobrenatural reconociendo que esa persona, por fe, ya es un miembro del cuerpo de Cristo.

Resumamos ahora brevemente las lecciones que podemos aprender de los siete pasajes del Nuevo Testamento donde aparece la frase "bautizar en el Espíritu Santo".

En seis de los siete pasajes la experiencia de ser bautizado en el Espíritu Santo es comparada y contrapuesta con el ser bautizado en agua.

En dos de los siete pasajes se añade el "fuego" al "Espíritu Santo", y la experiencia se describe como "ser bautizado en Espíritu Santo y fuego".

Además del verbo "bautizar", el único otro verbo usado en estos pasajes con relación al Espíritu Santo es el verbo "beber". En 1 Corintios 12:13 Pablo: *"A todos se nos dio a beber de un mismo Espíritu"*.

El uso del verbo "beber" concuerda con lo que Jesús dice en Juan 7:37-39 con respecto al Espíritu Santo:

> En el último y gran día de la fiesta, Jesús se puso en pie y alzó la voz diciendo: Si alguno tiene sed, venga a mí y beba. El que cree en mí, como dice la Escritura, de su interior correrán ríos de agua viva. Esto dijo del Espíritu que habían de recibir los que creyesen en él; pues aún no había venido el Espíritu Santo, porque Jesús no había sido aún glorificado.

Aquí Jesús asemeja el don del Espíritu Santo con el beber agua. Esto a su vez concuerda con el pasaje en Hechos 2:4 concerniente a los discípulos que estaban en el aposento alto el día de pentecostés, donde se afirma que todos fueron llenos del Espíritu Santo. Concuerda también con varios pasajes del libro de los Hechos que hablan de los creyentes que reciben el Espíritu Santo. Por ejemplo, respecto de los samaritanos convertidos por la predicación de Felipe, leemos que más tarde Pedro y Juan fueron enviados allá desde Jerusalén:

> Los cuales, habiendo venido, oraron por ellos para que recibiesen el Espíritu Santo. (...) Entonces les imponían las manos, y recibían el Espíritu Santo.
>
> Hechos 8:15,17

Pedro dice, respecto de la gente en la casa de Cornelio, sobre quienes el Espíritu Santo acaba de caer:

> ¿Puede acaso alguno impedir el agua, para que no sean bautizados estos que han recibido el Espíritu Santo también como nosotros?
>
> Hechos 10:47

Pablo les pregunta a los discípulos que encuentra en Efeso:

> ¿Recibisteis el Espíritu Santo cuando creísteis?
>
> Hechos 19:2

En todos estos pasajes, el uso de frases como "beber del Espíritu Santo", "ser llenos del Espíritu" y "recibir el Espíritu Santo" sugieren una experiencia en que el creyente recibe la plenitud del Espíritu Santo dentro de sí.

## Inmersión desde arriba

Hemos visto que el sentido literal de la raíz del verbo "bautizar" es "hacer que algo se sumerja o zambulla". Así, la frase "ser bautizado en el Espíritu Santo" sugiere que toda la personalidad del creyente es sumergida, rodeada y envuelta en la presencia y poder del Espíritu Santo, que desciende sobre él desde arriba y desde fuera.

Necesitamos tener presente que, en lo natural, hay dos formas posibles de ser inmerso en agua. Una persona puede descender sumergiéndose en el agua y volver a subir para salir. O puede caminar bajo una cascada y permitir que le inunde el agua desde arriba. Esta segunda forma de inmersión es la contraparte del bautismo en el Espíritu Santo.

Sin excepción, en todo lugar del libro de los Hechos donde se describe el bautismo en el Espíritu Santo, el lenguaje usado indica que el Espíritu Santo desciende desde arriba, o es derramado sobre el creyente desde lo alto. Por ejemplo, en el día de pentecostés:

> Y de repente vino del cielo un estruendo como de un viento recio que soplaba, el cual llenó toda la casa donde estaban sentados.
>
> Hechos 2:2

Estas palabras revelan que el Espíritu Santo descendió sobre estos discípulos desde arriba y los sumergió y envolvió por completo, aun hasta el punto de llenar toda la casa donde estaban sentados (Hechos 2:2).

Más tarde Pedro confirma dos veces esta interpretación de la experiencia. Primero, declara que esta experiencia es el cumplimiento de la promesa de Dios:

> Y en los postreros días, dice Dios, derramaré de mi Espíritu sobre toda carne.
>
> Hechos 2:17

Y repite refiriéndose a Cristo:

> Así que, exaltado por la diestra de Dios, y habiendo recibido del Padre la promesa del Espíritu Santo, ha derramado esto que vosotros veis y oís.
>
> Hechos 2:33

En cada caso la imagen es una del Espíritu Santo derramándose sobre los creyentes desde arriba.

En Hechos 8:16 la frase usada en la misma experiencia es que el Espíritu Santo "descendió" sobre los creyentes. Aquí el lenguaje describe también al Espíritu descendiendo sobre ellos desde arriba.

En Hechos 10, respecto de la gente en la casa de Cornelio, se emplean ambas frases, una tras la otra. En el versículo 44 leemos: "el Espíritu Santo cayó sobre todos los que oían el discurso". Y en el versículo 45: "de que también sobre los gentiles se derramase el don del Espíritu Santo." Esto muestra que las frases "caer sobre" y "derramarse sobre" se usan indistintamente con relación a esto.

Además, cuando Pedro describe el mismo suceso en la casa de Cornelio dice:

> Cayó el Espíritu Santo sobre ellos también, como sobre nosotros al principio.
>
> Hechos 11:15

Aquí la frase "como sobre nosotros al principio" indica que la experiencia de Cornelio y su casa fue exactamente paralela a la de los discípulos en el aposento alto el día de pentecostés.

Finalmente leemos respecto de los discípulos de Efeso, después que habían sido bautizados en agua:

> Y habiéndoles impuesto Pablo las manos, vino sobre ellos el Espíritu Santo.
>
> Hechos 19:6

Es obvio que aquí la frase "vino sobre ellos" tiene un significado similar a la usada en pasajes anteriores, "cayó sobre".

Si ahora juntamos las imágenes creadas por las distintas frases empleadas en el Nuevo Testamento, llegamos a una conclusión que puede resumirse como sigue:

- La experiencia de que estamos hablando se compone de dos aspectos distintos pero complementarios, uno externo y otro interno.
- Externamente, la presencia y poder invisibles del Espíritu Santo desciende desde arriba sobre el creyente y lo rodea, lo envuelve y lo sumerge.
- Internamente, el creyente, semejante a uno que bebe, recibe la presencia y poder del Espíritu Santo dentro de sí mismo hasta llegar al punto en que el Espíritu Santo, recibido de esta forma, a su vez, mana desde dentro del creyente y se derrama y fluye como un río desde lo más profundo de su ser.

No hay lenguaje humano que pueda describir una experiencia sobrenatural tan poderosa como ésta, pero quizás nos ayude una ilustración del Antiguo Testamento. En los días de Noé, el mundo entero fue sumergido bajo el diluvio. A fin de producir esta inundación, Dios se valió de dos procesos distintos, pero complementarios:

El año seiscientos de la vida de Noé, en el mes segundo, a los diecisiete días del mes, aquel día fueron rotas todas las fuentes del grande abismo, y las cataratas de los cielos fueron abiertas.

Génesis 7:11

Este relato revela que las aguas del diluvio vinieron de dos fuentes: de adentro ("fueron rotas todas las fuentes del grande abismo") y de arriba ("las cataratas de los cielos fueron abiertas"), y la lluvia cayó a raudales.

Por supuesto, tenemos que observar que el diluvio en los días de Noé fue un desbordamiento de la ira y del juicio divinos; el desbordamiento que sumerge al creyente del Nuevo Testamento es de misericordia y gloria y bendición divinas. No obstante, con esta aclaración, el creyente del Nuevo Testamento que recibe la plenitud del Espíritu Santo muestra los mismos dos aspectos que se describen en el relato del diluvio en días de Noé: por dentro, se rompen las fuentes de lo más profundo de la personalidad del creyente, y de allí se desborda un torrente de bendición y poder; de arriba, se abren las cataratas de la misericordia de Dios sobre el creyente, derramando tal diluvio de gloria y bendiciones que toda su personalidad es sumergida en este derramamiento.

Hay que insistir que no se trata de dos experiencia separadas, sino de dos aspectos distintos pero complementarios, que juntos componen la plenitud de una sola experiencia.

Alguien pudiera objetar que es difícil comprender que el creyente sea al mismo tiempo lleno del Espíritu desde dentro y sumergido en el Espíritu desde fuera. No obstante, semejante objeción en realidad sirve sólo para ilustrar las limitaciones del habla y la comprensión humanas. Se pudiera objetar de igual manera contra declaraciones como las hechas por el mismo Cristo, de que él está en el Padre, y el Padre en él; o también que Cristo está en el creyente, y el creyente en Cristo.

En última instancia, si los hombres persisten en cavilar acerca de una experiencia sobrenatural de esta clase, basándose en limitaciones humanas de expresión o comprensión, la mejor y más corta respuesta se encuentra en las palabras del predicador escocés que dijo: "¡Es mejor sentirlo que decirlo!"

## La evidencia externa

Hasta este momento hemos examinado la naturaleza invisible e interna del bautismo en el Espíritu Santo. Ahora tenemos que pasar a examinar las manifestaciones externas que acompañan a esta experiencia interior.

Primero debemos señalar que es perfectamente bíblico usar la palabra *manifestación* con relación al Espíritu Santo. Por supuesto, reconocemos que el Espíritu Santo mismo es, por su propia naturaleza, invisible. Con respecto a esto Jesús lo compara con el viento. Y asociado con la operación del Espíritu Santo dice:

> El viento sopla de donde quiere, y oyes su sonido; mas ni sabes de dónde viene, ni a dónde va; así es todo aquel que es nacido del Espíritu.
>
> Juan 3:8

Aunque el viento es invisible, en muchos casos el efecto que produce cuando sopla puede ser visto y oído. Por ejemplo, cuando sopla el viento, el polvo se levanta en las calles; los árboles se encorvan en una dirección; las hojas crujen agitadas; las olas del mar rugen; las nubes flotan atravesando el cielo. Podemos ver u oír estos efectos producidos por el viento.

Así es, dice Jesús, con el Espíritu Santo. El mismo es invisible, pero los efectos que produce cuando empieza a obrar, con frecuencia pueden ser vistos u oídos. Esta realidad es confirmada por el lenguaje empleado en varios lugares del Nuevo Testamento.

Por ejemplo, volvamos a la descripción que da Pedro de los efectos producidos cuando descendió el Espíritu Santo el día de pentecostés:

> Así que, exaltado por la diestra del Dios, y habiendo recibido del Padre la promesa del Espíritu Santo, [Cristo] ha derramado esto que vosotros veis y oís.
>
> Hechos 2:33

Los efectos del descenso del Espíritu Santo podían verse y oírse. Pablo describe la obra del Espíritu en su ministerio en estos términos:

> Y ni mi palabra ni mi predicación fue con palabras persuasivas de humana sabiduría, sino con demostración del Espíritu y de poder.
>
> 1 Corintios 2:4

También dice que cada creyente puede experimentar efectos similares del Espíritu:

> Pero a cada uno le es dada la manifestación del Espíritu para provecho.
>
> 1 Corintios 12:7

Observemos las frases que Pablo emplea con relación al Espíritu Santo: "demostración del Espíritu" y "manifestación del Espíritu". Estas dos palabras, *demostración* y *manifestación*, evidencian claramente que la presencia y operación del Espíritu Santo pueden producir efectos que nuestros sentidos físicos son capaces de percibir.

Con esto presente, volvamos ahora a los distintos pasajes del Nuevo Testamento donde se describe el bautismo del Espíritu Santo; donde se nos dice lo que sucedió realmente a quienes pasaron por esa experiencia. Veamos cuáles son las manifestaciones externas que acompañan a esta operación del Espíritu.

En tres lugares del Nuevo Testamento se nos dice lo que sucedió cuando la gente fue bautizada en el Espíritu Santo. Examinaremos, por orden, las palabras propiamente dichas en cada descripción de lo que ocurrió.

Primero, leamos lo que sucedió a los primeros discípulos el día de pentecostés:

> Y de repente vino del cielo un estruendo como de un viento recio que soplaba, el cual llenó toda la casa donde estaban sentados; y se les aparecieron lenguas repartidas, como de fuego, asentándose sobre cada uno de ellos. Y fueron todos llenos del Espíritu Santo, y comenzaron a hablar en otras lenguas, según el Espíritu les daba que hablasen.
>
> Hechos 2:2-4

Segundo, volvamos a lo que ocurrió cuando Pedro predicó por primera vez el evangelio a Cornelio y los suyos:

> Mientras aún hablaba Pedro estas palabras, el Espíritu Santo cayó sobre todos los que oían el discurso. Y los fieles de la circuncisión que habían venido con Pedro se quedaron atónitos de que también sobre los gentiles se derramase el don del Espíritu Santo. Porque los oían que hablaban en lenguas, y que magnificaban a Dios.
>
> Hechos 10:44-46

Finalmente, veamos lo que sucedió al primer grupo de convertidos a quienes Pablo les predicó en Efeso:

> Y habiéndoles impuesto Pablo las manos, vino sobre ellos el Espíritu Santo; y hablaban en lenguas, y profetizaban.
>
> Hechos 19:6

Si ahora comparamos cuidadosamente estos tres pasajes, encontraremos que hay una —y sólo una— manifestación externa que es común a todas las tres ocasiones donde la gente recibió el bautismo en el Espíritu Santo. En cada caso la Escritura explícitamente declara que quienes pasaron por esta experiencia "hablaban en lenguas" o "hablaban en otras lenguas".

También se mencionan otras manifestaciones sobrenaturales, pero ninguna más de una vez en las tres ocasiones.

Por ejemplo, en el día de pentecostés se oyó el sonido de un viento recio y se vieron lenguas de fuego. No obstante, estas manifestaciones no se repitieron en las otras dos ocasiones.

En Efeso, los nuevos convertidos no solamente hablaron en lenguas, sino que también profetizaban. Sin embargo, esta manifestación de profetizar no se menciona que haya tenido lugar ni en el día de pentecostés ni en casa de Cornelio.

La única manifestación común a todas las tres ocasiones, es que todos los que recibieron el Espíritu Santo hablaron en lenguas.

Pedro y otros judíos que ya sabían lo que había ocurrido el día de pentecostés, fueron a la casa de Cornelio bajo la explícita dirección de Dios, aunque renuentes y contra sus propias inclinaciones. En aquel entonces los judíos creyentes no se daban cuenta de que el evangelio era para los gentiles o que éstos podían salvarse y convertirse en cristianos. Sin embargo, el momento en que Pedro y los otros judíos oyeron a los gentiles hablar en otras lenguas, inmediatamente comprendieron y reconocieron que aquellos gentiles habían recibido el Espíritu Santo tan plenamente como los mismos judíos. No pidieron ninguna evidencia adicional.

La Escritura dice que ellos *quedaron atónitos de que también sobre los gentiles se derramase el don del Espíritu Santo. Porque los oían que hablaban en lenguas* (Hechos 10:45-46). Para Pedro y los otros judíos, la sola y suficiente evidencia de que los gentiles habían recibido el Espíritu Santo fue que hablaran en lenguas.

En Hechos 11, los otros líderes de la Iglesia en Jerusalén llamaron a cuentas a Pedro por visitar y predicarle a los gentiles. En su propia defensa, él explicó lo que había ocurrido en casa de Cornelio:

> Y cuando comencé a hablar, cayó el Espíritu Santo sobre ellos también, como sobre nosotros al principio.
>
> Hechos 11:15

Así Pedro equipara lo que recibieron los de la casa de Cornelio con lo que recibieron los primeros discípulos el día de pentecostés, porque dice: "como sobre nosotros al principio." Sin embargo, no se menciona que en casa de Cornelio se hubiera oído el rugido del viento ni visto las lenguas de fuego. La única manifestación suficiente que puso su sello divino sobre la experiencia de Cornelio y los suyos, fue que hablaron en lenguas.

De esto concluimos que la manifestación de hablar en lenguas según el Espíritu da para hablar se acepta en el Nuevo Testamento como evidencia de que una persona ha recibido el bautismo en el Espíritu Santo. En confirmación de esta conclusión, podemos afirmar lo siguiente:

1. Esta fue la evidencia que los mismos apóstoles recibieron en su propia experiencia.
2. Esta fue la evidencia que los apóstoles aceptaron en la experiencia de otros.
3. Los apóstoles jamás pidieron ninguna otra evidencia.
4. Es la única evidencia que nos ofrece el Nuevo Testamento.

En el siguiente capítulo examinaremos estas conclusión más a fondo y varias críticas u objeciones que comúnmente se plantean contra ella.

# 22

# Recibir
# el Espíritu Santo

Con frecuencia se plantean muchas objeciones contra nuestra conclusión que la manifestación de hablar en lenguas es la evidencia aceptada en el Nuevo Testamento de que una persona ha recibido el bautismo en el Espíritu Santo. Por consiguiente, a fin de esclarecer el tema a plena satisfacción de todos, examinemos algunas de las más comunes.

Una objeción corriente toma la siguiente forma: cada cristiano recibe automáticamente el Espíritu Santo al convertirse, y por lo tanto, no necesita ninguna experiencia posterior ni otra evidencia para tener la seguridad de haberlo recibido.

Se evitará mucha confusión y controversia una vez que establezcamos una importante realidad bíblica: El Nuevo Testamento presenta dos experiencias separadas, ambas descritas como "recibir el Espíritu Santo". Esto significa que es posible que un cristiano haya "recibido el Espíritu Santo" en un sentido de la expresión pero no en el otro.

## El modelo de los Apóstoles

Un modo simple de distinguir estas dos experiencias es comparar los sucesos de dos domingos, ambos de importancia única en la historia de la

Iglesia cristiana. El primero es el Domingo de Resurrección; el segundo, el de Pentecostés.

El Domingo de Resurrección Jesús apareció a los apóstoles reunidos por primera vez después de su resurrección:

> Y habiendo dicho esto, sopló, y les dijo: Recibid el Espíritu Santo.
>
> Juan 20:22

El soplo de Jesús en los apóstoles unía la acción con las palabras que la acompañaban: "Recibid el Espíritu Santo." En griego el mismo vocablo *pneuma* significa "espíritu" y "aliento". Las palabras de Jesús podían, por lo tanto, traducirse "Recibid el aliento santo." Además, el tiempo verbal de la forma imperativa "recibid" indica que el recibir era una sola experiencia completa, que ocurrió mientras Jesús pronunciaba la palabra. Por lo tanto es un hecho bíblico incontestable que en ese momento los apóstoles realmente sí "recibieron el Espíritu Santo".

En ese primer encuentro con el Cristo resucitado, los apóstoles pasaron de la "salvación del Antiguo Testamento" a la "salvación del Nuevo Testamento". Hasta aquel día los creyentes del Antiguo Testamento habían mirado hacia adelante, por fe —mediante profecías y tipos y sombras— a un acto redentor que todavía no había ocurrido. Por otra parte, los que alcanzan la "salvación del Nuevo Testamento" miran hacia atrás a un sólo suceso histórico: la muerte y resurrección de Cristo. Su salvación es completa.

Hay dos requisitos para recibir esta salvación del Nuevo Testamento:

> Si confesares con tu boca que Jesús es el Señor, y creyeres en tu corazón que Dios le levantó de los muertos, serás salvo.
>
> Romanos 10:9

Los dos requisitos son confesar que Jesús es el Señor y creer que Dios lo levantó de los muertos. Antes del Domingo de Resurrección, los apóstoles ya habían confesado a Jesús como Señor. Pero ahora, por primera vez, también creían que Dios lo había levantado de los muertos. Así se completaba su salvación.

Ese fue el instante en que experimentaron el nuevo nacimiento. El Espíritu Santo, soplado en ellos por Jesús, les impartió una clase de vida totalmente nueva —la vida eterna— que había triunfado sobre el pecado y Satanás, sobre la muerte y la tumba.

Esta experiencia de los apóstoles se mantiene de modelo para todos los que se inician en el nuevo nacimiento. Contiene dos elementos importantes: una revelación personal directa del Cristo resucitado y recibir el Espíritu

Santo de vida divina, eterna. Esto concuerda con las palabras de Pablo: "El Espíritu vive a causa de la justicia"; la justicia atribuida a todos los que creen en la muerte y resurrección de Cristo (Romanos 8:10).

Sin embargo, aun después de este maravilloso encuentro, Jesús manifestó claramente a los apóstoles que su experiencia con el Espíritu Santo era todavía incompleta. En sus palabras finales a ellos antes de su ascensión, les ordena no salir a predicar inmediatamente, sino volver a Jerusalén y esperar allí hasta ser bautizados en el Espíritu Santo, y así ser investidos con poder de lo alto para que su testimonio y servicio fuesen efectivos.

> He aquí, yo enviaré la promesa de mi Padre sobre vosotros; pero quedaos vosotros en la ciudad de Jerusalén, hasta que seáis investidos de poder desde lo alto.
>
> Lucas 24:49

> Porque Juan ciertamente bautizó con agua, mas vosotros seréis bautizados con el Espíritu Santo dentro de no muchos días.
>
> Hechos 1:5

> Pero recibiréis poder, cuando haya venido sobre vosotros el Espíritu Santo, y me seréis testigos en Jerusalén, en toda Judea, en Samaria, y hasta lo último de la tierra.
>
> Hechos 1:8

Casi todos los intérpretes de la Biblia concuerdan en que esta promesa de ser bautizados en el Espíritu Santo se cumplió el Domingo de Pentecostés:

> Y fueron todos llenos del Espíritu Santo, y comenzaron a hablar en otras lenguas, según el Espíritu les daba que hablasen.
>
> Hechos 2:4

El Domingo de Resurrección los apóstoles recibieron el Espíritu que Cristo les sopló y así entraron en la salvación y el nuevo nacimiento. Pero hasta el Domingo de Pentecostés, siete semanas después, fueron bautizados en —o llenados con— el Espíritu Santo. Esto demuestra que la salvación, o el nuevo nacimiento, es una experiencia distinta y separada del bautismo en el Espíritu Santo, aunque se describa cada una como "recibir el Espíritu Santo".

Más tarde el Domingo de Pentecostés, Pedro explicó que había sido Cristo, después de su ascensión, quien había derramado el Espíritu Santo sobre los discípulos que lo esperaban:

> Así que, exaltado por la diestra de Dios, y habiendo recibido del Padre la promesa del Espíritu Santo, ha derramado esto que vosotros veis y oís.
>
> Hechos 2:33

Podemos ahora resumir las diferencias entre las dos experiencias de recibir el Espíritu Santo.

El Domingo de Resurrección:

- Cristo ha resucitado
- Sopló el Espíritu
- El resultado: vida

El Domingo de Pentecostés:

- Cristo ha ascendido
- Derramó el Espíritu
- El resultado: poder

La experiencia de los apóstoles demuestra que la salvación, o el nuevo nacimiento, y el bautismo en el Espíritu Santo son dos experiencias distintas y separadas. Los apóstoles recibieron la primera el Domingo de Resurrección; la segunda, siete semanas después, el Domingo de Pentecostés.

Un estudio más amplio del libro de los Hechos descubre que las dos experiencias ocurren normalmente separadas. Además, a partir del Domingo de Pentecostés, el término "recibir el Espíritu Santo" se aplica siempre y únicamente a la segunda experiencia: el bautismo en el Espíritu Santo. Nunca más se emplea para describir el nuevo nacimiento.

## Otros derramamientos del Espíritu

Hay otras tres ocasiones subsecuentes a pentecostés donde la Escritura describe lo ocurrido cuando la gente era bautizada en el Espíritu Santo. Estas fueron en Samaria, en Efeso y en la casa de Cornelio. Examinaremos cada una de ellas en este orden.

En Hechos 8:5 se presenta el ministerio de Felipe en Samaria:

> Entonces Felipe, descendiendo a la ciudad de Samaria, les predicaba a Cristo ... Pero cuando creyeron a Felipe, que anunciaba el evangelio

del reino de Dios y el nombre de Jesucristo, se bautizaban hombres y mujeres.

Hechos 8:5,12

Esta gente había escuchado ahora la verdad de Cristo que Felipe les predicó, creyeron y fueron bautizados. Sería irrazonable y antibíblico negar que esta gente era salva.

Examinemos las palabras de Cristo cuando comisionó a sus discípulos para que predicaran el evangelio:

Y les dijo: "Id por todo el mundo y predicad el evangelio a toda criatura. El que creyere y fuere bautizado, será salvo; mas el que no creyere, será condenado".

Marcos 16:15-16

El pueblo de Samaria había escuchado el evangelio predicado, había creído y habían sido bautizados. Por consiguiente sabemos, por la autoridad de las palabras del mismo Cristo, que eran salvos. Pero hasta ese momento, no habían recibido el Espíritu Santo.

Cuando los apóstoles que estaban en Jerusalén oyeron que Samaria había recibido la palabra de Dios, enviaron allá a Pedro y a Juan; los cuales, habiendo venido, oraron por ellos para que recibiesen el Espíritu Santo; porque aún no había descendido sobre ninguno de ellos, sino que solamente habían sido bautizados en el nombre de Jesús. Entonces les imponían las manos, y recibían el Espíritu Santo.

Hechos 8:14-17

Vemos que la gente de Samaria recibió la salvación a través del ministerio de Felipe, y recibieron el Espíritu Santo por la ministración de Pedro y Juan. Recibieron el Espíritu Santo en una experiencia separada, subsecuente a la salvación. Tenemos aquí pues, un segundo ejemplo bíblico que indica que es posible que las personas se hagan cristianas y sin embargo no hayan recibido el Espíritu Santo en el sentido en que esta frase se ha empleado a partir de pentecostés.

Es interesante observar que, en el pasaje de Hechos 8, encontramos dos diferentes formas de expresión. Una habla de "recibir el Espíritu Santo"; la otra habla del "Espíritu Santo cayendo sobre ellos". No obstante, el contexto deja bien claro que estas no eran dos experiencias diferentes, sino dos diferentes aspectos de una misma experiencia.

Cuando Pablo llegó a Efeso y conoció allí a ciertas personas que se describen como "discípulos", la primera pregunta que les hizo fue: ¿*Recibisteis el Espíritu Santo cuando creísteis?* (Hechos 19:2).

Es obvio que Pablo había tenido la impresión de que aquéllos eran discípulos de Cristo. Evidentemente, si no eran cristianos del todo, no podía creerse que hubieran recibido el Espíritu Santo, puesto que éste se recibe sólo mediante la fe en Cristo. No obstante, al seguir interrogándolos Pablo descubre que no eran discípulos de Cristo sino sólo de Juan el Bautista, por lo que les predica todo el evangelio de Cristo.

Un hecho se destaca claramente de este incidente hasta ahora: Si la gente siempre hubiese recibido automáticamente el Espíritu Santo como consecuencia inmediata de creer en Cristo, hubiera sido ilógico e insensato que Pablo les hubiera preguntado "¿Recibisteis el Espíritu Santo cuando creísteis?" Sólo el hecho de hacer esta pregunta revela que Pablo reconocía la posibilidad de que se hubieran convertido en discípulos o creyentes en Cristo sin haber recibido el Espíritu Santo.

Esto se confirma por el relato de lo que sucedió después que Pablo les hubo explicado el evangelio de Cristo:

> Cuando oyeron esto, fueron bautizados en el nombre del Señor Jesús.
>
> Hechos 19:5

Ahora han escuchado y creído el evangelio, y han sido bautizados. Como ya demostramos respecto de los samaritanos, con la autoridad de las propias palabras de Cristo, quienes hayan cumplido las dos condiciones de creer y ser bautizados son, por consiguiente, salvos. No obstante, los de Efeso, como los de Samaria, no habían recibido el Espíritu Santo. En Efeso, y en Samaria, vino como una experiencia separada y subsecuente:

> Y habiéndoles impuesto Pablo las manos, vino sobre ellos el Espíritu Santo; y hablaban en lenguas, y profetizaban.
>
> Hechos 19:6

Tenemos aquí un tercer ejemplo bíblico que indica que es posible que las personas convertidas a Cristo no hayan recibido todavía el Espíritu Santo.

La conclusión que sacamos del libro de Hechos se confirma después con lo que Pablo dice en su epístola a los Efesios. Debemos tener presente que este grupo de discípulos a quienes Pablo ministraba en Efeso estaban entre los cristianos a quienes más tarde escribe su epístola.

En esta carta Pablo les recuerda las etapas sucesivas en las que ellos originalmente se convirtieron y recibieron el Espíritu Santo. Hablando de cuando llegaron a creer en Cristo, dice:

> En él también vosotros, habiendo oído la palabra de verdad, el evangelio de vuestra salvación, y habiendo creído en él, fuisteis sellados con el Espíritu Santo de la promesa.
>
> Efesios 1:13

Se indica que hubo tres etapas separadas y sucesivas en su experiencia: 1) escucharon el evangelio; 2) creyeron en Cristo; 3) fueron sellados con el Espíritu Santo. Esto concuerda perfectamente con el relato histórico de Hechos 19, que establece que estas personas primero oyeron el evangelio, después creyeron y fueron bautizados. Y por último, cuando Pablo les impuso las manos, el Espíritu Santo vino sobre ellos.

Ambos relatos por igual —en Hechos y en Efesios— son absolutamente claros que la gente no recibió el Espíritu Santo simultáneamente con la conversión, sino en una experiencia separada y subsecuente, después de la conversión.

Para un cuarto ejemplo, de otra clase, ahora debemos considerar brevemente el sermón que Pedro predicó en la casa de Cornelio y sus resultados (ver Hechos 10:34-48).

La Escritura parece indicar que tan pronto Cornelio y los suyos escucharon el evangelio y pusieron su fe en Cristo, recibieron inmediatamente el Espíritu Santo y hablaron en lenguas. Sin embargo, tenemos que añadir que, aunque en esta ocasión estas dos experiencias tuvieron lugar al mismo tiempo, todavía siguen siendo dos experiencias muy distintas.

Además, la evidencia de que Cornelio y los suyos habían recibido el Espíritu Santo no fue el hecho de que ellos hubiesen puesto su fe en Cristo, sino que, bajo el impulso del Espíritu Santo, hablaron en lenguas.

En el relato de lo que pasó en la casa de Cornelio, se emplean las siguientes tres frases diferentes, usadas todas para describir la misma experiencia: "el Espíritu Santo cayó sobre" ellos; "el don del Espíritu Santo se derramó sobre" ellos; y ellos "recibieron el Espíritu Santo". Donde Pedro describe el mismo incidente una segunda vez, emplea las tres frases siguientes: "el Espíritu Santo cayó sobre ellos"; ellos fueron "bautizados con [en] el Espíritu Santo"; "Dios (...) les concedió (...) el mismo don [del Espíritu Santo]" (Hechos 11:15-17).

Anteriormente, se usaron dos frases similares respecto de los samaritanos: el Espíritu Santo aún "no había descendido sobre ninguno de ellos"; y "recibían el Espíritu Santo" (Hechos 8:16-17).

Uniendo estos pasajes, encontramos que se emplean un total de cinco frases diferentes para describir esta singular experiencia: "el Espíritu Santo cayó sobre" ellos; "el don del Espíritu Santo se derramó sobre" ellos; ellos "recibieron el Espíritu Santo"; fueron "bautizados con [en] el Espíritu Santo"; y "Dios les dio el don" del Espíritu Santo.

Algunos intérpretes modernos sugerirían que estas diferentes expresiones se refieren a diferentes experiencias. Sin embargo, esto no está de conformidad con el uso de los apóstoles en el Nuevo Testamento. De acuerdo con los apóstoles, todas estas frases distintas denotan una sola experiencia; a pesar de que la describan desde diferentes aspectos. Es lo mismo que una persona reciba el Espíritu Santo, o el don del Espíritu Santo, que si es bautizada en el Espíritu Santo, o que el Espíritu Santo caiga o que sea derramado sobre ella.

Hasta ahora hemos examinado cuidadosamente cuatro grupos distintos de personas descritas en el Nuevo Testamento: 1) los apóstoles; 2) el pueblo de Samaria; 3) los discípulos de Efeso; y 4) Cornelio y su casa. De estos cuatro grupos, hemos visto claramente que los primeros tres —los apóstoles, el pueblo de Samaria y los discípulos de Efeso— se habían convertido antes de recibir el Espíritu Santo. El recibir el Espíritu Santo fue una experiencia aparte y subsecuente, posterior a su conversión.

No se registra otra ocasión, aparte de Cornelio y su casa, en que las personas recibieran el Espíritu Santo al mismo tiempo que creyeron en Cristo. Por lo tanto se justifica la conclusión que la experiencia de Cornelio y su casa es la excepción y no la regla.

Basados en este cuidadoso examen del relato del Nuevo Testamento, podemos ahora plantear las siguientes conclusiones:

1. Es normal que un cristiano reciba el Espíritu Santo en una experiencia separada y subsecuente, posterior a su conversión.
2. Incluso si una persona recibe el Espíritu Santo en su conversión, el recibirlo sigue siendo, lógicamente, una experiencia distinta que la conversión.
3. Sea que una persona reciba el Espíritu Santo en su conversión o después de ella, la evidencia de haberlo recibido sigue siendo la misma: la persona habla en lenguas según el Espíritu le da que hable.
4. El hecho por sí mismo de que una persona se haya convertido verdaderamente, no constituye evidencia de que haya recibido el Espíritu Santo.

## La enseñanza de Jesús

Esta conclusión concerniente a la relación entre la conversión y el recibimiento del Espíritu Santo, se ha basado principalmente en un estudio del libro de los Hechos. No obstante, concuerda perfectamente con las enseñanzas de Jesús en los Evangelios. Jesús dijo a sus discípulos:

Pues si vosotros, siendo malos, sabéis dar buenas dádivas a vuestros hijos, ¿cuánto más vuestro Padre celestial dará el Espíritu Santo a los que se lo pidan?

Lucas 11:13

La enseñanza de este versículo —reforzada por los ejemplos que la preceden, de un hijo pidiéndole a su padre pan, o pescado o un huevo— es que Dios, el Padre celestial, está dispuesto a dar el Espíritu Santo a sus hijos creyentes si ellos se lo piden. Sin embargo, una persona primero tiene que poner su fe en Cristo para convertirse en un hijo de Dios.

Claramente, por lo tanto, Jesús enseña, no que el Espíritu Santo se recibe en la conversión, sino más bien que es un don que cada creyente convertido tiene derecho a pedir, como hijo de su Padre. Además, es definitivo que Jesús pone sobre los hijos de Dios la obligación de pedir a su Padre celestial específicamente este don del Espíritu Santo. Por lo tanto no es bíblico que un cristiano suponga o asegure, que lo haya recibido automáticamente cuando se convirtió, sin pedirlo.

Una vez más, en Juan 7:38 Cristo dice:

El que cree en mí, como dice la Escritura, de su interior correrán ríos de agua viva.

En la primera parte del siguiente versículo, el autor del Evangelio interpreta que estos "ríos de agua viva" se refieren al Espíritu Santo, porque dice:

Esto dijo del Espíritu que habían de recibir los que creyesen en él.

Juan 7:39

En ambos versículos está claro que el don del Espíritu Santo, que hace correr del interior ríos de agua viva lo recibirán quienes ya sean creyentes en Cristo. Es algo en lo que deben perseverar hasta recibirlo después de creer en Cristo.

Cristo enseña la misma verdad en Juan 14:15-17, donde dice:

Si me amáis, guardad mis mandamientos. Y yo rogaré al Padre, y os dará otro Consolador, para que esté con vosotros para siempre: el Espíritu de verdad, al cual el mundo no puede recibir, porque no le ve, ni le conoce; pero vosotros le conocéis, porque mora con vosotros, y estará en vosotros.

En este pasaje, el Consolador y el Espíritu de verdad son dos nombres diferentes del Espíritu Santo. Cristo enseña aquí que este don no es para los incrédulos de este mundo, sino para los discípulos de Cristo, que lo aman y lo obedecen. Esto confirma, por lo tanto, que perseverar hasta recibir el don del Espíritu Santo, es un privilegio de los hijos de Dios, los discípulos de Cristo, cuando cumplan sus condiciones. Esto puede resumirse en un requisito de importancia capital: obediencia amorosa a Cristo.

# 23

# ¿Hablan todos lenguas?

Ahora procederemos a examinar otras objeciones o malentendidos asociados con la experiencia de hablar en lenguas.

## El don de "diversos géneros de lenguas"

Una objeción o malentendido común se basa en una pregunta hecha por Pablo: *¿Hablan todos lenguas?* (1 Corintios 12:30). Un cuidadoso examen del contexto muestra obviamente que la respuesta a su pregunta implica: "No, todos no hablan lenguas."

¿Significa eso entonces que había cristianos en la Iglesia primitiva que habían recibido el bautismo en el Espíritu Santo sin hablar en lenguas?

No, Pablo no dice eso. Aquí no está hablando del bautismo en el Espíritu Santo, sino de varias manifestaciones sobrenaturales del Espíritu, que el creyente puede expresar en la iglesia tras la experiencia inicial y como resultado de ser bautizado en el Espíritu Santo.

Esto concuerda con lo que dice dos versículos antes:

> Vosotros, pues, sois el cuerpo de Cristo, y miembros cada uno en particular. Y a unos puso Dios en la iglesia primeramente apóstoles, luego profetas, lo tercero maestros, luego los que hacen milagros, después los que sanan, los que ayudan, los que administran, los que tienen don de lenguas.
>
> 1 Corintios 12:27-28

Aquí se habla de varios ministerios que pueden ser ejercidos por diferentes miembros dentro de la iglesia. Entre estos enumera "los que tienen don de lenguas" o más literalmente, "diversos géneros de lenguas".

Pablo emplea exactamente la misma expresión un poco antes en el mismo capítulo cuando enumera los nueve dones o manifestaciones del Espíritu Santo que pueden ser otorgados a los creyentes que han sido bautizados en el Espíritu Santo. La lista es la siguiente:

> Pero a cada uno le es dada la manifestación del Espíritu para provecho. Porque a éste es dada por el Espíritu palabra de sabiduría; a otro, palabra de ciencia según el mismo Espíritu; a otro, fe por el mismo Espíritu; y a otro, dones de sanidades por el mismo Espíritu. A otro, el hacer milagros; a otro, profecía; a otro, discernimiento de espíritus; a otro, diversos géneros de lenguas; y a otro, interpretación de lenguas. Pero todas estas cosas las hace uno y el mismo Espíritu, repartiendo a cada uno en particular como él quiere.
>
> 1 Corintios 12:7-11

El Apóstol habla de los dones del Espíritu que pueden ejercer los creyentes después que han recibido el bautismo en el Espíritu. Esto queda confirmado por lo que él dice en el versículo 13: *Porque por un solo Espíritu fuimos todos bautizados en un cuerpo.*

O más literalmente: "Porque en un solo Espíritu fuimos todos bautizados en un cuerpo."

Pablo habla del bautismo en el Espíritu como de una experiencia por la que ya han pasado todos a quienes escribe, los cuales, como resultado de esta experiencia, pueden ejercer entonces los nueve dones o manifestaciones del Espíritu que él enumera.

También indica que aunque el bautismo en el Espíritu Santo es para todos los creyentes —"en un solo Espíritu fuimos todos bautizados en un cuerpo"— a partir de entonces los diversos dones del Espíritu se reparten entre los creyentes de acuerdo con la soberana voluntad del mismo Espíritu. Un creyente puede recibir un don, y otro puede recibir otro don. No todos los creyentes reciben todos los dones.

Entre los nueve dones del Espíritu enumerados por Pablo, el octavo es el de "diversos géneros de lenguas". La frase en el original griego —"géneros de lenguas"— es exactamente la misma que la traducida "don de lenguas" en 1 Corintios 12:28. En cada caso el Apóstol habla acerca de un don espiritual específico, no acerca del bautismo en el Espíritu Santo.

Examinar la forma en que opera este don en particular queda fuera del marco de este libro. Es suficiente haber establecido el hecho de que 1 Corintios 12:28, y el versículo 10 del mismo capítulo, no hablan de ser bautizados en el Espíritu Santo, sino acerca de uno de los nueve dones espirituales ejercidos por algunos creyentes (pero no por todos) que siguen al bautismo en el Espíritu Santo.

Donde dice: "¿Hablan todos lenguas?" no está preguntado si "¿Todos han hablado en lenguas alguna vez?" es decir, cuando fueron bautizados inicialmente en el Espíritu Santo (1 Corintios 12:30). Más bien, la pregunta es: "¿Ejercen frecuentemente el don de 'diversos géneros de lenguas' todos los creyentes que han sido bautizados en el Espíritu Santo?" La respuesta a esta pregunta —entonces y ahora— es un rotundo no. En este respecto, la experiencia de los creyentes modernos después de haber sido bautizados en el Espíritu está de completo acuerdo con el modelo establecido en el Nuevo Testamento.

El lenguaje que emplea el Nuevo Testamento, preserva muy cuidadosamente la distinción entre el don inicial del Espíritu Santo, autenticado por la evidencia de hablar en lenguas, y el subsecuente don del "géneros de lenguas". El término griego usado cuando se refiere al "don" del Espíritu Santo recibido con el bautismo en el Espíritu, es *dörea*. Y cuando se habla de cualquiera de los nueve diferentes dones o manifestaciones del Espíritu (incluido el don de "géneros de lenguas") es *carisma*.

Estas dos palabras nunca se intercambian en el Nuevo Testamento. *carisma* jamás se usa para significar el don del Espíritu Santo recibido con el bautismo en el Espíritu. A la inversa, *dörea* nunca se usa para referirse a cualquiera de los dones del Espíritu Santo manifestados en las vidas de los creyentes que han recibido el bautismo en el Espíritu Santo. El lenguaje, las enseñanzas y los ejemplos del Nuevo Testamento indican todos una clara distinción entre estos dos aspectos de la experiencia espiritual.

## ¿Es el fruto la evidencia?

Quienes alegan que el hablar en lenguas no es necesariamente la evidencia de haber recibido el bautismo en el Espíritu Santo, están obligados por la lógica a sugerir alguna evidencia alternativa por la cual podamos saber, de acuerdo con las Escrituras, que una persona ha recibido el bautismo en el Espíritu Santo. Una de las evidencia alternativas que por lo común se proponen es la del fruto espiritual. Se sugiere que a menos que una persona demuestre completamente en su vida el fruto del Espíritu Santo no se puede considerar que haya recibido este bautismo.

En Gálatas 5:22-23 Pablo da la lista completa del fruto del Espíritu Santo:

> Pero el fruto del Espíritu es amor, gozo, paz, paciencia, benignidad, bondad, fe, mansedumbre, templanza.

Este y otros pasajes presentan con toda claridad que el primer fruto del Espíritu, del que se derivan los otros, es el amor.

Unicamente un cristiano torpe o superficial negaría jamás que el fruto espiritual en general, y el amor en particular, son de suprema importancia en la vida de todo cristiano. Sin embargo, esto no significa que sea la evidencia bíblica de haber recibido el bautismo en el Espíritu Santo. En realidad, esta prueba del fruto espiritual tiene que ser rechazada como contraria a la Escritura por dos razones primordiales: 1) no es la prueba que los apóstoles aplicaban; 2) pasa por alto la clara distinción bíblica entre un don y el fruto.

Examinemos primero la prueba que los apóstoles aplicaban por experiencia propia. Cuando los 120 discípulos recibieron el bautismo en el Espíritu Santo el día de pentecostés, con la evidencia externa de hablar en otras lenguas, Pedro no esperó varias semanas o meses para ver si esta experiencia produciría en su vida y en las de los otros discípulos una medida mayor de fruto espiritual de la que ellos ya habían disfrutado. Por el contrario, se levantó al momento y dijo sin duda ni condición alguna:

> Mas esto es lo dicho por el profeta Joel "Y en los postreros días, dice Dios, derramaré de mi Espíritu sobre toda carne.
>
> Hechos 2:16-17

¿Qué evidencia tenía Pedro para hacer esa declaración? Nada más que hablaron en otras lenguas. No necesitaron otra evidencia que esa.

Además, después que mucha gente en Samaria se había convertido por la predicación de Felipe, Pedro y Juan fueron a orar por ellos para que recibieran el Espíritu Santo:

> Cuando los apóstoles que estaban en Jerusalén oyeron que Samaria había recibido la palabra de Dios, enviaron allá a Pedro y a Juan; los cuales, habiendo venido, oraron por ellos para que recibiesen el Espíritu Santo; porque aún no había descendido sobre ninguno de ellos, sino que solamente habían sido bautizados en el nombre de Jesús. Entonces les imponían las manos, y recibían el Espíritu Santo. Cuando Simón vio que por la imposición de las manos de los apóstoles se daba el Espíritu Santo, les ofreció dinero, diciendo: Dadme también a mí este poder, para que cualquiera a quien yo impusiere las manos reciba el Espíritu Santo. Entonces Pedro le dijo: Tu dinero perezca contigo, porque has pensado que el don de Dios se obtiene con dinero.
>
> Hechos 8:14-20

Por el relato comprendemos que los de Samaria sólo tenían pocos días de haberse convertido, o a lo más pocas semanas. Pero recibieron el Espíritu

Santo por la imposición de las manos de los apóstoles en una experiencia única y completa.

No fue cuestión de esperar para ver si en el transcurso de las semanas y los meses se manifestaba suficiente fruto espiritual en las vidas de aquellos nuevos convertidos para probar que en realidad sí habían recibido el Espíritu Santo. No, el recibimiento del Espíritu Santo fue una sola experiencia completa en sí, después de la cual no hacían falta más pruebas ni evidencias.

Algunas veces surge la objeción de que la Escritura no establece explícitamente que los de Samaria hablaran en lenguas cuando recibieron el Espíritu Santo. Es muy cierto. No obstante, la Escritura es muy clara que, mediante la imposición de las manos de los apóstoles, hubo tal demostración de poder sobrenatural que Simón, que había sido un mago profesional, quiso pagar dinero para obtener el poder de producir una demostración sobrenatural similar sobre quien él pusiera las manos.

Si se acepta que estos samaritanos, hablaron en lenguas como resultado de la imposición de las manos de los apóstoles, se ajustaría a cada detalle de la historia, de acuerdo con el relato de Hechos, y entraría en el orden de todos los otros casos que recibieron el bautismo del Espíritu Santo en el libro de los Hechos.

Por otra parte, si alguien prefiere suponer que en el caso particular de Samaria hubo otra manifestación sobrenatural distinta que la de hablar en lenguas, también tendrá que reconocer que no tenemos forma de saber cuál fue esa otra forma de manifestación sobrenatural.

Por consiguiente, no es posible basar en esta suposición ninguna conclusión doctrinal positiva relativa al bautismo en el Espíritu Santo. Por ejemplo: una persona no puede decir: "Yo no he hablado en lenguas, pero sé que he recibido el bautismo en el Espíritu Santo porque he tenido la misma evidencia o experiencia que los de Samaria." Si los de Samaria no hablaron en lenguas, no hay forma de saber qué otra cosa pudieron haber hecho en su lugar.

Por lo tanto, esta suposición sólo conduce a conclusiones negativas y estériles. De manera alguna puede afectar las conclusiones positivas a que hemos llegado con respecto a los otros casos donde sabemos que la gente habló en lenguas al recibir el bautismo en el Espíritu.

Otro caso que algunas veces se saca a colación es el de Saulo de Tarso, que después fue el apóstol Pablo:

> Fue entonces Ananías y entró en la casa, y poniendo sobre él las manos, dijo: Hermano Saulo, el Señor Jesús, que se te apareció en el camino por donde venías, me ha enviado para que recibas la vista y seas lleno del Espíritu Santo. Y al momento le cayeron de los ojos

como escamas, y recibió al instante la vista; y levantándose fue bautizado.

Hechos 9:17-18

Con toda seguridad, si hubo alguna vez un caso donde la Iglesia primitiva pudiera haber aplicado justificadamente la prueba del fruto, fue el de Saulo de Tarso. Hasta aquel momento había sido, admitido por él mismo, el más acérrimo opositor del evangelio y perseguidor de la Iglesia. Sin embargo, aquí lo encontramos recibiendo el Espíritu Santo en una sola experiencia, mediante la imposición de las manos de Ananías, y a partir de entonces no hay la más ligera sugerencia de que se le aplicara ninguna prueba del fruto en su vida.

Una vez más, hay quienes objetan que la Escritura no establece que Saulo (después Pablo) hablara en lenguas cuando Ananías impuso las manos sobre él. Es cierto que la Escritura no da detalles de lo que le sucediera. Pero, junto a este relato en Hechos 9, tenemos que poner el testimonio del mismo Pablo en 1 Corintios:

Doy gracias a Dios que hablo en lenguas más que todos vosotros.

1 Corintios 14:18

Cuando combinamos este testimonio con los otros ejemplos en el libro de Hechos, es razonable llegar a la conclusión de que Pablo habló en lenguas cuando Ananías impuso sus manos sobre él para que fuera lleno del Espíritu. Esta conclusión es reforzada por o que sucedió cuando Pablo a su vez impuso las manos sobre los nuevos creyentes en Efeso:

Y habiéndoles impuesto Pablo las manos, vino sobre ellos el Espíritu Santo; y hablaban en lenguas, y profetizaban.

Hechos 19:6

No sería natural suponer que Pablo impusiera sus manos sobre aquellos convertidos para transmitirles algo que él mismo nunca había recibido.

Otro ejemplo decisivo es el caso de Cornelio y los suyos, en Hechos 10. Pedro y los otros judíos creyentes fueron renuentes a la casa de Cornelio contra sus propias convicciones, sólo porque Dios se los había ordenado explícitamente. Después que Pedro había predicado un poco, el Espíritu Santo cayó sobre todos los que escuchaban su palabra. Todos ellos quedaron asombrados porque escucharon a aquellos gentiles hablando en lenguas.

Hasta ese momento Pedro, y los otros judíos creyentes no habían concebido que fuera posible para gentiles como Cornelio ser salvados y convertirse a Cristo. Sin embargo, esta manifestación de hablar en lenguas convenció inmediatamente a Pedro y a los otros judíos. Pedro nunca sugirió que fuera necesario someter a aquellos gentiles a otra prueba más o esperar por el fruto espiritual o buscar cualquier otra clase de evidencia. Por el contrario, inmediatamente ordenó que fuesen bautizados, acto con el que quedaron abiertamente aceptados y autenticados como cristianos plenos. Más tarde Pedro dio cuenta de este incidente a los otros líderes de la iglesia apostólica en Jerusalén:

> Y cuando comencé a hablar, cayó el Espíritu Santo sobre ellos también, como sobre nosotros al principio (...) Si Dios, pues, les concedió también el mismo don que a nosotros que hemos creído en el Señor Jesucristo, ¿quién era yo que pudiese estorbar a Dios?
>
> Hechos 11:15,17

Sabemos por el capítulo anterior que Cornelio y todos los suyos hablaron en lenguas. Pero en este recuento Pedro no considera necesario mencionar esta manifestación decisiva. Se limita a decir: "El Espíritu Santo cayó sobre ellos como sobre nosotros al principio (...) Dios les concedió también el mismo don que a nosotros." En otras palabras, la manifestación de hablar en lenguas era en ese momento tan universalmente aceptada como la evidencia de haber recibido el Espíritu Santo que Pedro ni siquiera la menciona. Tanto él como los otros líderes de la Iglesia lo dieron por hecho. Los otros líderes de la Iglesia concluyeron:

> Entonces, oídas estas cosas, callaron, y glorificaron a Dios, diciendo: ¡De manera que también a los gentiles ha dado Dios arrepentimiento para vida!
>
> Hechos 11:18

¿Qué convenció a Pedro y a los otros apóstoles de que los gentiles podían experimentar la salvación mediante la fe en Cristo igual que los judíos? Una sola cosa: El hecho de que habían oído a aquellos gentiles hablar en lenguas. En todo este relato nunca hay una sugerencia de que Pedro ni ninguno de los apóstoles hubieran buscado jamás otra clase de evidencia en las vidas de estos gentiles, aparte del hecho de que hablaron en lenguas. No fue cuestión de esperar para que se manifestara el fruto espiritual.

En esto los apóstoles actuaron con perfecta lógica; no porque el fruto no sea importante, sino porque el fruto por su misma naturaleza, es totalmente diferente de un don: el don se recibe en un solo acto de fe; el fruto se produce por un proceso gradual y lento, que incluye plantar, atender y cultivar.

El bautismo en el Espíritu Santo es un don —una experiencia sola— recibida por fe. La evidencia de que una persona ha recibido este don es que habla en otras lenguas.

A partir de entonces, el propósito principal para dar este don a una persona es a fin de capacitarla para producir más y mejor fruto espiritual. El error consiste en confundir el don con el fruto, en confundir la evidencia de que se ha recibido un don, con el fin para el que se otorga el don.

En el siguiente capítulo examinaremos otros malentendidos comunes relacionados con las lenguas como evidencia de haber recibido el bautismo en el Espíritu Santo.

# 24

# Reacciones emocionales y físicas

Una opinión muy común hoy es que el bautismo en el Espíritu Santo es una experiencia intensamente emocional. Con frecuencia se emplea la palabra "éxtasis" para describirla. Esta opinión se sustenta principalmente en dos fuentes.

Primera, hay teólogos que no han pasado por la experiencia, pero teorizan acerca de ella basados en pasajes del Nuevo Testamento o en escritos de los patriarcas de la Iglesia primitiva. Por alguna razón, esos teólogos han escogido la palabra *éxtasis* o *estático* para resumir la naturaleza esencial de esta experiencia sobrenatural.

Segunda, muchos creyentes que sí han pasado por la experiencia, cuando testifican de ella a otros, ponen de relieve mayormente sus reacciones y sensaciones subjetivas. El resultado es que dan la impresión, a menudo sin tener esa intención, de que la naturaleza esencial de la experiencia es emocional. Probablemente la emoción a que más se alude es el gozo.

## El lugar de la emoción

Ahora bien, al examinar la relación entre las sensaciones emocionales y el bautismo en el Espíritu Santo, haremos bien en reconocer dos realidades importantes.

Primero, el hombre es una criatura emocional. Sus emociones constituyen una parte integral muy importante de su estructura. Por consiguiente, éstas desempeñan una parte muy importante en su adoración y servicio integral a Dios. Una verdadera conversión no tiene que suprimirlas ni desvanecerlas. Por el contrario, la verdadera conversión primero las libera y después las reorienta. Si las emociones de un hombre no se han sometido al poder y control del Espíritu Santo, entonces el propósito de la conversión de ese hombre no se ha completado todavía.

Segundo, en la Escritura la palabra gozo con frecuencia se asocia estrechamente con el Espíritu Santo. Por ejemplo, el fruto del Espíritu, tal como se refiere en Gálatas 5:22, es primero, amor, después gozo, y así sigue. En esta lista, el gozo viene inmediatamente después del amor, que es el principal fruto del Espíritu. Además, leemos con relación a los primeros cristianos en Antioquía:

> Y los discípulos estaban llenos de gozo y del Espíritu Santo.
>
> Hechos 13:52

Vemos, entonces, que en el Nuevo Testamento a menudo el gozo está íntimamente asociado con el Espíritu Santo.

No obstante, la enseñanza asegurando que el intenso regocijo, o cualquiera otra emoción fuerte por sí misma, constituye evidencia del bautismo en el Espíritu Santo, no se puede reconciliar con el Nuevo Testamento. Hay dos razones principales para esto.

Primera, en los pasajes donde se describe el bautismo en el Espíritu Santo, no se menciona directamente emoción alguna. Ni una sola vez se describe alguna forma de emoción, ni como la evidencia, ni como consecuencia directa de haber recibido el Espíritu Santo. Cualquier persona que equipara el recibir el Espíritu Santo con una experiencia emocional no tiene base bíblica para esa doctrina. Esto por lo regular sorprende a la persona religiosa promedio, que no basa sus opiniones directamente en el Nuevo Testamento.

En realidad, a veces los creyentes que buscan el Espíritu Santo reciben una experiencia bíblica clara de hablar en otras lenguas y, sin embargo, después no están convencidos ni satisfechos con su experiencia, simplemente porque no experimentaron una intensa emoción, como habían esperado erróneamente.

Podemos ilustrar esto con el ejemplo de un niño que pide a sus padres un perrito de aguas de regalo de cumpleaños. Cuando llega el regalo, es un bellísimo cachorro dorado, con todas las características de un magnífico ejemplo de su raza.

No obstante, para desconcierto de los padres, el niño no queda nada satisfecho con el regalo. Cuando le preguntan por qué, descubren que todo lo que sus amiguitos le habían estado diciendo durante semanas era que todos los perros de aguas son negros, y por consiguiente, él se había hecho a la idea por adelantado de que su cachorro sería negro.

No importa qué hermoso sea el cachorro dorado, ahora no puede satisfacerlo, sencillamente porque no correspondió con su idea preconcebida de que sería negro. Sin embargo, su opinión de que todos los perros de aguas son negros no tiene base alguna que la respalde, pues ha sido formada únicamente por las opiniones que ha escuchado de los amigos de su edad, que no saben de perros más que él.

Así sucede muchas veces con los cristianos que piden a su Padre celestial el don del Espíritu Santo. En respuesta a sus oraciones experimentan el hablar en lenguas, que está perfectamente de acuerdo con los ejemplos y enseñanzas del Nuevo Testamento.

Pero no están satisfechos con esta repuesta bíblica a sus oraciones, sencillamente porque no estuvo marcada por una intensa emoción. No comprenden que su concepto de tener que experimentar una intensa emoción se basaba en opiniones equivocadas de hermanos cristianos mal informados, no en las claras enseñanzas del Nuevo Testamento.

La segunda razón por la que no podemos aceptar como evidencia ninguna fuerte emoción, como el gozo, es que ha habido ocasiones en el Nuevo Testamento en que los creyentes han sentido un regocijo maravilloso, pero, a pesar de ello, no habían recibido todavía el Espíritu Santo. Un ejemplo es la primera reacción de los discípulos después de la ascensión de Jesús (pero antes del día de pentecostés):

> Ellos, después de haberle adorado, volvieron a Jerusalén con gran gozo; y estaban siempre en el templo, alabando y bendiciendo a Dios.
>
> Lucas 24:52-53

Aquí vemos que los discípulos sintieron gran gozo en su adoración a Dios. Mas a pesar de ello, sabemos que no fue hasta el día de pentecostés que recibieron en realidad el bautismo en el Espíritu Santo.

También después que el pueblo de Samaria había oído y creído el evangelio de Cristo que Felipe les predicó, *así que había gran gozo en aquella ciudad* (Hechos 8:8).

Aceptar el evangelio inmediatamente de todo corazón les trajo gran gozo a estos samaritanos. Sin embargo, cuando seguimos leyendo el mismo capítulo, descubrimos que fue sólo más tarde, mediante el ministerio de Pedro y de Juan, que recibieron el Espíritu Santo.

Estos dos ejemplos prueban, por lo tanto, que una intensa emoción, como un gran gozo, no es una parte esencial del bautismo en el Espíritu Santo, y no puede ser aceptada como evidencia de haber recibido este bautismo.

## Las reacciones físicas

Otro tipo de sensación con frecuencia asociada con el bautismo en el Espíritu Santo es alguna clase de poderosa sensación física. A lo largo de los años le he preguntado a mucha gente en qué se basan para decir que han recibido el bautismo del Espíritu Santo. A menudo su respuesta es alguna poderosa sensación o reacción física.

Algunas de las experiencias que me han mencionado son: sensación de una poderosa corriente eléctrica; sensación de un fuego o de un intenso calor en alguna otra forma; caer postrado con fuerza en el suelo; un fortísimo temblor por todo el cuerpo; haber visto una luz muy brillante; escuchar la voz de Dios hablándoles; haber tenido una visión de las glorias celestiales; y otras cosas por ese estilo.

Una vez más, al examinar las teorías de esta clase, tenemos que reconocer que contienen un importante elemento de verdad. A lo largo de la Biblia encontramos muchas ocasiones donde la presencia y el poder inmediatos del Dios Todopoderoso produjeron fuertes reacciones físicas en aquellos miembros de su pueblo que fueron considerados dignos de acercarse a él.

Cuando el Señor apareció a Abraham y empezó a hablar con él, Abraham cayó sobre su rostro (ver Génesis 17:1-3). Muchas veces en los libros de Levítico y Números, cuando la presencia y la gloria de Dios se manifestaban visiblemente entre su pueblo, Moisés, Aarón y otros también de los hijos de Israel, se postraban sobre sus rostros. Cuando el fuego cayó sobre el sacrificio de Elías y todo el pueblo lo vio, cayeron postrados (ver 1 Reyes 18:39). En la dedicación del templo de Salomón:

> ... entonces la casa, la casa del Señor, se llenó de una nube, y los sacerdotes no pudieron quedarse a ministrar a causa de la nube, porque la gloria del Señor llenaba la casa de Dios.
>
> 2 Crónicas 5:13-14 (BLA)

Hay dos pasajes en los que el profeta Jeremías da su testimonio personal de los fuertes efectos físicos producidos dentro de él por el poder de la palabra de Dios, y la presencia de Dios:

> Y dije: No me acordaré más de él, ni hablaré más en su nombre; no obstante, había en mi corazón como un fuego ardiente metido en mis huesos; traté de sufrirlo, y no pude.
>
> Jeremías 20:9

Aquí Jeremías testifica que el mensaje profético del Señor dentro de su corazón producía la impresión de un fuego ardiendo en sus huesos. Más tarde vuelve a decir:

> En cuanto a los profetas: quebrantado está mi corazón dentro de mí, tiemblan todos mis huesos; estoy como un ebrio, como un hombre a quien domina el vino, por causa del Señor y por causa de sus santas palabras.
>
> Jeremías 23:9 (BLA)

Aquí también las palabras de Jeremías indican una poderosa reacción física a la presencia de Dios.

Además, los poderosos efectos físicos afectaron a Daniel y sus compañeros debido a una visión directa del Señor:

> Y sólo yo, Daniel, vi aquella visión, y no la vieron los hombres que estaban conmigo, sino que se apoderó de ellos un gran temor, y huyeron y se escondieron. Quedé, pues, solo, y vi esta gran visión, y no quedó fuerza en mí, antes mi fuerza se cambió en desfallecimiento, y no tuve vigor alguno.
>
> Daniel 10:7-8

En la presencia inmediata del Señor, Daniel y sus acompañantes, igual que Jeremías, sintieron fuertes y extrañas reacciones físicas.

Las reacciones de esta clase no están confinadas al Antiguo Testamento. Un ejemplo es la visión del Señor concedida a Saulo de Tarso en su camino a Damasco. Saulo vio una luz muy brillante; escuchó una voz hablándole desde el cielo; cayó a tierra y su cuerpo temblaba (ver Hechos 9:3-6).

Cuando Juan describe una visión del Señor que recibió en la isla de Patmos, concluye:

> Cuando le vi, caí como muerto a sus pies.
>
> Apocalipsis 1:17

Es obvio que aquí también hubo una reacción física impresionante y muy poderosa causada por la presencia inmediata del Señor.

En algunas de las más antiguas denominaciones de la Iglesia cristiana hay una tendencia a desechar todas esas reacciones físicas o manifestaciones de "emocionalismo" o "fanatismo". No obstante, esta actitud traspasa el marco de lo que la Biblia sanciona. Sin duda hay ocasiones en que las manifestaciones de esta clase son el resultado del "emocionalismo" o el "fanatismo" o hasta de un deseo carnal de exhibicionismo. Pero ¿quién se atrevería a acusar de semejante cosa a profetas como Moisés, Jeremías y Daniel o a los apóstoles Juan y Pablo? Con demasiada frecuencia la tendencia a rechazar todas las formas de reacción física a la presencia y el poder de Dios, se basa en falsas tradiciones humanas de lo que constituye la verdadera santidad o la clase de conducta que es aceptable para Dios en la adoración de su pueblo.

Vemos, entonces, que la Escritura da lugar para reacciones poco usuales en los cuerpos del pueblo de Dios, causadas por su presencia y poder inmediatos. Sin embargo, en ninguna parte se sugiere que cualquiera de estas reacciones o manifestaciones físicas constituya evidencia de que una persona haya recibido el bautismo en el Espíritu Santo.

En los casos de los profetas del Antiguo Testamento, sabemos que ninguno de ellos recibió el bautismo en el Espíritu Santo porque esta experiencia jamás había sido concedida a nadie antes del día de pentecostés. En los casos de Juan y Pablo en el Nuevo Testamento, está igualmente claro que sus fuertes reacciones físicas a la presencia del Señor no fueron evidencia de haber recibido el Espíritu Santo.

En la época en que Juan recibió su visión en Patmos, ya había sido bautizado en el Espíritu hacía más de cincuenta años. Por otra parte, las reacciones físicas de Saulo en el camino de Damasco tuvieron lugar antes que fuera lleno del Espíritu Santo. El recibió esa plenitud como una experiencia separada y subsecuente, tres días después, cuando Ananías impuso sus manos sobre él en Damasco.

No importa desde qué ángulo veamos este asunto, siempre llegamos a la misma conclusión: Hay una sola manifestación física que constituye la evidencia de que una persona ha recibido el Espíritu Santo, y esa manifestación es hablar en otras lenguas, según el Espíritu da que se expresen.

## Tres principios bíblicos

Para cerrar este estudio, examinemos brevemente tres principios fundamentales distintos de la Escritura, todos ellos confirmando que hablar en otras lenguas es la evidencia correspondiente de que una persona ha recibido el bautismo en el Espíritu Santo.

Primero, Jesús dice:

> Porque de la abundancia del corazón habla la boca..
>
> Mateo 12:34

En otras palabras: el corazón del hombre, cuando está lleno hasta rebosar, se derrama por la boca en palabras. Esto se aplica al bautismo en el Espíritu Santo. Cuando el corazón de una persona ha sido llenado hasta rebosar con el Espíritu Santo, el desborde se manifiesta en hablar por la boca. Debido a que lo que lo llena es sobrenatural, el desbordamiento también lo es. La persona habla en un idioma que nunca aprendió y no comprende, lo que sirve para glorificar a Dios.

Segundo, Pablo exhorta a los cristianos:

> Presentaos vosotros mismos a Dios como vivos de entre los muertos, y vuestros miembros a Dios como instrumentos de justicia.
>
> Romanos 6:13

Los requisitos de Dios van más allá de la mera sumisión de nosotros mismos, de nuestra voluntad, a él. Dios exige que le presentemos nuestros miembros físicos, para controlarlos de acuerdo con su propia voluntad como instrumentos de justicia.

No obstante, hay un miembro en nuestro cuerpo que ninguno de nosotros puede controlar:

> Pero ningún hombre puede domar la lengua, que es un mal que no puede ser refrenado, llena de veneno mortal.
>
> Santiago 3:8

Como la evidencia o señal final de que le hemos rendido al Señor todos nuestros miembros físicos, el Espíritu toma control precisamente del miembro que ninguno de nosotros puede controlar, la lengua y, entonces la usa de un modo sobrenatural para la gloria de Dios.

El tercer principio de la Escritura que establece la relación entre las lenguas y el bautismo en el Espíritu se deriva de la misma naturaleza del Espíritu Santo.

En varios pasajes Jesús recalca que el Espíritu es una Persona real; tan real como Dios el Padre y Dios el Hijo:

> Pero cuando venga el Espíritu de verdad, él os guiará a toda la verdad; porque no hablará por su propia cuenta, sino que hablará todo lo que oyere.
>
> Juan 16:13

Aquí Jesús subraya la personalidad del Espíritu Santo de dos modos: 1) al usar el pronombre "él" en vez de "ello"; 2) al atribuir al Espíritu Santo la capacidad de hablar. El análisis demuestra que la capacidad de comunicarse con palabras es una de las características decisivas que distinguen a una personalidad. A cualquier ser capaz de comunicarse con palabras, le atribuimos naturalmente el concepto de una persona; pero si algo carece de esta capacidad, no lo consideraríamos una persona madura. El hecho de que el Espíritu Santo hable directamente por sí mismo es una de las grandes marcas de su verdadera personalidad.

Junto a este pensamiento podemos poner las palabras de Pablo:

> ¿O ignoráis que vuestro cuerpo es templo del Espíritu Santo, el cual está en vosotros?
>
> 1 Corintios 6:19

Aquí Pablo enseña que el cuerpo físico del creyente redimido está destinado para ser el templo en que desea morar el Espíritu Santo. Por lo tanto, la evidencia de que el Espíritu Santo, como Persona, ha tomado posesión de su morada en este templo físico, es que habla desde dentro del templo, empleando la lengua y los labios del creyente para que su discurso sea audible.

Así fue también en el tabernáculo de Moisés. Cuando Moisés entró en el tabernáculo para comunicarse con Dios:

> Y cuando entraba Moisés en el tabernáculo de reunión, para hablar con Dios, oía la voz que le hablaba de encima del propiciatorio que estaba sobre el arca del testimonio, de entre los dos querubines; y hablaba con él.
>
> Números 7:89

Debido a que Moisés oía esta voz, la marca de la personalidad, sabía que la Persona del Señor estaba presente en el tabernáculo. En forma parecida, cuando oímos hoy la voz del Espíritu Santo hablando audiblemente desde dentro del templo del cuerpo de un creyente, sabemos por esta evidencia de la personalidad, que el mismo Espíritu Santo, la tercera Persona de la Trinidad, ha fijado su residencia dentro del creyente.

Encontramos, entonces, que el hablar en otras lenguas como la evidencia de haber recibido el bautismo en el Espíritu Santo, concuerda perfectamente con los tres grandes principios de la Escritura:

1. El corazón del creyente, sobrenaturalmente lleno con el Espíritu Santo, se derrama sobrenaturalmente en palabras a través de su boca.
2. La evidencia de que el creyente ha entregado sus miembros físicos a Dios, es que el Espíritu de Dios controla ese miembro, la lengua, que el creyente no puede controlar por sí mismo.
3. Al hablar desde dentro del templo, que es el cuerpo del creyente, el Espíritu Santo demuestra que él mora allí como una Persona.

# 25

# La promesa del Espíritu

En los cuatro capítulos anteriores, hemos analizado cuidadosamente la enseñanza del Nuevo Testamento relativa al bautismo en el Espíritu Santo. Nuestro análisis ha incluido los siguientes temas: la naturaleza de la experiencia; la evidencia externa que sirve de testimonio; cómo difiere del don de "géneros de lenguas"; y el lugar de las reacciones emocionales y físicas.

Esto lleva a una pregunta práctica: ¿Qué condiciones deben reunirse antes que una persona sea bautizada en el Espíritu Santo? Hay dos formas posibles de enfocar esta pregunta. La primera es desde el punto de vista de Dios, que da el don; la segunda es desde el punto de vista del hombre, que lo recibe. En este capítulo enfocaremos el asunto desde el primer punto de vista: el de Dios, y en el siguiente desde el punto de vista humano.

La pregunta que ahora enfrentamos es imponente por sus implicaciones. ¿En qué puede basarse un Dios santo y omnipotente para ofrecer a los miembros de una especie caída y maldecida por el pecado, el don de su propio Espíritu a fin de que more en sus cuerpos físicos? ¿Qué puede hacer Dios para salvar el abismo inconmensurable que separa al hombre de él?

La respuesta está en un plan de redención que había sido concebido en la Divinidad desde antes que empezara el tiempo. Para que este plan funcionara, lo principal era la muerte de Cristo sacrificado en la cruz, seguida primero por su victoriosa resurrección, y más tarde por su triunfal ascensión. Diez días después derramó el Espíritu Santo sobre sus discípulos que esperaban. Visto bajo esta perspectiva, la cruz es la puerta que abrió el camino a pentecostés.

## Una residencia personal y permanente

Juan 7:37-39 revela el vínculo directo entre la ascensión de Jesús y el derramamiento del Espíritu Santo en pentecostés:

> En el último y gran día de la fiesta, Jesús se puso en pie y alzó la voz, diciendo: Si alguno tiene sed, venga a mí y beba. El que cree en mí, como dice la Escritura, de su interior correrán ríos de agua viva. Esto dijo del Espíritu que habían de recibir los que creyesen en él; pues aún no había venido el Espíritu Santo, porque Jesús no había sido aún glorificado.

Los dos primeros versículos en este pasaje contienen la promesa de Jesús, de que toda alma sedienta que viene a él en fe, será llenada hasta saciarse y se convertirá en un canal por donde correrán ríos de agua viva. El último versículo del pasaje es una explicación de los dos primeros, añadida por el escritor del Evangelio.

En esta explicación el escritor señala dos cosas: 1) la promesa de los ríos de agua viva se refiere al don del Espíritu Santo; y 2) este don no se podía dispensar mientras Jesús estuviera aún sobre la tierra en forma corporal. Sólo podía estar a disposición de los creyentes después que Jesús hubiera vuelto al cielo y hubiese entrado en su gloria a la diestra del Padre.

¿Qué quiere decir exactamente que el Espíritu Santo no podía derramarse en aquel momento? Es obvio que esto no significa que el Espíritu Santo de ningún modo pudiera estar presente, moverse y obrar en la tierra hasta después de la ascensión de Cristo al cielo. Por el contrario, desde el segundo versículo de la Biblia leemos que el Espíritu Santo obraba ya en el mundo:

> Y el Espíritu de Dios se movía sobre la faz de las aguas.
>
> Génesis 1:2

A partir de ese momento, a lo largo de todo el Antiguo Testamento y hasta los días del ministerio de Cristo sobre la tierra, leemos continuamente del Espíritu Santo moviéndose y obrando en todo el mundo, y con mayor particularidad entre el pueblo creyente de Dios. Entonces, ¿cuál era la diferencia entre la forma en que el Espíritu Santo obraba hasta el momento de la ascensión de Cristo y el don del Espíritu Santo, que estaba reservado para los creyentes cristianos después de la ascensión de Cristo y que recibieron primero los discípulos en Jerusalén el día de pentecostés?

Tres palabras resumen los rasgos distintivos de este don del Espíritu Santo, y lo distinguen de todas sus intervenciones previas en el mundo. Estas tres palabras son personal, residente y permanente. Examinemos brevemente, en orden, el significado de cada una de estas tres características.

Primero, el don del Espíritu Santo es personal.

En su discurso de despedida a sus discípulos, Jesús indicó que habría un intercambio de Personas divinas:

> Pero yo os digo la verdad: Os conviene que yo me vaya; porque si no me fuese, el Consolador no vendría a vosotros; mas si me fuere, os lo enviaré.
>
> Juan 16:7

En efecto, Jesús estaba diciendo: "Estoy a punto de volver al cielo y no estaré en persona con ustedes. Sin embargo, en mi lugar os enviaré a otra Persona: el Espíritu Santo, y eso les conviene."

La promesa de la venida del Espíritu Santo como una Persona se cumplió en pentecostés. Desde entonces, el Espíritu Santo procura venir a cada creyente individualmente, como una Persona. No podemos seguir hablando de una influencia o intervención o manifestación o de algún poder impersonal. El Espíritu Santo es tan Persona como Dios el Padre o Dios el Hijo; y es en forma individual y personal que procura venir ahora al creyente, en esta dispensación.

En la experiencia de la salvación, o del nuevo nacimiento, el pecador recibe a Cristo, el Hijo de Dios, la segunda Persona de la Divinidad. En el bautismo en el Espíritu Santo, el creyente recibe a la tercera Persona de la Divinidad, el Espíritu Santo. En cada experiencia por igual hay un intercambio real y directo con una Persona.

Segundo, el Espíritu Santo en esta dispensación viene a morar dentro del creyente.

En el Antiguo Testamento la acción del Espíritu Santo entre el pueblo de Dios se describe con frases como éstas: "el Espíritu de Dios vino sobre ellos"; "el Espíritu de Dios los movió"; "el Espíritu de Dios habló por ellos". Todas estas frases indican que alguna parte del ser del creyente quedaba bajo el control del Espíritu Santo. Pero en ninguna parte del Antiguo Testamento leemos que viniera alguna vez a morar dentro del templo, el cuerpo de un creyente, tomando así control interno de toda su personalidad.

Tercero, la residencia del Espíritu Santo dentro del cristiano es permanente.

Bajo el antiguo pacto, los creyentes experimentaban la visitación del Espíritu Santo de muchos modos diferentes y en distintas ocasiones. Pero en todos estos casos, el Espíritu Santo era siempre un visitante, nunca un residente permanente. Sin embargo, Jesús prometió a sus discípulos que cuando el Espíritu Santo viniera a ellos, moraría con ellos para siempre.

> Y yo rogaré al Padre, y os dará otro Consolador, para que esté con vosotros para siempre.
>
> Juan 14:16

Así que podemos caracterizar el don del Espíritu Santo, tal como se prometió en el Nuevo Testamento, por estas tres características distintivas: Es personal. Es residente. Es permanente. O para abreviar: es un residente personal permanente.

Estas características distintivas del don, proporcionan dos razones por las que no se podía conceder mientras que Cristo permaneciera presente en forma corporal sobre la tierra.

Primera, mientras Cristo permaneciera en la tierra, él era el representante personal autorizado de la Divinidad. No había necesidad ni lugar para que el Espíritu Santo estuviese también presente personalmente en la tierra al mismo tiempo. Pero después de la ascensión de Cristo al cielo, el camino quedó abierto para que el Espíritu Santo, a su vez, viniera a la tierra como una Persona. Ahora es él, el Espíritu Santo, quien es, en esta dispensación, el representante personal de la Divinidad en la tierra.

Segunda, el don del Espíritu Santo no se podía dispensar hasta después de la ascensión de Cristo, porque la petición de cada creyente para recibirlo, en modo alguno se basa en los propios méritos de éste, sino sola y sencillamente en los méritos del sacrificio de la muerte de Cristo en la cruz y en su resurrección. Por consiguiente, nadie podía recibir el don hasta que la obra de expiación de Cristo estuviera completa.

## La promesa del Padre

Pablo liga directamente la promesa del Espíritu con la expiación de Cristo:

> Cristo nos redimió de la maldición de la ley, hecho por nosotros maldición (porque está escrito: Maldito todo el que es colgado en un madero) para que en Cristo Jesús la bendición de Abraham alcanzase a los gentiles, a fin de que por la fe recibiésemos la promesa del Espíritu.
>
> Gálatas 3:13-14

Se establecen dos hechos de gran importancia relativos al don del Espíritu Santo para el creyente cristiano.

Primero, es únicamente a través de la obra redentora de Cristo en la cruz que el creyente puede ahora recibir la promesa del Espíritu. En realidad, este fue el propósito principal por que Cristo sufrió en la cruz. El murió y derramó su sangre para que con eso pudiera comprar un doble derecho legal: Su propio derecho de conceder, y el derecho del creyente de recibir, este precioso don del Espíritu Santo.

Así, recibir el don no depende en absoluto de los propios méritos del creyente, sino solamente de la expiación toda suficiente de Cristo. Es por la fe, no por las obras.

Segundo, observamos que Pablo emplea la frase "la promesa del Espíritu", porque él dice, "a fin de que por la fe recibiésemos la promesa del Espíritu." Esto concuerda con el último encargo que Jesús hace a sus discípulos justo antes de ascender al cielo:

> He aquí, yo enviaré la promesa de mi Padre sobre vosotros; pero quedaos vosotros en la ciudad de Jerusalén, hasta que seáis investidos de poder desde lo alto.
>
> Lucas 24:49

Jesús habla a sus discípulos del bautismo en el Espíritu Santo, que ellos habrían de recibir en Jerusalén el día de pentecostés. Emplea dos frases para describir esta experiencia. La llama una investidura "de poder desde lo alto" y también "la promesa de mi Padre".

Esta segunda frase, "la promesa de mi Padre" nos da una maravillosa visión de la idea y propósito de Dios el Padre en lo que se refiere al don del Espíritu Santo. Alguien ha estimado conservadoramente que la Biblia contiene siete mil promesas distintas dadas por Dios a su pueblo creyente. Pero de todas estas siete mil promesas, Jesús distingue una sola de entre el resto como si fuera en cierto sentido la promesa especial del Padre para cada uno de sus hijos creyentes. ¿Cuál es esta promesa única y especial? Es la que Pablo llama la "promesa del Espíritu".

En pentecostés —el mismo día que se cumplió la promesa— Pedro empleó un giro similar de expresión:

> Arrepentíos, y bautícese cada uno de vosotros en el nombre de Jesucristo para perdón de los pecados; y recibiréis el don del Espíritu Santo. Porque para vosotros es la promesa, y para vuestros hijos, y para todos los que están lejos; para cuantos el Señor nuestro Dios llamare.
>
> Hechos 2:38-39

Pedro aquí junta las palabras *don* y *promesa*. ¿A cuál especial don prometido se refiere? Al mismo que habían aludido Jesús y Pablo: la promesa del Espíritu. Esta es en realidad la promesa del Padre, quien la había preparado y planeado a lo largo de muchas edades, a fin de poderla conceder a sus hijos creyentes por medio de Jesucristo en esta presente dispensación.

Pablo también llama a esta promesa "la bendición de Abraham" (Gálatas 3:14). Así él la asocia con el supremo propósito de Dios al escoger a Abraham, diciendo cuando lo llamó a salir de Ur:

> Y te bendeciré, (...) y serás bendición (...) y serán benditas en ti todas las familias de la tierra.
>
> Génesis 12:2-3

En subsecuentes tratos con Abraham, Dios reafirmó muchas veces su propósito de bendecirlo:

> De cierto te bendeciré (...) En tu simiente serán benditas todas las naciones de la tierra.
>
> Génesis 22:17-18

¿A cuál promesa específica se enfocaban todas estas promesas de Dios? Las palabras de Pablo proporcionan la respuesta: "la promesa del Espíritu" (Gálatas 3:14). Fue para comprar esta bendición, prometida a la simiente de Abraham, que Jesús derramó su sangre en la cruz.

## El sello del cielo en la expiación de Cristo

Sin embargo, la consumación final de la obra expiatoria de Cristo no fue en la tierra, sino en el cielo:

> Pero estando ya presente Cristo, sumo sacerdote de los bienes venideros, por el más amplio y más perfecto tabernáculo, no hecho de manos, es decir, no de esta creación, y no por sangre de machos cabríos ni de becerros, sino por su propia sangre, entró una vez para siempre en el Lugar Santísimo, habiendo obtenido eterna redención.
>
> Hebreos 9:11-12

Los creyentes en el nuevo pacto, hemos venido:

> a Jesús el Mediador del nuevo pacto, y a la sangre rociada que habla mejor que la de Abel.
>
> Hebreos 12:24

Estos pasajes en Hebreos revelan que la obra expiatoria de Cristo no quedó consumada en la cruz por el derramamiento en tierra de su sangre, sino por haber entrado con su sangre en la presencia del Padre. Allí presentó esa sangre como la satisfacción y expiación final y suficiente por todo pecado. Es esta sangre de Cristo, ahora rociada en el cielo, la que habla mejores cosas que la de Abel.

La sangre de Cristo se compara con la de Abel en dos aspectos principales: Primero, la de Abel quedó sobre la tierra, mientras que la de Cristo fue presentada y rociada en el cielo. Segundo, la de Abel clamó a Dios por venganza de su asesino, mientras que la de Cristo pidió a Dios en el cielo misericordia y perdón.

Esta revelación, en Hebreos de Cristo completando la expiación al presentar su propia sangre ante el Padre en el cielo, nos permite comprender por qué el don del Espíritu Santo no se podía dispensar hasta que Cristo fuese glorificado. El Espíritu Santo no se da basándose en los méritos propios del creyente, sino en la expiación de Cristo.

Esta expiación no quedó consumada hasta que la sangre de Cristo fue presentada en el cielo y Dios el Padre hubo declarado su satisfacción absoluta con este sacrificio expiatorio. A partir de entonces, la dispensación del Espíritu Santo a quienes creyesen en Cristo fue el testimonio público de que la corte suprema del cielo había aceptado para siempre la sangre de Cristo como propiciación toda suficiente por todo pecado.

> Este es Jesucristo, que vino mediante agua y sangre; no mediante agua solamente, sino mediante agua y sangre. Y el Espíritu es el que da testimonio; porque el Espíritu es la verdad.
>
> 1 Juan 5:6

Vemos que el Espíritu Santo da testimonio de la sangre de Jesús. En otras palabras, el don del Espíritu Santo a quienes creen en Jesús constituye el testimonio unido del Padre y del Espíritu de la suficiencia total de la sangre de Cristo para limpiar al creyente de todo pecado.

Esto concuerda con las enseñanzas de Pedro en el día de pentecostés con respecto al derramamiento del Espíritu Santo. Después de haber hablado de la muerte y resurrección de Cristo, continúa:

*Así que, exaltado por la diestra de Dios, y habiendo recibido del Padre la promesa del Espíritu Santo, ha derramado esto que vosotros veis y oís.*

Hechos 2:33

Cristo primero compró la redención del hombre con su muerte y resurrección expiatorias. Entonces ascendió a su Padre en el cielo y allí presentó la sangre que era la evidencia y sello de la redención. Al aceptar el Padre la sangre, Cristo recibió del Padre el don del Espíritu Santo para derramarlo sobre aquellos que creyesen en él.

Podemos ahora resumir la revelación de la Escritura concerniente al plan de Dios de conceder a todos los creyentes el don del Espíritu Santo.

Implícita en la elección de Abraham, estaba la promesa de Dios de bendecir con el Espíritu Santo a todas la naciones por medio de Cristo. Con su sangre derramada en la cruz, Cristo compró para todos los creyentes, el derecho legal de esta bendición. Después de presentar su sangre en el cielo, Cristo recibió del Padre el don del Espíritu Santo. El día de pentecostés, el Espíritu mismo, siendo él mismo el don, fue derramado desde el cielo sobre los creyentes que esperaban en la tierra.

De manera que, el Padre, el Hijo y el Espíritu Santo, los tres se interesaron en planear, comprar y proporcionar ésta, la promesa suprema y el mayor de todos los dones, para todo el pueblo creyente en Dios.

En el siguiente capítulo veremos este mismo don del Espíritu Santo desde el punto de vista humano y examinaremos las condiciones que tienen que cumplirse en la vida de cada creyente que desee recibir el don.

# 26

# Cómo recibir
# el Espíritu Santo

Cuáles son las condiciones que deben cumplirse en la vida de una persona que desee recibir el don del Espíritu Santo?

## Por gracia mediante la fe

Mientras examinamos las enseñanzas de la Escritura acerca de este tema, encontraremos que hay un principio básico que se aplica a toda provisión que Dios hizo por gracia a los hombres:

> Y si por gracia, ya no es por obras; de otra manera la gracia ya no es gracia.
>
> Romanos 11:6

En este pasaje, y en todas sus epístolas, Pablo compara las expresiones "gracia" y "obras". Por "gracia" quiere decir los gratuitos e inmerecidos favores y bendiciones de Dios, concedidos a los indignos, e incluso a los desmerecedores. Por "obras" alude a cualquier cosa que un hombre pueda hacer por sí mismo para ganarse la bendición y el favor de Dios.

Pablo establece que estos dos modos de recibir de Dios se excluyen mutuamente; nunca pueden combinarse. Cualquier cosa que el hombre reciba de Dios por gracia, no es por obras; cualquier cosa que el hombre reciba de Dios por obras, no es por gracia. Donde quiera que opere la gracia, las obras no valen; donde quiera que operen las obras, la gracia no vale.

Esto lleva a un contraste más marcado entre la gracia y la ley:

> Pues la ley por medio de Moisés fue dada, pero la gracia y la verdad vinieron por medio de Jesucristo.
>
> Juan 1:17

Bajo la ley de Moisés los hombres procuraban ganar la bendición de Dios por lo que hicieran por sí mismos. Por medio de Jesucristo se ofrece ahora a todos los hombres los favores y bendiciones de Dios gratuitos e inmerecidos, basándose en lo que Cristo hizo en favor de los hombres. Esta es la gracia.

Todo lo que recibimos así de Dios por medio de Jesucristo, es por gracia; el medio para recibir esta gracia no es por obras, sino por fe.

> Porque por gracia sois salvos por medio de la fe; y esto no de vosotros, pues es don de Dios; no por obras, para que nadie se gloríe.
>
> Efesios 2:8-9

El principio básico expuesto en este pasaje puede resumirse en tres frases sucesivas: *por gracia —por medio de la fe— no por obras*. Se aplica al recibimiento de toda provisión hecha por la gracia de Dios para el hombre. Pablo aplica este principio específicamente a recibir el don del Espíritu Santo:

> Cristo nos redimió de la maldición de la ley (...) a fin de que por la fe recibiésemos la promesa del Espíritu.
>
> Gálatas 3:13-14

Se destacan dos realidades importantes e interrelacionadas: 1) La obra redentora de Cristo en la cruz pone a disposición del hombre el don del Espíritu Santo. 2) Este don, como cualquiera otra provisión de la gracia de Dios, se recibe por fe, no por obras.

Aparentemente, entre las iglesias cristianas de Galacia había surgido esta pregunta de cómo se recibe el don del Espíritu Santo, y Pablo se refiere varias veces a eso:

> Esto solo quiero saber de vosotros: ¿Recibisteis el Espíritu por las obras de la ley, o por el oír con fe?
>
> Gálatas 3:2

> Aquel, pues, que os suministra el Espíritu, (...) ¿lo hace por las obras de la ley, o por el oír con fe?
>
> Gálatas. 3:5

...a fin de que por la fe recibiésemos la promesa del Espíritu.

Gálatas 3:14

Por consiguiente, en pocos versículos, Pablo insiste tres veces que el Espíritu se recibe por fe.

En otras palabras, la preparación esencial para que los creyentes reciban el Espíritu Santo es que sean instruidos, por las Escrituras, de la naturaleza de las provisiones de Dios para ellos y de cómo pueden reclamarlas mediante la fe en la obra redentora de Cristo en la cruz. Si esta clase de instrucción bíblica se imparte primero a quienes buscan el Espíritu Santo, y la reciben con fe, no harán falta mucho más esfuerzo ni tiempo para que reciban el don.

La epístola de Pablo a los Gálatas implica que él había llevado allí originalmente el mensaje del evangelio y del don del Espíritu Santo a los cristianos, quienes lo habían recibido con fe y así habían entrado a gozar de la plenitud de la provisión de Dios para ellos. Pero más tarde, por las enseñanzas de otros maestros, se habían dejado envolver en un sistema legalista superimpuesto sobre esta base del evangelio, y habían empezado a perder su primera visión de recibir el don de Dios por gracia mediante la fe.

El propósito principal de su epístola es advertirles de los peligros de esto y llamarlos a volver a la simplicidad original de su fe.

Hay grupos de cristianos hoy en diversos lugares, amenazados por la misma clase de error contra el que Pablo advirtió a los gálatas. Hay hoy en muchos lugares una tendencia a imponer alguna clase de sistema o técnica sobre los que buscan el don del Espíritu Santo.

La forma exacta de técnica varía de grupo en grupo. En algunos lugares la insistencia es sobre alguna postura o actitud especial. En otros es más bien una fórmula particular de palabras o la repetición de ciertas frases.

Instruir de esa forma a quienes buscan el Espíritu Santo no es necesariamente antibíblico, pero el gran peligro es que la postura particular o la frase especial, en vez de servir sólo de ayuda para la fe, pueda convertirse en un sustituto de ella. En este caso, la técnica echa a perder sus propios objetivos. En vez de ayudar a quienes piden recibir el Espíritu Santo, en realidad se los impide.

El resultado de esta clase de técnica, con frecuencia produce buscadores crónicos que dicen: "¡Lo he intentado todo! He probado con alabanza... He dicho 'Aleluya'... He alzado los brazos... He gritado... Lo he hecho todo, pero sin resultado." Sin saberlo, están cometiendo el mismo error en que los gálatas estaban cayendo: están sustituyendo la fe con las obras, siguiendo una técnica en vez de escuchar simplemente la palabra de Dios.

¿Cuál es el remedio? Lo que Pablo le propone a los gálatas: regresar al oír con fe. Los buscadores crónicos como éstos no necesitan más alabanza, más gritos, ni alzar más las manos. Necesitan instrucción fresca de la palabra de Dios acerca de las provisiones gratuitas de la gracia de Dios.

En principio general, donde quiera que las personas están buscando el don del Espíritu Santo, cualquier período de oración tiene que ser precedido por un período de instrucción de la palabra de Dios. Por mi parte, si me dieran treinta minutos para ayudar a los creyentes que buscan el don del Espíritu Santo, emplearía por lo menos la mitad del tiempo —los primeros quince minutos— en darles instrucción bíblica. Los siguientes quince minutos, dedicados a orar, producirían resultados mucho más positivos que toda una media hora orando sin ninguna instrucción previa.

Vemos entonces que Pablo define el requisito básico para recibir el don del Espíritu Santo como es *el oír con fe*.

Debemos tener cuidado, no obstante, de guardarnos contra una falsa interpretación de lo que significa "por la fe". La fe no es un sustituto de la obediencia. Por el contrario, la verdadera fe siempre se manifiesta en obediencia. Por eso la obediencia se vuelve la prueba y la evidencia de la fe. Esto se aplica tanto al recibir el Espíritu Santo, como a cualquier otra dimensión de la gracia de Dios.

En su defensa ante el concilio judío, Pedro concentra su atención en la obediencia como la expresión adecuada de la fe:

> Y nosotros somos testigos suyos de estas cosas, y también el Espíritu Santo, el cual ha dado Dios a los que le obedecen.
>
> Hechos 5:32

Al hablar del don del Espíritu Santo, Pablo subraya la fe, mientras que Pedro insiste en la obediencia como la debida expresión de la fe. Sin embargo, no se contradicen entre sí. La verdadera fe siempre está ligada con la obediencia. La fe completa da por resultado la obediencia completa. Pedro dice aquí que cuando nuestra obediencia sea completa, el don del Espíritu Santo es nuestro.

## Seis pasos de fe

Cuando se busca el don del Espíritu Santo, ¿de qué manera pudiera expresarse la obediencia completa? En las Escrituras encontramos expuestos seis pasos que marcan el camino de la obediencia que conduce al don del Espíritu Santo.

## *Arrepentirse y bautizarse*

Pedro establece los primeros dos pasos:

> Arrepentíos, y bautícese cada uno de vosotros en el nombre de Jesucristo para perdón de los pecados; y recibiréis el don del Espíritu Santo.
>
> Hechos 2:38

Los dos pasos establecidos aquí por Pedro son arrepentirse y bautizarse. El arrepentimiento es un cambio interior del corazón y una actitud hacia Dios que abre el camino para que el pecador se reconcilie con Dios. Después de eso, el bautismo es un acto externo por el que el creyente testifica del cambio interno que la gracia de Dios ha obrado en su corazón.

## *Tener sed*

El tercer paso para la plenitud del Espíritu Santo lo establece Jesús:

> Si alguno tiene sed, venga a mí y beba. El que cree en mí, como dice la Escritura, de su interior correrán ríos de agua viva.
>
> Juan 7:37-38

En el siguiente versículo Juan explica que esta promesa de Jesús se refiere al don del Espíritu Santo. Esto concuerda con lo que Jesús dice también:

> Bienaventurados los que tienen hambre y sed de justicia, porque ellos serán saciados.
>
> Mateo 5:6

La condición esencial para recibir la plenitud del Espíritu Santo es tener hambre y sed. Dios no desperdicia sus bendiciones en quienes no sienten necesidad de ellas. Muchos que profesan ser cristianos y que llevan vidas buenas y respetables, nunca reciben la plenitud del Espíritu Santo, por la sencilla razón de que no sienten necesidad de ella. Están satisfechos sin esa bendición, y Dios los deja así.

Desde el punto de vista humano, a veces sucede que quienes reciben el don del Espíritu Santo parecen ser los que menos lo merecen, y quienes parecen merecerlo más, no lo reciben. La Escritura lo explica así:

> [Dios] a los hambrientos colmó de bienes, y a los ricos envió vacíos.
>
> Lucas 1:53

Dios responde a la sinceridad de nuestros anhelos íntimos, pero no lo impresiona nuestra confesión religiosa.

## Pedirlo

Jesús también presenta el cuarto paso para recibir el Espíritu Santo:

> Pues si vosotros, siendo malos, sabéis dar buenas dádivas a vuestros hijos, ¿cuánto más vuestro Padre celestial dará el Espíritu Santo a los que se lo pidan?
>
> Lucas 11:13

Aquí Jesús pone sobre los hijos de Dios la obligación de pedir el don del Espíritu Santo a su Padre celestial. Algunas veces oímos a los cristianos expresar comentarios como este: "Si Dios quiere que yo tenga el Espíritu Santo, me lo dará. No necesito pedirlo." Esta actitud no es bíblica. Jesús enseña claramente que los hijos de Dios deben de pedir a su Padre celestial este don especial del Espíritu Santo.

## Beber de él

Después de pedirlo, el siguiente paso es recibirlo. Jesús llama a esto "beber" porque dice: *Si alguno tiene sed, venga a mí y beba* (Juan 7:37).

"Beber" representa un proceso activo de recibir. Una actitud pasiva nos impide saciarnos del Espíritu Santo. Nadie puede beber si no lo hace activamente de su propia voluntad, y nadie puede beber con la boca cerrada. Como es en lo natural, así es en lo espiritual. El Señor dice: *Abre tu boca, y yo la llenaré* (Salmo 81:10).

Dios no puede llenar una boca cerrada. Aunque parezca sencillo, hay quienes no reciben la plenitud del Espíritu simplemente porque no abren la boca.

## Entregarse

Después de beber, el sexto y último paso para recibir el Espíritu Santo es entregarse. Pablo habla a los cristianos de una doble rendición a Dios:

> Presentaos vosotros mismos a Dios como vivos de entre los muertos, y vuestros miembros a Dios como instrumentos de justicia.
>
> Romanos 6:13

Hay dos etapas sucesivas que se presentan aquí a los cristianos. La primera entrega es de *nosotros mismos:* la rendición de la voluntad y de la personalidad. Pero eso no basta. Hay otro grado más de entrega: la de nuestros *miembros físicos.*

La entrega de nuestros miembros físicos requiere una mucho mayor medida de confianza en Dios. Con la entrega de nosotros mismos —nuestra voluntad— prestamos obediencia a la voluntad revelada de Dios, pero todavía retenemos el ejercicio de nuestro propio entendimiento. Estamos dispuestos a hacer lo que Dios nos pide, siempre que primero comprendamos lo que se nos pide.

Sin embargo, al rendir nuestros miembros físicos, vamos mucho más allá de eso. Ya no procuramos comprender siquiera intelectualmente lo que Dios nos pide. Nos limitamos a entregarle a Dios sin reservas el control de nuestros miembros físicos y permitir que los use según su propia voluntad sin pedir entender lo que hace ni por qué lo hace.

Unicamente al hacer esta segunda entrega, llegamos a un estado de rendición total e incondicional. Y es justamente en este punto que el Espíritu Santo viene en toda su plenitud y toma control de nuestros miembros.

El miembro particular del que toma completo control es ese rebelde que ningún hombre puede dominar: la lengua. De esta manera, rendirle nuestra lengua al Espíritu marca el clímax de la entrega, de la renunciación, de la obediencia completa. Es por esto que recibimos el don del Espíritu Santo.

Hemos resumido los seis pasos sucesivos para recibir la plenitud del Espíritu Santo: 1) arrepentirse; 2) ser bautizado; 3) tener sed; 4) pedirlo; 5) beberlo —recibirlo activamente—; y 6) entregarse —rendir el control de nuestros miembros físicos— separadamente del ejercicio de nuestra comprensión intelectual.

La pregunta se plantea naturalmente: ¿Es necesariamente cierto que toda persona que recibe el don del Espíritu Santo ha seguido al pie de la letra todos estos seis pasos?

La respuesta a esta pregunta es *no.* La gracia divina es soberana. Donde quiera que Dios lo considera apropiado, es libre de alcanzar a las almas necesitadas que están más allá de los límites de las condiciones presentadas en su Palabra. La gracia de Dios no está limitada por las condiciones que él impone. Pero, por otra parte, cuando quiera que se reúnen esas condiciones, la fidelidad de Dios es muy grande y nunca retendrá la bendición que ha prometido.

Hay personas que omiten algunos de los pasos que acabo de trazar, y que de todas formas reciben el don del Espíritu Santo. En particular, se le otorga a gente que no han sido bautizadas y que nunca lo han pedido específicamente a Dios.

Eso me sucedió a mí. Yo recibí el don del Espíritu Santo antes de ser bautizado y sin haberlo pedido específicamente. En estos dos puntos, Dios me alcanzó por su libre y soberana gracia sin reunir todas las condiciones impuestas en su Palabra. Sin embargo, comprendo que eso me hace todavía más deudor de la gracia de Dios. Ciertamente no deja en mí puerta abierta para el orgullo, la indiferencia o la desobediencia.

Parece, no obstante, que Dios nunca otorga el don del Espíritu Santo donde las otras cuatro condiciones faltan. Es decir, jamás lo concede donde no ha habido un previo arrepentimiento, seguido de la sed espiritual y la voluntad para recibirlo y para entregarse.

Al terminar este estudio acerca del bautismo en el Espíritu Santo, conviene que insista una vez más en la íntima conexión entre este don y la obediencia. Tal como dice Pedro, el don del Espíritu Santo es para quienes obedecen a Dios. Aunque Dios en su gracia concede este don a los que no han cumplido todavía por completo todos los requisitos que establece su Palabra, eso no quiere decir que permita la indiferencia o la desobediencia.

Mientras Pedro predicaba en la casa de Cornelio, el Espíritu Santo cayó sobre todos los que escuchaban su palabra (ver Hechos 10). No obstante, está claro que esta demostración de la gracia de Dios en modo alguno puede tomarse de sustituto de la obediencia a la palabra de Dios, porque leemos:

> Y mandó [Pedro] a bautizarles.
>
> Hechos 10:48

Incluso para los que han recibido el don del Espíritu Santo, la ordenanza del bautismo en agua sigue siendo un mandamiento de la Palabra de Dios que no se puede soslayar.

Sobre todo, en esta dimensión de los dones espirituales, necesitamos estar continuamente en guardia contra el orgullo espiritual. Cuanto más abundancia recibimos de los dones de la gracia de Dios, mayor es nuestra obligación de ser obedientes y fieles en el ejercicio y administración de esos dones.

Este principio de responsabilidad por la gracia recibida es resumida por la enseñanza de Jesús acerca de la mayordomía:

> Porque todo aquel a quien se haya dado mucho, mucho se le demandará; y al que mucho se le haya confiado, más se le pedirá.
>
> Lucas 12:48

Cuanto más abundantemente recibimos de los dones y de las gracias de Dios por medio de Jesucristo, mayor es nuestra obligación de ser humildes, de consagrarnos y de obedecer sin desmayar.

# 27

# Modelos del Antiguo Testamento para la salvación del Nuevo Testamento

En esta sección hemos estado examinando esa parte de la doctrina cristiana que se llama "la doctrina de bautismos" (Hebreos 6:2).

El Nuevo Testamento en realidad se refiere a cuatro tipos distintos de bautismo: 1) el de Juan el Bautista, 2) el bautismo cristiano en agua, 3) el de sufrimiento, y 4) el bautismo en el Espíritu Santo.

De estos cuatro tipos de bautismo, los dos que están más directamente relacionados con la experiencia de todos los creyentes cristianos en esta dispensación, son el segundo y el cuarto; el bautismo cristiano en agua y el bautismo en el Espíritu Santo. Por esa razón nos hemos concentrado principalmente en estos dos.

Ha llegado ahora el momento de ver cómo se relacionan uno con otro y con las otras partes del plan y de la provisión de Dios para los cristianos. Podemos plantear la pregunta de este modo: ¿Qué función desempeñan el bautismo en agua y el bautismo en el Espíritu Santo en el plan total de Dios para todos los creyentes del Nuevo Testamento?

Abordaremos esta cuestión en la forma empleada por los escritores del Nuevo Testamento. Veremos la forma en que Dios liberó a Israel de Egipto como un tipo o modelo para la gran liberación de la esclavitud del pecado y de Satanás, ofrecida a toda la especie humana por medio de Jesucristo. Nos concentraremos en tres características específicas de la liberación de Israel de Egipto y las emplearemos para ilustrar tres elementos principales de la salvación proporcionada a todos los hombres por medio de Cristo.

## Salvación por la sangre

Primero, Dios envió a Moisés, su designado, para liberar a Israel, allá donde ellos estaban, en medio de Egipto, en su miseria y esclavitud. Allí los salvó de la ira y el juicio, mediante su fe en la sangre del sacrificio que él había ordenado: el cordero pascual.

En el Nuevo Testamento, Juan el Bautista, el precursor enviado a preparar el camino de Cristo, lo presentó con estas palabras: *He aquí el Cordero de Dios, que quita el pecado del mundo— (Juan 1:29). Así proclamaba a Jesús como el que había sido designado Salvador, cuya muerte en sacrificio y cuya sangre derramada cumplirían todo lo que el cordero pascual había prefigurado.*

Refiriéndose a la muerte y resurrección de Cristo, Pablo dice:

Nuestra pascua, que es Cristo, ya fue sacrificada por nosotros.

1 Corintios 5:7

El cordero pascual proporcionó a Israel liberación temporal de la esclavitud física. El sacrificio de Jesucristo proporcionó salvación eterna para todos los que pusieran su fe en su sangre derramada en propiciación por todos sus pecados.

Sin embargo, el propósito de Dios no era que Israel permaneciera más tiempo en Egipto. La misma noche que se sacrificó la Pascua, Israel comenzó su éxodo, ya no como una turba de esclavos, sino como un ejército en filas ordenadas. Había urgencia en todo lo que hacían. Se llevaron su pan antes que fuera leudado. Marcharon de prisa, ceñidos sus lomos y sus varas en las manos.

De la misma manera, Dios va a buscar al pecador adonde está en el mundo y lo salva de las profundidades de su necesidad y de sus ataduras. Pero Dios no lo deja ahí. Inmediatamente lo llama a una forma de vida totalmente nueva: una vida de separación y santificación.

## Un doble bautismo

Pablo describe las siguientes dos etapas en la liberación de Israel de Egipto:

> Porque no quiero, hermanos, que ignoréis que nuestros padres todos estuvieron bajo la nube, y todos pasaron el mar, y todos en Moisés fueron bautizados en la nube y en el mar, y todos comieron el mismo alimento espiritual, y todos bebieron la misma bebida espiritual; porque bebían de la roca espiritual que los seguía, y la roca era Cristo.
>
> 1 Corintios 10:1-4

Un poco más adelante en el mismo capítulo Pablo relaciona estas experiencias de Israel en el Antiguo Testamento con las experiencias correspondientes de los cristianos en el Nuevo Testamento:

> Mas estas cosas sucedieron como ejemplos para nosotros.
>
> 1 Corintios 10:6

> Y estas cosas les acontecieron como ejemplo [como tipos o modelos de conducta], y están escritas para amonestarnos a nosotros [para instruirnos y advertirnos], a quienes han alcanzado los fines de los siglos [para nosotros que ahora vivimos en la dispensación final de la era presente]
>
> 1 Corintios 10:11

En otras palabras, estas experiencias de Israel en el Antiguo Testamento no son meramente sucesos históricos interesantes del pasado, sino que también contienen un mensaje urgente e importante para nosotros los cristianos en esta era. Están escritos especialmente, por orientación divina, como patrones de conducta que Dios quiere que todos los creyentes cristianos imitemos en esta dispensación.

Con esto presente, examinemos cuidadosamente cuáles son los ejemplos o lecciones destacadas ante nosotros en los primeros cuatro versículos del capítulo.

Primero, observamos que la muy corta pero importante palabra todos aparece no menos de cinco veces. Pablo dice:

> *Nuestros padres todos* estuvieron bajo la nube, y *todos* pasaron el mar; y *todos* en Moisés fueron bautizados en la nube y en el mar, y *todos* comieron el mismo alimento espiritual, y *todos* bebieron la misma bebida espiritual
>
> (1 Corintios 10:1-4, cursivas del autor).

Claramente, se insiste en que todos estos ejemplos o patrones son para que todo el pueblo creyente de Dios los sigan. Dios no deja lugar para ninguna excepción. Estas cosas son para todo su pueblo.

¿Cuáles son los modelos particulares a los que se alude? Hay cuatro experiencias sucesivas: 1) todos estuvieron bajo la nube; 2) todos pasaron el mar; 3) todos comieron el mismo alimento espiritual; y 4) todos bebieron la misma bebida espiritual.

También hoy el pueblo de Dios debe pasar por estas cuatro experiencias: 1) pasar bajo la nube; 2) atravesar el mar; 3) comer el mismo alimento espiritual; y 4) beber la misma bebida espiritual.

¿Cómo se relacionan estos cuatro modelos con la experiencia de los creyentes en esta dispensación? ¿Cuál es su lección para nosotros los cristianos hoy?

Observamos, ante todo, que estas cuatro experiencias caen naturalmente en dos pares muy diferentes. Las primeros dos —estar bajo la nube y atravesar el mar— son experiencias únicas que sucedieron una sola vez. El segundo par —comer y beber alimento y bebida espirituales— fueron experiencias continuadas, que se repitieron frecuentemente durante un largo período de tiempo.

Empecemos con el primer par de experiencias; las que sucedieron una sola vez: pasar bajo la nube y atravesar el mar. La clave para entenderlas está en una frase muy significativa que Pablo emplea con relación a ellas. El dice: "Todos en Moisés fueron bautizados en la nube y en el mar" (v. 2). Claramente, por lo tanto, estas dos experiencias corresponden a dos formas de bautismo, ambos ordenados por Dios para todos los cristianos en esta dispensación.

¿Cuáles son estas dos formas de bautismo representadas por estas dos experiencias? Nuestros estudios anteriores facilitan la respuesta. El bautismo en la nube para Israel corresponde al bautismo en el Espíritu Santo del cristiano. El bautismo de Israel en el mar corresponde al bautismo en agua para el cristiano.

Si examinamos ahora en detalle estas dos experiencias de Israel, veremos cuán adecuadas son como modelos de la experiencia correspondiente a los cristianos de hoy.

El relato histórico de cómo Israel pasó bajo la nube y atravesó el mar se encuentra en Exodo. Después del sacrificio del cordero pascual en Egipto, los israelitas empezaron su éxodo saliendo de Egipto esa misma noche. Cuando llegaron al Mar Rojo, milagrosamente lo atravesaron sobre tierra seca.

# El bautismo en la nube

En Exodo 13:20-21 (BLA) se encuentra la primera mención de cómo pasaron bajo la nube:

> Y partieron de Sucot y acamparon en Etam, al borde del desierto. El Señor iba delante de ellos, de día en una columna de nube para guiarlos por el camino, y de noche en una columna de fuego para alumbrarlos, a fin de que anduvieran de día y de noche.

Pablo dice: *Nuestros padres todos estuvieron bajo la nube* (1 Corintios 10). Esto nos da a entender que en cierto punto de la jornada de Israel cuando salieron de Egipto, esta nube única y sobrenatural bajó sobre ellos desde lo alto y permaneció sobre ellos.

Está claro que esta nube fue percibida por Israel con los sentidos, y tomó dos formas diferentes: de día era una nube, cubriéndolos con su sombra del calor del sol; por la noche era una columna de fuego, que daba luz y calor en la oscuridad y frialdad de la noche. De día y de noche, proporcionaba a Israel divina orientación y dirección.

Hay dos hechos más acerca de esta nube maravillosa. Primero: Dios estaba personalmente presente dentro de ella. Segundo, esta nube sirvió para separar y proteger a Israel de los egipcios:

> Y el ángel de Dios que iba delante del campamento de Israel, se apartó e iba en pos de ellos; y asimismo la columna de nube que iba delante de ellos se apartó y se puso a sus espaldas, e iba entre el campamento de los egipcios y el campamento de Israel; y era nube y tinieblas para aquéllos, y alumbraba a Israel de noche, y en toda aquella noche nunca se acercaron los unos a los otros.
>
> Exodo 14:19-20

> Y aconteció que a la vigilia de la mañana, el Señor miró el ejército de los egipcios desde la columna de fuego y nube, y sembró la confusión en el ejército de los egipcios.
>
> Exodo 14:24 (BLA)

De esta explicación vemos que el mismo Señor —Jehová, el gran Angel de Dios— estaba en la nube y se movía en la nube. En la nube se movió sobre Israel desde su vanguardia a su retaguardia y en la nube interpuso su presencia entre Israel y los egipcios, para separar y proteger a su pueblo de sus enemigos.

La nube tuvo un significado y efecto muy diferentes en los egipcios. Para ellos "era nube y tinieblas", pero "alumbraba a Israel de noche"

(Exodo 14:20). Esta nube era tinieblas para Egipto, la gente de este mundo; pero luz para Israel, el pueblo de Dios.

Además, cuando llegaba la luz del día, la nube era hasta más aterradora para los egipcios. Como antes leímos:

> El Señor miró el ejército de los egipcios desde la columna de fuego y nube, y sembró la confusión en el ejército de los egipcios (v. 24).

Hemos dicho que esta nube es un tipo o ilustración del bautismo en el Espíritu Santo. Expongamos ahora por orden, en pocas palabras, los hechos que sabemos acerca de esta nube y veamos cuán perfectamente pueden aplicarse cada uno de ellos al bautismo en el Espíritu Santo:

1. Esta nube descendió sobre el pueblo de Dios desde lo alto, desde el cielo.
2. No es sólo una influencia invisible, sino que podía percibirse con los sentidos.
3. Proporcionaba sombra para aliviar el calor del día, y luz y calor por la noche.
4. Le proporcionó orientación divina al pueblo de Dios a lo largo de su jornada.
5. En la nube estaba la presencia del Señor mismo, y fue en la nube que él vino personalmente a rescatar a su pueblo de sus enemigos.
6. La nube daba luz al pueblo de Dios, pero para sus enemigos la misma nube era tinieblas y terror.
7. La nube se interpuso entre el pueblo de Dios y sus enemigos, separándolos y protegiéndolos así.

Veamos ahora cuán perfectamente cada uno de estos hechos se relaciona con el bautismo del Espíritu Santo y qué significa esta experiencia para el pueblo de Dios en esta dispensación:

1. El bautismo del Espíritu Santo es la presencia del mismo Dios descendiendo sobre su pueblo desde el cielo, envolviéndolo y sumergiéndolos.
2. El bautismo en el Espíritu Santo se percibe con los sentidos, y los efectos que produce pueden ser vistos y oídos.
3. El Espíritu Santo, al venir de este modo, es el Consolador del pueblo de Dios: da sombra que protege del calor, y luz y calor en el medio de la oscuridad y el frío.

4. El Espíritu Santo le proporciona al pueblo de Dios la orientación y dirección divina a través de su peregrinaje terrenal.

5. En esta experiencia se encuentra la presencia real del mismo Señor, porque Jesús dice:

> No os dejaré huérfanos, vendré a vosotros.
>
> Juan 14:18

6. El bautismo en el Espíritu Santo trae una luz celestial al pueblo de Dios, pero para la gente de este mundo esta experiencia sobrenatural sigue siendo algo oscuro, incomprensible, incluso aterrador. Pablo dice:

> Pero el hombre natural no percibe las cosas que son del Espíritu de Dios, porque para él son locura, y no las puede entender, porque se han de discernir espiritualmente.
>
> 1 Corintios 2:14

7. El bautismo en el Espíritu Santo, como experiencia espiritual, marca una separación decisiva entre el pueblo de Dios y la gente de este mundo. No sólo separa sino que protege al pueblo de Dios de las influencias pecaminosas y corruptoras de este mundo.

## El bautismo en el mar

Volvamos ahora nuestra atención al bautismo en el mar:

> Y extendió Moisés su mano sobre el mar; y el Señor, por medio de un fuerte viento solano que sopló toda la noche, hizo que el mar retrocediera; y cambió el mar en tierra seca, y fueron divididas las aguas. Y los hijos de Israel entraron por en medio del mar, en seco, y las aguas les eran como un muro a su derecha y a su izquierda.
>
> Exodo 14:21-22 (BLA)

Después de esto leemos que los egipcios intentaron seguir a Israel a través del Mar Rojo:

> Y extendió Moisés su mano sobre el mar, y al amanecer regresó el mar a su estado normal, y los egipcios al huir se encontraban con él; así derribó el Señor a los egipcios en medio del mar.
>
> Exodo 14:27 (BLA)

Junto con este relato en Exodo, debemos leer también un comentario en el Nuevo Testamento sobre el suceso:

Por la fe pasaron [los israelitas] el Mar Rojo como por tierra seca; e intentando los egipcios hacer lo mismo, fueron ahogados.

Hebreos 11:29

A la luz de estos pasajes podemos enumerar ahora los principales hechos revelados acerca del paso de Israel por el Mar Rojo y ver cuán perfectamente cada uno de ellos se aplica al bautismo cristiano en agua:

1. El paso de Israel a través del Mar Rojo fue posible sólo mediante una provisión sobrenatural del poder de Dios.
2. Los israelitas pudieron apropiarse de esta provisión sólo por su fe. Las aguas fueron primero abiertas y después cerradas por un acto de fe de parte de Moisés, y sólo por la fe pudo pasar todo Israel.
3. Los egipcios —que intentaron hacer lo mismo pero sin fe— no se salvaron sino que fueron destruidos.
4. Israel descendió a las aguas, pasó por ellas y salió de ellas otra vez.
5. Con el paso por las aguas, Israel fue finalmente separado de Egipto y de la última amenaza del dominio de Egipto sobre ellos.
6. Israel salió de las aguas para seguir a un nuevo líder, para vivir por leyes nuevas y para marchar a un nuevo destino.

Veamos ahora cuán perfectamente cada uno de estos hechos corresponde al bautismo cristiano en agua y lo que esta experiencia significa para el pueblo de Dios en esta dispensación:

1. El bautismo cristiano en agua ha sido posible para el creyente únicamente por medio de la muerte y resurrección sobrenatural de Jesucristo.
2. El bautismo cristiano es eficaz sólo mediante la fe personal de parte del creyente: *el que creyere y fuere bautizado, será salvo.*
3. Aquellos que cumplen este mandamiento sin fe personal son semejantes a los egipcios que entraron en el Mar Rojo: su acto no los salva sino que los destruye.
4. En todos los casos que describen el bautismo en agua en el Nuevo Testamento, la persona bautizada entró en el agua, pasó por ella y salió de ella otra vez.

5. Dios ordena el bautismo en agua para separar al creyente del mundo y del continuo dominio del mundo sobre él.
6. Después del bautismo, Dios guía al creyente a una nueva clase de vida con un nuevo líder, nuevas leyes y un nuevo destino.

> Porque somos sepultados juntamente con él para muerte por el bautismo, a fin de que como Cristo resucitó de los muertos por la gloria del Padre, así también nosotros andemos en vida nueva.
>
> Romanos 6:4

# El modelo de la salvación

Hemos visto que en su liberación de Egipto, el pueblo de Dios bajo el Antiguo Testamento, tomó parte en dos experiencias comunes a todos ellos: todos pasaron bajo la nube y por el mar, y todos fueron bautizados en la nube y en el mar. Examinemos ahora brevemente el lugar que estas dos experiencias ocuparon en el plan total de la salvación de Dios para su pueblo.

Dios liberó a su pueblo en el lugar que estaba, en Egipto, mediante su fe en la sangre del sacrificio de la Pascua. Sin embargo, una vez que Dios hubo salvado a su pueblo en Egipto, no le permitió quedar allí. Por el contrario, le dio instrucciones para que la misma noche de su liberación, se marchara con prisa, ceñidos sus lomos, ya no como una multitud de esclavos, sino ahora como un ejército de hombres preparados para la guerra.

Cuando los egipcios marcharon tras los israelitas, con la intención de obligarlos a regresar a la esclavitud, las siguientes dos etapas de la liberación de Dios para su pueblo consistieron en hacerlos pasar bajo la nube y a través del mar. Con estas dos experiencias Dios consiguió dos propósitos principales para su pueblo: 1) acabó su liberación de la esclavitud de Egipto; 2) les proporcionó lo necesario para la nueva vida en la que los estaba guiando.

Todas estas cosas son patrones del plan de liberación o salvación de Dios para su pueblo en esta presente dispensación. Inmediatamente después de la experiencia inicial de salvación, Dios todavía hoy llama a los pecadores para que salgan de su antigua vida, sus viejos hábitos y sus anteriores asociaciones. Esta orden de salir y separarse es tan clara como la orden de Dios a Israel de salir de Egipto, porque Pablo dice a los cristianos:

> Salid de en medio de ellos,
> y apartaos, dice el Señor,
> Y no toquéis lo inmundo;
> Y yo os recibiré,

> Y seré para vosotros por Padre,
> Y vosotros me seréis hijos e hijas,
> dice el Señor Todopoderoso.
>
> 2 Corintios 6:17-18

Todavía hoy también Satanás, el dios de este mundo, intenta hacer lo mismo que el Faraón: perseguir al pueblo de Dios mientras se aleja de sus dominios para traerlos de nuevo bajo su esclavitud.

Debido a eso, Dios ha dispuesto hoy para su pueblo creyente una doble provisión que corresponde con el doble bautismo de Israel en la nube y en el mar. Dios ha mandado que, después de la salvación, todo su pueblo creyente sea bautizado en agua y en el Espíritu Santo.

La intención de Dios es que por medio de este doble bautismo su pueblo al fin sea liberado de la asociación y dominio de este mundo y que el camino de regreso a la vieja vida se cierre tras él para siempre. Al mismo tiempo, Dios también proporciona lo necesario para la nueva vida en la que él quiere guiar a su pueblo.

## Alimento y bebida espiritual

Examinemos ahora brevemente las otras dos experiencias que Dios mandó para todo su pueblo bajo el Antiguo Testamento: comer el mismo alimento espiritual y beber la misma bebida espiritual. A diferencia del doble bautismo que nunca más se repitió, el alimento y la bebida representan la provisión continua de Dios, de la que su pueblo tiene que participar con frecuencia cada día hasta que hayan completado su peregrinaje.

### Maná

El alimento espiritual que Dios mandó para Israel fue el maná que descendió para ellos cada mañana. Israel vivió de este alimento sobrenatural los cuarenta años que duró su peregrinaje por el desierto.

Al hablar de esto en el Nuevo Testamento, Pablo lo describe como alimento espiritual. En otras palabras, indica que para nosotros los cristianos este maná no corresponde al alimento natural con el que tenemos que alimentar nuestros cuerpos, sino al alimento espiritual sobrenatural con el que tenemos que alimentar nuestras almas.

Entonces, ¿cuál es este alimento espiritual sobrenatural de los cristianos? Cristo nos da la respuesta:

> Escrito está: "No sólo de pan vivirá el hombre, sino de toda palabra que sale de la boca de Dios".
>
> Mateo 4:4

El alimento espiritual que Dios tiene preparado para todos los creyentes en esta dispensación, es la Palabra de Dios.

En tanto nos alimentamos por fe de la Palabra de Dios escrita, recibimos dentro de nosotros la vida divina de la Palabra personal, es decir, Jesucristo mismo. Porque Jesús dijo de sí mismo:

> Yo soy el pan vivo que descendió del cielo.
>
> Juan 6:51

Así, a través de la Palabra escrita, desciende de lo alto la Palabra personal, el pan del cielo, para alimentar el alma del creyente.

En Exodo 16 se establecen las ordenanzas para que Israel recoja el maná. Hay tres puntos primordiales: 1) lo recogían regularmente; 2) cada cual recogía el suyo; y 3) se recolectaba temprano por la mañana.

Los mismos tres principios se aplican al creyente en esta dispensación: Cada cristiano necesita alimentarse de la Palabra de Dios con regularidad, individualmente y temprano por la mañana.

## El manantial de la roca

Finalmente, hay la bebida espiritual destinada para el pueblo de Dios. Para Israel en el Antiguo Testamento esta bebida fue un manantial que brotaba de una roca, y Pablo nos dice que *la roca era Cristo* (1 Corintios 10:4).

Para el cristiano, la bebida divinamente asignada es el río del Espíritu Santo, que fluye de dentro en su ser interior. Porque Cristo dijo refiriéndose al Espíritu Santo:

> Si alguno tiene sed, venga a mí y beba. El que cree en mí, como dice la Escritura, de su interior correrán ríos de agua viva.
>
> Juan 7:37-38

Para Israel este río fluía de una roca golpeada; para los cristianos hoy este río fluye del costado herido del Salvador, porque fue su muerte expiatoria en la cruz la que compró la saciedad en el Espíritu Santo para todos los creyentes.

El bautismo inicial en el Espíritu Santo se experimenta una sola vez para toda la vida: no se repite jamás. Pero el beber del río del Espíritu que ahora fluye de dentro, es algo que cada creyente necesita hacer tan regularmente como Israel bebía de la roca en el desierto.

Por esa razón Pablo emplea el imperativo: *Sed* [constantemente] *llenos* [y vueltos a llenar] *del Espíritu* (Efesios 5:18). Beber continuamente del

Espíritu origina las expresiones externas que Pablo describe en los siguientes dos versículos:

> Hablando entre vosotros con salmos, con himnos y cánticos espirituales, cantando y alabando al Señor en vuestros corazones; dando siempre gracias por todo al Dios y Padre, en el nombre de nuestro Señor Jesucristo.
>
> Efesios 5:19-20

Alimentarnos continuamente con la Palabra de Dios y beber constantemente del Espíritu de Dios es esencial para una vida de victoria y de fruto. Israel hubiera perecido en el desierto sin su diaria porción de maná del cielo y de agua viva de la roca. El creyente hoy no es menos dependiente del diario maná de la Palabra de Dios y de la diaria saciedad y derramamiento del Espíritu Santo.

Apliquemos ahora el modelo completo a la experiencia del cristiano en esta dispensación:

Dios ha preparado cinco experiencias para el creyente de hoy, cada una tipificada por una experiencia del Israel en el Antiguo Testamento: 1) la salvación por la fe en la sangre de Jesucristo; 2) el bautismo en el Espíritu Santo; 3) el bautismo en agua; 4) el alimentarse diariamente de la Palabra de Dios; y 5) el beber a diario del Espíritu de Dios que habita dentro de él.

De estas cinco experiencias, las primeras tres —la salvación, el bautismo en agua y el bautismo en el Espíritu— suceden sólo una vez y no se repiten. Las dos últimas —alimentarse de la Palabra de Dios y beber del Espíritu de Dios— son para que el creyente continúe practicándolas cada día durante todo su peregrinaje en la tierra.

# Parte IV

# LOS PROPOSITOS DE PENTECOSTES

*Pero a cada uno le es dada la manifestación
del Espíritu para provecho.*

1 Corintios 12:7

# 28

# Introducción y advertencia

En el Capítulo 26 examinamos los pasos prácticos de la fe y la obediencia con los que una persona puede recibir el bautismo en el Espíritu Santo. De eso se deriva una pregunta obvia: ¿Para qué se otorga el bautismo en el Espíritu? O, dicho de otro modo: ¿qué resultados desea producir Dios en la vida del creyente al bautizarlo en el Espíritu Santo?

Pero antes de dar una respuesta bíblica a esta pregunta, primero hace falta aclarar un malentendido muy común que a menudo preocupa a quienes acaban de recibir el bautismo en el Espíritu y que les impide recibir todos los beneficios y bendiciones que Dios quiere que ellos obtengan por medio de esta experiencia.

## El Espíritu Santo no es un dictador

El primer punto en que necesitamos insistir es que el Espíritu Santo jamás desempeña el papel de dictador en la vida del creyente.

Cuando Jesús prometió a sus discípulos el don del Espíritu Santo, habló de él en términos de Ayudador, Consolador, Guía o Maestro. El Espíritu Santo siempre se mantiene dentro de estos límites. Nunca usurpa la voluntad o personalidad del creyente. Jamás compele al creyente a hacer algo contra su voluntad o su libre decisión.

Al Espíritu Santo también se le llama "el Espíritu de gracia" (Hebreos 10:29). Es demasiado gentil para imponerse sobre el creyente o forzar su entrada en una dimensión de esa personalidad donde no sea bienvenido como huésped.

Pablo recalca la libertad que procede del Espíritu Santo:

> Porque el Señor es el Espíritu; y donde está el Espíritu del Señor, allí hay libertad.
>
> 2 Corintios 3:17

Compara esta libertad del creyente cristiano bautizado en el Espíritu, con la esclavitud de Israel a la ley de Moisés, y les recuerda a los cristianos:

> Pues no habéis recibido el Espíritu de esclavitud para estar otra vez en temor.
>
> Romanos 8:15

De ahí se deriva, por lo tanto, que el Espíritu Santo controlará y guiará al creyente hasta donde éste voluntariamente se entregue a él y acepte su control y dirección. Juan el Bautista dice:

> Pues Dios no da el Espíritu por medida.
>
> Juan 3:34

La medida no está en el don de Dios sino en cuánto recibimos. Podemos tener tanto del Espíritu Santo como estemos dispuestos a recibir. Pero a fin de recibirlo, tenemos que entregarnos voluntariamente a él y aceptar su control, pues jamás nos forzará a hacer algo contra nuestra propia voluntad.

Algunos creyentes cometen precisamente este error cuando buscan el bautismo en el Espíritu Santo. Se imaginan que él los impulsará con tanta fuerza que se verán literalmente compelidos a hablar en otras lenguas, sin poner ellos nada de su parte. Pero esto nunca sucederá. Examinemos en Hechos 2:4 la experiencia de los primeros discípulos el día de pentecostés:

> Y fueron todos llenos del Espíritu Santo, y comenzaron a hablar en otras lenguas, según el Espíritu les daba que hablasen.

Los discípulos primero empezaron a hablar ellos mismos, y entonces el Espíritu Santo les daba que hablasen. Si los discípulos no hubieran empezado a hablar voluntariamente, el Espíritu Santo nunca les hubiese dado las palabras que decir. El jamás los hubiera forzado a hablar de cierta manera sin la cooperación voluntaria de ellos. En el acto de hablar otras lenguas, el creyente tiene que cooperar con el Espíritu Santo.

Alguien ha resumido esta relación mutua entre el creyente y el Espíritu Santo de esta forma: el creyente no puede hacerlo sin el Espíritu; y el Espíritu no lo hará sin el creyente.

Esta cooperación sigue siendo igual de necesaria incluso después de haber recibido el bautismo en el Espíritu Santo. Aquí de nuevo muchos creyentes cometen la misma equivocación al suponer que, después de haber sido inicialmente llenos del Espíritu Santo, con la evidencia de hablar en lenguas, de ahí en adelante él ejercerá un control completo y automático de todo su ser sin ninguna reacción o cooperación más de parte de ellos. Pero eso está muy lejos de ser verdad.

Ya hemos citado a Pablo diciendo: *El Señor es el Espíritu* (2 Corintios 3:17). El Espíritu Santo es verdaderamente Señor —tan plenamente como Dios Padre y Dios Hijo— pero él, igual que el Padre y el Hijo, espera que el creyente reconozca su señorío.

A fin de que el señorío del Espíritu Santo sea una realidad eficaz en su vida diaria, el creyente tiene que rendirse continuamente a su control en todos los sectores de su personalidad y en cada departamento de su vida. Alguien ha dicho muy verídicamente que se requiere por lo menos tanta fe, consagración y oración para mantenerse lleno del Espíritu como se requiere para recibir el bautismo por primera vez.

El bautismo en el Espíritu Santo no es el objetivo final de la experiencia del cristiano; es una puerta que da entrada a una nueva dimensión de la vida cristiana. Después de entrar por esa puerta, cada creyente tiene la responsabilidad personal de seguir adelante con fe y determinación, y explorar por sí mismo todas las posibilidades maravillosas de esta nueva dimensión en la que ha entrado.

El creyente que no se percata de esta verdad y que no la aplica, disfrutará de muy pocos —si llega a experimentar alguno— de los beneficios o bendiciones que Dios le tiene destinados por medio del bautismo en el Espíritu Santo. Con toda probabilidad, ese creyente se convertirá en una desilusión y en piedra de tropiezo, para sí mismo y para otros cristianos.

## Aprovechando la provisión total de Dios

Esto nos lleva a otra clase de malentendidos que es necesario esclarecer. Un estudio cuidadoso del Nuevo Testamento aclara por completo que Dios ha provisto la forma de cubrir toda necesidad de todo creyente, en todas las dimensiones de su ser y en todo aspecto de su experiencia. Como prueba de esto, podemos citar dos versículos muy poderosos del Nuevo Testamento:

Y poderoso es Dios para hacer que abunde en vosotros toda gracia, a fin de que, teniendo siempre en todas las cosas todo lo suficiente, abundéis para toda buena obra.

2 Corintios 9:8

Todas las cosas que pertenecen a la vida y a la piedad nos han sido dadas por su divino poder, mediante el conocimiento de aquel que nos llamó por su gloria y excelencia.

2 Pedro 1:3

Estos versículos revelan que la gracia y el poder de Dios combinados, mediante el conocimiento de Jesucristo, ya han establecido una provisión completa para cada necesidad del creyente. No puede surgir una necesidad para la que Dios no haya dado ya una provisión perfecta por medio de Jesucristo.

Si seguimos examinando ahora las varias partes de la provisión total que Dios ofrece al creyente, encontramos que son múltiples y que ninguna substituye a la otra. Muchos creyentes cometen un grave error en esto: tratan de hacer que una parte de la provisión de Dios sirva de substituto a otra parte. Pero Dios nunca propuso que fuera así y, por lo tanto, no funciona.

Como ejemplo práctico de la provisión de Dios para el creyente, podemos examinar la relación de la armadura de Dios que da Pablo: *Vestíos de toda la armadura de Dios* (Efesios 6:11). Y más adelante: *Tomad toda la armadura de Dios* (Efesios 6:13).

Ambos versículos insisten que, a fin de protegerse por completo, el cristiano tiene que ponerse toda la armadura, no sólo algunas partes de ella. Los siguientes cuatro versículos enumeran las seis piezas de la armadura: el cinto de la verdad; la coraza de justicia; el calzado del apresto del evangelio de la paz; el escudo de la fe; el yelmo de la salvación; y la espada del Espíritu.

El cristiano que se viste con todas las seis piezas de la armadura está completamente protegido desde la coronilla a las plantas de sus pies. Pero si omite una sola su protección deja de ser completa.

Por ejemplo, si un cristiano se pone todas las otras cinco piezas, pero deja el yelmo, es probable que lo hieran en la cabeza. Una vez herido ahí, no podrá aprovecharse debidamente del resto de la armadura. A la inversa, el cristiano que se pone el yelmo y el resto de la armadura, pero no el calzado, no podrá marchar sobre terreno escabroso, y dejará de ser un soldado útil. O quizás pudiera ponerse todas las piezas defensivas de la armadura, pero no empuñará la espada. En este caso no tendría medios de mantener el enemigo a distancia o de dirigir un ataque eficaz contra él.

Vemos, por lo tanto, que para protegerse completamente un cristiano tiene que ponerse todas los seis artículos de la armadura que Dios ha proporcionado. No puede omitir una pieza y esperar que otra la sustituya. Dios no lo preparó así. El preparó una armadura completa de seis piezas y espera que el cristiano se la ponga toda.

El mismo principio se aplica a toda la provisión del cristiano. Epafras oraba que los cristianos en Colosas estuvieran *firmes, perfectos y completos en todo lo que Dios quiere* (Colosenses 4:12). A fin de estar así perfectos y completos en la plenitud de la voluntad de Dios, un cristiano tiene que aprovechar todo lo que Dios ha provisto para él por medio de Cristo. No puede omitir ninguna parte de toda la provisión de Dios y esperar que otra la reemplace.

Pero es precisamente en este punto que muchos cristianos se desvían en su pensamiento. Consciente o inconscientemente razonan que porque han alcanzado algunas partes de la provisión de Dios para ellos, no necesitan preocuparse por las otras que han omitido.

Por ejemplo, algunos cristianos ponen gran esfuerzo en testificar de palabra, pero son negligentes con respecto a los aspectos prácticos de la vida cristiana diaria. A la inversa, otros cristianos son cuidadosos con lo relacionado a su conducta, pero no testifican abiertamente a sus amigos y vecinos. Cada uno de estos tipos de cristianos tiende a criticar o despreciar al otro. Sin embargo, ambos están en falta por igual. La vida cristiana ejemplar no reemplaza el testificar de palabra. Por otra parte, el testificar de palabra no sustituye a la vida cristiana ejemplar. Dios requiere las dos. El creyente que omite una de ellas, no permanece firme, perfecto y completo en toda la voluntad de Dios.

Hay muchos otros ejemplos que pudieran citarse. Por ejemplo, algunos creyentes dan gran importancia a los dones espirituales, pero descuidan el fruto espiritual. Otros ponen empeño en el fruto espiritual, pero no tienen celo alguno buscando los dones espirituales. Pablo dice:

Seguid el amor [el fruto espiritual]; y procurad los dones espirituales.

1 Corintios 14:1

En otras palabras, Dios requiere tanto el fruto como los dones espirituales. Los dones no sustituyen a los frutos, y éstos no reemplazan a aquéllos.

También, cuando presentan el evangelio, algunos insisten solamente en los hechos de la presciencia y predestinación de Dios; otros, presentan sólo los textos que tratan de la libre determinación del hombre. Con frecuencia estos dos enfoques diferentes terminan en alguna clase de conflicto doctrinal. Pero cada uno por sí solo, está incompleto y es hasta engañoso. El plan total de la salvación tiene cabida para ambos: la predestinación de Dios y la libre determinación del hombre. Se equivocan quienes insisten en uno y excluyen el otro.

Este mismo principio general se aplica también al bautismo en el Espíritu Santo. Para los creyentes que sinceramente desean entrar en posesión plena de la vida cristiana victoriosa y fructífera, el bautismo en el Espíritu Santo constituye la mayor ayuda que Dios ha proporcionado. Pero así y con todo, no sustituye a ninguna de las otras partes principales de la experiencia o del deber cristiano.

Por ejemplo, el bautismo en el Espíritu no sustituye al estudio regular y personal de la Biblia o la vida diaria de consagración y abnegación o la fiel participación en una iglesia local espiritual.

Un creyente fiel en todos estos otros aspectos de la vida cristiana, pero que no ha recibido el bautismo en el Espíritu Santo probablemente sea un cristiano más efectivo que el que haya recibido el bautismo en el Espíritu pero descuida estos otros aspectos de la vida cristiana. Por otra parte, si el cristiano que ya es fiel en estos otros deberes, recibe el bautismo en el Espíritu Santo, encontrará que esta nueva experiencia enriquece y aumenta inmediatamente de forma maravillosa los beneficios y efectividad de todas sus otras actividades.

Podemos ilustrar este punto con el ejemplo de dos hombres, el señor A y el señor B, que tienen la tarea de regar una huerta cada uno. El señor A tiene la ventaja de emplear una manguera conectada directamente a un grifo. El señor B tiene solamente una regadera que debe llenar del grifo y llevar ida y vuelta a la huerta donde se necesita el agua. Es obvio que el señor A tiene de entrada una gran ventaja. Sólo necesita llevar la boquilla de la manguera en su mano y dirigir el agua a donde desee. El señor B tiene el trabajo de llevar la regadera de un lado a otro todo el tiempo.

Supongamos, sin embargo, que el señor B tiene mucho mejor carácter que el señor A, quien es por naturaleza perezoso, errático y poco confiable. Algunas veces olvida del todo regar la huerta. Otras veces riega unas áreas y omite otras que necesitan el agua con urgencia. Otras, no se cuida de dirigir el chorro como es debido, perdiendo grandes cantidades de agua en lugares donde no hace falta y no sirve de nada.

Por otra parte, el señor B es activo, diligente y confiable. Nunca olvida regar la huerta en ningún momento. Jamás pasa por alto un área que necesite agua con urgencia. Nunca desperdicia el agua de su regadera, sino que dirige cada gota con cuidado a fin de sacarle el mayor provecho posible.

¿Cuál será el resultado? Es obvio que el señor B tendrá una huerta mucho más fructífera y atractiva que el señor A. No obstante, sería erróneo deducir que para regar una huerta, es mejor usar la regadera que la manguera.

La superioridad no es de la regadera sobre la manguera, sino del carácter del señor B sobre el del señor A. La prueba es que si el señor B cambiara la regadera por una manguera, y siguiera siendo tan fiel con la manguera como lo fue antes con la regadera, los resultados que obtendría superarían con creces los que antes consiguió. Además, se ahorraría una gran cantidad de tiempo y esfuerzo, que podría dedicar a otros propósitos útiles.

Apliquemos esta pequeña parábola a la experiencia del bautismo en el Espíritu Santo. El señor A con la manguera, representa al creyente que ha recibido el bautismo en el Espíritu, pero que es perezoso, errático y poco confiable en otros aspectos principales del deber cristiano. El señor B, con la regadera, representa al creyente que no ha recibido el bautismo en el Espíritu pero es activo, diligente y confiable en otros campos del deber cristiano.

Con toda probabilidad, el señor B será un cristiano más fructífero y eficiente que el señor A. No obstante, sería ilógico concluir de esto que haya algo malo con el bautismo en el Espíritu que recibió el señor A. El error radica, no en la experiencia misma, sino en la falta del señor A de valerse de ella en su vida diaria.

Además, aunque la fidelidad general en el carácter del señor B ya lo hace un cristiano eficiente y fructífero, la misma fidelidad, enriquecida y fortalecida por el bautismo en el Espíritu, hará posible que se vuelva todavía más fructífero y eficiente de lo que era antes.

Pero, por mucho que admiremos la fidelidad del señor B, no se puede negar que sería más sensato buscar y recibir el bautismo en el Espíritu. Sería insensato no cambiar la regadera por la manguera.

Vemos, entonces, que el bautismo en el Espíritu Santo no es sólo un fenómeno inusitado y aislado, que se pueda desligar de todo el contexto de la experiencia y deber cristianos revelados en el Nuevo Testamento. Por el contrario, el bautismo en el Espíritu sólo producirá los beneficios y bendiciones que Dios ha preparado cuando se une en el servicio cristiano activo a todas las otras partes principales de la provisión total de Dios para los creyentes. Aislado del resto de la vida y servicio cristianos, pierde su verdadera significación y deja de conseguir su verdadero propósito.

En realidad, buscar el bautismo en el Espíritu sin proponerse sinceramente a usar el poder así recibido en el servicio bíblico de Cristo puede ser extremadamente peligroso.

## Una nueva dimensión de conflicto espiritual

Una razón es que el bautismo en el Espíritu no nos lleva únicamente a una dimensión de bendición espiritual nueva, sino también a una de conflicto espiritual nuevo. La consecuencia lógica, en el aumento de poder proveniente de Dios, es que siempre traerá un aumento de oposición satánica.

El cristiano que emplea de forma sensata y bíblica el poder recibido con el bautismo en el Espíritu, estará preparado para enfrentar y vencer la mayor oposición de Satanás. Por otra parte, el cristiano que recibe el bautismo en el Espíritu, pero descuida los otros aspectos del deber cristiano, se encontrará en una posición extremadamente peligrosa. Descubrirá que el bautismo en el Espíritu ha abierto su naturaleza espiritual a formas enteramente nuevas de ataque u opresión satánicos, pero carecerá de los medios asignados por Dios para discernir la verdadera naturaleza del ataque o de defenderse contra el mismo.

Muy a menudo ese cristiano encontrará que le invaden la mente extraños estados de ánimo, de duda o de miedo o de depresión, o estará expuesto a tentaciones morales o espirituales que jamás había experimentado antes de recibir el bautismo en el Espíritu. A menos que esté apercibido y apertrechado para enfrentar estas nuevas formas de ataque satánico, sucumbirá a las trampas y asaltos del enemigo y retrocederá a un nivel espiritual más bajo del que tenía antes de entrar en esta dimensión nueva del conflicto.

La vida de Jesús ofrece un ejemplo gráfico de esta verdad. En su bautismo en el Jordán, el Espíritu Santo descendió sobre él en la forma de una paloma y permaneció sobre él. Inmediatamente después el Espíritu Santo lo llevó a un encuentro personal directo con Satanás.

> Jesús, lleno del Espíritu Santo, volvió del Jordán, y fue llevado por el Espíritu al desierto.
>
> Lucas 4:1-2

Lucas pone en relieve aquí que Jesús estaba entonces "lleno del Espíritu Santo". Esta fue precisamente la causa de ser precipitado en un conflicto directo con el diablo en esta etapa de su ministerio.

Los siguientes once versículos relatan cómo Jesús se enfrenta con las tres tentaciones sucesivas de Satanás y las vence. Y concluye:

> Y Jesús volvió en el poder del Espíritu a Galilea.
>
> Lucas 4:14

Observe la nueva frase que Lucas emplea aquí: "en el poder del Espíritu". Cuando Jesús fue llevado al desierto, ya estaba "lleno del Espíritu". Pero cuando volvió del desierto, vino "en el poder del Espíritu". Esto representa un nivel de experiencia espiritual más alto. Ahora tenía a su disposición todo el poder del Espíritu Santo para emplearlo en el ministerio que Dios le había asignado. ¿Cómo había alcanzado este nivel de experiencia más alto? Al enfrentarse y vencer a Satanás cara a cara.

Además, para vencer a Satanás, Jesús se valió de una sola arma, y sólo una: *la espada del Espíritu, que es la palabra de Dios* (Efesios 6:17). Cada vez que Satanás lo tentaba, Jesús iniciaba su respuesta con la frase "Escrito está". Es decir, él se enfrentó a Satanás con citas textuales de la Palabra escrita de Dios. Satanás no tiene defensa contra esta arma.

Esta parte de la experiencia de Jesús es un modelo para todos los que lo seguirán en su vida y ministerio lleno del Espíritu. El propósito invariable de Dios es que en la vida de todo creyente la plenitud del Espíritu Santo se una con el empleo frecuente y eficaz de la Palabra de Dios. Unicamente por este medio puede el creyente esperar salir victorioso a través de los nuevos conflictos espirituales que inevitablemente traerá consigo el bautismo en el Espíritu Santo.

Puesto que la Palabra de Dios es llamada "la espada del Espíritu", se deduce de ello que el creyente que no emplea la Palabra de Dios, automáticamente priva al Espíritu Santo del arma principal que él quiere usar en beneficio del creyente. Por consecuencia, toda la protección espiritual del creyente resulta deficiente. Por otra parte, el creyente que en esta etapa estudia y aplica fielmente la Palabra de Dios, encontrará que un poder y sabiduría mucho mayor que el suyo propio esgrime ahora esta arma en beneficio de él: el poder y la sabiduría del Espíritu Santo.

# Sección A

# EL CRISTIANO LLENO DEL ESPIRITU

# 29

# El poder y
# la gloria

Hemos visto que el Espíritu Santo no es un dictador. Nunca hará por nosotros —o por medio de nosotros— más de lo que le permitamos. Hay tres campos principales en los que podemos aplicar este principio:1) la vida del creyente individual; 2) la adoración y servicio colectivos de una congregación y 3) el ministerio de un predicador del evangelio.

En esta sección examinaremos la primera de éstas. ¿Cuáles son los principales resultados que el bautismo en el Espíritu Santo debe producir en la vida de cada cristiano? Analizaremos ocho resultados específicos.

## Poder para testificar

Cristo es quien señala el primero de estos resultados en dos pasajes donde da instrucciones finales a sus discípulos antes de ascender al cielo:

> He aquí, yo enviaré la promesa de mi Padre sobre vosotros; pero quedaos vosotros en la ciudad de Jerusalén, hasta que seáis investidos de poder desde lo alto.
>
> Lucas 24:49

Pero recibiréis poder, cuando haya venido sobre vosotros el Espíritu Santo, y me seréis testigos en Jerusalén, en toda Judea, en Samaria, y hasta lo último de la tierra.

Hechos 1:8

En estos pasajes Jesús resume su plan para la diseminación del evangelio en esta era. Es sumamente sencillo. Consta de tres etapas sucesivas.

1. El Espíritu Santo dará poder a cada creyente personalmente.
2. Cada creyente, facultado así por el Espíritu, ganará a otros para Cristo con su testimonio personal.
3. Esos otros (que sean ganados) a su vez recibirán poder del Espíritu Santo para ganar a otros más.

De este modo deberá extenderse el testimonio de Cristo, desde Jerusalén en círculos cada vez mayores de poder hasta llegar a los confines de la tierra; hasta haber alcanzado a todas las naciones y a cada criatura.

Este plan es al mismo tiempo sencillo y práctico. Cuando quiera que se aplique, siempre dará resultados. Haría posible la evangelización del mundo entero en cualquier siglo que la Iglesia lo pusiera en práctica. No existe otro plan alternativo que pueda producir los mismos resultados.

En estos pasajes la palabra clave es *poder.* El término griego es *dunamis,* del que se derivan palabras como "dínamo", "dinámico" y "dinamita." La idea que producen estos términos derivados es esencialmente de un poderoso impacto explosivo.

Con respecto a esto, el Nuevo Testamento observa una distinción lógica entre los primeros resultados del nuevo nacimiento y los primeros resultados del bautismo en el Espíritu Santo.

El primer concepto asociado con el nuevo nacimiento es autoridad:

Mas a todos los que le recibieron [a Cristo], a los que creen en su nombre, les dio potestad de ser hechos hijos de Dios.

Juan 1:12

Este pasaje describe el nuevo nacimiento, porque en el siguiente versículo se nos dice que éstos que recibieron a Cristo "son nacidos de Dios". El término traducido "potestad" es *exousia.* Esta palabra denota un ser o una naturaleza que se deriva de alguna fuente externa. En otras palabras, la persona que recibe a Cristo como Salvador recibe, en Cristo, el ser o naturaleza de Dios mismo. El recibimiento de esta nueva vida o naturaleza de Dios produce dentro del creyente el nuevo nacimiento.

El término castellano más usado para traducir esta palabra griega *exousia* es "autoridad". Esta es la marca distintiva del hijo de Dios que ha nacido de nuevo. Ya no es un esclavo del pecado y de Satanás. Es un hijo de Dios. Como tal, posee una nueva autoridad. Ya no sucumbe a la tentación o a la oposición. Las enfrenta y las vence en virtud de la nueva vida que hay dentro de él. Es un vencedor. Tiene autoridad.

Pero autoridad no es lo mismo que poder. Los primeros discípulos tenían esta autoridad desde la resurrección de Cristo en adelante. Ya eran "hijos de Dios", capaces de llevar vidas santas y triunfantes. Ya no eran esclavos del pecado. Sin embargo, durante el lapso entre la resurrección y el día de pentecostés, estos primeros discípulos hicieron muy poco impacto positivo sobre la gran mayoría de los habitantes de Jerusalén. En general, durante este período Jerusalén no había cambiado mucho ni se veía afectado por el hecho de la resurrección de Cristo.

Pero todo esto cambió drástica y abruptamente, por el descenso del Espíritu Santo el día de pentecostés. Tan pronto como los 120 creyentes que estaban en el aposento alto fueron bautizados en el Espíritu Santo, toda Jerusalén sintió de inmediato el impacto. Antes que pasara una o dos horas, se había reunido una muchedumbre de muchos miles, y antes que terminara el día, tres mil incrédulos que habían rechazado a Cristo, se convirtieron, se bautizaron y fueron añadidos a la Iglesia.

¿Qué produjo estos resultados asombrosos? El añadir poder a la autoridad. Antes del día de pentecostés los discípulos ya tenían autoridad. Después de pentecostés tenían autoridad más poder; tenían el poder que se necesitaba para que su autoridad fuera de veras eficaz.

La evidencia y resultados de este nuevo poder sobrenatural son notables en los siguientes capítulos del libro de los Hechos:

> Y todos fueron llenos del Espíritu Santo, y hablaban con denuedo la palabra de Dios. (4:31).

> Y con gran poder los apóstoles daban testimonio de la resurrección del Señor Jesús. (4:33).

El sumo sacerdote se quejó a los apóstoles:

> Y ahora habéis llenado a Jerusalén de vuestra doctrina. (5.28).

El mismo impacto que estremeció la ciudad continuó haciéndose sentir a partir de entonces en todos los lugares donde los primeros cristianos presentaban el testimonio del Cristo resucitado en el poder del Espíritu Santo.

Por ejemplo, leemos con referencia a Samaria:

Así que había gran gozo en aquella ciudad. (8.8).

Con respecto a la ciudad de Antioquía en Pisidia, dice:

El siguiente día de reposo se juntó casi toda la ciudad para oír la palabra de Dios. (13:44).

En la ciudad de Filipos los oponentes al evangelio se quejaron con respecto a Pablo y Silas:

Estos hombres, siendo judíos, alborotan nuestra ciudad. (16:20).

En Tesalónica los opositores del evangelio dijeron de Pablo y Silas:

Estos que trastornan el mundo entero también han venido acá. (17:6).

Como resultado de la oposición a la predicación de Pablo en Efeso:

Y la ciudad se llenó de confusión. (19:29).

Una característica común marcaba por todas partes la llegada de estos primeros testigos cristianos un poderoso impacto espiritual sobre toda la comunidad. En algunos lugares había un avivamiento, en otros había tumultos; con frecuencia se presentaban los dos juntos. Pero había dos cosas que no podían sobrevivir a este impacto: la ignorancia y la indiferencia.

Hoy, en muchos lugares, la conducta y experiencia de los que profesan ser cristianos son muy diferentes. Esto se aplica incluso a muchos grupos de cristianos que tienen una experiencia real del nuevo nacimiento. Se reúnen regularmente en un templo para adorar; llevan vidas decentes y respetables; no causan problemas; no provocan tumultos; no suscitan oposición alguna. Mas, ¡por desgracia! no hacen impacto. A todo su alrededor en la comunidad, prevalecen la ignorancia y la indiferencia relativas a las cosas espirituales, sin cambio y sin desafío.

La gran mayoría de sus vecinos no conocen ni les importa lo que esos cristianos creen o por qué asisten a la iglesia.

¿Qué es lo que falta? La respuesta yace en una palabra: poder. Dejaron fuera de la vida de estos cristianos la dinamita explosiva del Espíritu Santo. Y nada puede ocupar su lugar.

La Iglesia cristiana en conjunto necesita hacerle frente al reto de 1 Corintios 4:20.

Porque el reino de Dios no consiste en palabras, sino en poder.

Una vez más, el término griego que Pablo emplea aquí es *dunamis:* poder explosivo. No es una cuestión de meras palabras que hablamos sino de poder para hacer eficaces nuestras palabras. La clave de este poder espiritual es el bautismo en el Espíritu Santo. Para esto no hay reemplazo.

Vemos, pues, que de acuerdo con el Nuevo Testamento, el primer resultado del bautismo en el Espíritu Santo es una investidura sobrenatural con poder de lo alto para convertirse en testigo eficiente de Cristo.

## La glorificación de Cristo

El día de pentecostés Pedro en su prédica indica cuál es el segundo resultado importante del bautismo en el Espíritu Santo:

Así que exaltado por la diestra de Dios, y habiendo recibido del Padre la promesa del Espíritu Santo, [Cristo] ha derramado esto que vosotros veis y oís.

Hechos 2:33

El bautismo en el Espíritu Santo, que Pedro y los otros discípulos acababan de recibir, constituyó para todos ellos la evidencia y seguridad personal y directa de que su resucitado Señor ya había sido exaltado y glorificado a la diestra del Padre.

Diez días antes un pequeño grupo de ellos había estado de pie en el Monte de los Olivos observando cómo Jesús era alzado sobre ellos hasta perderse de su vista:

Y le recibió una nube que le ocultó de sus ojos.

Hechos 1:9

Aquél fue el último contacto físico de los discípulos con Jesús. Diez días después, en pentecostés, la venida del Espíritu Santo le dio a cada discípulo un nuevo contacto personal y directo con Cristo. Cada uno sabía ahora, con nueva certeza, que su Salvador, a quien el mundo había despreciado, rechazado y crucificado, había sido desde entonces en adelante y para siempre, exaltado y glorificado a la diestra del Padre en el cielo.

Unicamente en la presencia del Padre podía Jesús haber recibido este maravilloso don del Espíritu Santo que él, a su vez, impartió a sus discípulos que esperaban. El recibimiento de este don les dio a ellos la seguridad total de que Jesús estaba realmente en la gloria de la presencia del Padre, investido con autoridad y poder sobre el universo entero.

Hay muchos pasajes de la Escritura que proclaman la suprema exaltación de Jesucristo:

[El poder del Padre] operó en Cristo, resucitándole de los muertos y sentándole a su diestra en los lugares celestiales, sobre todo principado y autoridad y poder y señorío, y sobre todo nombre que se nombra, no sólo en este siglo, sino también en el venidero; y sometió todas las cosas bajo sus pies, y lo dio por cabeza sobre todas las cosas a la iglesia, la cual es su cuerpo, la plenitud de Aquel que todo lo llena en todo.

Efesios 1:20-23

Por lo cual Dios también lo exaltó hasta lo sumo, y le dio un nombre que es sobre todo nombre.

Filipenses 2:9

[Cristo] habiendo efectuado la purificación de nuestros pecados por medio de sí mismo, se sentó a la diestra de la Majestad en las alturas, hecho tanto superior a los ángeles, cuanto heredó más excelente nombre que ellos.

Hebreos 1:3-4

Pedro dice de Cristo después de su resurrección:

[Cristo] quien habiendo subido al cielo está a la diestra de Dios; y a él están sujetos ángeles, autoridades y potestades.

1 Pedro 3:22

Por medio de éstas y otras escrituras todo creyente comprende por fe que Jesucristo no sólo resucitó de entre los muertos; también ha ascendido y ha sido glorificado a la diestra del Padre. Sin embargo, el creyente que recibe el bautismo en el Espíritu Santo, recibe con él una nueva clase de evidencia personal, directa, y seguridad de la exaltación de Cristo en poder y gloria junto al trono del Padre.

Con frecuencia cuando un ser amado se aleja de nosotros en algún viaje, le pedimos: "No dejes de escribirnos para saber que llegaste bien." Cuando viene su carta en puño y letra del ser amado, con el matasellos de la ciudad adonde iba, estamos seguros de que está en el lugar donde dijo que iría.

Así es con el bautismo en el Espíritu Santo. Para los discípulos en el día de pentecostés —y para cada creyente que lo recibe— es como una carta personal de Cristo. El matasellos dice "Gloria", y el mensaje dice: "Estoy aquí, donde les dije, en el asiento de toda autoridad y poder."

Recuerdo una conversación que tuve una vez, cuando era decano de una universidad en Africa occidental, con un ministro de una de las denominaciones más antiguas. Este ministro me estaba interrogando acerca de mi experiencia personal de recibir el bautismo en el Espíritu Santo. El designaba la experiencia con el nombre de "pentecostalismo", y obviamente escrutaba toda la experiencia con alguna sospecha, como el producto de alguna nueva y excéntrica secta religiosa.

—Veamos —dijo él—, eso empezó en América, creo. Viene de los Estados Unidos, ¿no es así?

—¡Oh no! —repliqué yo—. ¡Está completamente equivocado en eso! ¡Esto empezó en Jerusalén y viene del cielo!

Así es con cada creyente que ha recibido el bautismo en el Espíritu Santo de la manera que lo recibieron los primeros discípulos en el día de pentecostés. Esta experiencia le da un contacto nuevo y directo en dos direcciones: 1) con el Cristo glorificado a la diestra del Padre en el cielo; 2) con la Iglesia del Nuevo Testamento tal como se formó en Jerusalén y se ha descrito desde entonces en el libro de Hechos.

El bautismo en el Espíritu Santo da un nuevo significado, una nueva realidad, una nueva reafirmación, en lo relativo a la exaltación de Cristo, y en la vida y actividad de la Iglesia del Nuevo Testamento. La cosas que antes habían sido hechos históricos o doctrinales, aceptados por mera fe se convirtieron, para cada cristiano lleno del Espíritu, en emocionantes realidades experimentadas en carne propia.

Esto concuerda con la declaración que en los días del ministerio de Cristo en la tierra *aún no había venido el Espíritu Santo, porque Jesús no había sido aún glorificado* (Juan 7:39).

Ya hemos visto antes que el Espíritu Santo no podía descender sobre la Iglesia antes que Cristo fuera glorificado con el Padre en el cielo. Sólo el Cristo glorificado era digno de ejercer el privilegio —concedido por el Padre— de dar este maravilloso don. Por consiguiente, el hecho que este don fuera otorgado a los discípulos el día de pentecostés fue en sí mismo evidencia de que Cristo había sido glorificado.

Invariablemente, a lo largo del Nuevo Testamento, encontramos perfecta armonía y cooperación entre las tres Personas de la Divinidad trina. Cuando Jesucristo, la segunda Persona de la Divinidad, vino a la tierra, llegó como el representante personal y autorizado de Dios Padre. Nunca buscó ninguna clase de honor o gloria para él mismo. Sus palabras y obras, su sabiduría y milagros, invariablemente no se los atribuía a sí mismo sino al Padre, que moraba y obraba en él.

De la misma forma, cuando Jesús terminó su ministerio en la tierra y regresó al Padre en el cielo, envió al Espíritu Santo como su don personal y representante suyo en su Iglesia. El Espíritu Santo, viniendo como representante de la segunda Persona, Dios Hijo, jamás busca su propia gloria. Todo su ministerio en la tierra y en la Iglesia está siempre dirigido a enaltecer, engrandecer y glorificar a quien él representa: a Cristo.

Jesús mismo habla de este aspecto del ministerio del Espíritu:

> El me glorificará; porque tomará de lo mío, y os lo hará saber. Todo lo que tiene el Padre es mío; por eso dije que tomará de lo mío, y os lo hará saber.
>
> Juan 16:14-15

Aquí vemos la relación entre las tres Personas de la Divinidad revelada muy claramente. El Padre concede toda su autoridad, poder y gloria sobre el Hijo. El Hijo, a su vez, designa al Espíritu Santo como representante suyo para revelar e interpretar a la Iglesia todo lo que él ha recibido del Padre.

El Espíritu Santo es tan Persona como el Padre y el Hijo. Por eso Cristo, durante la presente dispensación, tiene un representante autorizado único en la Iglesia y en la tierra. Ninguno otro que el Espíritu Santo.

Esta revelación del ministerio del Espíritu Santo es una forma sencilla de probar cualquier cosa que reclame ser inspirada por el Espíritu. ¿Glorifica a Cristo? Si la respuesta no es un claro "Sí", tenemos todo el derecho de dudar que se trate de una genuina manifestación del Espíritu Santo.

Vemos, pues, una especie de celo divino entre Cristo y el Espíritu Santo. Por una parte, el Espíritu Santo no admite una corriente o enseñanza que denigre el honor de Cristo como cabeza de la Iglesia. Por la otra parte, Cristo rehúsa conferir su autoridad a un ministerio o movimiento que no reconozca la posición única del Espíritu Santo como representante suyo dentro de la Iglesia.

La gloria de Cristo y el ministerio del Espíritu Santo están inseparablemente unidos y ligados.

# 30

# En el plano
# sobrenatural

En este capítulo continuaremos estudiando los resultados que Dios se propone producir en la vida de cada uno de los creyentes con el bautismo en el Espíritu Santo.

## Una puerta a lo sobrenatural

Para un tercer gran resultado de esta experiencia, podemos volver a las palabras de Hebreos 6:4-5, que hablan de los creyentes que:

> fueron hechos partícipes del Espíritu Santo, y asimismo gustaron de la buena palabra de Dios y los poderes del siglo venidero.

Estas frases indican que los que han sido hechos partícipes del Espíritu Santo han gustado de los poderes del siglo venidero. El bautismo en el Espíritu Santo da al creyente a gustar de antemano una clase completamente nueva de poder; un poder sobrenatural que pertenece, en su plenitud, a la próxima era.

Por esta razón Pablo describe el sello del Espíritu Santo como las arras [garantía] de nuestra herencia:

En él también vosotros, habiendo oído la palabra de verdad, el evangelio de vuestra salvación, y habiendo creído en él, fuisteis sellados con el Espíritu Santo de la promesa, que es las arras de nuestra herencia hasta la redención de la posesión adquirida, para alabanza de su gloria.

Efesios 1:13-14

Otra acepción de este término "arras" es "señal de trato". El vocablo griego, que viene prestado del hebreo, es *arrabön*. Esta es una palabra muy interesante que he encontrado —con ligeras variaciones— en cuatro diferentes idiomas: hebreo, griego, árabe, y suahilí.

Demostraré su significado con un ejemplo muy gráfico de hace muchos años en Jerusalén. Mi primera esposa, Lydia, y yo nos habíamos mudado con nuestras hijas a un nuevo hogar para el que necesitábamos comprar unas veinte yardas de tela para cortinas. Fuimos a la Ciudad Vieja y encontramos una tela conveniente por la que, después de regatear, convenimos en pagar el equivalente de cuatro dólares la yarda, con un costo total de ochenta dólares. Le di al tendero veinte dólares en señal de trato (llamado en árabe un *arbon*) y prometí regresar una semana después con el resto de sesenta dólares.

Recordé al tendero que ahora yo consideraba la tela propiedad mía. Como tal, él debía apartarla hasta que yo regresara, y él no tenía derecho a ofrecérsela a ningún otro comprador.

De la misma forma, el Señor nos da —por medio de su Espíritu Santo— una "señal de trato" del poder y la gloria celestiales; un anticipo de la próxima era. Este pago inicial nos aparta como su propiedad adquirida, que no puede ofrecerse a ningún otro comprador. Es también su garantía de que en el momento señalado él regresará con el resto del pago y nos llevará a su hogar, para estar con él para siempre. Por eso Pablo lo llama *las arras de nuestra herencia hasta la redención de la posesión adquirida*.

Otra hermosa ilustración de lo que recibimos mediante el bautismo en el Espíritu Santo aparece en la historia de la curación de Naamán, el sirio leproso, que se relata en 2 Reyes 5. Como resultado de su milagrosa cura, Naamán llegó a reconocer que el Señor Jehová, el Dios de Israel, era el único Dios verdadero. Sin embargo, sabía que muy pronto tendría que regresar a una tierra pagana y sucia, y asociarse con las ceremonias idolátricas de un templo pagano. Pensando en esto, Naamán hizo una solicitud especial antes de dejar la tierra de Israel:

Y Naamán dijo: "Pues si no, te ruego que de esta tierra, se le dé a tu siervo la carga de un par de mulos, porque tu siervo ya no ofrecerá holocausto ni sacrificará a otros dioses, sino al Señor".

2 Reyes 5:17

¿Por qué deseaba Naamán llevarse a casa tierra de Israel? Porque había comprendido la santidad del Señor y, en contraste, la inmundicia de su propio país y su pueblo. Por consiguiente, estaba determinado a no volver a adorar sobre una tierra inmunda.

La santidad del Señor requería que Naamán se acercara y lo adorara únicamente sobre tierra del propio país del Señor. Puesto que Naamán no podía quedarse permanentemente en Israel, determinó llevarse con él una porción de la tierra de Israel para su casa, y construir sobre esa tierra su propio lugar especial de adoración.

Así es con el creyente bautizado en el Espíritu. Adquiere una nueva noción de estas palabras de Jesús:

> Dios es Espíritu; y los que le adoran, en espíritu y en verdad es necesario que adoren.
>
> Juan 4:24

Tal creyente ya no puede satisfacerse con las formas y ceremonias de adoración ideadas por el hombre. El ha estado en el reino celestial; ha vislumbrado su gloria y la santidad de Dios. Ha traído con él de vuelta una porción de esa tierra sagrada. No importa dónde las circunstancias lo conduzcan, él ahora adorará no en una tierra inmunda, sino sobre terreno sagrado porque adora en Espíritu —el Espíritu Santo— y en verdad.

Lo que es cierto en la adoración del creyente lleno del Espíritu, es igualmente verdad en todos los otros aspectos de su experiencia. Por medio del bautismo en el Espíritu ha entrado en una nueva clase de vida sobrenatural. Lo sobrenatural se ha vuelto natural.

Si estudiamos el Nuevo Testamento con una mente abierta, nos vemos forzados a reconocer que la vida y experiencia entera de los primeros cristianos estaba permeada por lo sobrenatural. Las experiencias sobrenaturales no eran algo incidental o adicional, sino una parte integral de sus vidas de cristianos. Su oración era sobrenatural; su predicación era sobrenatural; eran guiados sobrenaturalmente, fortalecidos en forma sobrenatural, transportados sobrenaturalmente y protegidos de modo sobrenatural.

Quitemos lo sobrenatural del libro de los Hechos, y nos queda algo que no tiene sentido ni coherencia. Desde que descendió el Espíritu Santo en Hechos 2, es imposible encontrar un solo capítulo en el que lo sobrenatural no desempeñe un papel esencial.

En este recuento del ministerio de Pablo en Efeso encontramos una expresión sumamente llamativa que estimula a reflexionar:

> Y hacía Dios milagros extraordinarios por mano de Pablo.
>
> Hechos 19:11

Consideremos las implicaciones de esta frase "milagros extraordinarios". La frase griega pudiera traducirse, más libremente como: "milagros de una clase que no ocurren todos los días". Los milagros eran algo cotidiano en la Iglesia primitiva. Normalmente no hubiesen causado sorpresa alguna o comentarios especiales. Pero los milagros concedidos aquí en Efeso mediante el ministerio de Pablo fueron tales que incluso la Iglesia primitiva los consideró dignos de mención especial.

¿En cuántas iglesias de hoy encontraríamos ocasión de emplear la frase "milagros de una clase que no ocurren todos los días"? ¿En cuántas iglesias de hoy ocurre alguna vez un milagro... mucho menos que sucedan todos los días?

La verdad es que donde no veamos y experimentemos lo sobrenatural, no tenemos derecho para hablar de cristianismo del Nuevo Testamento. Estas dos cosas —lo sobrenatural y el cristianismo neotestamentario— están inseparablemente entretejidos.

Sin lo sobrenatural podemos tener doctrina neotestamentaria, pero es mera doctrina, no vivencia. Semejante doctrina, divorciada de la vivencia sobrenatural, es de la clase descrita por Pablo:

> Porque la letra mata; pero el espíritu vivifica.
>
> 2 Corintios 3:6

Unicamente el Espíritu Santo puede dar vida a la letra de la doctrina neotestamentaria y hacer de ella una forma de vida personal, viva y sobrenatural para cada creyente. Un propósito principal del bautismo en el Espíritu Santo es hacer precisamente eso.

## La oración de poder del Espíritu

> Y de igual manera el Espíritu nos ayuda en nuestra debilidad; pues qué hemos de pedir como conviene, no lo sabemos, pero el Espíritu mismo intercede por nosotros con gemidos indecibles. Mas el que escudriña los corazones sabe cuál es la intención del Espíritu, porque conforme a la voluntad de Dios intercede por los santos.
>
> Romanos 8:26-27

Pablo menciona una forma de debilidad común a todos los creyentes en su característica condición natural y separada del Espíritu Santo. Pablo la define con las palabras *pues qué hemos de pedir como conviene, no lo sabemos*. Esta debilidad es no saber orar de acuerdo con la voluntad de Dios.

Al único a quien podemos volvernos en busca de ayuda en esta debilidad es al Espíritu Santo:

El Espíritu nos ayuda en nuestra debilidad (...) el Espíritu mismo intercede por nosotros (...) porque conforme a la voluntad de Dios intercede por los santos.

Romanos 8:26-27

Aquí habla del Espíritu en Persona que mora dentro del creyente y hace de éste un vaso, o un canal, a través del cual él ofrece oración e intercesión.

Esta oración es de una clase que está muy por encima del nivel de la comprensión o capacidad natural del mismo creyente. En esta clase de oración, el creyente no se apoya en sus sentimientos o comprensión. El entrega su cuerpo para templo del Espíritu Santo para que el Espíritu mismo realice la oración, y entrega sus miembros como instrumentos que el Espíritu controla para fines de intercesión sobrenatural.

Respecto de la oración, el Nuevo Testamento fija una norma que el creyente nunca puede alcanzar por su propia fuerza o comprensión naturales. De este modo, Dios deliberadamente encierra al creyente en un lugar donde o cae sin alcanzar la norma divina, o depende de la ayuda sobrenatural del Espíritu que mora en él.

Por ejemplo, Pablo dice:

...orando en todo tiempo con toda oración y súplica en el Espíritu.

Efesios 6:18

Además:

Orad sin cesar (...) No apaguéis al Espíritu.

1 Tesalonicenses 5:17,19

No existe una persona que por su propia fuerza o comprensión pueda cumplir estos mandamientos. Nadie puede "orar en todo tiempo" u "orar sin cesar". Mas lo que es imposible en lo natural, se hace posible por la sobrenatural fuerza interior que tiene la presencia del Espíritu Santo dentro del creyente. Por esa razón, Pablo se cuida de recalcar la dependencia en el Espíritu Santo que tiene el creyente. Pues dice: "orando en todo tiempo (...) en el Espíritu" y por otra parte, "Orad sin cesar (...) No apaguéis al Espíritu".

El Espíritu Santo morando dentro del creyente en el Nuevo Testamento, es el equivalente al fuego sobrenaturalmente encendido sobre el altar del tabernáculo en el Antiguo Testamento. Respecto de este fuego, el Señor dispuso:

El fuego arderá continuamente en el altar; no se apagará.

Levíticos 6:13

El mandamiento correspondiente en el Nuevo Testamento aparece en las palabras de Pablo: "Orad sin cesar (...) No apaguéis al Espíritu". Cuando el creyente bautizado en el Espíritu que mora en él, se rinde a su completo control y no lo apaga por negligencia o carnalidad, en el templo —el cuerpo de ese creyente—, arde un fuego sobrenatural de oración y adoración que nunca se apaga, ni de día ni de noche. Pocas personas comprenden las ilimitadas posibilidades de la oración del Espíritu Santo en su templo, en un creyente que le ha entregado su cuerpo.

Hace algunos años, cuando dirigía reuniones frecuentes en las calles de Londres, Inglaterra, una joven mujer irlandesa con antecedentes católicos fue salvada y bautizada en el Espíritu Santo. Trabajaba de camarera en un hotel londinense, y compartía el dormitorio con otra muchacha de su misma edad y antecedentes. Un día esta otra muchacha se acercó a ella y le dijo:

—Dime, ¿cuál es ese idioma extraño que hablas en la cama después que pareces haberte dormido?

La primera muchacha contestó:

—No puedo decírtelo, porque no sabía que estuviera hablando algún idioma.

De esta forma supo, para sorpresa de ella, que cada noche, después que se dormía, sin ejercer conscientemente sus facultades, hablaba en otras lenguas según el Espíritu Santo las daba.

Así es ser lleno y entregarse al Espíritu Santo. Cuando llegamos al final de nuestra propia fuerza y comprensión naturales, el Espíritu Santo puede tomar control de nuestras facultades y conducir su propia adoración y oración a través de nosotros.

Esta es la descripción de la novia de Cristo que aparece en el Cantar de los Cantares de Salomón:

Yo dormía, pero mi corazón velaba. (5:2).

Puede ser que la novia duerma; puede ser que esté física y mentalmente exhausta, pero en lo más profundo de su ser, mora el que jamás reposa ni duerme: el Espíritu Santo. Aun durante las horas de oscuridad, allí arde sobre el altar de su corazón un fuego que jamás se apaga: un fuego de adoración y oración que es la vida del Espíritu Santo dentro de uno.

Este es el modelo bíblico para la vida de oración de la Iglesia en esta era. Pero semejante vida de oración es posible sólo mediante la presencia interior, sobrenatural del Espíritu Santo que mora en el creyente.

# La revelación de las Escrituras

El quinto gran propósito del bautismo en el Espíritu Santo es que el Espíritu puede convertirse en nuestro guía y maestro en lo relacionado con las Escrituras. Cristo les promete esto a sus discípulos en dos pasajes del Evangelio de Juan:

> Mas el Consolador, el Espíritu Santo, a quien el Padre enviará en mi nombre, él os enseñará todas las cosas, y os recordará todo lo que yo os he dicho.
>
> Juan 14:26

Durante su ministerio en la tierra, Jesús enseñó mucho a sus discípulos, especialmente lo relativo a su muerte y resurrección, que ellos no fueron capaces de comprender ni de recordar.

No obstante, Jesús les aseguró que después que el Espíritu Santo viniera a morar en ellos, se volvería su maestro personal y los capacitaría para recordar y comprender correctamente todo lo que Jesús les había enseñado durante su ministerio en la tierra. El Espíritu Santo no se limitaría a interpretar las enseñanzas de Jesús mientras estuviera aquí; también guiaría a los discípulos a una plena comprensión de toda la revelación de Dios al hombre.

> Pero cuando venga el Espíritu de verdad, él os guiará a toda la verdad; porque no hablará por su propia cuenta, sino que hablará todo lo que oyere.
>
> Juan 16:13

Aquí la frase "toda la verdad" puede interpretarse en referencia a las palabras de Jesús: *Tu palabra es verdad* (Juan 17:17).

Jesús promete a sus discípulos que el Espíritu Santo los conducirá a comprender correctamente toda la revelación de Dios al hombre mediante las Escrituras. Esto incluye las Escrituras del Antiguo Testamento, las enseñanzas de Jesús durante todo su ministerio en la tierra, y también la posterior revelación de la verdad dada a la Iglesia después de pentecostés, por medio de Pablo y otros de los apóstoles.

El Espíritu Santo es dado a la Iglesia para convertirse en el revelador, el intérprete y el maestro en toda dimensión de la revelación divina contenida en las Escrituras.

Los acontecimientos en el día de pentecostés ilustraron gráficamente el cumplimiento de la promesa de Cristo a sus discípulos, que el Espíritu Santo les interpretaría las Escrituras. Tan pronto se derramó sobre los discípulos y éstos comenzaron a hablar en lenguas, surgió la pregunta: ¿Qué quiere decir esto? Pedro contesta:

Mas esto es lo dicho por el profeta Joel:

Y en los postreros días, dice Dios,
Derramaré de mi Espíritu sobre toda carne.

Hechos 2:16-17

Sin un momento de vacilación, Pedro cita e interpreta una profecía relativa a los últimos días, que aparece en el segundo capítulo de Joel. En el sermón que sigue, casi la mitad de lo que Pedro dice es una cita literal de las Escrituras del Antiguo Testamento. La enseñanza de estas Escrituras se aplica de un modo claro y poderoso a los sucesos de la muerte y resurrección de Cristo y del derramamiento del Espíritu Santo.

Es difícil imaginar un contraste mayor entre la exposición de las Escrituras del Antiguo Testamento ofrecida aquí por Pedro y la falta de comprensión de las mismas Escrituras manifestada por Pedro y todos los otros discípulos durante el ministerio de Jesús en la tierra y hasta el día de pentecostés.

Parecería que este cambio radical de la comprensión de los discípulos de las Escrituras no fue un proceso gradual sino que se produjo instantáneamente con la llegada del Espíritu Santo. Tan pronto vino a vivir en ellos, comprendieron claramente las Escrituras de forma sobrenatural. Sus previas dudas y confusión fueron reemplazadas de inmediato por una clara comprensión y poderosa aplicación.

Esta misma trasformación impresionante continúa siendo una marca distintiva de los creyentes llenos del Espíritu a partir del día de pentecostés.

Por ejemplo, Saulo de Tarso había sido entrenado en el conocimiento de las Escrituras del Antiguo Testamento por Gamaliel, el más famoso maestro de sus días. Mas durante sus primeros años él carecía de iluminación ni comprensión para aplicarlas como era debido. Unicamente después que en Damasco, Ananías impuso sus manos sobre él y oró para que fuera lleno del Espíritu Santo, se cayeron las escamas de sus ojos y fue capaz de entender y aplicar aquellas mismas Escrituras.

En seguida predicaba a Cristo en las sinagogas, diciendo que éste era el Hijo de Dios.

Hechos 9:20

Observemos la expresión "en seguida". No se trató de una lucha lenta y gradual para comprender, sino más bien una iluminación instantánea. En el mismo momento en que el Espíritu Santo entró, arrojó una luz enteramente nueva sobre las Escrituras que Saulo había conocido durante muchos años, pero que no había sabido aplicar ni comprender.

Lo que el Espíritu Santo hizo por Pedro y Saulo, y por los cristianos del Nuevo Testamento en conjunto, todavía está dispuesto y es capaz de hacerlo para todos los cristianos hoy. Pero primero cada creyente, mediante el bautismo en el Espíritu Santo, tiene que recibir personalmente a este maravilloso residente, guía maestro y expositor.

# 31

# Orientación continua y vida desbordante

Examinemos dos ministerios adicionales del Espíritu Santo en la vida del creyente: la dirección diaria en el camino de la voluntad de Dios, y la impartición de vida y salud para el cuerpo físico del creyente.

## Dirección diaria

El primero de estos ministerios, la dirección diaria, la describe Pablo:

> Porque todos los que son guiados por el Espíritu de Dios, éstos son hijos de Dios.
>
> Romanos 8:14

Es importante ver que Pablo usa aquí un presente continuo: "todos los que son [habitualmente] guiados por el Espíritu de Dios". No está hablando de algunas ocasiones aisladas, sino de una forma continua de vida.

Muchos que profesan ser cristianos, incluso entre quienes verdaderamente han nacido de nuevo, no le dan suficiente importancia a estas palabras. Tienden a poner todo el interés en determinadas experiencias aisladas, como las del nuevo nacimiento o el bautismo en el Espíritu Santo, basando en ellas su derecho de que se les considere cristianos. Es por cierto muy importante poner de relieve estas experiencias decisivas, pero no al punto de olvidar que también es necesario andar diariamente en la gracia de Dios.

A fin de ser un verdadero cristiano, una persona tiene que nacer de nuevo del Espíritu de Dios. A fin de convertirse en testigo eficiente de Cristo, tiene que ser bautizado en el Espíritu Santo. Pero la obra del Espíritu Santo nunca debe de terminar ahí. A efecto de vivir cristianamente todos los días, una persona tiene que ser guiada por el Espíritu.

El nuevo nacimiento transforma a los pecadores en hijos de Dios. Pero se requiere la continua orientación del Espíritu Santo para que los hijos recién nacidos alcancen la madurez de cristianos adultos.

En Romanos 8:14, Pablo da por sentado las dos experiencias preliminares de nacer del Espíritu de Dios y de ser bautizado en el Espíritu Santo. Sin embargo, señala que el único camino que lleva a la madurez espiritual y al éxito en la vida cristiana diaria es depender del Espíritu para la dirección momento a momento en cada aspecto de la vida. Unicamente esto hará posible que el Espíritu Santo logre todos los propósitos por los que en realidad vino a morar dentro del creyente. Esto concuerda con los comentarios de Pablo:

> Porque somos hechura suya, creados en Cristo Jesús para buenas obras, las cuales Dios preparó de antemano para que anduviésemos en ellas.
>
> Efesios 2:10

Pablo enseña que los creyentes somos creados de nuevo por Dios por la fe en Cristo. A partir de entonces, para continuar en la vida cristiana, no tenemos que programar nuestra propia dirección y actividades. Por el contrario, el mismo Dios que primero nos conocía de antemano y después nos creó de nuevo en Cristo, también preparó desde antes de la fundación del mundo las buenas obras que él quería que cada cristiano cumpliera.

Por consiguiente, no organizamos nuestras buenas obras, sino que procuramos descubrir, y entonces realizar, las buenas obras que ya Dios ha preparado para nosotros. Aquí la guía del Espíritu Santo se vuelve esencial para el cristiano, porque él es quien primero nos revela, y después nos conduce al plan de Dios para nuestra vida.

Lamentablemente, muchos cristianos hoy han invertido este proceso. Ellos primero proyectan su propia ruta y actividades, y después pronuncian alguna oración rutinaria o superficial pidiéndole a Dios que bendiga esas actividades. En realidad, Dios todopoderoso nunca concederá su aprobación o bendición convirtiéndose en un endosador automático de planes y actividades acerca de las que nunca se le ha pedido consejo sinceramente.

Este error es común no sólo en las vidas particulares de cristianos, sino también en las actividades de iglesias y de otras organizaciones cristianas. Incontables horas de trabajo e inmensas sumas de dinero se despilfarran y se pierden, sin ningún fruto perdurable, sencillamente porque nunca se buscó con sinceridad el consejo de Dios antes de iniciarlas.

En realidad, en muchos círculos cristianos de hoy, el mayor enemigo de la verdadera espiritualidad y la fructificación, es esa actividad laboriosa y consumidora de tiempo clasificada de "cristiana" en nombre, pero que carece del soplo divino y de la guía del Espíritu Santo.

Los productos finales de tales actividades son *madera, heno y hojarasca;* que serán consumidos todos —sin que quede residuo ni recuerdo— en el fuego del juicio final de Dios sobre las obras de su pueblo (ver 1 Corintios 3:12).

En contraste, una de las marcas distintivas de la Iglesia del Nuevo Testamento, es la dirección directa, continuada y sobrenatural del Espíritu Santo en sus actividades. De los muchos ejemplos posibles en el libro de los Hechos, examinemos un incidente muy característico del segundo viaje misionero de Pablo, en compañía de Silas:

> Y atravesando Frigia y la provincia de Galacia, les fue prohibido por el Espíritu Santo hablar la palabra en Asia; y cuando llegaron a Misia, intentaron ir a Bitinia, pero el Espíritu no se lo permitió. Y pasando junto a Misia, descendieron a Troas. Y se le mostró a Pablo una visión de noche: un varón macedonio estaba en pie, rogándole y diciendo: Pasa a Macedonia y ayúdanos. Cuando vio la visión, en seguida procuramos partir para Macedonia, dando por cierto que Dios nos llamaba para que les anunciásemos el evangelio.
>
> Hechos 16:6-10

En el examen de este pasaje, tengamos presente que Pablo y Silas en su tarea misionera estaban cumpliendo la comisión que Jesús dio directamente a sus discípulos:

> Por tanto, id, y haced discípulos a todas las naciones.
>
> Mateo 28:19

> Id por todo el mundo y predicad el evangelio a toda criatura.
>
> Marcos 16:15

Observe cuán amplia y general es esta misión: "a todas las naciones (...) a toda criatura."

En cumplimiento de esta comisión, Pablo y Silas habían predicado en Frigia y en Galacia; en la parte central de lo que hoy llamamos Asia Menor. Su siguiente paso hubiera sido obviamente pasar a la provincia de Asia, en el extremo occidental de Asia Menor. Sin embargo, el relato de Hechos dice:

*Les fue prohibido por el Espíritu Santo hablar la palabra en Asia.* En efecto, prosiguieron al norte hacia Misia.

A partir de allí, su próximo destino evidente hubiera sido hacia el noreste internándose en Bitinia. No obstante, en este punto Hechos relata: *Intentaron ir a Bitinia, pero el Espíritu no se lo permitió* (Hechos 16:7).

Ambas puertas obvias de evangelización —en Asia por un lado, y en Bitinia, por el otro— les fueron cerradas por órdenes explícitas y directas del Espíritu Santo.

Sin duda, Pablo y Silas empezaban a preguntarse cuál sería el plan de Dios para ellos, o cuál derrotero deberían seguir entonces. Pero ante esta disyuntiva, Pablo tuvo una visión en la noche de un hombre que decía: *Pasa a Macedonia y ayúdanos* (v. 9). Sin vacilar, comprendieron inmediatamente que Dios los estaba dirigiendo hacia Macedonia, en la parte norte de Grecia y extremo sudoriental de Europa. De esta forma el evangelio fue traído primero de Asia a Europa.

Cuando miramos ahora hacia el pasado a los subsecuentes diecinueve siglos de historia de la Iglesia, comprendemos el papel decisivo que desempeñó la Iglesia en Europa: primero, en preservar la verdad del evangelio, y después, en diseminar enérgicamente esa verdad por el resto del mundo. Podemos comprender, por consiguiente, por qué, en la sabiduría y presciencia de Dios, era de suprema urgencia e importancia que el evangelio fuera plantado, desde muy temprano, en Europa por el mismo Pablo, el principal apóstol de los gentiles.

Sin embargo, Pablo y Silas nada sabían del curso que la historia tomaría en los siguientes diecinueve siglos. Por lo tanto, esta memorable decisión fue posible únicamente mediante la revelación y dirección sobrenaturales del Espíritu Santo. Si ellos no hubiesen estado abiertos a la orientación del Espíritu, se hubieran perdido el plan de Dios, en sus propias vidas, y en toda la obra del evangelio.

La dirección sobrenatural del Espíritu Santo en este punto resulta mucho más notable cuando examinamos ciertas fases subsecuentes de la obra misionera de Pablo.

Aquí en Hechos 16 leemos que el Espíritu Santo le prohibió a Pablo predicar la palabra en la provincia de Asia, y por eso él viajó más allá de Asia y entró en Europa. Pero en Hechos 19 leemos que regresó algún tiempo después a Efeso, que era la principal ciudad de la provincia de Asia, y que de su predicación allí surgió uno de los mayores y más extensos avivamientos que se registran en todo su ministerio:

> Así continuó por espacio de dos años, de manera que todos los que habitaban en Asia, judíos y griegos, oyeron la palabra del Señor Jesús.
>
> Hechos 19:10

Seguramente esto es digno de un cuidadoso examen de nuestra parte. Anteriormente, el Espíritu Santo no le había permitido entrar siquiera en Asia o hablar con una sola persona allí. Ahora, que regresa en el tiempo del Señor y bajo la dirección del Espíritu, Pablo presencia tal impacto en la predicación del evangelio, que todo ser humano que vivía en la provincia entera de Asia vino a escuchar el testimonio de Cristo.

Basados en estos hechos, podemos llegar a dos conclusiones: 1) Si Pablo hubiese entrado en Asia durante su primera visita, contrario a la dirección del Espíritu, sólo hubiera encontrado allí desaliento y fracaso. 2) Visitar Asia prematuramente, sin que el Espíritu lo guiara allí, pudo haber obstaculizado, o incluso impedido totalmente, el poderoso movimiento del Espíritu de Dios que Pablo tuvo el privilegio de presenciar en su visita posterior.

¡Qué lección hay aquí para todos los que procuran predicar el evangelio o testificar de Cristo de cualquier manera! En todo curso de una actividad programada, hay dos factores afines de importancia que tenemos que tomar en cuenta: 1) el lugar; y 2) el momento.

En esto, la revelación de la Escritura anticipa la inclusión básica de la teoría moderna de la relatividad: que jamás podemos especificar un lugar exacto a menos que también especifiquemos el tiempo. Ambos están correlacionados y nunca pueden separarse.

Salomón estableció la misma verdad hace muchos siglos:

Todo tiene su tiempo,
y todo lo que se quiere debajo del cielo tiene su hora.

Eclesiastés 3:1

No basta hacer lo correcto solamente o tener la intención debida. A fin de disfrutar del éxito y la bendición de Dios, tenemos que hacer lo correcto en el momento preciso, y tenemos que llevar a cabo el propósito debido en el tiempo apropiado. Cuando Dios dice: "Ahora", es en vano que el hombre diga: "Después." Y cuando él dice "Más tarde", de nada sirve que éste diga "Ahora".

El ministerio que Dios ha designado para el Espíritu Santo es revelar a la Iglesia no sólo la acción o el propósito correctos, sino también el momento ideal y la hora oportuna. Muchos cristianos sinceros y bien intencionados, que no han aprendido a dar lugar a la dirección del Espíritu Santo, encuentran frustración continua en sus vidas, sencillamente por intentar hacer lo debido en el momento inoportuno o llevar a cabo el propósito justo a la hora inconveniente. Con relación a esto, el profeta Isaías plantea una penetrante pregunta:

¿Quién guió al Espíritu del Señor, o como consejero suyo le enseñó?

Isaías 40:13

Pero eso es precisamente lo que muchos cristianos hacen hoy: están tratando de dirigir al Espíritu del Señor y de ser consejeros del Espíritu Santo. Programan sus actividades personales, dirigen sus propios servicios y entonces le dicen al Espíritu Santo exactamente qué, cuándo y cómo ellos quieren que él bendiga. ¿Cuántas congregaciones de hoy dan lugar realmente para que el Espíritu Santo dirija o intervenga?

El resultado de esta actitud errónea hacia el Espíritu Santo puede resumirse en una palabra: frustración.

Tales creyentes pueden tener una genuina experiencia del nuevo nacimiento e incluso del bautismo en el Espíritu Santo. Pueden ser perfectamente sinceros en su profesión de fe en Cristo. Sin embargo, en sus vidas diarias carecen de victoria o de fruto, porque han pasado por alto esta regla cardinal de la vida cristiana: *Porque todos los que son guiados por el Espíritu de Dios, éstos son hijos de Dios* (Romanos 8:14).

## Vida para la persona completa

La continua dirección de Dios en la vida del creyente abre el camino a otra provisión más de su Espíritu: vida desbordante para toda su personalidad. La relación entre la dirección de Dios y esta vida más que suficiente se describe hermosamente en Isaías:

Y el Señor te guiará continuamente,
saciará tu deseo en los lugares áridos
y dará vigor a tus huesos;
serás como huerto regado
y como manantial cuyas aguas nunca faltan.

Isaías 58:11

Isaías describe a una persona tan continuamente guiada por Dios, que tiene dentro de sí un manantial de vida que se desborda a través de toda su personalidad, refrescando y renovando su alma y su cuerpo.

En el Nuevo Testamento Pablo rastrea esta vida desbordante hasta su fuente: el Espíritu Santo morando dentro del creyente.

[Jesucristo] *fue declarado Hijo de Dios con poder, según el Espíritu de santidad, por la resurrección de entre los muertos.*

Romanos 1:4

Fue el "Espíritu de santidad" —una expresión hebrea que significa "el Espíritu Santo"— quien levantó el cuerpo muerto de Jesús de la tumba, justificando así su afirmación de ser el Hijo de Dios. El Espíritu Santo llevará a cabo el mismo ministerio para cada creyente dentro de quien vive él:

> Y si el Espíritu de aquel que levantó de los muertos a Jesús mora en vosotros, el que levantó de los muertos a Cristo Jesús vivificará también vuestros cuerpos mortales por su Espíritu que mora en vosotros.
>
> Romanos 8:11

Este ministerio del Espíritu Santo recibirá su resultado completo y final en la primera resurrección, cuando él resucite a los justos muertos con la misma clase de cuerpo inmortal que Jesús ya tiene:

> Sabiendo que el que [Dios] resucitó al Señor Jesús, a nosotros también nos resucitará con Jesús, y nos presentará juntamente con vosotros.
>
> 2 Corintios 4:14

No obstante, este ministerio del Espíritu Santo para el cuerpo del creyente, también tiene una aplicación intermedia en la presente era. Incluso ahora el Espíritu de Dios, morando dentro del creyente, imparte a su cuerpo físico una medida de vida divina y suficiente salud para detener y excluir las invasiones satánicas de enfermedad y postración. Este es el supremo propósito por el que Cristo vino:

> Yo he venido para que tengan vida, y para que la tengan en abundancia.
>
> Juan 10:10

Se ha dicho que la primera porción de la vida divina viene por medio del nuevo nacimiento, pero el derramamiento de vida más abundante viene por medio del bautismo en el Espíritu Santo. Ese es el propósito de Dios, incluso en esta era presente, que esta vida divina, abundante y desbordante, bastará no sólo para las necesidades espirituales del hombre interior —la naturaleza espiritual del hombre— sino también para las necesidades físicas del hombre exterior —el cuerpo físico del hombre.

En la era presente, el creyente todavía no ha recibido su cuerpo de resurrección, pero ya disfruta de la vida resucitada en un cuerpo mortal.

Pablo describe esta milagrosa vida resucitada en un cuerpo mortal contrastándola con un trasfondo de tremendas presiones, físicas y espirituales:

> Que estamos atribulados en todo, mas no angustiados; en apuros, mas no desesperados; perseguidos, mas no desamparados; derribados, pero no destruidos; llevando en el cuerpo siempre por todas partes la muerte de Jesús, para que también la vida de Jesús se manifieste en nuestros cuerpos. Porque nosotros que vivimos, siempre estamos entregados a muerte por causa de Jesús, para que también la vida de Jesús se manifieste en nuestra carne mortal.
>
> 2 Corintios 4:8-11

¡Qué maravillosas palabras! La misma vida de Jesús se manifestará; su presencia quedará demostrada por los efectos visibles que produce "en nuestro cuerpo". Para darle fuerza Pablo lo dice dos veces, pero la segunda vez habla de "nuestra carne mortal". Con esta frase elimina cualquier interpretación que pudiera tratar de aplicar sus palabras a un futuro estado del cuerpo después de la resurrección. Está hablando acerca de nuestro cuerpo físico actual. En medio de todas la presiones que nos agreden —las naturales y las satánicas— el cuerpo se sostiene por una vida interior que no puede ser derrotada.

Esta manifestación de la vida poderosa, victoriosa, sobrenatural del Cristo resucitado en el cuerpo del creyente no está reservada únicamente para la resurrección, sino que su efecto es incluso para ahora mientras todavía continuamos "en nuestra carne mortal". La manifestación abierta de la vida de Cristo en nuestro cuerpo aquí y ahora, es el principio bíblico básico de la sanidad y la salud divinas.

En el centro de este milagro en curso hay una paradoja presente en toda la Biblia: la muerte es la entrada a la vida. En cada lugar donde Pablo testifica de la manifestación de la vida de Cristo, primero habla de la identificación con su muerte: llevando en el cuerpo siempre por todas partes la muerte de Jesús.

Jesús no murió de muerte natural; murió crucificado. Identificarse con él es ser crucificado con él. Pero de la crucifixión viene la resurrección a una vida interior que nada debe al pecado o a Satanás, a la carne o al mundo.

Pablo presenta ambos lados: el positivo y el negativo en este intercambio:

> Con Cristo estoy juntamente crucificado, y ya no vivo yo, mas vive Cristo en mí; y lo que ahora vivo en la carne, lo vivo en la fe del Hijo de Dios, el cual me amó y se entregó a sí mismo por mí.
>
> Gálatas 2:20

El mismo proceso de crucifixión que termina nuestra frágil y transitoria existencia en este mundo, abre el camino de una nueva vida que es la vida del mismo Dios, que toma residencia en un vaso de barro. El vaso sigue tan frágil como siempre, pero la nueva vida que mora en él es invencible e inextinguible.

En tanto dure este presente orden mundial, sin embargo, siempre habrá una tensión entre la fragilidad de la carne y la nueva vida en el Espíritu.

> Por tanto, no desmayamos; antes aunque este nuestro hombre exterior se va desgastando, el interior no obstante se renueva de día en día.
>
> 2 Corintios 4:16

El cuerpo físico todavía está sujeto a enfermedad y deterioro desde fuera, pero la vida resucitada desde dentro tiene poder para mantenerlos a raya hasta que la tarea de la vida del creyente se complete. Después de eso, como dijera Pablo, *partir y estar con Cristo, lo cual es mucho mejor* (Filipenses 1:23).

# 32

# El derramamiento
# del amor divino

Dedicaremos este capítulo a un resultado final, sumamente importante, producido en el creyente por el bautismo en el Espíritu Santo, descrito en la segunda parte de Romanos 5:5:

> El amor de Dios ha sido derramado en nuestros corazones por el Espíritu Santo que nos fue dado.

Es preciso que captemos el significado de la frase: "el amor de Dios". No se refiere aquí al amor humano, ni siquiera al amor por Dios. Está hablando del amor de Dios —del amor personal de Dios— que el Espíritu Santo derrama en el corazón del creyente. Este amor de Dios, impartido por el Espíritu Santo, es tan superior a cualquier forma de amor humano como lo es el cielo de la tierra.

En el curso normal de nuestra vida conocemos muchos tipos diferentes de amor. Por ejemplo, hay una forma de amor, así llamada, que es mera pasión sexual. También está el amor matrimonial entre el esposo y la esposa. Y en la familia humana, el amor de padres por los hijos y de hijos por los padres. Fuera de los lazos familiares, está el amor de un amigo por otro, como el amor de David y Jonatán.

## La naturaleza del amor de Dios

Estas y otras formas de amor, en diferentes grados, se encuentran en todos los sectores de la especie humana, incluso donde el evangelio de Cristo no se ha predicado jamás. En el griego, que tiene un rico vocabulario, hay varias palabras para describir estas diversas formas de amor. Hay una palabra, sin embargo, que se emplea primordialmente para el amor que es divino en su origen y naturaleza. El sustantivo de la palabra es *agapë;* el verbo, *agapaö.*

El *agapë* denota el perfecto amor entre las Personas de la Divinidad: el Padre, el Hijo y el Espíritu. Denota el amor de Dios al hombre; el amor que motivó a Dios Padre a entregar su Hijo, y que Cristo el Hijo diera su vida, para que el hombre pudiera ser redimido del pecado y sus consecuencias. Denota también el amor que Dios imparte mediante su Espíritu Santo a los corazones de los que creen en Cristo.

Esto nos permite comprender las palabras del apóstol en 1 Juan:

> Amados, amémonos unos a otros; porque el amor es de Dios. Todo aquel que ama, es nacido de Dios, y conoce a Dios. El que no ama, no ha conocido a Dios; porque Dios es amor. (4:7-8).

Los términos griegos que Juan emplea son *agapë* y *agapaö.* Juan enseña que hay una clase de amor, *agapë,* que nadie puede conocer a menos que haya nacido de Dios. Esta clase de amor viene únicamente de Dios.

Cualquiera que en alguna medida manifieste esta clase de amor, en esa medida ha llegado a conocer a Dios en el nuevo nacimiento. A la inversa, una persona que nunca ha conocido o manifestado este amor en medida alguna, jamás ha conocido a Dios; porque en la dimensión que una persona llega a conocer a Dios, así es cambiado y transformado por el amor divino, para que él mismo empiece a manifestarlo a otros.

Como Juan indica aquí, esta manifestación de *agapë* —de amor divino— comienza en la experiencia humana con el nuevo nacimiento. Esto concuerda con las palabras de Pedro:

> Habiendo purificado vuestras almas por la obediencia a la verdad, mediante el Espíritu, para el amor fraternal no fingido, amaos unos a otros entrañablemente, de corazón puro; siendo renacidos, no de simiente corruptible, sino de incorruptible, por la palabra de Dios que vive y permanece para siempre.
>
> 1 Pedro 1:22-23

Donde dice: *Amaos unos a otros entrañablemente, de corazón puro*, el verbo "amar" que él emplea es otra vez el amor divino: *agapaö*. El relaciona directamente esta posibilidad que los cristianos manifiesten el amor divino con el hecho que hayan nacido de nuevo de la incorruptible simiente de la palabra de Dios. Quiere decir que la posibilidad del amor divino está contenida dentro de la simiente divina de la palabra de Dios, implantada en sus corazones en el nuevo nacimiento.

Sin embargo, el plan de Dios es que esta vivencia inicial del amor divino, recibido en el nuevo nacimiento, aumente inconmensurablemente y se expanda por medio del bautismo en el Espíritu Santo. Por eso Pablo dice:

> El amor de Dios ha sido derramado en nuestros corazones por el Espíritu Santo que nos fue dado.
>
> Romanos 5:5

Una vez más, emplea el término para el amor divino: *agapë*. El verbo que utiliza con ese —"ha sido derramado"— está en pretérito perfecto. El uso del tiempo perfecto indica, como es usual en griego, finalidad e integridad. Eso significa que en este singular acto de bautizar al creyente en el Espíritu, Dios ha derramado en su corazón toda la plenitud del amor divino. Nada se ha retenido ni reservado; todo se ha vertido. A partir de ese momento el creyente no necesita buscar más amor de Dios; sólo necesita aceptar, disfrutar y manifestar lo que ya ha recibido dentro de él.

El creyente bautizado en el Espíritu que pidiera a Dios más de su amor, sería semejante a un hombre que viviendo a orillas de un gran río, buscara alguna otra fuente para el suministro de agua. Esa persona ya tiene a su disposición infinitamente más de lo que pudiera llegar a usar. Todo lo que necesita es aprovecharse de lo que dispone ya.

De la misma forma, Jesús dice que el creyente bautizado en el Espíritu ya tiene dentro de él no sólo un río, sino "ríos de agua viva" —ríos de la divina gracia y amor— infinitamente de sobra para cualquier necesidad que pudiera alguna vez surgir en la vida suya (ver Juan 7:38-39).

En esta carta a los Romanos, Pablo define la naturaleza precisa de este amor divino, derramado en el creyente por el Espíritu Santo:

> Porque Cristo, cuando aún éramos débiles, a su tiempo murió por los impíos. Ciertamente, apenas morirá alguno por un justo; con todo, pudiera ser que alguno osara morir por el bueno. Mas Dios muestra su amor para con nosotros, en que siendo aún pecadores, Cristo murió por nosotros.
>
> Romanos 5:6-8

Señala que incluso el amor natural, aparte de la gracia de Dios, pudiera impulsar a un hombre a morir por su amigo, si ese amigo fuera un hombre bueno y recto; así como el amor natural, en otra forma, pudiera motivar a una madre a dar su vida por su hijo. Pablo entonces demuestra que el amor divino, sobrenatural, se aprecia en que Cristo murió por los pecadores que no podían esperar haber inspirado ningún amor natural.

Para describir la condición de esos por quienes Cristo murió, Pablo emplea tres frases seguidas: "éramos débiles (...) impíos (...) pecadores". Esto significa que aquéllos por quienes Cristo murió eran, en aquel tiempo, absolutamente incapaces de ayudarse a sí mismos, totalmente alejados de Dios y en abierta rebelión contra él. Muriendo por gente así, Cristo manifestó *agapë* —el amor divino— en su perfecta plenitud.

Juan define el amor divino en forma parecida:

> En esto se mostró el amor [agapë] de Dios para con nosotros, en que Dios envió a su Hijo unigénito al mundo, para que vivamos por él.
>
> 1 Juan 4:9

El amor divino no depende de que haya algo digno de amar en aquéllos a quienes va dirigido, ni espera hasta que sea correspondido antes de darlo todo. Por el contrario, primero se da liberalmente a los repulsivos, indignos e incluso rebeldes. Jesús expresa este amor divino en su oración por quienes lo habían crucificado:

> Padre, perdónalos, porque no saben lo que hacen.
>
> Lucas 23:34

El mismo amor divino se expresa en la oración del agonizante mártir Esteban por quienes lo apedreaban:

> Señor, no les tomes en cuenta este pecado.
>
> Hechos 7:60

Este mismo amor se expresa otra vez en las palabras de alguien que fue un testigo entusiasta de la muerte de Esteban: Saulo de Tarso, más tarde el apóstol Pablo. Refiriéndose a sus hermanos judíos, quienes constantemente lo rechazaban y perseguían, dice:

> Verdad digo en Cristo, no miento, y mi conciencia me da testimonio en el Espíritu Santo, que tengo gran tristeza y continuo dolor en mi

corazón. Porque deseara yo mismo ser anatema, separado de Cristo, por amor a mis hermanos, los que son mis parientes según la carne.

Romanos 9:1-3

Tanto anhelaba Pablo la salvación de sus perseguidores, sus hermanos judíos, que hubiera estado dispuesto a renunciar a toda su salvación y volver a entrar bajo la maldición del pecado sin perdonar con todas sus consecuencias, si con eso hubiera podido traer a sus hermanos a Cristo. Reconoce que la vivencia y comprensión de este amor eran posibles sólo mediante la presencia del Espíritu Santo dentro de él, porque dice: *y mi conciencia me da testimonio en el Espíritu Santo.*

## El amor es el mayor

Hemos dicho que entre los diferentes propósitos por los que Dios da el don del Espíritu Santo, este derramamiento de su amor divino en el corazón del creyente ocupa un lugar de importancia única. La razón es que, sin la influencia saturadora del amor divino en el corazón del creyente, todos los otros resultados que pudieran lograrse con el bautismo en el Espíritu Santo, pierden su significado real y dejan de alcanzar su verdadero propósito.

Pablo emplea una sucesión de notables ejemplos para resaltar la importancia única de este amor *agapë:*

> Si yo hablase lenguas humanas y angélicas, y no tengo amor, vengo a ser como metal que resuena, y címbalo que retiñe. Y si tuviese profecía, y entendiese todos los misterios y toda ciencia, y si tuviese toda la fe, de tal manera que trasladase los montes, y no tengo amor, nada soy.

1 Corintios 13:1-2

Con su característica humildad, Pablo se pone en el lugar de un creyente ejerciendo los dones espirituales, pero careciendo de amor divino. En el capítulo anterior de 1 Corintios ha enumerado nueve dones del Espíritu Santo. Ahora se imagina siendo alguien que ejerce varios de esos dones, pero que carece de amor.

Primero examina la posibilidad de ejercer el don de lenguas en un plano sobrenatural, que habla no sólo idiomas humanos desconocidos, sino incluso el lenguaje de los ángeles. Dice que si él hiciera todo eso sin el amor divino, no sería mejor que un címbalo que produce un sonido fuerte cuando se golpea con vigor, pero que está absolutamente vacío por dentro.

Después examina la posibilidad de ejercer otros dones espirituales impresionantes, como la profecía, o la palabra de sabiduría, o la palabra de conocimiento o la fe. Pero dice que si ejerciera cualquiera de esos dones o todos sin el amor divino, nada sería.

Estas palabras proporcionan la respuesta a la pregunta que se plantea hoy en muchos círculos: ¿Es posible emplear mal el don de lenguas? La respuesta es clara: Sí, es perfectamente posible emplear mal el don de lenguas. Cualquier uso de las lenguas alejado del amor divino, está mal, porque convierte al creyente que lo ejerce en algo no mejor que un címbalo vacío y, por cierto, este no fue el propósito para el que Dios concedió el don.

Esto se aplica igualmente a los otros dones que Pablo menciona en el siguiente versículo: la profecía, la palabra de sabiduría, la palabra de conocimiento y la fe. Usar cualquiera de estos dones apartes del amor divino es perder todo el propósito de Dios.

Sin embargo, la experiencia prueba una y otra vez que hay un peligro especial en hacer mal uso de los tres dones que operan usando los órganos del habla: es decir, las lenguas, la interpretación, y la profecía. Esto se confirma por el hecho de que Pablo dedica la mayor parte del siguiente capítulo —1 Corintios 14— a dar reglas para controlar y regular el uso de estos tres dones en particular. Si no hubiera posibilidad de que los creyentes emplearan mal estos dones, no habría necesidad de dar reglas para su control. El hecho de que se dan reglas al efecto, prueba que las reglas hacen falta.

No obstante, en la interpretación de las enseñanzas en 1 Corintios 13:1, es necesario poner cuidadosa atención a las palabras exactas que emplea, que son:

> Si yo hablara lenguas humanas y angélicas, pero no tengo amor, he llegado a ser como metal que resuena, o címbalo que retiñe. (BLA).

Observemos la frase: "he llegado a ser". Estas palabras indican un cambio. El creyente aquí descrito no está ahora en igual condición espiritual que cuando fue originalmente bautizado en el Espíritu Santo.

En aquel momento, él tenía la seguridad de que sus pecados habían sido perdonados y su corazón limpiado por la fe en Cristo. Estaba dispuesto a entregarse a sí mismo, lo más completamente posible, al control del Espíritu Santo. En esta condición, la manifestación inicial de hablar en otras lenguas indicó que el Espíritu Santo había venido a morar dentro del creyente y a tomar control de su vida.

Sin embargo, en el lapso transcurrido desde entonces, el creyente aquí descrito, ha conservado la manifestación externa pero —por negligencia o desobediencia— no ha retenido la misma condición interna de limpieza y entrega al Espíritu Santo. Así el proceso de hablar en lenguas ha degenerado en una mera manifestación física, externa, sin la correspondiente realidad espiritual interna.

Para ver esta experiencia en su debida perspectiva, tenemos que comparar dos hechos confirmados por la Escritura y la experiencia.

Primero, en el momento de ser bautizado en el Espíritu Santo, un creyente tiene que llenar dos condiciones: su corazón debe ser purificado por la fe en Cristo, y tiene que estar dispuesto a entregar el control de sus miembros físicos —en particular su lengua— al Espíritu Santo.

Segundo, el hecho de que el creyente fue limpiado y se rindió en el momento de su bautismo en el Espíritu, no es una garantía automática de que siempre permanecerá en esa condición, aunque pudiera todavía seguir hablando en lenguas.

Es posible que al llegar a este punto mucha gente exclame: "¡Pero seguramente si la persona empieza a usar mal el don de Dios, el Señor le retirará el don por completo!"

No obstante, esta suposición no está respaldada ni por la lógica ni por la Escritura.

Desde el punto de vista de la lógica, si un regalo, una vez dado, pudiera más tarde quitarse a voluntad del donante, entonces —en primer lugar— nunca fue realmente un verdadero regalo. Fue un préstamo o depósito condicional, pero no un regalo o don gratuito. Un don gratuito, una vez concedido, sale del control del donante y a partir de entonces está bajo el control único del que lo recibió —lo mismo para usarlo, que para abusar de él, o para no usarlo en absoluto—. La Escritura confirma este punto lógico: *Porque irrevocables son los dones y el llamamiento de Dios* (Romanos 11:29).

Esta palabra *irrevocable* empleada aquí respecto de Dios, y no del hombre, indica que una vez que Dios ha concedido un don, jamás lo quitará otra vez. A partir de entonces, la responsabilidad de usar debidamente el don no es de Dios, el dador, sino del hombre, el recibidor. Este importante principio se aplica en todos los sectores del trato de Dios con el hombre, incluidos los dones del Espíritu.

Esta conclusión debe ser sopesada con cuidado por todos los que están buscando, o que han recibido, el bautismo en el Espíritu Santo con la manifestación de hablar en otras lenguas. De acuerdo con las Escrituras, no es posible recibir este bautismo inicial sin esa manifestación externa. Pero es posible, después, tener la manifestación externa sin conservar la plenitud interna del Espíritu.

Hay una sola prueba bíblica segura de la continuada plenitud del Espíritu Santo, y esa es la prueba del amor. En la misma medida en que estemos llenos del Espíritu Santo, debemos estar llenos de amor divino. Juan aplica esta prueba en términos claros:

> Nadie ha visto jamás a Dios. Si nos amamos unos a otros, Dios permanece en nosotros, y su amor se ha perfeccionado en nosotros. En

esto conocemos que permanecemos en él, y él en nosotros, en que nos ha dado de su Espíritu. (...) Dios es amor; y el que permanece en amor, permanece en Dios, y Dios en él.

1 Juan 4:12-13,16

De igual forma, Pablo asigna al amor un lugar de honor único entre todos los dones y gracias de Dios:

Y ahora permanecen la fe, la esperanza y el amor, estos tres; pero el mayor de ellos es el amor.

1 Corintios 13:13

De todas las obras del Espíritu que mora en nosotros, la mayor y más perdurable es el derramamiento del amor divino en el corazón del creyente.

En estos últimos cuatro capítulos hemos examinado ocho importantes resultados que Dios desea producir en la vida de cada creyente con el bautismo en el Espíritu Santo.

1. Poder para testificar.
2. La exaltación y glorificación de Cristo.
3. Un anticipo del poder celestial y una entrada por este medio en una vida sobrenatural.
4. Ayuda en la oración, elevando al creyente muy por encima de su propia fuerza o comprensión natural.
5. Una nueva comprensión de las Escrituras.
6. Guía diaria en el camino de la voluntad de Dios.
7. Vida y salud para el cuerpo físico.
8. El derramamiento del amor de Dios en el corazón del creyente.

En nuestra próxima sección examinaremos los resultados producidos por esta misma experiencia en la vida y adoración de una congregación cristiana.

# SECCION B

# LA CONGREGACION
# LLENA
# DEL ESPIRITU

# 33

# LIBERTAD
# BAJO CONTROL

Ahora iremos más allá de la vida del creyente individual para considerar la vida y adoración general de una congregación cristiana. Las preguntas que debemos tratar de contestar son éstas:

1. ¿Qué cambios opera el bautismo en el Espíritu Santo en la vida y las vivencias conjuntas de una congregación?
2. ¿Cuáles son las principales características que distinguen a una congregación donde todos o la mayoría de sus miembros han recibido el bautismo en el Espíritu Santo y tienen libertad para manifestar el poder que han recibido?
3. ¿En qué se diferenciará esa congregación de una donde ninguno de sus miembros ha pasado por esa experiencia?

Para contestar a estas preguntas, examinaremos dos formas principales en que se diferencia una congregación libre, de creyentes bautizados en el Espíritu, de una donde los miembros no han recibido el bautismo del Espíritu Santo.

## Bajo el señorío del Espíritu

Porque el Señor es el Espíritu; y donde está el Espíritu del Señor, allí hay libertad.

2 Corintios 3:17

Pablo señala dos hechos importantes acerca de la presencia e influencia del Espíritu Santo en una congregación. El primero, que el Espíritu Santo es Señor. En el Nuevo Testamento la palabra *Señor* corresponde en uso y significado al nombre de *Jehová* en el Antiguo Testamento. En este empleo, es un título reservado para el único Dios verdadero, jamás dado a un ser o a una criatura inferiores.

Este título pertenece por derecho a cada una de las tres Personas de la Divinidad. Dios Padre es Señor, Dios Hijo es Señor, y Dios Espíritu Santo es Señor. Cuando Pablo dice: *El Señor es el Espíritu*, está recalcando la suprema soberanía del Espíritu Santo en la Iglesia.

El segundo hecho importante señalado es que donde se reconoce el señorío del Espíritu Santo en la Iglesia, el resultado en una congregación es "libertad". Alguien ha tratado de poner de manifiesto el verdadero significado de la segunda parte de este versículo cambiando ligeramente la traducción. En lugar de decir: "Donde está el Espíritu del Señor, allí hay libertad" podemos decir: "Donde el Espíritu es Señor, allí hay libertad." La verdadera libertad viene a una congregación en la medida en que sus miembros reconozcan y se entreguen al señorío del Espíritu Santo.

Así podemos resumir esta primera característica distintiva de una congregación bautizada en el Espíritu, juntando dos palabras: *libertad* y *gobierno*.

A primera vista pudiera parecer inconsecuente juntar estas dos palabras. Quizás alguien oponga el reparo: "Pero si tenemos libertad, no estamos sometidos a un gobierno. Y si estamos bajo la autoridad de un gobierno, no tenemos libertad." Es cierto que la gente con frecuencia piensa que la libertad y el gobierno son conceptos opuestos. Esto se aplica no sólo a las cosas espirituales, sino también en el campo de la política.

Recuerdo la situación política en Kenya, en Africa Oriental, cuando yo ejercía de rector en una universidad de 1957 a 1961. Durante aquel período el pueblo africano de Kenya esperaba con gran ansiedad el momento en que su país alcanzaría la independencia o el autogobierno completo. La palabra suahílí empleada para independencia es *ujuru* que significa literalmente "libertad" y estaba en los labios de todo el mundo. Muchos de los africanos menos instruidos tenían maravillosas ideas de lo que esta *ujuru* o libertad les traería.

"Cuando llegue la *ujuru*", solían decir, "podremos manejar nuestra bicicleta por el lado de la calle que mejor nos parezca. Podremos viajar en los autobuses hasta bien lejos sin pagar. Y no tendremos que pagar más impuestos al gobierno."

Para las personas más cultas de otros países, declaraciones como éstas pudieran parecerles infantiles o ridículas. Razonarían que tales condiciones no constituirían una verdadera libertad, sino más bien anarquía y desorden de la peor clase. No obstante, esta gente sencilla de Africa eran perfectamente sinceros en la idea de la libertad que se habían formado. Sus propios líderes políticos africanos a menudo tenían dificultades en hacerles comprender lo que la libertad o independencia realmente traería.

Lo extraño es que personas perfectamente cultas en la comprensión de lo que significa la libertad política, algunas veces son muy infantiles en la idea que se forman de la libertad espiritual.

Esas personas sonríen al oír que los africanos imaginaban la libertad política significando que podrían conducir sus bicicletas en cualquiera de los dos lados de la calle, o que viajarían en autobús sin pagar. Pero estas mismas personas se comportarían de forma no menos insensata o desordenada en la casa de Dios, y justificarían entonces su conducta con el pretexto de la "libertad espiritual."

Por ejemplo, en algunas congregaciones, cuando se le pide a un miembro que dirija la oración y presente ciertas peticiones a Dios, hay otros que hablan tan alto en otras lenguas, que es imposible para el resto de la congregación escuchar lo que la persona designada para orar está diciendo. Esto significa que la congregación no puede decir "Amén" con fe o comprensión a una oración que no ha podido oír siquiera. De esta forma, debido a este insensato uso de las lenguas, toda la congregación pierde la bendición y efectividad de la petición e intercesión unida y de todo corazón.

O el predicador pudiera estar presentando un mensaje lógico, bíblico, preparado para mostrar a los incrédulos la necesidad y el camino de la salvación. Cuando el predicador se acerca al clímax de su mensaje, de pronto alguien en la congregación interrumpe hablando en lenguas en viva voz. Como resultado, la atención de toda la congregación se distrae del mensaje de salvación. Los incrédulos presentes se irritan o se asustan por lo que parece ser un arrebato emocional y sin sentido. Y se pierde toda la fuerza del mensaje cuidadosamente preparado.

Si después se llamara la atención a la persona responsable de esta insensatez, con frecuencia dirá algo como esto: "¡No pude evitarlo! El Espíritu Santo me empujó a hacerlo. Tuve que obedecerlo." Sin embargo esta respuesta no puede aceptarse, porque es contraria a la enseñanza explícita de la Escritura:

Pero a cada uno se le da la manifestación del Espíritu para el bien común.

1 Corintios 12:7 (BLA)

Podemos dar una traducción más libre: "La manifestación del Espíritu se da siempre con un propósito útil, práctico y sensato."

Por lo tanto, si la manifestación está dirigida a cumplir el propósito para el que fue dada, estará siempre en armonía con el plan y propósito del servicio total, y hará una contribución positiva para lograr este propósito. Nunca carecerá de sentido, o servirá de distracción o estará fuera de lugar.

## Dios engendra hijos, no esclavos

Y los espíritu de los profetas están sujetos a los profetas; pues Dios no es Dios de confusión, sino de paz, como en todas las iglesias de los santos.

1 Corintios 14:32-33 (BLA)

En otras palabras, cualquier manifestación espiritual que esté dirigida y controlada por Dios, producirá paz y armonía, no confusión y desorden.

Cualquier persona responsable de alguna manifestación que provoque confusión o desorden no puede excusarse diciendo: "¡No pude evitarlo! El Espíritu Santo me empujó a hacerlo." Pablo desautoriza esta defensa diciendo: *Los espíritus de los profetas están sujetos a los profetas*. En otras palabras, el Espíritu Santo nunca pasa por encima de la volición del creyente obligándolo a hacer algo contra su propia voluntad.

Incluso cuando un creyente está ejerciendo un don espiritual, su espíritu y su voluntad permanecen bajo su control. Es libre de permitir o no la manifestación del don. La responsabilidad por la manifestación sigue siendo suya. Como ya dijimos en este estudio, el Espíritu Santo nunca desempeña el papel de dictador en la vida de un creyente.

Esta es una de las principales características que distingue a una genuina manifestación del Espíritu Santo de los fenómenos espiritistas o de posesión satánica. En muchas fases del espiritismo o posesión demoníaca, la persona que desempeña el papel de médium (o canal del poder satánico) es obligada a entregar el control completo de su voluntad y personalidad al espíritu que procura poseerlo u operar a través de él. Muy a menudo esa persona es obligada entonces a decir o hacer cosas con las que por voluntad propia jamás hubiera estado de acuerdo.

En algunas fases del espiritismo la persona que queda bajo el control del espíritu satánico pierde toda comprensión o conciencia de lo que está diciendo o haciendo. Al final de la experiencia, la persona poseída puede volver en sí en un medio enteramente extraño, después de un lapso de muchas horas, sin conocimiento o recuerdo de lo sucedido en el período transcurrido. De este modo quedan anuladas la voluntad y el entendimiento de la persona poseída por el demonio.

Dios el Espíritu Santo nunca actúa de esta manera con el verdadero creyente en Cristo. Entre los más preciosos de todos los talentos con que Dios ha dotado al hombre están la voluntad y la personalidad. En consecuencia, Dios jamás usurpa la voluntad o la personalidad del creyente. El obrará a través de ellas si se le permite pero nunca las anula. Satanás hace esclavos. Dios hace hijos.

Vemos, entonces, qué equivocado y antibíblico es que los creyentes bautizados en el Espíritu digan respecto a alguna manifestación espiritual: "¡No pude evitarlo! El Espíritu Santo me obligó a hacerlo." Hablar así es presentar al Espíritu residente de Dios como algún déspota y al creyente como a un esclavo. Los creyentes que hablan así no han llegado a comprender sus privilegios y responsabilidades como hijos de Dios.

> Pues no habéis recibido el espíritu de esclavitud para estar otra vez en temor, sino que habéis recibido el espíritu de adopción, por el cual clamamos: ¡Abba, Padre! El Espíritu mismo da testimonio a nuestro espíritu, de que somos hijos de Dios.
>
> Romanos 8:15-16

Así nos enfrentamos con un importante principio que puede aplicarse a todos los asuntos humanos, lo mismo políticos que espirituales: La verdadera libertad es imposible sin un buen gobierno. La clase de libertad que procura anular todo gobierno o control de cualquier clase, termina sólo en anarquía y confusión. El resultado final es una nueva forma de esclavitud, mucho más grave que la forma de gobierno que fue desechada.

Hemos visto esto en la historia política del género humano, y el mismo principio se aplica igualmente en la vida espiritual de la Iglesia cristiana. La verdadera libertad espiritual es posible sólo donde hay un gobierno espiritual. El gobierno que Dios ha designado para la Iglesia es el del Espíritu Santo.

Volvamos entonces a lo que dice Pablo en 2 Corintios 3:17:

> Porque el Señor es el Espíritu; y donde está el Espíritu del Señor, allí hay libertad.

Si deseamos disfrutar de la libertad del Espíritu, tenemos primero que reconocer voluntariamente el señorío del Espíritu. Estas dos operaciones del Espíritu Santo nunca se pueden separar.

También es preciso tener presente otro importante hecho acerca del Espíritu Santo, que establecimos antes en este estudio. El Espíritu Santo es tanto el autor como el intérprete de las Escrituras. Esto significa que el Espíritu Santo no dirigirá a un creyente a decir o hacer algo contrario a las Escrituras. Si el Espíritu Santo llegara a hacer eso, sería ilógico e inconsecuente consigo mismo, y sabemos que eso es imposible.

> Mas, como Dios es fiel, nuestra palabra a vosotros no es Sí y No. Porque el Hijo de Dios, Jesucristo, que entre vosotros ha sido predicado por nosotros, por mí, Silvano y Timoteo, no ha sido Sí y No; mas ha sido Sí en él.
>
> 2 Corintios 1:18-19

Pablo está diciendo que Dios nunca es inconsecuente consigo mismo. Respecto de cualquier asunto particular de doctrina o práctica, Dios nunca dice sí una vez y no otras. Si Dios alguna vez ha dicho sí, entonces su respuesta sigue siendo sí. Jamás cambia más tarde a no. Nunca es cambiante o inconsecuente consigo mismo.

Esto se aplica a la relación entre la enseñanza de las Escrituras por una parte, y las expresiones vocales y las manifestaciones por otra. El Espíritu Santo, siendo él mismo el autor de la Escritura, siempre está de acuerdo con ella. No existe una posibilidad de sí y no. Dondequiera que la Biblia dice no, el Espíritu Santo también dice no. Ninguna expresión vocal o manifestación que esté inspirada y controlada por el Espíritu Santo será jamás contraria a las enseñanzas y ejemplos de la Escritura.

No obstante, como ya hemos insistido, el Espíritu Santo no es un dictador en la vida del creyente. No fuerza al creyente a actuar siempre de un modo bíblico. El Espíritu Santo sirve de intérprete y consejero. Interpreta la Escritura; ofrece orientación y consejo. Pero el creyente permanece libre para aceptar o rechazar los consejos del Espíritu Santo; para obedecer o desobedecer.

Esto impone una terrible responsabilidad en cada creyente bautizado en el Espíritu. Cada uno es responsable de conocer personalmente la intención del Espíritu Santo revelada en las Escrituras y ajustar entonces su comportamiento en el ejercicio de los dones o manifestaciones espirituales como en todos los otros asuntos de forma que armonicen con los principios y ejemplos de las Escrituras.

Si por pereza, indiferencia o desobediencia, un creyente bautizado en el Espíritu no cumple con esto y ejerce los dones o manifestaciones espirituales de manera insensata y antibíblica, la responsabilidad de las consecuencias es únicamente del creyente, no del Espíritu Santo.

Con respecto a esto, una responsabilidad especial descansa en cada ministro llamado por Dios para dirigir la alabanza y los servicios de una congregación bautizada en el Espíritu. Este hombre no sólo tiene que dirigir su propio ministerio espiritual de acuerdo con las enseñanzas de la Escritura, sino también permitir que Dios haga de él, un instrumento para dirigir la alabanza y el ministerio de toda la congregación, de acuerdo con los mismos principios bíblicos.

El éxito aquí requiere de cualidades especiales en un grado sumo: primero, un esmerado conocimiento práctico de las Escrituras, y después, sabiduría, autoridad y valor. Donde falten estas cualidades en los líderes, una congregación que procura ejercer los dones y manifestaciones espirituales será semejante a un barco a la deriva en medio de poderosos vientos y traicioneros bancos de arena, dirigido por un capitán inexperto y mal entrenado. ¡No hay que asombrarse si termina en naufragio!

Yo he estado asociado con el ministerio del evangelio completo por más de cincuenta años. Durante esos años he observado dos cosas que han hecho más que cualquier otra por obstaculizar la aceptación del testimonio del evangelio completo. La primera es el incumplimiento en el ejercicio de un control adecuado de las manifestaciones públicas de los dones espirituales, particularmente del don de lenguas; la segunda, son las rivalidades, conflictos y divisiones entre los creyentes bautizados en el Espíritu, tanto entre los miembros de la misma congregación, como entre congregaciones. Ambos problemas tienen un mismo origen: la falta de reconocimiento del señorío eficaz del Espíritu Santo.

Podemos ofrecer ahora una definición de la verdadera libertad espiritual: La libertad espiritual estriba en el reconocimiento del señorío eficaz del Espíritu Santo en la Iglesia. Donde el Espíritu es Señor, hay libertad.

## Los tiempos y las estaciones

Muchos creyentes bautizados en el Espíritu tienen su propio concepto particular de libertad. Algunos imaginan que la libertad consiste en gritar. Si lográramos gritar lo suficientemente fuerte y por bastante tiempo parecen pensar nos excitaremos hasta conseguir la libertad. Pero jamás se puede excitar al Espíritu Santo; él desciende de lo alto o fluye de dentro. En cualquiera de los casos, su manifestación es libre y espontánea, nunca laboriosa o fatigosa.

Otros creyentes bautizados en el Espíritu ponen todo su empeño en algún otro tipo de expresión o manifestación, como cantar o aplaudir o danzar. En muchos casos la explicación es que Dios una vez los bendijo de esa manera, y han llegado a creer que las bendiciones de Dios siempre seguirán llegándoles de ese modo y nunca de otra forma. Dios los bendijo una vez que estaban gritando, así que siempre quieren gritar. O Dios los bendijo una vez que estaban danzando, por lo que siempre quieren danzar.

Se han vuelto tan limitados en su visión y concepto del Espíritu que no pueden concebir que Dios los bendiga de ningún otro modo. Con frecuencia llegan a despreciar a otros creyentes que no se unen a ellos en sus gritos, o en su danza, o en sus aplausos. Pudieran sugerir que los otros creyentes no son realmente "libres en el Espíritu".

No hay nada necesariamente antibíblico en gritar, o danzar, o aplaudir. La Biblia proporciona ejemplos claros de todas estas cosas en la adoración del pueblo de Dios. Pero sí es antibíblico y también insensato sugerir que alguna de estas formas de expresión constituya por necesidad la verdadera libertad espiritual.

Una persona que crea que tiene que adorar a Dios gritando, o danzando, o aplaudiendo siempre, ya no disfruta de verdadera libertad espiritual; por el contrario, ha regresado a una especie de atadura religiosa que él mismo se ha forjado. Una persona así está tan esclavizada como el cristiano en el extremo opuesto de la escala religiosa, que no conoce otra manera de adorar a Dios que con palabras y formas de una liturgia impresa.

En las palabras de Salomón encontramos una maravillosa clave para la verdadera libertad espiritual:

> Todo tiene su tiempo,
> Y todo lo que se quiere debajo del cielo tiene su hora.
> Tiempo de nacer,
> y tiempo de morir;
> tiempo de plantar,
> y tiempo de arrancar lo plantado;
> tiempo de matar,
> y tiempo de curar;
> tiempo de destruir,
> y tiempo de edificar;
> tiempo de llorar,
> y tiempo de reír;
> tiempo de endechar,
> y tiempo de bailar;
> tiempo de esparcir piedras,
> y tiempo de juntar piedras;
> tiempo de abrazar,
> y tiempo de abstenerse de abrazar;
> tiempo de buscar,
> y tiempo de perder;
> tiempo de guardar,
> y tiempo de desechar;
> tiempo de romper,
> y tiempo de coser;
> tiempo de callar,
> y tiempo de hablar;

tiempo de amar,
y tiempo de aborrecer;
tiempo de guerra,
y tiempo de paz.

Eclesiastés 3:1-8

Salomón aquí menciona veintiocho actividades presentadas en catorce pares de opuestos. En cada par está bien en un momento hacer lo uno, y en otro momento hacer lo otro. Nunca podemos decir incondicionalmente que siempre está bien hacer lo uno o siempre malo hacer lo otro. Eso lo decide el tiempo o la estación.

Muchos de estos pares de opuestos se relacionan con la vida y la adoración de una congregación, como plantar o arrancar lo plantado; matar o curar; destruir o edificar; llorar o reír; endechar o bailar; recoger o esparcir; callar o hablar.

Ninguno está absolutamente bien o absolutamente mal. Cada uno está bien si se hace en el momento justo, o mal si se hace en el momento inoportuno.

Entonces, ¿cómo podremos saber qué hacer, o cuándo? La respuesta es: ése es el ministerio soberano del Espíritu Santo como Señor en la iglesia. El revela y dirige qué hacer, y cuándo. Una congregación que está dirigida por el Espíritu Santo hará lo justo en el momento apropiado. Este es el origen de la verdadera libertad, armonía y unidad. Aparte de esto, sólo hay diversos grados de esclavitud, discordia y desunión.

En el siguiente capítulo procederemos a examinar otra característica distintiva que marca la vida y la adoración de una congregación donde los miembros han sido bautizados con el Espíritu Santo y tienen libertad para ejercer este poder.

# 34

# Participación total de los miembros

$P$rocederemos ahora a examinar una segunda característica que es distintiva de una congregación llena del Espíritu.

En los servicios regulares en la mayoría de las iglesias cristianas de hoy, casi todas las iniciativas y actividades reales están concentradas en algunos individuos. La congregación puede tomar parte en ciertas actividades arregladas de antemano, como cantar himnos de un libro o repetir oraciones y respuestas formalizadas. Pudiera también haber, dentro de la congregación principal, uno o dos grupos más pequeños especialmente entrenados, como el coro o una orquesta. Pero aparte de esto, toda la actividad e iniciativa reales se dejan en manos de uno o dos individuos, mientras la mayoría del resto de la congregación permanece pasiva.

Una persona dirige el canto; una persona ora; una persona predica. Algunas veces dos —o más incluso— de estas actividades, pueden combinarse en una persona. Del resto de la congregación se espera o se requiere muy poco más que un ocasional "Amén".

Sin embargo, si examinamos la vida y adoración de la Iglesia primitiva como la describe el Nuevo Testamento, encontramos que había participación activa de todos los creyentes presentes en cualquier servicio. Esto se conseguía por la presencia y poder sobrenatural del Espíritu Santo, obrando en cada creyente y por medio de éste.

## La luz sobre el candelero

Un estudio más extenso de este modelo neotestamentario revela que los dones o manifestaciones sobrenaturales del Espíritu Santo no son primordialmente para el creyente en particular. Más bien se conceden, por medio del creyente individual, a la iglesia o congregación en general. Por consiguiente, no pueden lograr su debido propósito a menos que se manifiesten y ejerzan libremente en la vida de la congregación.

Primera de Corintios 12, indica la manera que los dones del creyente individual están destinados para funcionar en la vida incorporada de la congregación.

Primero enumera nueve manifestaciones o dones sobrenaturales específicos del Espíritu Santo, finalizando con las palabras:

> Pero todas estas cosas las hace uno y el mismo Espíritu, repartiendo a cada uno en particular como él quiere.
>
> 1 Corintios 12:11

Esta última frase indica que estos dones o manifestaciones se otorgan en primera instancia a creyentes individuales. Pero no termina ahí.

Los siguientes dieciséis versículos del mismo capítulo —los versículos 12 al 27— prosiguen diciendo que la Iglesia cristiana es como un cuerpo con muchos miembros, y compara a cada creyente individual con cada uno de los miembros del único cuerpo, terminando con las palabras: *Vosotros, pues, sois el cuerpo de Cristo, y miembros cada uno en particular.*

La lección, por consiguiente, es que, aunque los dones espirituales le son conferidos particularmente a esos creyentes, se le dan para capacitarlos a fin de que desempeñan su parte debida en la Iglesia, el cuerpo de Cristo colectivamente. Así los dones espirituales no están destinados primordialmente para el beneficio del individuo sino para la vida y adoración de toda la congregación.

Se vuelve a llamar la atención sobre este punto en el versículo siguiente:

> Y a unos puso Dios en la Iglesia primeramente apóstoles, luego profetas, lo tercero maestros, luego los que hacen milagros, después los que sanan, los que ayudan, los que administran, los que tienen don de lenguas.
>
> 1 Corintios 12:28

Todos estos ministerios y dones han sido puestos por Dios en la Iglesia. Es decir, están destinados no meramente al uso privado de los creyentes individuales, sino a la manifestación pública en la Iglesia y la congregación del pueblo de Dios.

Esta misma verdad se ilustra claramente en una breve parábola de Jesús:

> Ni se enciende una luz y se pone debajo de un almud, sino sobre el candelero, y alumbra a todos los que están en casa.
>
> Mateo 5:15

Los dos símbolos principales empleados en esta parábola son la luz y el candelero. El símbolo del candelero puede ser interpretado con referencia a Apocalipsis 1:20.

> Los siete candeleros que has visto son las siete iglesias.

En la Escritura, un candelero se usa como símbolo de una iglesia o una congregación.

El símbolo de la lámpara encendida puede interpretarse con referencia a Proverbios 20:27.

> La lámpara del Señor es el espíritu del hombre. (BLA)

Así, la lámpara encendida es un símbolo del espíritu del creyente bautizado en el Espíritu, hecho para arder y alumbrar por el fuego del Espíritu que mora en él.

Tal como la lámpara ha sido designada para tomar su lugar sobre el candelero, así mismo el creyente bautizado en el Espíritu está designado para tomar su lugar en la congregación pública de la iglesia. Un creyente que ha sido bautizado en el Espíritu Santo pero que nunca ejerce un don espiritual en el servicio de la congregación, es como una luz bajo un cesto. No cumple el propósito para el cual Dios le dio el don.

Cuando la presencia y el poder del Espíritu Santo se manifiestan públicamente a través de varios creyentes, toda la vida y la adoración de la congregación son transformadas por completo. La responsabilidad principal del ministerio y la dirección del servicio ya no descansa en uno o dos individuos mientras el resto permanecen pasivos.

Por el contrario, cada miembro de la congregación participa activamente en el servicio, y los diferentes miembros se ministran unos a otros, más bien que uno o dos ministrando todo el tiempo al resto.

Este es el modelo indicado por Pablo en el ejemplo del cuerpo y sus miembros y queda confirmado por las palabras de Pedro:

> Cada uno según el don que ha recibido, minístrelo a los otros, como buenos administradores de la multiforme gracia de Dios. Si alguno habla, hable conforme a las palabras de Dios; si alguno ministra, ministre conforme al poder que Dios da, para que en todo sea Dios glorificado por Jesucristo.
>
> 1 Pedro 4:10-11

Pedro dice aquí que la gracia de Dios es multiforme. Es decir, que la gracia de Dios es tan rica, tan multilateral, que a través de cada miembro individual puede manifestarse un aspecto diferente de esa gracia en la adoración colectiva y en el servicio del pueblo de Dios. De esta forma cada miembro de la Iglesia puede recibir su propia manifestación especial y puede así tener algo que ministrar a su vez a todos los otros miembros.

Pedro declara que cada miembro de la iglesia está incluido; nadie tiene que quedarse sin un don o ministerio: *Cada uno según el don que ha recibido, minístrelo a los otros* (1 Pedro 4:10). Y vuelve, en el versículo siguiente: *Si alguno habla (...) Si alguno ministra* (1 Pedro 4:11). Aquí no es cuestión de una iglesia con uno o dos ministros "profesionales" a tiempo completo, mientras todos los miembros restantes permanecen pasivos, casi inactivos. Cada miembro está incluido en el programa de Dios de ministerio sobrenatural en la iglesia; cada uno puede tener un don; cualquiera puede hablar; cualquiera puede ministrar.

Esta figura de la Iglesia con todos los miembros activos es confirmado por las palabras de Pablo:

> Digo, pues, por la gracia que me es dada, a cada cual que está entre vosotros, que no tenga más alto concepto de sí que el que debe tener, sino que piense de sí con cordura, conforme a la medida de fe que Dios repartió a cada uno. Porque de la manera que en un cuerpo tenemos muchos miembros, pero no todos los miembros tienen la misma función, así nosotros, siendo muchos, somos un cuerpo en Cristo, y todos miembros los unos de los otros. De manera que, teniendo diferentes dones, según la gracia que nos es dada, si el de profecía, úsese conforme a la medida de la fe; o si de servicio, en servir; o el que enseña, en la enseñanza; el que exhorta, en la exhortación; el que reparte, con liberalidad; el que preside, con solicitud; el que hace misericordia, con alegría.
>
> Romanos 12:3-8

En estos versículos una vez más se compara a la Iglesia cristiana con un cuerpo, del que cada creyente es un miembro, y pone de relieve la actividad de cada miembro. Observemos la repetición de frases como: "cada cual", "cada uno", "miembros los unos de los otros".

Dios le ha adjudicado a cada miembro una función un ministerio, especial. Además, Dios también ha hecho una doble provisión para el ejercicio eficaz de ese ministerio: 1) la medida de la fe; y 2) los dones especiales que el ministerio requiere. De esta forma cada miembro está completamente capacitado para su tarea.

Así la figura de la Iglesia neotestamentaria es de un cuerpo vigoroso, dinámico, en que cada miembro individual cumple debidamente su función especial. Una iglesia en que sólo uno o dos de sus miembros tiene un ministerio activo sería, según las normas neotestamentarias, semejante a un cuerpo en que, digamos, la cabeza, una mano y un pie sean fuertes y activos, y todo el resto del cuerpo estuviera paralizado e inútil. Es obvio que semejante cuerpo, considerado en su totalidad, nunca podría realizar sus funciones debidamente.

Se pone de manifiesto en particular el ministerio sobrenatural impartido por el Espíritu Santo a cada miembro de una iglesia neotestamentaria:

> Pero a cada uno se le da la manifestación del Espíritu para el bien común.
>
> 1 Corintios 12:7 (BLA)

Además, con respecto a los nueve dones sobrenaturales del Espíritu Santo:

> Pero todas estas cosas las hace uno y el mismo Espíritu, repartiendo a cada uno en particular como él quiere.
>
> 1 Corintios 12:11

Observemos cuidadosamente que dice aquí: "a cada uno [a cada miembro de la iglesia] se le da la manifestación del Espíritu [la demostración manifiesta y pública del Espíritu residente en él (1 Corintios 12:7). Además: Todos estos nueve dones sobrenaturales el Espíritu Santo los reparte "a cada uno en particular [a cada miembro]" (1 Corintios 12:11).

## El ejercicio de los dones espirituales

Estas palabras esclarecen la voluntad expresa de Dios para cada miembro de la Iglesia que haga uso de sus dones espirituales; es decir, que el Espíritu residente en su interior se manifieste abierta, pública y sobrenaturalmente. Si todos los creyentes no tienen esos dones en operación, no es porque Dios se los haya retenido, sino sencillamente porque ellos, por ignorancia o negligencia o incredulidad, no se han seguido desarrollando hasta la plenitud de la voluntad revelada de Dios para su pueblo.

Esos creyentes no han obedecido la exhortación de Pablo: *Mas desead ardientemente los mejores dones* (1 Corintios 12:31, BLA). Y prosigue exhortando a los creyentes: *Procurad alcanzar el amor; pero también desead ardientemente los dones espirituales, sobre todo que profeticéis* (1 Corintios 14:1, BLA).

Hay tres dones espirituales acerca de los que es particularmente específico: lenguas, interpretación y profecía:

> Yo quisiera que todos hablarais en lenguas, pero aún más, que profetizarais.
>
> 1 Corintios 14:5

Puesto que Pablo está escribiendo aquí bajo la inspiración del Espíritu Santo, sus palabras comunican a la Iglesia la voluntad revelada de Dios para todo su pueblo creyente, tanto de que hable en lenguas como de que profetice. Si hay creyentes que no disfrutan del uso de estos dones, no es porque Dios se los haya retenido, sino simplemente porque esos creyentes no han entrado en posesión de la plenitud de su herencia en Cristo.

El Señor dijo a Josué y a su pueblo bajo el antiguo pacto:

> Queda aún mucha tierra por poseer.
>
> Josué 13:1

Así es también con el pueblo de Dios bajo el nuevo pacto hoy. Pablo también dice:

> Por lo cual, el que habla en lengua extraña, pida en oración poder interpretarla.
>
> 1 Corintios 14:13

La palabra de Dios nunca nos dice que oremos por algo fuera de la voluntad de Dios. Por consiguiente, sabemos que la voluntad de Dios para cualquiera que hable en lenguas es también que interprete. Puesto que Pablo ya ha dicho que es la voluntad de Dios que todos hablen en lenguas, por lo tanto también es la voluntad de Dios que todos interpreten.

> Porque podéis profetizar todos uno por uno, para que todos aprendan, y todos sean exhortados.
>
> 1 Corintios 14:31

Nada puede estar más claro que esto. Está dentro de la voluntad revelada de Dios que todos los miembros de la iglesia aprovechen el don espiritual de profecía. Se impone sólo dos limitaciones. Aquí en el versículo que acabamos de citar dice: "uno por uno". Es decir, los creyentes harán uso de este don por turnos, no más de uno profetizando a la vez. El propósito es obvio y se establece versículos después. Es para evitar confusión:

> Los profetas hablen dos o tres, y los demás [los otros miembros] juzguen.
>
> 1 Corintios 14:29

Aquí se limita el número de los que pueden profetizar en un servicio a "dos o tres". El propósito es que todo el servicio no sea monopolizado por una forma particular de manifestación espiritual. El ejercicio de la profecía tiene su lugar en el servicio, pero no constituye todo el servicio. El ministerio del Espíritu Santo a través del pueblo de Dios es mucho más variado que eso. Se requieren muchas otras formas diferentes de ministerio para constituir un servicio completo.

Pablo también dice claramente que el ejercicio del don de profecía tiene que ser juzgado o probado: "Los demás juzguen." Los "demás" deben de incluir al resto de los creyentes bautizados en el Espíritu presentes, capaces de reconocer la genuina manifestación del don de profecía. Incluso vemos que se incluye a todos los miembros. No especifica meramente un ministro profesional que deba juzgar, sino que responsabiliza a la totalidad de los creyentes para hacerlo:

> No apaguéis al Espíritu.
> No menospreciéis las profecías.
> Examinadlo todo; retened lo bueno.
>
> 1 Tesalonicenses 5:19-21

Estos tres versículos están dirigidos a los creyentes cristianos en general, y tienen que apreciarse íntimamente unidos. Está mal que los creyentes apaguen el Espíritu; que rechacen el movimiento y la manifestación del Espíritu Santo en su medio. También está mal que los creyentes desprecien las profecías; que adopten una actitud de crítica, disgusto o incredulidad hacia la manifestación del don de profecía.

Por otra parte, cuando se manifiesta este don, los creyentes son responsables de probarlo por las normas de la Escritura; y después, de retener y aceptar únicamente lo bueno, sólo lo que concuerda con las normas de la Escritura.

Vemos, pues, que Pablo tiene cuidado de advertir contra cualquier cosa que pueda ser espuria o desordenada en el ejercicio o manifestación de los dones espirituales. Sin embargo, con esta única condición: declara repetida y enfáticamente que todos los creyentes en la Iglesia pueden y deben ejercer las manifestaciones abiertas de los dones espirituales. Especifica en particular los tres dones de lenguas, interpretación y profecía.

¿Cuál es el resultado en una iglesia donde todos sus miembros libre y públicamente ejercen los dones sobrenaturales del Espíritu en esta forma? Pablo describe la clase de servicios que resultan de esto:

> ¿Qué hay, pues, hermanos? Cuando os reunís, cada uno de vosotros tiene salmo, tiene doctrina, tiene lengua, tiene revelación, tiene interpretación. Hágase todo para edificación.
>
> 1 Corintios 14:26

La frase "cada uno de vosotros tiene" fija un patrón que implica la participación de todos los miembros.

Generalmente hablando, cuando los cristianos se reúnen hoy, lo hacen con el propósito primordial de recibir, no de contribuir. Vienen a conseguir una bendición, a recibir sanidad, a oír a un predicador.

Pero en la iglesia del Nuevo Testamento no era así. Allí los miembros no llegaban a recibir en primer lugar, sino a contribuir. Cada uno tenía algo que el Espíritu Santo le había confiado particularmente a él, con lo que a su vez él podía contribuir a la adoración y servicio total de la iglesia.

Se mencionan varias clases posibles de contribución. Un *salmo* denotaría cierta forma de contribución musical. Esto pudiera ser el producto de un talento natural o de una capacitación sobrenatural del Espíritu Santo. Una *enseñanza* denotaría la capacidad de impartir alguna verdad de la Palabra de Dios. Una *lengua* y una *interpretación* pueden abarcar en general los tres dones de expresión sobrenatural: lenguas, interpretación y profecía. Una *revelación* cubriría cualquiera de los tres principales dones de revelación: la palabra de sabiduría, la palabra de conocimiento, y el discernimiento de espíritus.

De este modo —principalmente a través de la operación de los dones sobrenaturales del Espíritu— todos los miembros tenían algo propio que contribuir a la adoración y servicio conjunto de la iglesia. Así podían cumplir el precepto dado por Pedro:

> Cada uno según el don que ha recibido, minístrelo a otros.
>
> 1 Pedro 4:10

Pedro destaca el mismo punto que Pablo. La capacidad de los miembros de ministrar eficazmente unos a otros se debía principalmente a que habían recibido esos dones sobrenaturales del Espíritu. Así eran alzados por encima de las limitaciones de su propia educación o talento naturales, a un plano de libertad espiritual mucho más elevado.

Si su capacidad de ministrarse unos a otros hubiese dependido de la educación o talento naturales, muchos de ellos hubieran tenido muy poco que contribuir a la totalidad. El resultado hubiese sido exactamente el que vemos en la mayoría de las iglesias hoy. La carga principal del ministerio hubiera caído sobre algunos miembros, mientras que el resto hubiese permanecido en gran parte pasivos o inactivos, sin oportunidades reales de expresión o desarrollo espiritual.

¿Por qué tantos ministros profesionales en nuestra iglesias modernas sufren de colapsos nerviosos o mentales?

La respuesta, en muchos casos, es un miembro esforzándose en llevar una carga de ministerio que Dios jamás puso sobre él. Un miembro está tratando de llenar un ministerio que Dios tenía destinado para dividirse entre todos los miembros de la iglesia. El casi inevitable resultado es alguna clase de colapso.

La única salida de las limitaciones y frustraciones de esta situación es mediante el ministerio sobrenatural del Espíritu Santo en la iglesia, dividiendo los dones espirituales entre todos los miembros en particular, de acuerdo con su propia voluntad. Esto libera a los creyentes de sus propias limitaciones naturales y los eleva a un plano espiritual donde pueden compartir juntos la carga de todo el ministerio de la iglesia.

Cuando todos los miembros están capacitados así para funcionar en sus ministerios individuales, la iglesia en su totalidad puede cumplir su papel como cuerpo de Cristo.

# SECCION C


# EL PREDICADOR
# LLENO DEL ESPIRITU

# 35

# La convicción
# de asuntos con
# consecuencias eternas

En los últimos dos capítulos hemos examinado los efectos del bautismo en el Espíritu Santo en la vida y adoración general de una congregación cristiana.

Ahora debemos concentrar nuestra atención en el ministerio especial del predicador; el creyente llamado por Dios para el vital ministerio de predicar la palabra de Dios. Las preguntas que debemos tratar de contestar son:

1. ¿Qué resultados especiales produce en el ministerio del predicador el bautismo en el Espíritu Santo?
2. ¿De qué maneras principales difiere el ministerio de un predicador fortalecido por el Espíritu Santo, del ministerio de uno que no lo está?

Al considerar la relación entre el Espíritu Santo y el ministerio del predicador, debemos empezar con las palabras de Pedro. El le recuerda a la iglesia primitiva el ejemplo y la norma fijada ante ellos por los predicadores que les habían traído el mensaje del evangelio. Habla de aquellos *que os han predicado el evangelio por el Espíritu Santo enviado del cielo* (1 Pedro 1:12).

Estas palabras destacan la principal naturaleza que distingue a los predicadores del Nuevo Testamento. Ellos no dependían primordialmente de la educación, o de la elocuencia, o de los talentos naturales; predicaban por el Espíritu Santo enviado desde el cielo. Dependían y contaban con la presencia real y personal y el poder del Espíritu Santo obrando en ellos, a través de ellos y con ellos. Cualquier otro medio y talento que empleaban permanecía sometido a esta única influencia controladora: la presencia y el poder del Espíritu Santo.

¿Qué resultados se obtienen cuando se reconoce de esta manera la preeminencia del Espíritu Santo en el ministerio del predicador?

## El pecado, la justicia y el juicio

Y cuando él [el Espíritu Santo] venga, convencerá al mundo de pecado, de justicia y de juicio.

Juan 16:8

Pudiéramos parafrasear esto así: "El Espíritu Santo hará ver claramente al mundo incrédulo los asuntos del pecado, la justicia y el juicio de tal forma que ya no podrá seguir desoyendo y negando esos asuntos."

Estos tres temas —el pecado, la justicia y el juicio— son las realidades eternas constantes en que se basa toda verdadera religión.

Pablo le recordó al orgulloso, intelectual y autosuficiente pueblo ateniense el planteamiento básico del juicio de Dios.

[Dios] ha establecido un día en el cual juzgará al mundo con justicia.

Hechos 17:31

El juicio es una cita divina. Nadie puede excusarse; nadie está exento; nadie puede escapar. La cita de Dios es con el mundo, la humanidad entera. En este juicio Dios se preocupa de un solo asunto: la justicia. Dios no juzgará a los hombres con respecto a su riqueza o su ingeniosidad o profesión religiosa. Lo único que le preocupa es la justicia.

La naturaleza de este asunto se define con sencillez: *Toda injusticia es pecado* (1 Juan 5:17). Con respecto a la conducta moral, hay sólo una alternativa a la justicia, y ésta es pecado. El pecado tiene que definirse en términos de justicia. Lo negativo tiene que definirse en términos de lo positivo.

Si nos pidieran que definiéramos la palabra *torcido,* el modo más sencillo sería demostrando el significado de *recto.* Podríamos trazar una línea recta y decir: "Esto es recto." Y podríamos proseguir: "Cualquier otra línea que se extienda entre estos mismos dos puntos, que no siga el curso de esta línea, está torcida."

Hasta dónde se desvía la línea torcida de la recta es asunto de importancia secundaria. Tal vez se desvíe uno o muchos grados. Eso no importa. Da igual que se desvíe mucho o poco, pues de todas formas está torcida.

Asimismo sucede con el pecado y la justicia. Toda injusticia es pecado. Toda conducta moral que no es justa, es pecaminosa. Dios ha establecido su norma divina de justicia. Cualquier cosa que se aparte de esa norma en cualquier grado, grande o pequeño, es pecado.

¿Cuál es la norma de Dios para la justicia? La respuesta viene en la segunda parte del versículo que ya hemos citado del discurso de Pablo en Atenas:

> Porque El ha establecido un día en el cual juzgará al mundo en justicia, por medio de un Hombre a quien ha designado, habiendo presentado pruebas a todos los hombres al resucitarle de entre los muertos.
>
> Hechos 17:31 (BLA)

¿Cuál es la norma de Dios para la justicia establecida aquí? No es un código moral ni una regla de oro; ni siquiera los Diez Mandamientos. Es la única clase de norma perfectamente ajustada al género humano. Es un hombre... ese hombre a quien Dios ha designado.

¿Quién es ese hombre? Es el hombre a quien Dios ha dado testimonio o seguridad levantándolo de entre los muertos. Es el Hombre Jesucristo. El es la única norma de Dios en justicia para la especie humana. Para comprender esta norma, tenemos que estudiar la vida y el carácter de Jesús como los presenta el Nuevo Testamento. Todo aspecto del carácter o de la conducta humana que cae por debajo de la norma de Jesús, está por debajo de la norma de justicia de Dios.

Romanos 3:23 presenta la misma verdad relativa a la naturaleza de la justicia y el pecado:

> Por cuanto todos pecaron y están destituidos de la gloria de Dios.

No se especifica algún tipo particular de pecado. No precisa que sea el orgullo, o la lascivia, o la codicia, o el asesinato, o la mentira. Hay un solo punto que afirma que todos son igualmente culpables: ninguno alcanza la gloria de Dios; todos han fracasado en tratar de vivir por las normas divinas; todos se han quedado cortos; todos han errado el blanco.

Estas normas de la gloria de Dios nos señalan otra vez a Jesús, *el resplandor de su gloria [del Padre] y la imagen misma de su sustancia* (Hebreos 1:3).

Jesucristo es el único de todos los hombres nacidos en este mundo, que vivió toda su existencia regido por esta sola norma y por este único propósito: la gloria de Dios, su Padre.

Aquí, definidas y demostradas para que todos las vean, están los tres elementos básicos de los que depende el destino eterno de cada alma humana: el pecado, la justicia y el juicio.

Pero la especie humana, en su condición natural, corrompida no se preocupa en absoluto por estos asuntos. Se debe a que el hombre caído es esclavo de su propia mente carnal. Su único medio normal de contacto con la realidad es a través de su naturaleza carnal; mediante sus cinco sentidos. Lo impresionan y mueven solamente los aspectos de la realidad que le revelan sus sentidos. Por lo tanto, está prisionero en el plano de lo carnal y lo material. Son las cosas de este plano las que le impresionan e influyen, las que ocupan su tiempo, su pensamiento y sus energías.

Escuchemos a la gente del mundo conversar casualmente en cualquier lugar público, un autobús, un tren o un restaurante. ¿Cuál es el tema de conversación más común? Sin lugar a dudas, es el dinero. He probado esto por observación personal, escuchando a la gente hablar en muchos idiomas y países diferentes.

Después del dinero vienen una variedad de otros temas, todos relacionados de algún modo con el bienestar físico y material del hombre, sus placeres, sus comodidades, sus lujos. Entre los más comunes de estos tópicos podemos mencionar deportes, política, diversión, comida, negocios, agricultura, asuntos familiares, automóviles, ropa y enseres domésticos.

Estas son las cosas que normalmente monopolizan el pensamiento y la conversación de la gente de este mundo. Entre ellos no hay lugar para los tres asuntos del pecado, la justicia y el juicio.

¿Por qué es así? La respuesta es simple: estos tres problemas no se pueden percibir a través de los sentidos carnales del hombre. Porque para el hombre que está encerrado en la prisión de sus propios sentidos y su propio entendimiento carnal, el pecado, la justicia y el juicio no son reales ni tienen importancia alguna.

Hay sólo un medio para que éstos puedan ser reales a hombres y mujeres, y es la obra del Espíritu Santo. El es el único que puede convencer al mundo de estas realidades invisibles y eternas. En la proporción en que el Espíritu Santo gana acceso en el corazón y mente de los hombres, éstos se preocupan por el pecado, la justicia y el juicio.

En el Salmo 14:2-3 se nos da una descripción divinamente inspirada de la humanidad tal como Dios la ve, en su propia condición natural, caída, separada de la influencia de la gracia de Dios y de la obra del Espíritu de Dios. El salmista dice aquí:

> El Señor ha mirado desde los cielos sobre los hijos de los hombres
> para ver si hay alguno que entienda,
> Alguno que busque a Dios,
> Todos se han desviado, a una se han corrompido;
> no hay quien haga el bien, no hay ni siquiera uno.

Observemos lo que el salmista dice acerca de la condición natural del hombre. No es sólo que no haya quien haga el bien. La depravación espiritual del hombre llega mucho más bajo. No hay quien entienda, ninguno que busque a Dios. Incluso la comprensión de las cosas espirituales y el deseo de conocer a Dios están totalmente ausentes. Hasta que Dios, mediante su Espíritu Santo, desciende hasta el hombre. Este, dejado por su cuenta, jamás trata de buscar a Dios:

> Y él os dio vida a vosotros, cuando estabais muertos en vuestros delitos y pecados.
>
> Efesios 2:1

Aparte de la influencia estimuladora del Espíritu Santo, la condición espiritual del hombre es la muerte. Está muerto para Dios y para las realidades espirituales. El pecado, la justicia y el juicio no tienen significado ni realidad para él.

Esto no significa que el hombre en esta condición no conozca la religión. Por el contrario, la religión puede desempeñar una parte muy importante en su vida. Pero la religión, separada del mover del Espíritu Santo, puede ser la más letal de todas las influencias, adormeciendo al hombre en una falsa sensación de seguridad y de endurecimiento y de indiferencia referente a esos vitales asuntos espirituales de los que depende el destino de su alma.

Pablo ofrece un cuadro profético de los rasgos principales morales que caracterizarán al género humano al final de la presente era:

> También debes saber esto: que en los postreros días vendrán tiempos peligrosos. Porque habrá hombres amadores de sí mismos, avaros, vanagloriosos, soberbios, blasfemos, desobedientes a los padres, ingratos, impíos, sin afecto natural, implacables, calumniadores, intemperantes, crueles, aborrecedores de lo bueno, traidores, impetuosos, infatuados, amadores de los deleites más que de Dios, que tendrán apariencia de piedad, pero negarán la eficacia de ella; a éstos evita.
>
> 2 Timoteo 3:1-5

Se mencionan aquí dieciocho tachas morales que echarán a perder la vida y conducta humanas, cuando esta era se acerque a su final. Las primeras dos en su lista son "amadores de sí mismos" y "avaros". El último en la lista es "amadores de los deleites más que de Dios". Mediante el infalible conocimiento del Espíritu Santo, Pablo ha indicado las tres señales más importantes de nuestra civilización contemporánea: "amor de sí mismo", "amor al dinero" y "amor del placer".

Entre éstas hay otras quince características de decadencia moral, que se han manifestado en el siglo veinte mucho más abiertamente y en mayor escala que en ningún otro período anterior de la historia mundial.

Pero el aspecto más desafiante de toda esta situación es que, en medio de esta decadencia moral universal, no falta la religión. Después de relacionar estas dieciocho tachas morales, Pablo añade: "que tendrán apariencia de piedad, pero negarán la eficacia de ella."

En otras palabras, la gente culpable de estos pecados morales no son gente sin religión. Tienen una forma de devoción, de religión, pero es una en que no hay espacio para la presencia y poder del Espíritu Santo. Como resultado, no hay sensibilidad en los asuntos espirituales; ni conciencia de las realidades espirituales básicas; ni convicción de pecado, de justicia o de juicio.

Se desprende así que predicar el evangelio sin ir acompañado de la influencia del Espíritu Santo es un esfuerzo totalmente inútil. Es presentar un remedio a gente que no tiene conciencia de su necesidad; una cura a gente que no sabe que está enferma. La única reacción que puede producir es indiferencia o burla.

El mayor enemigo de la actividad evangelística no es el comunismo o los falsos cultos. Es el materialismo y la indiferencia. El único poder que puede romper esta barrera de materialismo es el poder del Espíritu Santo:

> Cuando él [el Espíritu Santo] venga, convencerá al mundo de pecado, de justicia y de juicio.
>
> Juan 16:8

El mundo necesita predicación como la de la iglesia primitiva: la predicación del Espíritu Santo enviado desde el cielo.

## Empuñando la espada del Espíritu

Echemos un vistazo a los ejemplos de este tipo de predicación, —registrados en el libro de Hechos— y a los resultados que produjo.

Antes de la venida del Espíritu Santo, el día de pentecostés, los 120 creyentes que estaban en el aposento alto en Jerusalén eran una minoría débil e insignificante. Pero después de ser llenos del Espíritu Santo, Pedro se puso en pie y predicó un sermón a una multitud de muchos miles de judíos que se habían reunido. ¿Cuáles fueron los resultados de este singular sermón?

> Al oír esto, se compungieron de corazón, y dijeron a Pedro y a los otros apóstoles: "Varones hermanos, ¿qué haremos?".
>
> Hechos 2:37

Observemos la frase "se compungieron de corazón". Esta compunción de corazón es la obra del Espíritu Santo que Jesús profetizó:

> Cuando él [el Espíritu Santo] venga, convencerá al mundo de pecado, de justicia y de juicio.
>
> Juan 16:8

Como resultado de esta convicción, antes que el día terminara, tres mil judíos incrédulos se habían arrepentido, reconocido a Jesús como Señor y Salvador, y habían sido bautizados.

Sin embargo, es importante recalcar que estos resultados no se lograron sólo con la manifestación sobrenatural del Espíritu Santo, sino por ir seguida de la predicación de la palabra de Dios:

> Agradó a Dios salvar a los creyentes por la locura de la predicación.
>
> 1 Corintios 1:21

Dios nunca ha mandado que los hombres se salven viendo hacer milagros o escuchando profecías. Estas manifestaciones sobrenaturales sirven para llamar la atención de los hombres y abrir sus corazones a la verdad. Pero es únicamente mediante la predicación de la palabra de Dios que los hombres se salvan en realidad.

Esto confirma la declaración de Pablo que *la espada del Espíritu (...) es la palabra de Dios* (Efesios 6:17).

Si Pedro no se hubiese puesto en pie el día de pentecostés y predicado un mensaje de la palabra de Dios, el Espíritu Santo hubiera estado todavía poderosamente presente con los discípulos. Pero se hubiese quedado sin una espada que blandir. Todavía hubiera habido temor y asombro entre los incrédulos, pero no se habrían convertido. Fue cortante espada de dos filos de la palabra de Dios, empuñada por el Espíritu Santo a través de los labios de Pedro, la que hirió a aquellos incrédulos exactamente en sus corazones y los llevó a una profunda compunción.

Casi la mitad del sermón de Pedro consistió en citas del Antiguo Testamento. Tan grande es el impacto de la palabra escrita de Dios, cuando se abre paso hasta el corazón humano por el poder del Espíritu Santo.

En Hechos 6 y 7 leemos de Esteban acusado de blasfemia y procesado ante el Sanedrín en Jerusalén. Al iniciarse el juicio Esteban es el acusado, y los miembros del consejo los acusadores. Pero antes que termine el juicio, los papeles se han cambiado.

Cuando Esteban, bajo la unción del Espíritu Santo, expone e interpreta al consejo las Escrituras del Antiguo Testamento relativas a Israel y al Mesías, es Esteban quien se convierte en acusador y los miembros del Sanedrín en acusados.

> Oyendo estas cosas, se enfurecían en sus corazones, y crujían los dientes contra él.
>
> Hechos 7:54

Observemos la frase "en sus corazones". Vemos otra vez que la espada de la palabra de Dios, blandida por el Espíritu Santo, llegó a los corazones de aquellos incrédulos y los hirió en lo más hondo.

Uno de los testigos del juicio y martirio de Esteban fue un joven llamado Saulo de Tarso. Este incidente evidentemente tuvo un efecto en él, porque cuando Jesús se le apareció más tarde en el camino de Damasco, le dijo:

> Dura cosa te es dar coces contra el aguijón.
>
> Hechos 9:5

¿Cuál era ese aguijón del que Saulo en vano intentaba escapar? Era el aguijón de la palabra de Dios, abriéndose paso hasta su corazón, empujada por el Espíritu Santo a través de los labios de Esteban.

Hechos 24 describe otro juicio en el que Pablo es entonces el acusado, encausado por su fe en Cristo, y el gobernador romano Félix es el juez. En este juicio, una vez más, el Espíritu Santo invirtió los papeles de acusador y acusado, porque mientras Pablo razonaba *acerca de la justicia, del dominio propio y del juicio venidero, Félix se espantó* (Hechos 24:25). El Espíritu Santo, a través de Pablo, abrió paso hasta el corazón de Félix a estas verdades de la justicia y el juicio. El orgulloso gobernador romano, acostumbrado a que los prisioneros temblaran ante él, se encontró temblando él mismo en la presencia de un juez invisible y rápidamente sacó a Pablo de la corte sin pronunciar sentencia.

Estos ejemplos del libro de Hechos ilustran el poder sobrenatural del Espíritu Santo para convencer a los hombres de pecado, de justicia y de juicio. Pero también muestran que convicción no es lo mismo que conversión, ni conduce necesariamente a la conversión. Hay un resultado, no obstante, que el Espíritu Santo, por su poder de convicción, sí logra con toda seguridad: No deja lugar a la neutralidad. Jesús dice:

> El que no es conmigo, contra mí es; y el que conmigo no recoge, desparrama.
>
> Mateo 12:30

Donde se manifiesta el poder de convicción del Espíritu Santo, toda persona que cae bajo su influencia tiene que tomar partido: o con Cristo, o contra él; o recoge o desparrama. Ya no es posible transigir o ser neutral:

> No penséis que he venido para traer paz a la tierra; no he venido para traer paz, sino espada. Porque he venido para poner en disensión al hombre contra su padre, a la hija contra su madre, y a la nuera contra su suegra.
>
> Mateo 10:34-35

La espada de la que Jesús habla aquí es la palabra de Dios. Cuando esta palabra se ministra en el poder del Espíritu Santo, es tan afilada y penetrante que no deja lugar a seguir transigiendo o permaneciendo neutral. Divide aun a los miembros de la misma familia, impulsando a cada cual individualmente a tomar una posición: o con Cristo o contra él.

Vivimos en una civilización marcada por el materialismo, la indiferencia, la transigencia y la decadencia moral y espiritual. ¿Hay algo que pueda detener el curso de esta decadencia y volver a nuestra generación de regreso a Dios?

Sí, hay una cosa que puede hacerlo, y sólo una: el poder del Espíritu Santo obrando a través de la palabra de Dios, convenciendo al mundo de pecado, de justicia y de juicio.

# 36

# Autentificación
# sobrenatural

Examinaremos ahora otro importante resultado producido por el bautismo en el Espíritu Santo en el ministerio del predicador:

> ¿Cómo escaparemos nosotros, si descuidamos una salvación tan grande? La cual, habiendo sido anunciada primeramente por el Señor, nos fue confirmada por los que oyeron, testificando Dios juntamente con ellos, con señales y prodigios y diversos milagros y repartimientos del Espíritu Santo según su voluntad.
>
> Hebreos 2:3-4

Aquí el escritor da tres razones por qué el mensaje del evangelio debe exigir la más cuidadosa atención de todos lo que lo oyen: 1) porque primero fue predicado por el mismo Señor Jesucristo; 2) porque el mensaje después fue transmitido y escrito por hombres que personalmente oyeron y vieron todo lo que sucedió; 3) porque este mensaje, transmitido así, más tarde fue autenticado sobrenaturalmente con señales y prodigios, milagros y dones del Espíritu Santo que acompañaron al mensaje.

De esto colegimos que uno de los principales ministerios del Espíritu Santo, con relación a la predicación del evangelio, es dar testimonio sobrenatural, mediante señales, prodigios, milagros y dones, de la divina autoridad y verdad del mensaje predicado.

## Acompañado de señales

Esto concuerda con la comisión de Jesús a sus discípulos al final de su ministerio terrenal:

Id por todo el mundo y predicad el evangelio a toda criatura.

Marcos 16:15

Y estas señales seguirán a los que creen: En mi nombre echarán fuera demonios; hablarán nuevas lenguas; tomarán en las manos serpientes, y si bebieren cosa mortífera, no les hará daño; sobre los enfermos pondrán sus manos, y sanarán.

Marcos 16:17-18

En estos versículos Jesús especifica cinco señales sobrenaturales decretadas por Dios para que acompañaran la predicación del mensaje del evangelio y dieran testimonio divino de su verdad.

1. La capacidad de echar fuera demonios.
2. La manifestación de hablar con nuevas lenguas (llamadas "otras lenguas" en otra parte).
3. Inmunidad a las mordeduras de serpientes.
4. Inmunidad al daño producido por veneno en la bebida o la comida.
5. La capacidad de ministrar sanidad a los enfermos al imponer las manos sobre ellos en el nombre de Jesús.

La frase introductoria empleada por Jesús, "en mi nombre", se aplica a cada una de las cinco señales especificadas. Cada una de ellas es efectiva sólo mediante la fe en el nombre de Jesús.

También debe señalarse que estas cinco señales sobrenaturales no están limitadas a alguna clase o categoría especial de gente. Jesús no dice "estas señales seguirán a los apóstoles", o "estas señales seguirán a los predicadores" o "estas señales seguirán a la Iglesia primitiva", sino: *Estas señales seguirán a los que creen.* Todos los creyentes sinceros tienen derecho a esperar que esas señales sobrenaturales acompañen y confirmen su testimonio cuando, en obediencia al mandato de Cristo, ellos proclamen las buenas nuevas del evangelio a todos los hombres.

Así precisamente interpretaron y aplicaron los primeros discípulos la comisión de Jesús:

Y el Señor, después que les habló, fue recibido arriba en el cielo, y se sentó a la diestra de Dios. Y ellos, saliendo, predicaron en todas partes, ayudándoles el Señor y confirmando la palabra con las señales que la seguían.

Marcos 16:19-20

Este testimonio sobrenatural de la predicación de los discípulos sólo tuvo efecto pleno después que el Señor Jesús hubo sido recibido en el cielo y hubo ocupado su lugar a la diestra del Padre. A partir de entonces, el Señor Jesús obraba con sus discípulos y confirmaba su testimonio no con su propia presencia corporal en la tierra, sino por medio de la presencia y poder del Espíritu Santo derramado sobre ellos el día de pentecostés. Así el Espíritu Santo fue el verdadero responsable de la confirmación sobrenatural del testimonio de los discípulos. Su tarea especial es dar testimonio sobrenatural de la verdad del mensaje de Dios.

Esto se ilustra en el ministerio de Jesús y de sus discípulos. Hasta el momento que Juan lo bautizó en el Jordán, no hay referencia de que Jesús predicara alguna vez o hiciera algún milagro. En el momento de su bautismo, el Espíritu Santo descendió sobre él desde el cielo en la forma de una paloma, y fue conducido entonces al desierto para ser tentado durante cuarenta días por el diablo. Al terminar este período de tentación, Jesús inmediatamente inició su ministerio de predicación pública. Durante los siguientes tres años y medio su mensaje y ministerio fueron continuamente autenticados por una gran variedad de milagros, señales y dones sobrenaturales.

Citando una profecía de Isaías, Jesús declaró públicamente que este testimonio sobrenatural de su ministerio era obra del Espíritu Santo:

El Espíritu del Señor está sobre mí,
por cuanto me ha ungido para dar buenas nuevas a los pobres;
Me ha enviado a sanar a los quebrantados de corazón;
A pregonar libertad a los cautivos,
Y vista a los ciegos;
A poner en libertad a los oprimidos;
A predicar el año agradable del Señor.

Lucas 4:18-19

Aquí Jesús atribuye muy claramente a la unción del Espíritu Santo sobre él, tanto su predicación como los milagros de misericordia y liberación que la acompañaban.

Pero si yo por el Espíritu de Dios echo fuera los demonios, ciertamente ha llegado a vosotros el reino de Dios.

Mateo 12:28

En este versículo Jesús adjudica al Espíritu Santo el crédito del poder que él demostraba echando fuera demonios.

También Pedro en el libro de Hechos declara que la unción del Espíritu Santo era responsable de la confirmación sobrenatural del ministerio de Cristo. Hablándole a los judíos con respecto a Jesús dice:

> Jesús nazareno, varón aprobado por Dios entre vosotros con las maravillas, prodigios y señales que Dios hizo entre vosotros por medio de él, como vosotros mismos sabéis.
>
> Hechos 2:22

Pedro indica que uno de los propósitos de los milagros, prodigios y señales en el ministerio de Jesús era probar, o testificar el origen divino y autoridad de su ministerio, y que era el mismo Dios quien daba este testimonio del ministerio de Jesús. Hablando a los gentiles en la casa de Cornelio, Pedro describe el ministerio del Señor en los términos siguientes:

> Dios ungió con el Espíritu Santo y con poder a Jesús de Nazaret, y (...) éste anduvo haciendo bienes y sanando a todos los oprimidos por el diablo, porque Dios estaba con él.
>
> Hechos 10:38

Aquí se atribuye específicamente el ministerio sobrenatural y el poder de sanidad que tenía Jesús, a la unción del Espíritu Santo sobre él.

Igual que sucedió en el ministerio de Jesús, así fue en el ministerio de sus discípulos. Antes del día de pentecostés hubo cierta medida de lo sobrenatural en el ministerio de ellos. Los primeros doce discípulos a quienes Jesús envió a predicar se les describe así:

> Y saliendo, predicaban que los hombres se arrepintiesen. Y echaban fuera muchos demonios, y ungían con aceite a muchos enfermos, y los sanaban.
>
> Marcos 6:12-13

El ministerio de los setenta discípulos a quienes Jesús envió más tarde, se describió de forma parecida:

> Volvieron los setenta con gozo, diciendo: "Señor, aun los demonios se nos sujetan en tu nombre".
>
> Lucas 10:17

Vemos por lo tanto que incluso durante el ministerio terrenal de Jesús, sus discípulos compartieron en alguna medida el aspecto sobrenatural de ese ministerio hacia los enfermos y los poseídos por demonios. Pero esto parece serlo en una escala estrictamente limitada y sólo por extensión del ministerio terrenal de Jesús por su estrecha presencia con ellos.

Sin embargo, después del día de pentecostés, los discípulos iniciaron de lleno inmediatamente un ministerio sobrenatural propio, en que ya no dependían de la presencia corporal de Jesús con ellos en la tierra.

Como resultado del descenso del Espíritu Santo, una de las cinco señales prometidas por Jesús en Marcos 16 se manifestó inmediatamente: *Todos (...) comenzaron (...)a hablar en otras [o en nuevas] lenguas. (Hechos 2:4). El siguiente capítulo de Hechos registra la sanidad milagrosa del cojo en la puerta Hermosa del templo.*

El resto del libro de Hechos es un relato ininterrumpido del testimonio sobrenatural de Dios —a través del Espíritu Santo— del mensaje y ministerio de los discípulos. Este testimonio sobrenatural de su ministerio se resume en el versículo de Hebreos 2:4 que ya hemos examinado:

> Testificando Dios juntamente con ellos, con señales y prodigios y diversos milagros y repartimientos del Espíritu Santo según su voluntad.

De las cinco señales sobrenaturales que Jesús prometió en Marcos 16, se mencionan cuatro que tuvieron lugar en el libro de Hechos. El hablar en otras (o nuevas) lenguas se manifestó el día de pentecostés y en varias ocasiones subsecuentes. La sanidad de los enfermos y el echar fuera demonios se manifestó en los ministerios de Felipe, Pablo y todos los otros apóstoles. La inmunidad a la mordida de una serpiente venenosa se manifestó en la experiencia de Pablo en la isla de Malta (ver Hechos 28:3-6). En un librito en inglés titulado Signs Following, (Estas señales seguirán) publicado en la primera mitad del siglo veinte, aparece una historia moderna de estas señales. El autor, William Burton, sirvió más de cuarenta años de misionero en el Congo Belga.

En este libro él examina cada una de las cinco señales y menciona varias ocasiones detalladas, autenticadas por su propia observación y experiencia, en que cada una de estas señales se manifestó. En particular relata instancias de inmunidad, en casos de misioneros y evangelistas, de serpientes venenosas y otras formas de veneno puesto en su comida o bebida por brujos curanderos opuestos a la propagación del evangelio. Jesús prometió que estas señales seguirían a los creyentes sin ninguna limitación en cuanto a tiempo o lugar o persona:

De cierto, de cierto os digo: El que en mí cree, las obras que yo hago, él las hará también; y aun mayores hará, porque yo voy al Padre.

Juan 14:12

Observemos la parte central de esta promesa: "El que en mí cree, las obras que yo hago, él las hará también." La frase "el que en mí cree" aparece con frecuencia en el Nuevo Testamento. Es absolutamente general en su aplicación. Significa cualquier creyente sincero, dondequiera. No está limitado a una época especial o lugar o grupo o clase de personas.

¿Cómo es posible que todo creyente pueda hacer las obras que Jesús mismo hacía? La respuesta aparece en la última parte de Juan 14:12, donde Jesús dice: *Porque yo voy al Padre.* Un poco más adelante Jesús repite:

Y yo rogaré al Padre, y os dará otro Consolador, para que esté con vosotros para siempre: el Espíritu de verdad [el Espíritu Santo].

Juan 14:16-17

Esta declaración proporciona la respuesta a la promesa del versículo 12. Es la constante presencia del Espíritu Santo, enviado sobre el creyente por el Padre, que le permite hacer las obras que hizo Jesús.

La misma unción, reposando sobre el creyente como reposó primero sobre Jesús, lleva al creyente al mismo tipo de ministerio sobrenatural que Jesús inició después que el Espíritu Santo vino sobre él. Este ministerio sobrenatural no se debe a un poder natural o capacidad del creyente, sino a la unción del Espíritu Santo sobre él.

## La revelación sobrenatural exige confirmación sobrenatural

Si estudiamos la totalidad de las Escrituras con cuidado, encontramos que este testimonio sobrenatural de la verdad del evangelio concuerda con los tratos de Dios con su pueblo creyente a través de todas las edades. Cuando quiera que Dios le ha confiado una verdad al hombre por revelación divina y el hombre ha estado dispuesto a obedecer esa verdad, Dios siempre ha estado dispuesto a dar testimonio sobrenatural de la verdad que él revela.

Encontramos esto en el mismo principio de la historia humana, en el relato de las ofrendas traídas a Dios por Caín y Abel (ver Génesis 4:3-8). Estos dos tipos diferentes de ofrendas son típicas de dos patrones principales de religión a través de la historia subsecuente del hombre.

Caín trajo el fruto de la tierra... pero tierra que ya estaba bajo la maldición de Dios (ver Génesis 3:17). La ofrenda de Caín era el producto de su propia razón y sus propias obras. No había revelación de Dios. Ningún reconocimiento de pecado, con su maldición consiguiente; ningún reconocimiento de la necesidad de hacer un sacrificio para propiciar por el pecado. Abel trajo de las primicias de su rebaño, y las ofreció en sacrificio. Con este acto reconoció el hecho del pecado y la necesidad de un sacrificio propiciatorio con el derramamiento de sangre. Esto no vino de su propia razón, sino por revelación divina. Su religión se basaba no en sus propias obras, sino en su fe en Dios.

> Por la fe Abel ofreció a Dios más excelente sacrificio que Caín, por lo cual alcanzó testimonio de que era justo, dando Dios testimonio de sus ofrendas.
>
> Hebreos 11:4

Tal como explicamos ya en la Sección 2 de este libro, *la fe viene por el oír, y el oír por la palabra de Dios* (Romanos 10:17). Es decir, se basa en la revelación de Dios mediante su palabra.

Igual que Abel recibió y obedeció esa revelación, a Dios le complació dar testimonio sobrenatural de su ofrenda. La mayor parte de los comentaristas creen que el fuego sobrenatural de Dios cayó del cielo sobre el sacrificio de Abel y lo consumió.

Por otro lado, Dios no quiso dar su aprobación a la ofrenda de Caín:

> Y el Señor miró con agrado a Abel y a su ofrenda, pero a Caín y su ofrenda no miró con agrado.
>
> Génesis 4:4-5 (BLA)

De forma parecida, desde entonces, Dios siempre se ha complacido en dar abierto testimonio sobrenatural de la verdad que él revela al hombre. En Exodo 4 leemos que cuando Moisés fue comisionado para llevar su mensaje de liberación a los hijos de Israel en Egipto, Dios le dio tres señales sobrenaturales y definitivas, que acompañarían y darían testimonio de su mensaje.

Más tarde, cuando Moisés y Aarón habían completado sus sacrificios a Dios en el tabernáculo:

> Salió fuego de la presencia del Señor que consumió el holocausto y los pedazos de sebo sobre el altar. Al verlo, todo el pueblo gritó y se postró rostro en tierra.
>
> Levíticos 9:24 (BLA)

Cuando Salomón terminó su oración en la dedicación del templo:

> Y cuando Salomón terminó de orar, descendió fuego desde el cielo y consumió el holocausto y los sacrificios; y la gloria del Señor llenó la casa.
>
> 2 Crónicas 7:1 (BLA)

De la misma forma el Señor confirmó el mensaje y el testimonio de Elías en su desafío con los profetas de Baal:

> Entonces cayó el fuego del Señor, y consumió el holocausto, [el sacrificio de Elías] la leña, las piedras y el polvo, y lamió el agua de la zanja. Cuando el pueblo lo vio, se postraron sobre su rostro y dijeron: "El Señor, él es Dios; el Señor, él es Dios".
>
> 1 Reyes 18:38-39

El testimonio sobrenatural de Dios al mensaje de los profetas no terminó con Elías, sino que continuó a lo largo de los ministerios de Eliseo, Isaías, Ezequiel, Daniel y muchos otros.

En el Nuevo Testamento, con el advenimiento del evangelio, el testimonio sobrenatural de Dios a la verdad de su palabra no ha disminuido ni desaparecido. Por el contrario, aumentó grandemente y se extendió, tanto en el ministerio del mismo Jesús como en el subsecuente ministerio de toda la Iglesia primitiva.

A través de las edades, la tarea especial del Espíritu Santo ha sido dar testimonio sobrenatural de la verdad revelada de Dios y confirmar las palabras de los mensajeros de Dios. Cuanto más abundantemente se derrama el Espíritu Santo sobre el pueblo de Dios, más se fortalece y aumenta este testimonio sobrenatural.

A veces se ha sugerido que un alto grado de erudición y educación en los ministros de Dios puede hacer innecesario el testimonio sobrenatural especial del Espíritu Santo. No obstante, el ejemplo notable del apóstol Pablo demuestra que esto no es correcto. El conocimiento intelectual, aunque sea útil en su propio nivel, jamás puede sustituir el poder y ministerio sobrenaturales del Espíritu Santo.

Pablo era un hombre de grandes dones intelectuales y amplia erudición, tanto en el campo de la religión como de la filosofía. Pero, en su presentación del evangelio, deliberadamente renunciaba al atractivo de su propia erudición o al uso de las formas de razonamiento y discusión puramente humanas:

> Así que, hermanos, cuando fui a vosotros para anunciaros el testimonio de Dios, no fui con excelencia de palabras o de sabiduría. Pues me

propuse no saber entre vosotros cosa alguna sino a Jesucristo, y a éste crucificado. Y estuve entre vosotros con debilidad, y mucho temor y temblor; y ni mi palabra ni mi predicación fue con palabras persuasivas de humana sabiduría, sino con demostración del Espíritu y de poder, para que vuestra fe no esté fundada en la sabiduría de los hombres, sino en el poder de Dios.

1 Corintios 2:1-5

En la presentación del mensaje del evangelio, Pablo deliberadamente renunció a lo que él llama "excelencia de palabras o de sabiduría" ni con "palabras persuasivas de humana sabiduría."

El implica que, si hubiese escogido usar recursos de apelación como esas, hubiera podido hacerlo. Pero que había renunciado a ello en favor de un tipo totalmente diferente de prueba de la verdad de su mensaje. Esta otra prueba Pablo la describe como "demostración del Espíritu [el Espíritu Santo] y de poder".

Observemos la palabra *demostración*. Implica algo abierto, público y perceptible para los sentidos. El Espíritu Santo no obró con el apóstol Pablo meramente como una influencia invisible e imperceptible. La presencia y el poder del Espíritu Santo se demostraron abiertamente en su ministerio.

¿Por qué Dios señaló, y Pablo aprobó, esta forma de testimonio sobrenatural de la verdad del mensaje del evangelio? Pablo nos da la respuesta: "para que vuestra fe no esté fundada en la sabiduría de los hombres, sino en el poder de Dios" (1 Corintios 2:5).

El propósito de Dios no es que la fe de su pueblo se base en argumentos y pruebas en el nivel de la comprensión humana. El único cimiento satisfactorio para la fe de cada creyente está en la experiencia personal directa del poder del Espíritu Santo en su propio corazón y vida.

Porque no osaría hablar sino de lo que Cristo ha hecho por medio de mí para la obediencia de los gentiles, con la palabra y con las obras, con potencia de señales y prodigios, en el poder del Espíritu de Dios.

Romanos 15:18-19

Aquí Pablo se niega a basar la autoridad del mensaje del evangelio, encargado a él por Dios, en ninguna cualidad personal propia; como pudieran ser sus talentos naturales o erudición. El declara claramente que la obediencia al evangelio no puede producirse por ninguna cualidad como esas, sino sólo por "poderosas señales y prodigios". Y esos, dice, son la obra del Espíritu de Dios, el Espíritu Santo.

Aquí, pues, tenemos una tarea soberana e inmutable del Espíritu Santo: dar testimonio de la verdad revelada de Dios con la demostración abierta del poder sobrenatural.

Este testimonio sobrenatural del Espíritu Santo empezó con Abel, el primer creyente y también el primer mártir registrado en la historia del hombre después de la caída. Y el Espíritu Santo no retirará su testimonio sobrenatural mientras Dios tenga sobre la tierra un pueblo que crea y obedezca la verdad revelada de su palabra.

# Parte V

# LA IMPOSICION

# DE

# MANOS

*Te aconsejo que avives el fuego
del don de Dios que está en
ti por la imposición de
mis manos*

2 Timoteo 1:6

# 37

# La impartición de bendición, autoridad y sanidad

En el curso de esta serie de estudios hemos venido examinando las seis doctrinas fundamentales de Cristo que Hebreos 6:1-2 enumera:

1. El arrepentimiento de obras muertas
2. La fe en Dios
3. La doctrina de bautismos
4. La imposición de manos
5. La resurrección de los muertos
6. El juicio eterno

En las secciones anteriores hemos examinado sistemáticamente las primeras tres doctrinas. Ahora proseguiremos a la cuarta de ellas: "la imposición de manos".

Si la determinación de las seis doctrinas básicas de la fe cristiana se hubiera dejado a la razón humana, es muy probable que la imposición de manos no se hubiera incluido. Sin embargo, en última instancia, el mejor comentario sobre la Escritura lo proporciona la misma Biblia. En este caso en particular, tenemos la autoridad de la Escritura misma para ponerla entre las grandes doctrinas fundamentales del cristianismo.

¿Qué debemos entender por: "la imposición de manos?" La "imposición de manos" es un acto en que una persona pone sus manos sobre otra con un propósito espiritual definido. Normalmente este acto se acompaña de oración, de lenguaje profético, o de ambos.

Fuera de la esfera religiosa, imponer las manos no es algo extraño o ajeno a la conducta humana normal. Por ejemplo, en algunas partes del mundo, cuando dos amigos se encuentran, es normal que cada uno ponga las manos sobre los hombros del otro. Este acto constituye un reconocimiento de su amistad y del placer mutuo de encontrarse. O también, cuando un niño se queja de dolor de cabeza o de fiebre, es muy normal —en realidad, casi instintivo— que la madre ponga su mano sobre la frente del niño para tranquilizarlo o acariciarlo.

En la esfera de la religión, la práctica de imponer las manos puede considerarse así una extensión o adaptación de lo que es básicamente un acto humano natural. Como acto religioso, la imposición de manos normalmente significa una de tres cosas posibles:

1. La persona que impone las manos puede de esa forma transmitir bendición espiritual o autoridad sobre quien se imponen las manos.
2. La persona que impone las manos puede así reconocer públicamente alguna bendición espiritual o autoridad ya recibida de Dios por aquél en quien se imponen las manos.
3. La persona que impone las manos puede así encomendar a Dios públicamente, para alguna tarea especial o ministerio, a la persona sobre quien se imponen las manos.

A veces, los tres propósitos pueden combinarse en un mismo acto.

## Tres precedentes del Antiguo Testamento

La imposición de las manos fue una práctica aceptada desde el inicio de la historia del pueblo de Dios. Por ejemplo, recordemos a José cuando trajo a sus dos hijos Efraín y Manasés ante su padre, Jacob, y cómo Jacob los bendijo.

> Entonces Israel [Jacob] extendió su mano derecha, y la puso sobre la cabeza de Efraín, que era el menor, y su mano izquierda sobre la cabeza de Manasés, colocando así sus manos adrede, aunque Manasés era el primogénito.
>
> Génesis 48:14

Al principio José pensó que su padre se había equivocado, y trató que Jacob cambiara la posición de sus manos, colocando su mano derecha sobre la cabeza de Manasés, el primogénito, y la izquierda sobre la cabeza de Efraín, el más joven. Sin embargo, Jacob indicó haber estado consciente de la dirección divina al colocar su mano derecha sobre Efraín y su izquierda sobre Manasés. Con sus manos todavía cruzadas en esta posición, procedió a bendecir a los niños, dándole la primera y mayor bendición a Efraín y la menor, a Manasés.

Este pasaje demuestra que era una práctica aceptada que la bendición de Jacob sería transmitida a sus dos nietos por la imposición de sus manos sobre sus cabezas; y, además, que la mayor bendición era transmitida a través de la mano derecha de Jacob y la menor a través de la mano izquierda.

Cuando Moisés se aproximó al final de su ministerio terrenal, pidió al Señor que nombrara a un nuevo líder sobre Israel, que estuviera listo para tomar su lugar:

> Y el Señor dijo a Moisés: "Toma a Josué, hijo de Nun, hombre en quien está el Espíritu, y pon tu mano sobre él; y haz que se ponga delante del sacerdote Eleazar, y delante de toda la congregación, e impártele autoridad a la vista de ellos. Y pondrás sobre él parte de tu dignidad a fin de que le obedezca toda la congregación de los hijos de Israel".
>
> Números 27:18-20 (BLA)

Moisés llevó a cabo el mandamiento del Señor:

> Y Moisés hizo tal como el Señor le ordenó: tomó a Josué y lo puso delante del sacerdote Eleazar y delante de toda la congregación. Luego puso sus manos sobre él y le impartió autoridad, tal como el Señor había hablado por medio de Moisés.
>
> Números 27:22-23 (BLA)

El acto de Moisés produjo un tremendo resultado en Josué:

> Y Josué, hijo de Nun, estaba lleno del Espíritu de sabiduría, porque Moisés había puesto sus manos sobre él; y los hijos de Israel le escucharon e hicieron tal como el Señor había mandado a Moisés.
>
> Deuteronomio 34:9 (BLA)

En este pasaje vemos que este acto de Moisés de imponer sus manos sobre Josué, fue de gran significado tanto para Josué individualmente, como para toda la congregación de Israel colectivamente. En este acto, realizado por mandato divino, Moisés llevó a cabo dos propósitos principales: 1) Le transmitió a Josué una medida de la sabiduría espiritual y el honor que él mismo había recibido de Dios; 2) Reconoció públicamente ante la congregación completa de Israel, que Dios había escogido a Josué como el líder que había de sucederlo.

Otro acto significativo de imposición de manos tuvo lugar cuando Joás, rey de Israel, descendió a presentar sus respetos por última vez a Eliseo, quien yacía en su lecho de muerte. Y tuvo lugar la siguiente conversación entre los dos:

> Y Eliseo le dijo: Toma un arco y flechas. Y él tomó un arco y flechas. Entonces dijo al rey de Israel: Pon tu mano en el arco. Y él puso su mano sobre el arco; entonces Eliseo colocó sus manos sobre las manos del rey. Y dijo: Abre la ventana hacia el oriente. Y él la abrió. Entonces Eliseo dijo: Tira. Y él tiró. Y Eliseo dijo: Flecha de victoria del Señor, y flecha de victoria sobre Aram, porque derrotarás a los arameos en Afec hasta exterminarlos.
>
> 2 Reyes 13:15-17 (BLA)

Disparar la flecha hacia el este por la ventana simbolizó la victoria que Joás habría de obtener en batalla contra los sirios. Con este acto, por lo tanto, Eliseo reconoció que Dios había escogido a Joás como el líder que habría de liberar a Israel.

Esta elección divina de Joás se hizo efectiva mediante la imposición de las manos de Eliseo sobre las manos de Joás mientras éste último sostenía el arco y disparaba la flecha, símbolo de victoria y liberación. Con la imposición de las manos de Eliseo, se le transmitió a Joás la sabiduría divina y la autoridad necesaria que lo capacitaba como libertador del pueblo de Dios.

Este incidente, por consiguiente, es muy parecido al de Moisés que impuso sus manos sobre Josué. En cada caso la imposición de las manos reconocía a un líder a quien Dios había escogido para un propósito especial. En cada caso este acto también transmitía a ese líder la sabiduría y autoridad divinas necesarias para llevar a cabo esta tarea asignada por Dios. Es interesante observar que, en ambas ocasiones, Josué y Joás, fueron nombrados comandantes militares.

## Dos ordenanzas en el Nuevo Testamento para la sanidad

Volvamos ahora nuestra atención al Nuevo Testamento para ver qué función desempeña ahí esta ordenanza de la imposición de manos. Encontraremos cinco propósitos distintos para los que puede usarse la imposición de manos, según los preceptos y ejemplos del Nuevo Testamento.

El primero está directamente asociado con el ministerio de la sanidad física. Jesús lo autorizó en su comisión final a sus discípulos (ver Marcos 16:17-18). En estos versículos Jesús establece cinco señales sobrenaturales que acompañarían a la predicación del evangelio y que todos los creyentes pueden reclamar por la fe en el nombre de Jesús. La quinta de estas señales sobrenaturales establecidas por Jesús es:

> En mi nombre (...) sobre los enfermos pondrán sus manos, y sanarán.
>
> Marcos 16:17-18

Aquí la imposición de manos en el nombre de Jesús está destinada a servir de medio para ministrar la sanidad física a los enfermos.

Más adelante en el Nuevo Testamento se establece otra ordenanza ligeramente diferente:

> ¿Está alguno enfermo entre vosotros? Llame a los ancianos de la iglesia, y oren por él, ungiéndole con aceite en el nombre del Señor. Y la oración de fe salvará al enfermo, y el Señor lo levantará; y si hubiere cometido pecados, le serán perdonados.
>
> Santiago 5:14-15

La ordenanza aquí establecida es la de ungir a los enfermos con aceite en el nombre del Señor.

Ambos actos por igual son eficaces sólo mediante la fe en el nombre del Señor; el nombre de Jesús. En el caso de la unción con aceite, está específicamente establecido que este acto tiene que ir acompañado de oración. En el pasaje acerca de la imposición de manos sobre los enfermos en el Evangelio de Marcos, no se hace mención específica de la oración. No obstante, en la mayoría de los casos, sería natural orar por la persona enferma, al tiempo que se imponen las manos sobre ella.

Además, cuando se unge al enfermo con aceite, con frecuencia parece natural —en realidad, casi instintivo— imponer las manos sobre él al mismo tiempo. De este modo, ambas ordenanzas se combinan para convertirse en una. Sin embargo, no necesita ser así. Es perfectamente bíblico imponer las manos sobre el enfermo sin ungirlo con aceite. Y de la misma forma, es absolutamente bíblico ungir al enfermo con aceite sin imponer las manos sobre él.

La pregunta natural surge: ¿Hay alguna diferencia en el uso o propósito entre estas dos ordenanzas de imponer las manos sobre el enfermo y ungir con aceite al enfermo? ¿Hay momentos o situaciones cuando es más adecuado emplear un procedimiento mejor que el otro? Y si es así, ¿cuáles son los principios bíblicos que sirven de guía para emplearlos?

El pasaje en la epístola de Santiago acerca de la unción con aceite empieza:

> ¿Está alguno enfermo entre vosotros? Llame a los ancianos de la iglesia.
>
> Santiago 5:14

Puesto que la epístola de Santiago está dirigida en primer lugar a los cristianos practicantes (aunque entre el pueblo judío), la frase "entre vosotros" parecería referirse principalmente a los creyentes. Esto concuerda también con el mandamiento que sigue: "Llame a los ancianos de la iglesia."

Una persona que no hubiera hecho profesión de fe y no estuviese asociada con alguna iglesia cristiana no estaría incluida en la frase "entre vosotros"; ni tampoco esa persona hubiera sabido quiénes eran los ancianos de la iglesia a quienes debía de llamar. Parecería, por lo tanto, que esta ordenanza de ungir con aceite está destinada en primer lugar a quienes ya profesan la fe en Cristo y están asociados con alguna iglesia cristiana.

Interpretado de esta forma, esta ordenanza contiene dos lecciones de gran importancia práctica para todo el que profesa ser cristiano. Primera, Dios espera que todo cristiano enfermo lo busque primero a él, para que lo sane por la fe y por medios espirituales. Esto en modo alguno significa que sea antibíblico que un cristiano enfermo busque consejo o ayuda de un médico. Pero es absolutamente contrario a la Escritura que un cristiano practicante enfermo, busque la ayuda médica humana sin buscar primero el auxilio divino del mismo Dios, mediante los líderes designados por la iglesia.

Hoy la gran mayoría de los que profesan ser cristianos, cuando se enferman, automáticamente llaman a su médico, sin que les pase por la mente la idea de buscar la ayuda de Dios o de los líderes de la iglesia. Todos los cristianos que hacen esto son culpables de desobediencia directa de las ordenanzas de Dios, tal como se relatan en el Nuevo Testamento. Porque la Escritura dice claramente, sin ninguna condición: "¿Está alguno enfermo entre vosotros? Llame a los ancianos de la iglesia..." Frente a esto, cualquier cristiano que se enferma y llama al médico, sin llamar primero a los ancianos de la iglesia, es culpable de desobediencia abierta.

Las implicaciones son muy claras, si nos detenemos a considerarlas. Equivalen a decirle al Señor: "Dios, no te necesito. No creo en realidad que tú puedas ayudarme o sanarme. Estoy satisfecho con aceptar lo mejor que el hombre pueda hacer por mí sin buscar tu dirección o ayuda." Esta actitud predominante entre los que profesan ser cristianos, es también una de las principales razones por la que entre ellos prevalecen muchas enfermedades.

En su mayoría, los cristianos de hoy han desechado sencillamente las afirmaciones de Dios que él sana el cuerpo, y han cerrado las puertas de sus hogares e iglesias a Cristo el sanador.

La segunda lección importante contenida en este pasaje de la epístola de Santiago es que Dios espera que todos los cristianos se asocien con una iglesia y que los líderes de ella estén listos para ministrar en fe, de acuerdo con la Escritura, a las necesidades físicas de los miembros de su iglesia.

La frase *Llame a los ancianos de la iglesia, y oren por él, ungiéndole con aceite en el nombre del Señor* (Santiago 5:14) lleva consigo estas dos implicaciones: 1) que todo cristiano debe estar asociado con una iglesia de tal modo que sus líderes lo conozcan y él los conozca a ellos; 2) que estos líderes deben estar listos para ministrar en fe la sanidad física a sus miembros, según las ordenanzas establecidas por Dios para la Iglesia.

Con relación a esta ordenanza de ungir al enfermo con aceite, hay dos puntos más que necesitan aclaración: Primero, en modo alguno se sugiere que deba usarse el aceite porque tenga alguna propiedad natural sanadora. Aquí, y en muchos otros pasajes de la Biblia, el aceite es sencillamente un tipo o modelo del Espíritu Santo.

Así, untar el aceite en el enfermo representa la afirmación de fe, en beneficio de esa persona, que el Espíritu de Dios ministrará vida y sanidad divinas a su cuerpo enfermo. Esta afirmación se basa en una clara promesa de Dios:

> Y si el Espíritu de aquel que levantó de los muertos a Jesús mora en vosotros, el que levantó de los muertos a Cristo Jesús vivificará también vuestros cuerpos mortales por su Espíritu que mora en vosotros.
>
> Romanos 8:11

Aquí la frase "vivificará también vuestros cuerpos mortales" significa que impartirá vida y poder divinos al cuerpo mortal físico del creyente en quien vive el Espíritu del Señor. El gran agente de la Divinidad que imparte esta vida divina es la tercera Persona, el Espíritu Santo.

El segundo punto que hace falta aclarar es que la unción del creyente con aceite, según el Nuevo Testamento, nunca tiene la intención de ser una preparación para la muerte, sino, por el contrario, como un modo de impartir al creyente exactamente lo opuesto a la muerte: es decir, vida y salud y fortaleza divinas.

Por lo tanto, hacer de la unción con aceite una preparación para la muerte es invertir el verdadero significado de la ordenanza. Es desoír la advertencia de Dios de no hacer *de la luz tinieblas, y de las tinieblas luz;* *(...) lo amargo por dulce, y lo dulce por amargo;* poner las tinieblas y amargura de la muerte y la enfermedad en lugar de la luz y dulzura de la vida y la salud (ver Isaías 5:20).

Podemos resumir esta ordenanza de la unción con aceite diciendo que es un acto de fe establecido, por el que se reclama la impartición de la vida y la salud divinas mediante el Espíritu Santo para el cuerpo de un cristiano enfermo.

Si volvemos ahora a la ordenanza de la imposición de manos sobre el enfermo, según lo expresa Marcos 16, veremos que el contexto sugiere que ésta está destinada a ir junta con la predicación del evangelio a los inconversos y que se usa en primer lugar en los que no se han convertido todavía o que acaban de venir a la fe.

Llegamos a esta conclusión por el hecho que ésta, igual que las otras señales sobrenaturales establecidas por Jesús, se menciona a continuación de su mandamiento de evangelizar al mundo entero:

> Y les dijo: "Id por todo el mundo y predicad el evangelio a toda criatura. El que creyere y fuere bautizado, será salvo; mas el que no creyere, será condenado. Y estas señales seguirán a los que creen".
>
> Marcos 16:15-17

Jesús inmediatamente enumera las cinco señales sobrenaturales, finalizando con la sanidad de los enfermos mediante la imposición de manos. Esto indica que cada una de estas señales sobrenaturales, incluida la sanidad de los enfermos, está destinada por Dios para dar testimonio de la divina verdad y autoridad del mensaje del evangelio en lugares donde este mensaje no ha sido previamente escuchado o creído.

Así concuerda el relato final de las actividades evangelísticas de los discípulos en el Evangelio de Marcos:

> Y ellos, saliendo, predicaron en todas partes, ayudándoles el Señor y confirmando la palabra con las señales que la seguían. Amén.
>
> Marcos 16:20

El propósito principal de estas señales sobrenaturales —incluida la sanidad de los enfermos mediante la imposición de manos— es confirmar la verdad del mensaje del evangelio entre gente que no lo ha aceptado antes. Parece claro, por lo tanto, que el ministrar a los enfermos mediante la imposición de manos en el nombre de Jesús no tiene la intención de ser en primer lugar para los cristianos establecidos, miembros de una iglesia, sino para los inconversos, o para los recién llegados a la fe.

## Cómo viene la sanidad

¿De qué modo vendrá la sanidad como resultado de la imposición de manos?

La Escritura no da una respuesta precisa o detallada a esta pregunta. Jesús sencillamente dice: *Sobre los enfermos pondrán sus manos, y sanarán*. En lugar de la frase "y sanarán", podemos traducir también "se pondrán bien", o todavía más sencillo, "estarán bien".

Con estas palabras de Jesús, hay dos cosas dejadas todavía a la soberanía de Dios: 1) la forma precisa en que se manifestará la sanidad, y 2) el lapso que tomará el proceso de sanidad. Junto a esto podemos poner las palabras de Pablo:

> Y hay diversidad de operaciones, pero Dios, que hace todas las cosas en todos, es el mismo.
>
> 1 Corintios 12:6

En la imposición de manos hay lo que Pablo llama "diversidad de operaciones"; es decir, el proceso de sanidad no siempre opera de la misma forma cada vez.

En un caso la imposición de manos puede ser un canal a través del cual opera el don sobrenatural de sanidad. En tal caso, la persona que impone las manos, por este acto, transmite al cuerpo del enfermo el poder sobrenatural de Dios o virtud de sanidad. Muy a menudo el enfermo siente dentro de su cuerpo efectivamente el poder sobrenatural de Dios.

Otras veces, no obstante, no hay sensación de poder en absoluto, sino que la imposición de manos es un simple acto de fe y obediencia a la Palabra de Dios. Sin embargo, cuando hay una fe genuina, la sanidad vendrá, incluso cuando no haya manifestación notable o sobrenatural alguna.

Repetimos, Cristo no especifica el lapso que el proceso de sanidad tomará.

Alguna veces se recibe una sanidad completa instantáneamente, tan pronto se imponen las manos sobre la persona. Sin embargo, otras veces llega por un proceso gradual. En este último caso es de suma importancia que la persona que busca sanarse continúe ejerciendo su fe hasta que el proceso de sanidad se complete.

Con frecuencia sucede que un enfermo sobre quien se imponen las manos recibe una liberación parcial, pero no sanidad total. La razón por lo regular es que ese enfermo no perseveró en el ejercicio de su fe activa por tiempo suficiente para permitir que el proceso de sanidad se completara. Cuando la fe de una persona deja de estar activa, el proceso de sanidad se detiene.

Por esa razón es importante dar instrucción bíblica a los que buscan sanidad mediante la imposición de manos, y advertirles por adelantado de la necesidad que tienen de mantener activa su fe hasta que el proceso de la sanidad se complete.

La experiencia me ha convencido de que en cada caso donde se ejerce fe genuina al imponer las manos sobre el enfermo en el nombre de Jesús, el proceso de sanidad empieza a operar. Sin embargo, si el enfermo pierde la fe, la sanidad puede perderse por completo, o en el mejor de los casos, no completarse nunca.

Hay dos modos principales en que un enfermo puede ejercer una fe activa después que se le han impuesto la manos para sanidad. El primero es dar gracias continuamente a Dios por la medida de sanidad ya conseguida. El otro es manteniendo un testimonio consecuente de fe en la verdad de la Palabra de Dios; incluso frente a síntomas negativos.

En este punto, hay un delicado equilibrio entre la fe y el realismo. Si la persona sigue experimentando obvios síntomas de enfermedad aun después de la imposición de manos, no es realista pretender que los síntomas no están ahí o proclamar que se ha recibido una sanidad completa. Es mejor reconocer los síntomas, pero concentrarse en la Palabra de Dios.

Tal persona puede decir: "Reconozco que todavía tengo síntomas de enfermedad, pero creo que la sanidad de Dios ha sido liberada dentro de mi cuerpo mediante mi obediencia a su Palabra, y confío en que él completará lo que comenzó."

También es perfectamente razonable que esa persona pida oración continua.

Hay miles de personas, vivas y bien hoy, que recibieron la sanidad valiéndose de estos medios bíblicos.

# 38

# Impartiendo el Espíritu Santo y los dones espirituales

El siguiente propósito de la imposición de manos, practicado en el Nuevo Testamento, es ayudar a los que buscan el bautismo en el Espíritu Santo.

A fin de formarse un concepto adecuado de la función que desempeña la imposición de manos en esto, es necesario examinar brevemente todos los relatos en el libro de los Hechos que explican cómo la gente recibía el bautismo en el Espíritu Santo. En total hay cinco de esos relatos:

1. Los primeros discípulos en el aposento alto en Jerusalén el día de pentecostés (ver Hechos 2:1-4).
2. Los nuevos convertidos en Samaria (ver Hechos 8:14-20).
3. Saulo de Tarso, más tarde el apóstol Pablo, en la ciudad de Damasco (ver Hechos 9:17).
4. Cornelio y los suyos (ver Hechos 10:44-46).
5. Los discípulos en Efeso, a quienes Pablo predicó y ministró (ver Hechos 19:1-6).

En tres de estos casos, quienes buscaban el bautismo en el Espíritu Santo fueron ministrados por otros creyentes mediante la imposición de manos.

## Ministrando el Espíritu Santo

En Samaria los apóstoles Pedro y Juan impusieron las manos sobre los nuevos convertidos y oraron por ellos:

> Por la imposición de las manos de los apóstoles se daba el Espíritu Santo.
>
> Hechos 8:18

En Damasco, el discípulo Ananías impuso sus manos sobre Saulo de Tarso para que éste pudiera recibir su vista y también ser lleno del Espíritu Santo. En este caso, Ananías le ministró a Saulo la sanidad física y el bautismo en el Espíritu Santo mediante la ordenanza de la imposición de manos.

En Efeso los discípulos a quienes Pablo ministró recibieron el Espíritu Santo sólo después que Pablo les hubo impuesto las manos.

Si resumimos ahora estos hechos en porcentajes, podemos decir que en más del 50 por ciento de los casos en Hechos, donde la gente recibía el bautismo en el Espíritu Santo, era a través de la imposición de las manos de otros creyentes.

Es cierto que este no es el único modo que se puede recibir el bautismo en el Espíritu Santo. En el aposento alto en Jerusalén y en la casa de Cornelio, los presentes recibieron el bautismo directamente, sin que alguien les impusiera las manos.

Sin embargo, basándonos en todos los casos examinados, podemos decir que es no sólo normal, sino bíblico que otros creyentes ministren a los que buscan recibir el bautismo del Espíritu Santo, imponiéndoles las manos.

A veces se sugiere que eran únicamente los apóstoles o miembros especiales de la iglesia quienes eran capaces de ejercer este ministerio de imponer las manos sobre otros creyentes para ser llenos del Espíritu Santo. Sin embargo, esta idea no está respaldada por la Escritura. Ananías, quien impuso las manos a Saulo con ese propósito, no era más que "un discípulo" (Hechos 9:10). No se sugiere que él tuviera algún ministerio o tarea especial en la iglesia. Pero Dios mismo lo dirigió a imponer las manos sobre uno que estaba destinado a convertirse en el gran apóstol de los gentiles. Esto concuerda con lo que dice Jesús:

# LA IMPOSICION DE MANOS

> Y estas señales seguirán a los que creen: en mi nombre (...) hablarán
> nuevas lenguas; (...) sobre los enfermos pondrán sus manos, y sanarán.
>
> Marcos 16:17-18

Aquí Jesús une íntimamente las dos señales sobrenaturales de hablar en nuevas (u otras) lenguas y de imponer las manos sobre los enfermos para sanarlos, y dice que ambas señales seguirán (o acompañarán) el testimonio de quienes creen. Es decir, el ejercicio de estas señales sobrenaturales no está circunscrito a una clase especial de creyentes, como apóstoles u obispos o evangelistas o pastores, sino que está abierto para todos los creyentes. De la misma manera que las Escrituras abren a todos los creyentes el ministerio de imponer las manos sobre los enfermos para sanarlos, también abren a todos los creyentes el ministerio de imponer la manos sobre otros creyentes para que puedan recibir el Espíritu Santo.

No obstante, también advierten que esta ordenanza de la imposición de manos sobre los creyentes no debe practicarse a la ligera o sin cuidado. Porque Pablo le dice a Timoteo:

> No impongas con ligereza las manos a ninguno, ni participes en
> pecados ajenos. Consérvate puro.
>
> 1 Timoteo 5:22

Sólo en este versículo Pablo da tres advertencias distintas a Timoteo: 1) no impongas las manos con ligereza a ninguno, 2) no compartas los pecados ajenos, y 3) consérvate puro.

No es por accidente que las dos últimas advertencias aparecen después de la primera. Porque si este acto de imponer las manos sobre otro creyente —particularmente para el bautismo en el Espíritu Santo— ha de ser más que una mera ceremonia religiosa, si ha de producir un efecto espiritual genuino, entonces tiene que haber, por necesidad, un contacto espiritual directo entre los dos creyentes.

En este contacto entre dos espíritus hay siempre la posibilidad de que uno o ambos creyentes sufran daño espiritual. Si el espíritu de un creyente no está totalmente puro —si está contaminado de algún modo por el pecado no confesado o por malas asociaciones— entonces existe la posibilidad de que el espíritu del otro creyente pueda resultar perjudicado por este contacto contaminador. Ponen de manifiesto la realidad de este peligro, las dos advertencias que Pablo da a continuación en este contexto en particular: "ni participes en pecados ajenos" y "consérvate puro".

Naturalmente esto lleva a otra pregunta: Puesto que el ministerio de la imposición de manos está respaldado por la Escritura, ¿cómo podemos cuidarnos de los peligros espirituales relacionados con él?

La respuesta son cuatro medidas de seguridad principales para los creyentes que desean ejercer este ministerio:

1. Este ministerio jamás debe ejercerse con ligereza o negligencia, sino siempre en un espíritu de oración y humildad.
2. En cada etapa debe buscarse el consejo y dirección del Espíritu Santo: con quién orar, cuándo orar, cómo orar.
3. El creyente que impone las manos debe saber cómo reclamar en beneficio de su propio espíritu la purificación y el poder continuos de la sangre de Cristo.
4. El creyente que impone las manos debe estar él mismo tan fortalecido por el Espíritu Santo, que sea capaz de sobreponerse y vencer cualquier clase de influencia espiritual maligna, que trate de obrar en o a través de aquél sobre quien se imponen las manos.

Donde no se observan cuidadosamente estas medidas, hay un peligro real de sufrir daño espiritual a consecuencia de la imposición de las manos; tanto para el que las impone, como para el que recibe la ministración.

Este peligro existe en todos los casos de imposición de manos, pero es mayor cuando el propósito es el bautismo en el Espíritu Santo. En sentido figurado, podemos decir que el Espíritu Santo es la electricidad del cielo, y el mismo principio se aplica en ambas dimensiones, en la celestial y terrenal: Cuanto mayor sea el poder implicado, mayor la necesidad de protección y salvaguardias adecuadas.

## Impartiendo dones espirituales

El siguiente propósito en la imposición de manos, es la impartición de dones espirituales. Los pasajes en el Nuevo Testamento que los refieren, parecen asociarlo comúnmente con el don de profecía.

Primero es necesario establecer que hay autorización bíblica para que un creyente imparta dones espirituales a otros:

> Porque deseo veros, para comunicaros algún don espiritual, a fin de que seáis confirmados; esto es, para ser mutuamente confortados por la fe que nos es común a vosotros y a mí.
>
> Romanos 1:11-12

Aquí Pablo dice que una de las razones por que desea visitar a los cristianos en Roma es poder impartirles "algún don espiritual". También explica el efecto que desea que esto produzca en los cristianos allí, porque añade: "a fin de que seáis confirmados". En otras palabras, la impartición de dones espirituales a cristianos es una de las maneras bíblicas de confirmarlos o fortalecerlos en su fe y experiencia espiritual.

En el siguiente versículo Pablo explica más completamente los resultados que pudieran derivarse de la manifestación de nuevos dones espirituales entre los cristianos en Roma:

> Esto es, para ser mutuamente confortados por la fe que nos es común a vosotros y a mí.
>
> Romanos 1:12

La libre operación de los dones espirituales dentro de una congregación, capacita a los diferentes miembros para confortarse, alentarse y fortalecerse unos a otros. De este modo, no sólo Pablo, como predicador, ministraría a la congregación cristiana de Roma, sino que mediante la operación de los dones espirituales, los miembros de la congregación también podrían ministrarle a Pablo. Los resultados serían la ministración de varios miembros, unos a otros.

En 1 Corintios Pablo describe en términos parecidos la operación y efecto de los dones espirituales dentro de una congregación:

> Gracias doy a mi Dios siempre por vosotros, por la gracia de Dios que os fue dada en Cristo Jesús; porque en todas las cosas fuisteis enriquecidos en él, en toda palabra y en toda ciencia; así como el testimonio acerca de Cristo ha sido confirmado en vosotros, de tal manera que nada os falta en ningún don, esperando la manifestación de nuestro Señor Jesucristo; el cual también os confirmará hasta el fin, para que seáis irreprensibles en el día de nuestro Señor Jesucristo.
>
> 1 Corintios 1:4-8

Pablo aquí agradece a Dios por los cristianos de Corinto, porque Dios los ha enriquecido con todos los dones espirituales. Especifica en particular los dones verbales y de conocimiento. También menciona dos resultados que siguen a la operación de los dones espirituales en la iglesia de Corinto. Primero, el testimonio de Cristo es confirmado en ellos. Segundo, Dios los confirma o fortalece a ellos mismos mediante esos dones.

Además, indica que el propósito revelado de Dios es que esos dones espirituales continúen operando en la iglesia cristiana hasta el regreso de Cristo. Con relación a esto emplea dos frases, con la misma implicación:

> De tal manera que nada os falta en ningún don, esperando la manifestación del Señor Jesucristo.
>
> 1 Corintios 1:7

Para que seáis irreprensibles en el día de nuestro Señor Jesucristo.

1 Corintios 1:8

Estas dos frases indican claramente que al final de esta era, Dios no considerará que la Iglesia de Cristo esté completa o que sea irreprensible a menos que esté plenamente capacitada con todos los dones espirituales sobrenaturales.

En muchos sectores de la iglesia cristiana hoy, hay una malsana tendencia de tratar esos dones espirituales, sobrenaturales, como un adorno adicional o artefacto de fantasía en un auto. Sugiere que si una persona desea pagar un poco más puede adquirir adornos cromados o artefactos en su auto, pero que éstos no tienen consecuencias reales, y que el auto funcionará igual de bien sin ellos o con ellos. De la misma forma, los cristianos con frecuencia parecen creer que los dones sobrenaturales son opcionales; una especie de lujo espiritual innecesario que la gente puede procurar después si los desean, pero que en modo alguno son esenciales en el buen funcionamiento de la Iglesia. No obstante, esta actitud no concuerda en absoluto con las Escrituras.

De acuerdo con el Nuevo Testamento, los dones espirituales, sobrenaturales, son una parte integral, inherente del plan total de Dios para la Iglesia. Sin esos dones en operación, la Iglesia jamás puede funcionar en el nivel de poder y eficiencia que Dios espera.

## El ejemplo de Timoteo

Habiendo establecido la importancia de los dones espirituales en la Iglesia hoy, examinemos ahora lo que Pablo enseña acerca del modo que pueden ser impartidos. La persona a quien él se refiere con relación a esto es su compañero en la obra, Timoteo:

No descuides el don que hay en ti, que te fue dado mediante profecía con la imposición de las manos del presbiterio.

1 Timoteo 4:14

En otra epístola Pablo se refiere al mismo incidente en la experiencia espiritual de Timoteo:

Por lo cual te aconsejo que avives el fuego del don de Dios que está en ti por la imposición de mis manos.

2 Timoteo 1:6

A fin de completar el cuadro de este acontecimiento particular en la vida de Timoteo, debemos mirar otra referencia más:

> Este mandamiento, hijo Timoteo, te encargo para que conforme a las profecías que se hicieron antes en cuanto a ti, milites por ellas la buena milicia.
>
> 1 Timoteo 1:18

Reuniendo estos tres pasajes de la Escritura, podemos establecer ciertos hechos definidos acerca de la ocasión que Pablo describe aquí.

Primero, Timoteo recibió algún don espiritual definido. Pablo nunca especifica la naturaleza precisa de este don, y para efectos del presente estudio eso no tiene especial importancia.

Segundo, nos enteramos de que este don espiritual le fue impartido a Timoteo por la imposición de manos. En un pasaje Pablo dice *con la imposición de las manos del presbiterio* (1 Timoteo 4:14). En otro dice *por la imposición de mis manos* (2 Timoteo 1:6).

La palabra *presbiterio* en el Nuevo Testamento es simplemente un nombre colectivo que representa a los ancianos de la iglesia local. Los ancianos a que se refiere Pablo pueden haber sido los de la iglesia en Listra, donde Timoteo inició su vida cristiana.

> Y daban buen testimonio de él [Timoteo] los hermanos que estaban en Listra e Iconio.
>
> Hechos 16:2

O pudiera estarse refiriendo a los ancianos de la iglesia en Efeso, donde estaba Timoteo cuando Pablo le escribió su primera epístola. En este caso, el mismo grupo de ancianos se mencionaría en Hechos 20:17, cuando leemos:

> Enviando, pues, desde Mileto a Efeso, hizo llamar a los ancianos de la iglesia.

Volviendo a las epístolas de Pablo a Timoteo, vemos que en un lugar dice que fue él mismo quien impuso las manos sobre Timoteo, y en otro que fueron los ancianos de la iglesia. Por consiguiente, lo más probable es que Pablo actuara en conjunto con los ancianos; él y los ancianos, impusieron las manos sobre Timoteo.

El tercer hecho importante revelado por estos pasajes, es que la impartición de dones espirituales a Timoteo por la imposición de las manos también estuvo acompañada de palabras proféticas.

Un pasaje dice que este don fue dado "mediante profecía" (1 Timoteo 4:14). Esto indica que Dios manifestó su voluntad revelándola sobrenaturalmente por el don de profecía; entonces Timoteo recibió este don, mediante la imposición de las manos de Pablo y los ancianos de la iglesia. Otro pasaje explica un propósito espiritual adicional por el que la revelación profética de la voluntad de Dios se le dio a Timoteo, porque dice:

> Este mandamiento, hijo Timoteo, te encargo, para que conforme a las profecías que se hicieron antes en cuanto a ti, milites por ellas la buena milicia.
>
> 1 Timoteo 1:18

Esto indica que Dios tenía un encargo especial para Timoteo, un ministerio especial que él ejerciera, un propósito especial en la vida que él cumpliera. La naturaleza de este ministerio se le reveló a él por anticipado —en más de una ocasión, según parece— en palabras proféticas. En una de esas ocasiones también se reveló que Timoteo necesitaría un don espiritual en particular para cumplir el ministerio encomendado a él, y en esa ocasión se le impartió el don mediante la imposición de manos.

Una vez más, debe recalcarse que no se trataba del uso innecesario u ostentoso de los dones espirituales. Por el contrario, era algo vitalmente necesario en el éxito del ministerio de Timoteo. Pablo establece el propósito de esas profecías a Timoteo:*para que (...) milites por ella la buena milicia* (1 Timoteo 1:18).

La vida cristiana —y especialmente la vida de un ministro— es una batalla, una contienda contra fuerzas invisibles de tinieblas y maldad:

> Porque no tenemos lucha contra sangre y carne, sino contra principados, contra potestades, contra los gobernadores de las tinieblas de este siglo, contra huestes espirituales de maldad en las regiones celestes.
>
> Efesios 6:12

Dos armas principales empleadas por estas fuerzas invisibles de las tinieblas, son la duda y el miedo. Es probable que Timoteo en su ministerio, atravesara muchas veces por períodos de gran dificultad y oposición, y de aparente fracaso y desaliento. En tales períodos podía haberse sentido tentado a dudar de la realidad del llamado de Dios a su vida. Por esta razón Pablo le recuerda las profecías que resumieron de antemano el plan de Dios para su vida, y lo exhorta a sentirse alentado y fortalecido por ellas, a fin de que prosiga hasta el cumplimiento de la tarea encomendada por Dios.

En particular le advierte contra el ceder al temor. Inmediatamente después que lo exhorta a avivar el don que está en él por la imposición de manos, le dice:

> Porque no nos ha dado Dios espíritu de cobardía, sino de poder, de amor y de dominio propio.
>
> 2 Timoteo 1:7

¿Cuál es el remedio que recomienda Pablo contra los insidiosos ataques de este espíritu de temor? El remedio es doble: 1) que Timoteo avive —vuelva a encender la llama— del don espiritual que había recibido mediante la imposición de manos; 2) que Timoteo recuerde y cobre ánimo con las profecías que trazaron de antemano el curso que Dios había planeado para su vida.

Vemos, por lo tanto, que en la vida de Timoteo, la ordenanza de la imposición de manos se combinó con la profecía, como un medio por el cual él pudiera ser orientado, alentado y fortalecido en el cumplimiento del ministerio que Dios le había asignado.

De acuerdo con la Palabra de Dios, los mismos medios de orientar, alentar y fortalecer están todavía a disposición del pueblo de Dios, y especialmente para los ministros llamados por él. Además, el pueblo y los ministros de Dios todavía siguen necesitando estos medios tanto hoy como en los días de Pablo y Timoteo.

# 39

# Comisionando ministros

El siguiente propósito de la imposición de manos está asociado con el envío de apóstoles por la iglesia local.

## La iglesia local en Antioquía

La iglesia local de Antioquía en Siria proporciona el más claro ejemplo de esto:

> Había entonces en la iglesia que estaba en Antioquía, profetas y maestros: Bernabé, Simón el que se llamaba Niger, Lucio de Cirene, Manaén el que se había criado junto con Herodes el tetrarca, y Saulo. Ministrando éstos al Señor, y ayunando, dijo el Espíritu Santo: Apartadme a Bernabé y a Saulo para la obra a que los he llamado. Entonces, habiendo ayunado y orado, les impusieron las manos y los despidieron. Ellos, entonces, enviados por el Espíritu Santo, descendieron a Seleucia, y de allí navegaron a Chipre.
>
> Hechos 13:1-4

Este pasaje contiene una gran cantidad de información, de acuerdo con el Nuevo Testamento, acerca de la forma en que conducía sus asuntos una iglesia local.

Primero, observamos que en esta iglesia de Antioquía estaban presentes, y eran reconocidos dos ministerios espirituales definidos: el de profeta y el de maestro. Cinco hombres dentro de la congregación eran reconocidos y están mencionados por nombre en esos ministerios.

Segundo, observamos que esos líderes de la congregación no sólo oraban, sino que también ayunaban. No sólo individualmente, sino juntos en un grupo.

Esto concuerda con las exhortaciones proféticas de Joel para los últimos días.

> Promulgad ayuno,
> convocad asamblea;
> congregad a los ancianos
> y a todos los habitantes de la tierra
> en la casa del Señor vuestro Dios
> y clamad al Señor.
>
> Joel 1:14 (BLA)

> Tocad trompeta en Sion,
> proclamad ayuno,
> convocad asamblea.
>
> Joel 2:15

Después de estas exhortaciones al pueblo de Dios para que ayune unido, viene la promesa del derramamiento del Espíritu Santo:

> Y después de esto,
> derramaré mi Espíritu sobre toda carne.
>
> Joel 2:28

Esta profecía del derramamiento del Espíritu Santo sobre toda carne se cumplió por primera vez el día de pentecostés y la vivió la iglesia primitiva. Ahora en nuestros días, se presenta otra vez, en todo el mundo, un derramamiento similar del Espíritu Santo sobre toda carne, pero en una escala todavía mayor. La iglesia primitiva recibió la "lluvia temprana" del Espíritu Santo, prometido en Joel 2:23. Hoy estamos recibiendo "la lluvia tardía", también prometida en el mismo versículo.

Puesto que la promesa del derramamiento del Espíritu Santo es para nosotros en estos días, nada más lógico que reconocer que la exhortación en la misma profecía de Joel de ayunar unidos, también es para nosotros.

Sería ilógico aplicar las exhortaciones de ayunar a alguna era pasada o futura, mientras reservamos el actual derramamiento del Espíritu Santo para el presente. En realidad, todo el contexto de la profecía de Joel deja bien claro que los períodos de oración y ayuno unidos, son una preparación esencial que el pueblo de Dios debe llevar a cabo si desea participar de la plenitud del derramamiento del Espíritu Santo sobre toda carne, como lo prometió Dios para estos últimos días.

La profecía de Joel pone en especial relieve a los líderes del pueblo de Dios. Joel 1:14 especifica "los ancianos"; Joel 2:17 especifica "los sacerdotes, ministros del Señor". Así los líderes del pueblo de Dios son llamados a dar ejemplo público en este asunto del ayuno. Está claro que los líderes de la iglesia de Antioquía comprendieron esto, porque "ellos ministraban al Señor y ayunaban" (ver Hechos 13:2).

## Pablo y Bernabé enviados

El resultado de su ministración al Señor con ayuno fue la dirección del Espíritu Santo:

> Dijo el Espíritu Santo; Apartadme a Bernabé y a Saulo para la obra a que los he llamado.
>
> Hechos 13:2

Una de las recompensas que recibieron fue que el Espíritu Santo les habló directamente y así les reveló la intención y propósito que Dios tenía para la extensión de su obra por medio de ellos. La frase "dijo el Espíritu Santo" indica que las palabras siguientes: "Apartadme a Bernabé y a Saulo..." fueron realmente pronunciadas por el Espíritu Santo.

A la luz de otras enseñanzas del Nuevo Testamento acerca de la operación de los dones del Espíritu Santo, es razonable y bíblico suponer que el Espíritu Santo habló en esta ocasión a través de un instrumento humano, por el don de profecía, o por los dones de lenguas e interpretación.

Es importante observar las palabras exactas empleadas por el Espíritu Santo:

> Apartadme a Bernabé y a Saulo para la obra a que los he llamado.
>
> Hechos 13:2

La frase verbal "los he llamado" está en tiempo perfecto. Esto indica que Dios ya había hablado en privado con Pablo y Bernabé acerca de la obra que él deseaba que ellos hicieran, antes de hablar públicamente de ellos y su obra a todos los líderes de la iglesia.

De esa forma, las palabras dichas en público por el Espíritu Santo al grupo de líderes, fueron una revelación y una confirmación del llamado que Pablo y Bernabé ya habían recibido privadamente de Dios. Puesto que el Espíritu Santo los nombró específicamente, está claro que esta palabra no fue transmitida a través de ninguno de ellos, sino a través de algún otro de los presentes.

¿Cómo reaccionaron estos hombres a esta revelación sobrenatural de la voluntad de Dios?

> Entonces, habiendo ayunado y orado, les impusieron las manos y los despidieron.
>
> Hechos 13:3

Observemos que ellos no despidieron inmediatamente a Pablo y a Bernabé en su misión asignada por Dios. Primero destinaron más tiempo para ayunar y orar. Esta era la segunda vez que lo hacían juntos. En su primer período de oración y ayuno recibieron la revelación sobrenatural del plan de Dios. Es razonable suponer que en su segundo período se unieron para clamar en favor de Pablo y Bernabé la gracia y poder divinos que ellos necesitarían para cumplir con el plan de Dios.

A partir de ahí, el acto de enviar a Pablo y a Bernabé de la iglesia de Antioquía se consumó con otra ordenanza posterior. Los otros líderes de la iglesia impusieron sus manos sobre ambos, y así los despidieron.

En la cristiandad contemporánea el título que se acostumbra dar a los obreros cristianos enviados desde una iglesia local es "misioneros". Sin embargo, la palabra en el Nuevo Testamento es "apóstoles".

Esto es evidente cuando comparamos la fraseología empleada en Hechos 13:1 con Hechos 14:4 y 14. Hechos 13 describe a Pablo y a Bernabé de "profetas y maestros". El término *apóstol* significa literalmente "una persona enviada". Así, este título se aplicó a Pablo y a Bernabé después que habían sido enviados por la iglesia de Antioquía.

Por su origen, el término *misionero* significa igualmente "uno que es enviado". Así, las palabras *apóstol* y *misionero* tienen el mismo sentido original. No obstante, en la cristiandad moderna el término *misionero* se aplica en muchos casos donde no sería bíblico emplear el título de *apóstol*.

Un apóstol es, por definición, alguien enviado por autoridad divina a realizar una tarea especial. Muchos cristianos tienen la impresión de que los apóstoles del Nuevo Testamento estaban limitados a los doce originalmente escogidos por Jesús mientras estaba en la tierra. Sin embargo, un estudio cuidadoso del Nuevo Testamento no respalda esta opinión. Hechos 14, llama apóstoles tanto a Pablo como a Bernabé, aunque ninguno de ellos fue apartado durante el ministerio terrenal de Jesús.

Se llega a una conclusión similar en la comparación de dos versículos. En 1 Tesalonicenses 1:1 se menciona a tres hombres como coescritores de la Epístola: Pablo, Silvano (o Silas) y Timoteo. En 1 Tesalonicenses 2:6 estos tres hombres dicen de sí mismos: *Podíamos seros carga como após- toles de Cristo.* Es decir, que los tres eran reconocidos como apóstoles.

En realidad, un examen minucioso del Nuevo Testamento revela más de veinte hombres a quienes se llama apóstoles. No obstante, hacer un análisis de toda la extensión del ministerio apostólico está fuera del marco del presente estudio.

Regresando al envío de Pablo y Bernabé, necesitamos preguntar: ¿Con qué propósito impusieron sus manos sobre ellos los otros líderes?

Primero, este acto representaba el reconocimiento abierto y público de parte de los líderes de la iglesia de que Dios había escogido a Pablo y a Bernabé para una tarea y ministerio especiales. Segundo, al imponer sus manos sobre Pablo y Bernabé, los otros líderes de la iglesia reclamaban para ellos la sabiduría, la gracia y el poder espirituales especiales que necesita- rían para cumplir con éxito su tarea asignada por Dios.

Con respecto a eso, la imposición de manos en el Nuevo Testamento es enteramente paralela al incidente en el Antiguo Testamento ya comentado donde Moisés impone sus manos sobre Josué, reconociendo públicamente que Dios lo ha escogido como el líder que habría de sucederlo a él y también impartiendo a Josué la sabiduría y autoridad espiritual requeridas para su tarea asignada por Dios.

El comentario personal de Dios de este proceso de llamamiento y comisión en la iglesia de Antioquía, aparece en el siguiente versículo:

Ellos, entonces, enviados por el Espíritu Santo, descendieron a Seleu- cia.

Hechos 13:4

Observemos la frase "enviados por el Espíritu Santo..." La iglesia de Antioquía y sus líderes fueron los instrumentos humanos por medio de los que Dios reveló y llevó a cabo su voluntad de enviar a estos dos apóstoles. Pero en estos instrumentos humanos y por medio de ellos, operaba la sabiduría, la presciencia y la dirección del Espíritu Santo.

En el análisis final, fue el Espíritu Santo —el agente ejecutor de la Divinidad presente en la tierra— el responsable de comisionar y enviar a estos dos apóstoles.

En todo el procedimiento seguido en Antioquía encontramos un ejem- plo perfecto de cooperación divina y humana: Dios y su iglesia obrando juntos como socios.

Examinemos ahora brevemente el resultado de este primer viaje misionero de Pablo y Bernabé, emprendido bajo la dirección del Espíritu Santo, con oración y ayuno, y la ordenanza de la imposición de manos:

> De allí navegaron a Antioquía, desde donde habían sido encomendados a la gracia de Dios para la obra que habían cumplido. Y habiendo llegado, y reunido a la iglesia, refirieron cuán grandes cosas había hecho Dios con ellos, y cómo había abierto la puerta de la fe a los gentiles.
>
> Hechos 14:26-27

Hay tres puntos de interés que observar aquí:

1. Se nos da un relato bíblico autorizado, del propósito por el que los líderes de la iglesia habían impuesto sus manos sobre Pablo y Bernabé. Se nos dice que, por esta ordenanza, Pablo y Bernabé habían sido encomendados a la gracia de Dios para la obra. Así, la imposición de manos constituye un medio por el que los siervos de Dios pueden ser encomendados a la gracia de Dios para una obra especial a la que Dios los ha llamado.

2. Debemos observar el resultado de la labor de Pablo y Bernabé. La Escritura establece que ellos cumplieron la obra que Dios les asignó. Esto significa que habían realizado con éxito su obra, sin omisiones ni fracasos. Alguien ha dicho: "Dios faculta a quienes llama." En otras palabras, cuando Dios llama a un hombre a una tarea especial, también pone al alcance de ese hombre todos los medios y la gracia espiritual requerida para cumplir la tarea por completo y con éxito.

3. Debemos observar el impacto de su ministerio sobre los gentiles. Las Escrituras declaran: *Dios (...) había abierto la puerta de la fe a los gentiles* (Hechos 14:27). Pablo y Bernabé no tocaron en una puerta cerrada. Dondequiera que fueron encontraron que Dios había ido antes para abrirlas y preparar los corazones. Ese es el poder de la oración y el ayuno unidos: abrir puertas que de otra forma hubiesen permanecido cerradas. El poder generado por la oración y el ayuno, estuvo a disposición de Pablo y Bernabé de acuerdo con las necesidades que tenían ante ellos, mediante la ordenanza de la imposición de manos.

Con relación a esto yo añadiré mi propia conclusión, basada en diversas experiencias en diferentes países: Los resultados del Nuevo Testamento se pueden conseguir únicamente empleando los métodos del Nuevo Testamento.

## Nombramiento de diáconos y ancianos

Falta por examinar otra función de la imposición de manos registrada en el Nuevo Testamento. Su propósito es algo parecido a las que acabamos de examinar:

> En aquellos días, como creciera el número de los discípulos, hubo murmuración de los griegos contra los hebreos, de que las viudas de aquéllos eran desatendidas en la distribución diaria. Entonces los doce convocaron a la multitud de los discípulos, y dijeron: "No es justo que nosotros dejemos la palabra de Dios, para servir a las mesas. Buscad, pues, hermanos, de entre vosotros a siete varones de buen testimonio, llenos del Espíritu Santo y de sabiduría, a quienes encarguemos de este trabajo. Y nosotros persistiremos en la oración y en el ministerio de la palabra". Agradó la propuesta a toda la multitud; y eligieron a Esteban, varón lleno de fe y del Espíritu Santo, a Felipe, a Prócoro, a Nicanor, a Timón, a Parmenas, y a Nicolás prosélito de Antioquía; a los cuales presentaron ante los apóstoles, quienes, orando, les impusieron las manos.
>
> Hechos 6:1-6

Aquí tenemos un relato del nombramiento de siete hombres a un cargo administrativo en la iglesia de Jerusalén. Es opinión general de casi todos los intérpretes, que el cargo al que estos hombres fueron designados es el que ha llegado a conocerse como "diácono". Encontramos que el nombramiento de estos diáconos se hizo efectivo mediante la imposición de las manos de los líderes de la Iglesia.

A fin de comprender este procedimiento con más claridad, es necesario analizar brevemente la estructura del liderazgo en la iglesia local neotestamentaria. Esta estructura básica era extremadamente simple. Consistía en dos —y sólo dos— clases de funcionarios administrativos: los ancianos y los diáconos. Pudiera parecer que hay, además de los ancianos y los diáconos, otra clase de funcionarios eclesiásticos; a saber, los obispos. No obstante, un examen más detenido de los términos empleados en realidad en el original en griego, revelan que no es así. En realidad los títulos "obispo" y "anciano" son dos nombres diferentes del mismo cargo. La palabra *obispo* se deriva, con pocos cambios, del término griego *episkopos*. El significado literal de esta palabra griega es "superintendente".

Y también, un examen de estos y otros pasajes del Nuevo Testamento revelan claramente que el título de "anciano" describe precisamente el mismo cargo que el de "obispo".

Por ejemplo, en Hechos 20:17 leemos que desde Miletos, Pablo:

*...a Efeso, hizo llamar a los ancianos de la iglesia.*

En el versículo 28 del mismo capítulo Pablo les dice a estos hombres:

Por tanto, mirad por vosotros, y por todo el rebaño en que el Espíritu Santo os ha puesto por obispos.

Hechos 20:28

Juntando estos dos versículos, comprendemos que los dos títulos "anciano" y "obispo" designan el mismo cargo.

Y también Pablo escribe a Tito:

Por esta causa te dejé en Creta, para que corrigieses lo deficiente, y establecieses ancianos en cada ciudad, así como yo te mandé.

Tito 1:5

En el versículo 7 del mismo capítulo Pablo describe las cualidades que un anciano debe poseer, y dice:

Porque es necesario que un obispo sea irreprensible, como administrador de Dios.

En otras palabras, Pablo emplea los dos términos *anciano* y *obispo* indistintamente para describir un mismo cargo.

Las mismas personas son llamadas tanto ancianos como obispos.

Así vemos que estos vocablos *obispos* y *ancianos* son sólo diferentes títulos para designar un mismo cargo. Probablemente el título más comúnmente usado es el de anciano.

Además de los ancianos, encontramos, como ya se dijo, los diáconos. Aparte de estos dos —ancianos y diáconos— no se registran otros funcionarios administrativos en la iglesia local del Nuevo Testamento.

Las principales cualidades para estos dos cargos se especifican en los siguientes pasajes de la Escritura: Hechos 6:3, 1 Timoteo 3 y Tito 1:5-9.

Basándonos en estos tres pasajes, podemos resumir las principales características de estos dos cargos como sigue: la primera tarea de los ancianos es dar dirección e instrucción espirituales a la iglesia:

> Los ancianos que gobiernan bien, sean tenidos por dignos de doble honor, mayormente los que trabajan en predicar y enseñar.
>
> 1 Timoteo 5:17

Aquí se describen los dos deberes principales de los ancianos como "gobernar" y "trabajar en predicar y enseñar".

Por otra parte, la palabra *diácono,* en su forma original, significa un "servidor". En Hechos 6:2 la primera tarea de los diáconos es servir a las mesas; es decir, a la provisión de necesidades materiales de la congregación. Haciéndolo servían también a los apóstoles.

El procedimiento para el nombramiento de diáconos se resume en Hechos 6:3-6. Los apóstoles delegaron en la congregación la responsabilidad de escoger de entre ellos hombres idóneos para ocupar el cargo de diácono. Después que la congregación escogió a estos hombres, fueron llevados ante los apóstoles, quienes primero oraron por ellos y después les impusieron las manos.

Este acto de imponer las manos sobre los diáconos sirvió tres propósitos principales:

1. Los apóstoles reconocieron públicamente a partir de ese momento que habían aceptado a estos hombres como aptos para ocupar el cargo de diácono.
2. Encomendaron públicamente a esos hombres a Dios para la tarea a la que habían sido escogidos.
3. Transmitieron a esos hombres una medida de su propia gracia y sabiduría espiritual, necesaria para la tarea que precisaban llevar a cabo. Dos de estos diáconos —Esteban y Felipe— subsecuentemente desarrollarían con distinción sus propios ministerios espirituales.

Para un relato del nombramiento de los ancianos tenemos que volver a Hechos:

> Y después de anunciar el evangelio [Pablo y Bernabé] a aquella ciudad [Derbe] y de hacer muchos discípulos, volvieron a Listra, a Iconio y a Antioquía, confirmando los ánimos de los discípulos, exhortándoles a que permaneciesen en la fe, y diciéndoles: Es necesario que a través de muchas tribulaciones entremos en el reino de Dios. Y constituyeron ancianos en cada iglesia, y habiendo orado con ayunos, los encomendaron al Señor en quien habían creído.
>
> Hechos 14:21-23

Varias características en este relato son significativas. Primero, el nombramiento de los ancianos, como el comisionar a los apóstoles, se acompañó de oración y ayuno colectivos. Claramente la iglesia del Nuevo Testamento comprendió que este era el modo bíblico de obtener la dirección de Dios en la toma de decisiones importantes.

Segundo, estas personas que Pablo y Bernabé volvieron a visitar en este punto, fueron llamados primero discípulos. Después del nombramiento de ancianos, sin embargo, se describen colectivamente como una iglesia. Es la ordenación de ancianos lo que marca la transición de un grupo de discípulos individuales a la entidad corporativa de una iglesia.

Tercero, la ordenación de ancianos fue responsabilidad de los apóstoles, como representantes de la autoridad de Dios. En esto, no obstante, ellos no se apoyaron en su propio juicio, sino que fueron instrumentos del Espíritu Santo. Hablando a los ancianos de la iglesia en Efeso, Pablo dice:

> Por tanto, mirad (...) por todo el rebaño en que el Espíritu Santo os ha puesto por obispos.
>
> Hechos 20:28

De acuerdo con el modelo divino, todos los nombramientos en la iglesia deben proceder del Espíritu Santo.

En Hechos 14:21-23 no se hace mención específica de la imposición de manos. Sin embargo, la Escritura proporciona dos razones poderosas para creer que Pablo y Bernabé, en realidad, impusieron sus manos sobre los que habían ordenado de ancianos.

Primero, esta ordenación responde exactamente a los dos propósitos principales de la imposición de manos en la Escritura. De esta manera, los apóstoles respaldaron y apartaron los líderes escogidos de la congregación local. Al mismo tiempo, les impartieron la sabiduría y autoridad que necesitarían en su tarea.

Segundo, en 1 Timoteo 5;17-22 Pablo da a Timoteo una serie de instrucciones de cómo relacionarse con los ancianos locales. Concluye diciendo: "No impongas con ligereza las manos a ninguno." Aunque esta advertencia es apropiada para cualquiera de los distintos propósitos de imponer las manos, parece probable que Pablo aquí se refiere a esta ordenanza primordialmente como un modo de ordenar ancianos.

Esto podría indicar que el modo aceptado de ordenar ancianos era imponiendo sobre ellos las manos.

Termino este estudio, enumerando los cinco propósitos indicados en el Nuevo Testamento para la imposición de manos: 1) ministrar sanidad al enfermo, 2) ayudar a quienes buscan el bautismo en el Espíritu Santo, 3) impartir dones espirituales, 4) comisionar apóstoles, y 5) ordenar diáconos y ancianos en la iglesia local.

A fin de comprender estos cinco usos de la imposición de manos, hemos examinado el modelo de vida diaria y administración de la iglesia local, según los revela el Nuevo Testamento.

Si ahora resumimos las lecciones aprendidas en estos tres capítulos dedicados a la imposición de manos, vemos que esta ordenanza tiene una íntima y vital vinculación con muchos aspectos importantes de la vida y ministerio cristianos.

Está directamente ligado con el ministerio de sanidad; con la capacitación de los cristianos para un testimonio dinámico mediante el bautismo en el Espíritu Santo; y con la comisión de obreros cristianos llamados especialmente. Con frecuencia se asocia con el don de profecía. También fortalece la vida de la iglesia local de dos formas: espiritualmente, en la impartición de dones espirituales; y prácticamente, en la ordenación de diáconos y ancianos.

Por todas estas razones, la ordenanza de la imposición de manos tiene su lugar en Hebreos 6:2 entre las grandes doctrinas fundamentales de la fe cristiana.

# Parte VI

# La Resurreccion

# de

# Los Muertos

*Si en alguna manera llegase*
*a la resurrección de*
*entre los muertos.*

Filipenses 3:11

# 40

# Al final de
# los tiempos

En la Parte V examinamos la cuarta de las doctrinas fundamentales relacionadas en Hebreos 6:1-2, llamada la "imposición de manos". Ahora nos queda por ver las dos últimas de la lista: la resurrección de los muertos y el juicio eterno.

Estas nos llevan a una esfera de estudio totalmente nueva. Todas las cuatro doctrinas que ya consideramos están directamente relacionadas con este mundo presente y con el tiempo. Sin embargo, el estudio de las doctrinas que nos quedan, nos lleva, por la revelación de la Palabra de Dios, fuera de este mundo y más allá del tiempo, dentro del plano de la eternidad. El escenario donde se representarán la resurrección de los muertos y el juicio eterno, no pertenece al tiempo, sino a la eternidad.

## La eternidad: El medio del Ser de Dios

La palabra *eternidad* confunde a mucha gente. Creen que la eternidad es un inmensamente largo período de tiempo, más allá de lo que puede concebir la mente humana. Pero no es así. La eternidad no es sólo una extensión infinita de tiempo; por su naturaleza, difiere del tiempo. La eternidad es un plano totalmente distinto, un modo diferente de ser y estar. Es el modo de existir de Dios, el medio donde él habita.

En Génesis 21:33 y en Isaías 40:28, se llama al Señor, "el Dios eterno". En el Salmo 90:2 Moisés se dirige a Dios y dice:

> Antes que los montes fueran engendrados,
> y nacieran la tierra y el mundo,
> desde la eternidad y hasta la eternidad, tú eres Dios. (BLA)

Dios mismo define también su propia naturaleza y reino:

> Porque así dice el Alto y Sublime que vive para siempre, cuyo nombre es Santo: Habito en lo alto y santo.
> Isaías 57:15 (BLA)

Estas escrituras revelan que la eternidad es un aspecto de la naturaleza personal de Dios, el medio en que Dios tiene su ser. Cuando Moisés le preguntó por qué nombre deseaba que los hijos de Israel lo conocieran, Dios le dio la respuesta siguiente:

> Y dijo Dios a Moisés: YO SOY EL QUE SOY. Y añadió: "Así dirás a los hijos de Israel: "YO SOY me ha enviado a vosotros."
> Exodo 3:14 (BLA)

Aquí Dios da a Moisés dos formas de su nombre: "YO SOY" y "YO SOY EL QUE SOY". Esto revela la eterna e inmutable naturaleza de Dios. El es siempre "YO SOY". En modo alguna es afectado por el paso del tiempo, que no es más que parte de su propia creación. Para Dios, el pasado, el presente y el futuro están siempre fundidos en un eterno presente: un eterno "YO SOY".

De esta revelación concedida a Moisés vino la forma sagrada del nombre de Dios, que consiste de cuatro consonantes hebreas, representadas en español como *YHWH*. Tradicionalmente se ha traducido como "Jehová". Los eruditos modernos sugieren que sería más exactamente representado por la forma *YAHVEH* —que significa "EL ES" o, también, "EL SERA". Algunos traductores tratan de expresar el significado de este nombre con el título de "el Eterno".

En el Nuevo Testamento, las mismas verdades relativas a la eterna e inmutable naturaleza de Dios son expuestas en la revelación concedida al apóstol Juan en la isla de Patmos:

> "Yo soy el Alfa y la Omega, principio y fin", dice el Señor, "el que es y que era y que ha de venir, el Todopoderoso".
> Apocalipsis 1:8

Alfa es la primera letra del alfabeto griego, y Omega, la última. Así, todo el alfabeto del tiempo, desde su comienzo hasta su fin, está contenido dentro de la naturaleza de Dios. La frase "el que es y que era y que ha de venir" resume el presente, el pasado y el futuro, y de esta forma corresponde exactamente a la revelación de la naturaleza de Dios dada a Moisés: "YO SOY EL QUE SOY."

El otro título de Dios empleado aquí: "el Todopoderoso", corresponde a la forma hebrea usada desde el libro de Génesis en adelante: *l Sddai*.

Por ejemplo, en Génesis 17:1 leemos que el Señor —es decir, *Yahvéh*— se revela a Abraham por este nombre *l Sddai*, el Todopoderoso Dios, porque dice:

> Cuando Abraham tenía noventa y nueve años, el Señor se le apareció, y le dijo: "Yo soy Dios Todopoderoso [l Sddai] anda delante de mí, y sé perfecto." (BLA)

El significado de la raíz de la forma *l Sddai* parecería ser "Dios el que es suficiente" —o "el todo-suficiente Dios"— el único en quien toda la creación está resumida, desde su principio hasta su fin.

El mismo cuadro de la absoluta toda-suficiencia de Dios aparece en el Nuevo Testamento también:

> Porque de él, y por él, y para él son todas las cosas.
>
> Romanos 11:36

Todas las cosas tienen su origen en Dios. Todas son mantenidas por él. Y todas encuentran su fin y su consumación en él.

Así vemos que los diversos nombres y títulos bíblicos de Dios contienen en ellos una revelación de la naturaleza eterna de Dios. Cuando la contemplamos, empezamos a formarnos un verdadero concepto de la eternidad.

La eternidad, correctamente entendida, no es un tiempo de duración sin límites; más bien, la eternidad es la naturaleza y modalidad del mismo ser de Dios, el medio no creado en que Dios existe.

Dios, que habita en la eternidad, dio existencia a este mundo actual por el acto de la creación y, con este, el orden de tiempo tal como lo conocemos: pasado, presente y futuro. En otro acto de su voluntad Dios un día terminará el mundo presente, y con este, el tiempo como lo conocemos, dejará de existir. El tiempo está directa e inseparablemente relacionado con nuestro orden de mundo presente. Con este orden de mundo vino a la existencia, y con él dejará de existir otra vez.

Dentro de los límites de este orden de mundo presente, todas las criaturas están sujetas al proceso del tiempo. El tiempo es un factor en la experiencia total del hombre que él no tiene poder para cambiar. Todos los hombres de este mundo son criaturas y esclavos del tiempo. Ningún hombre tiene el poder de detener el curso del tiempo, o de volverlo atrás.

Su inexorable dominio en los asuntos de los hombres siempre ha ocupado el pensamiento y la imaginación de los hombres y mujeres pensadores a lo largo de la historia humana. De diferentes modos y en distintos períodos los hombres han buscado la forma de escapar del dominio del tiempo... pero siempre en vano. El poeta inglés Andrew Marvel puso en palabras el clamor de la humanidad cuando dijo:

Porque siempre a mi espalda escucho
el carro alado del tiempo acercándose.

En incontables y diferentes formas y giros del lenguaje, poetas y filósofos de todas las edades y antecedentes han dado expresión al mismo pensamiento: el curso inalterable y dominio inexorable del tiempo sobre todos los hombres y todas las cosas creadas.

En años recientes, en la física, la teoría de la relatividad, ha hecho una notable contribución a la comprensión del tiempo por parte del hombre. Brevemente, esta teoría declara que las dos categorías de tiempo y espacio están inseparablemente relacionadas una con la otra, de manera que ninguna puede ser adecuadamente definida o explicada excepto con relación a la otra. No podemos definir el espacio con exactitud sin relación al tiempo, ni el tiempo sin relación al espacio. Los dos juntos constituyen lo que la ciencia llama "el continuo espacio-tiempo".

Si tratamos de relacionar esta teoría moderna a la revelación de la Biblia, podemos decir que este continuo espacio-tiempo es el marco en que existe el orden de mundo presente. En un soberano acto de Dios, este continuo espacio-tiempo vino a existir con el actual orden de mundo; y por otro soberano acto de Dios este orden de mundo presente, junto con el continuo espacio-tiempo en que existe, dejará de ser otra vez. Adelante, detrás y más allá de todo el continuo espacio-tiempo, la naturaleza y ser eternos de Dios continuarán inalterables.

La Biblia revela que, el fin del tiempo para todo este orden de mundo vendrá en un momento preordenado por Dios. Sin embargo, hay un sentido en que todo individuo vivo tiene que inclinarse ante este edicto divino de que el tiempo terminará.

Como individuos no tenemos que esperar que se acabe este orden de mundo. Hay un momento frente a todos nosotros en que el tiempo ya no será; un momento en que cada uno llegará al fin del curso del tiempo y entrará en la eternidad.

En el hogar del difunto Chaim Weizmann, el primer presidente de Israel, las manecillas del reloj fueron detenidas en la hora de la muerte del presidente. Esto es una representación de lo que espera a cada hombre, no importa en qué etapa de su vida pueda estar. A todo hombre individualmente viene una hora en que las manecillas del reloj se detendrán; un momento en que el tiempo cesa y la eternidad empieza.

Alguien ha expresado este mismo pensamiento diciendo: "El reloj que mueve todos los otros relojes es el corazón humano." Cuando este cesa de latir, todos los otros dejan de funcionar. Para cada individuo, el fin de la vida es el fin del tiempo.

¿Qué espera a cada alma que parte cuando sale del tiempo y entra en la eternidad? ¿Qué es lo que hay al otro lado del tiempo?

## Dos citas universales

Indudablemente que hay muchos misterios y cosas desconocidas que esperan a cada alma que parte, respecto de lo cual la Biblia no levanta el velo que separa el tiempo de la eternidad. No obstante, más allá del umbral de la eternidad la Biblia revela dos cosas que son el destino final de todas las almas: la resurrección de los muertos y el juicio eterno.

> Porque así como en Adán todos mueren, también en Cristo todos serán vivificados.
>
> 1 Corintios 15:22

Tal como la muerte es el destino universal para todos, por descender de Adán, así mismo la resurrección de los muertos es la cita universal de Dios para todos; y esto es posible mediante la muerte y resurrección de Cristo.

A esta cita universal de la resurrección de los muertos, la Biblia admite sólo excepciones de una clase. La excepción es sumamente lógica: Los que no hayan muerto, no necesitarán resucitar de los muertos:

> He aquí, os digo un misterio: No todos dormiremos; pero todos seremos transformados, en un momento, en un abrir y cerrar de ojos, a la final trompeta; porque se tocará la trompeta, y los muertos serán resucitados incorruptibles, y nosotros seremos transformados. Porque es necesario que esto corruptible se vista de incorrupción, y esto mortal se vista de inmortalidad.
>
> 1 Corintios 15:51-53

Cuando Pablo dice "no todos dormiremos", se está refiriendo sólo a los cristianos. El quiere decir que todos los verdaderos cristianos que estén vivos en el momento del regreso de Cristo por su iglesia, no dormirán; es decir, no morirán o no dormirán en muerte. En vez de eso, sus cuerpos serán cambiados de forma instantánea y milagrosa, y se encontrarán ataviados en cuerpos de una clase enteramente nueva y sobrenatural. La corrupción será reemplazada por la incorrupción, la mortalidad por la inmortalidad. A partir de entonces, no quedará ninguna posibilidad futura de muerte ni de resurrección de los muertos.

Aparte de esta clase de verdaderos cristianos que estarán vivos en el momento del regreso de Cristo, se abre la posibilidad de otras dos excepciones a la cita universal de resurrección de los muertos. Estas son Enoc y Elías, los dos hombres en el Antiguo Testamento que fueron trasladados al cielo sin ver la muerte.

La Biblia no da detalles claros en ninguna parte de cuál será la experiencia final de estos dos hombres. Pero una cosa queda clara: Los que no mueran, nunca tendrán que ser resucitados de los muertos. Por otra parte, la Biblia revela claramente que todos los que sí mueran, también serán resucitados de los muertos.

La otra gran cita de Dios en la eternidad con todos los hombres es el juicio. Pablo advirtió al pueblo de Atenas que un día todo el mundo tiene que enfrentar el juicio de Dios:

> Pero Dios, habiendo pasado por alto los tiempos de esta ignorancia, ahora manda a todos los hombres en todo lugar, que se arrepientan; por cuanto ha establecido un día en el cual juzgará al mundo con justicia, por aquel varón a quien designó, dando fe a todos con haberle levantado de los muertos.
>
> Hechos 17:30-31

La cita del juicio de Dios es con el mundo entero, con toda la humanidad. Por esto es que a todos los hombres se les manda a arrepentirse, porque todos los hombres serán juzgados algún día.

Pablo advierte a los cristianos, de que ellos también tendrán que estar preparados para comparecer en el juicio de Dios:

> Pero tú, ¿por qué juzgas a tu hermano? O tú también, ¿por qué menosprecias a tu hermano? Porque todos compareceremos ante el tribunal de Cristo. Porque escrito está:
> Vivo yo, dice el Señor, que ante mí
> se doblará toda rodilla
> Y toda lengua confesará a Dios.
>
> Romanos 14:10-11

Aquí Pablo le escribe a los cristianos. Por consiguiente, la frase "tu hermano" significa un hermano cristiano. Igualmente, la palabra "todos" denota a todos los cristianos. Además, el uso universal de las dos frases "toda rodilla se doblará" y "toda lengua confesará" indican que no habrá excepciones al juicio.

Más tarde en esta serie de estudios examinaremos en detalle el programa de Dios para juzgar a todos los hombres y veremos entonces que habrá diferentes escenas y propósitos de juicio, de acuerdo con las varias categoría de hombres que serán juzgados. Entretanto, este principio básico ha sido establecido: todos los que mueren serán no sólo resucitados, sino juzgados:

> Y de la manera que está establecido para los hombres que mueran una sola vez, y después de esto el juicio.
>
> Hebreos 9:27

Aquí la frase "está establecido para los hombres" incluye a toda la humanidad.

Por lo tanto, podemos decir que para toda alma humana que por la muerte sale del tiempo y entra en la eternidad, quedan dos citas universales e irrevocables con Dios: la resurrección y el juicio.

Incluso los cristianos, vivos todavía, que sean arrebatados para encontrarse con Cristo en su regreso, tendrán que comparecer aún ante el juicio señalado para todos los cristianos:

> Porque todos compareceremos ante el tribunal de Cristo.
>
> Romanos 14:10

Casi exactamente las mismas palabras aparecen en 2 Corintios:

> Porque es necesario que todos comparezcamos ante el tribunal de Cristo. (5:10).

En los dos pasajes la palabra "todos" denota todos los cristianos, sin excepciones.

La resurrección y el juicio están inseparablemente ligados con la lógica de las Escrituras.

La resurrección siempre precede al juicio. En ningún caso se presentará alguien ante Dios como un alma desencarnada; sino toda la personalidad humana, formada de espíritu, alma y cuerpo, aparecerá ante el juicio de Dios. Por esta razón, la resurrección del cuerpo tiene que preceder por necesidad al juicio final. Este es el orden en que se presentan siempre a nosotros en la Escritura: primero, la resurrección; después, el juicio eterno.

Pablo indica el principio subyacente que determina este orden:

> Porque es necesario que todos nosotros comparezcamos ante el tribunal de Cristo, para que cada uno reciba según lo que haya hecho mientras estaba en el cuerpo, sea bueno o sea malo.
>
> 2 Corintios 5:10

El juicio atañe a las cosas hechas en el cuerpo mientras estaba en la tierra. Puesto que es por lo que hizo en el cuerpo que el hombre debe responder, Dios ha ordenado que comparezca en su cuerpo ante él, para responder por esas cosas.

Por consiguiente, la resurrección del cuerpo tiene que preceder al juicio eterno. En esto, como en todos los puntos, el programa de Dios es lógico y consecuente.

# 41

# Destinos divergentes
# en la muerte

En este capítulo empezaremos a examinar en detalle lo que la Biblia enseña acerca de la resurrección de los muertos.

Un primer punto debe quedar claramente establecido: la parte del hombre que será resucitada es el cuerpo, no su espíritu o su alma. Más precisamente definido: la resurrección de que habla la Biblia es la resurrección del cuerpo.

A fin de entender lo que esto implica, es necesario analizar brevemente la naturaleza total del hombre, según se revela en la Biblia.

## El ser trino del hombre

Pablo eleva por los cristianos en Tesalónica la oración siguiente:

> Y el mismo Dios de paz os santifique por completo; y todo vuestro ser, espíritu, alma y cuerpo, sea guardado irreprensible para la venida de nuestro Señor Jesucristo.
>
> 1 Tesalonicenses 5:23

En la primera parte de este versículo Pablo emplea la frase "os santifique por completo." Esto indica que está preocupado por la naturaleza total o personalidad de cada uno de los cristianos por quienes ora. La segunda parte del versículo enumera los tres elementos que componen la naturaleza total o personalidad del hombre: espíritu, alma y cuerpo.

También leemos:

> Porque la palabra de Dios es viva y eficaz, y más cortante que toda espada de dos filos; y penetra hasta partir el alma y el espíritu, las coyunturas y los tuétanos.
>
> Hebreos 4:12

Este versículo da la misma división triple de la personalidad total del hombre, espíritu, alma y cuerpo. En este caso, el cuerpo está representado por las partes físicas mencionadas: las coyunturas y los tuétanos.

Para mayor comprensión en lo concerniente a la constitución de la personalidad total del hombre, podemos volvernos al relato original de la creación del hombre, al principio de la Biblia:

> Entonces dijo Dios: Hagamos al hombre a nuestra imagen, conforme a nuestra semejanza.
>
> Génesis 1:26

En este versículo se usan dos palabras para expresar la relación entre el hombre, la criatura, y Dios, el Creador. La primera de estas palabras es *imagen;* la segunda es *semejanza.*

La palabra hebrea original, traducida aquí "imagen", en muchos otros pasajes del Antiguo Testamento se traduce "sombra". En el hebreo moderno la misma raíz aparece hoy en la forma verbal que significa "tomarse una foto". Estas otras asociaciones de la palabra indican que su referencia primaria aquí en la creación está en la apariencia o forma externa del hombre. Incluso en su forma externa hay una correspondencia entre el hombre y Dios que no se encuentra en la creación animal más baja.

Sin embargo, esta correspondencia va más allá de la mera forma externa. La segunda palabra hebrea usada aquí, traducida "semejanza" tiene una aplicación mucho más general. Se refiere a toda la personalidad del hombre. Indica que hay una correspondencia entre esta personalidad total del hombre y el ser o naturaleza del mismo Dios.

Un aspecto importante de esta correspondencia entre la naturaleza de Dios y la del hombre está contenida en la revelación de los tres elementos de la personalidad total del hombre: espíritu, alma, y cuerpo. Por eso podemos decir que el hombre se revela como un ser trino; una personalidad total, aunque compuesta de tres elementos constituyentes: espíritu, alma y cuerpo.

De igual forma, la Biblia también revela que el ser de Dios es trino; hay un único y verdadero Dios, pero dentro de esta Divinidad, discernimos las tres Personas distintas del Padre, el Hijo y el Espíritu.

Así la Biblia nos presenta una semejanza, o una correspondencia, entre la personalidad del hombre y la naturaleza total de Dios. Brevemente, podemos resumirla como sigue: La Biblia revela a un hombre trino, creado a semejanza de un Dios trino.

En Génesis nos dan más detalles relativos a la creación original del hombre:

> Entonces el Señor Dios formó al hombre del polvo de la tierra, y sopló en su nariz el aliento de vida; y fue el hombre un ser viviente. [alma] (2:7, BLA).

Aquí vemos que la personalidad total del hombre tiene su origen en dos fuentes absolutamente distintas y separadas. La parte física, material del hombre —su cuerpo— está formada del polvo de la tierra. La invisible, inmaterial, tiene su origen en el aliento del Dios todopoderoso. Esta parte invisible, inmaterial del hombre es llamada aquí "el alma". Sin embargo, como ya hemos dicho, en otros pasajes de la Escritura se la define más en detalle como la combinación del espíritu y el alma juntos.

La Biblia indica que el espíritu y el alma no son idénticos, sino dos elementos distintos que juntos componen la parte inmaterial del hombre. Está fuera del marco de este estudio, no obstante, intentar trazar una línea de demarcación precisa entre el espíritu del hombre y su alma.

Para nuestro propósito actual, es suficiente decir que la personalidad total del hombre tiene dos fuentes diferentes: 1) La parte física, material (su cuerpo) proviene de abajo; de la tierra. 2) La parte invisible, inmaterial (su alma y su espíritu) proviene de arriba; del mismo Dios.

En el trance de la muerte, el elemento inmaterial invisible del hombre (su espíritu y su alma) queda libre de su envoltura terrenal. A partir de ese momento, por el proceso de la sepultura, la parte material (su cuerpo) se reintegra a la tierra de que provino, y mediante la descomposición, regresa a sus elementos originales. Incluso donde no hay un entierro real, el cuerpo del hombre, después de la muerte, siempre es sometido a algún proceso de desintegración o descomposición, que en última instancia lo reintegra a sus elementos materiales originales. Consecuentemente, será el cuerpo del hombre también el que, por la resurrección, será recogido otra vez de los mismos elementos materiales.

## El espíritu del hombre
## separado de su cuerpo

En ninguna parte de la Biblia se sugiere que, después de la muerte, la parte inmaterial del hombre —su espíritu y su alma— están sujetos al mismo proceso de entierro y descomposición que espera a su cuerpo. Por el contrario, hay evidencia en muchos pasajes de la Escritura de que el destino de la parte espiritual del hombre, después de la muerte, es muy diferente al de su cuerpo.

Para el primero de tales pasajes, podemos volver nuestra atención al libro de Eclesiastés. Cuando examinamos las enseñanzas de este libro, es necesario tener presente una limitación definida que el autor, Salomón, impone a todas las preguntas y conclusiones contenidas en el libro. Esto está claramente indicado por una frase particular que se repite una y otra vez a lo largo del libro.

Por ejemplo, en Eclesiastés 1:3 Salomón pregunta:

> ¿Qué provecho tiene el hombre de todo su trabajo con que se afana debajo del sol?

Esta pregunta, con ligeras variaciones en el fraseo, se repite muchas veces a lo largo del libro. En total, "bajo el sol" aparece veintinueve veces.

Esta frase en particular, "bajo el sol", indica una limitación deliberada que Salomón impone a todas sus preguntas y conclusiones en todo el libro. El libro entero se concierne únicamente con las cosas debajo del sol; las temporales y materiales; que pertenecen al plano del tiempo y a este orden de mundo actual.

Podemos comprender mejor esta limitación en particular haciendo referencia a las palabras de Pablo:

> Pues las cosas que se ven son temporales, pero las que no se ven son eternas.
>
> 2 Corintios 4:18

Aquí Pablo traza una clara línea divisoria entre dos clases diferentes de cosas: las que se ven y que son temporales; y las que no se ven y que son eternas.

Si aplicamos ahora esta clasificación doble al libro de Eclesiastés, encontramos que todo el material contenido en el libro cae dentro de la primera categoría de cosas: las que se ven y que son temporales.

En este libro Salomón nunca procura continuar su estudio más allá de los límites del plano temporal hacia el plano eterno. Siempre que alcanza este límite, se detiene y regresa a algún nuevo aspecto del plano temporal. Esto lo indica con la repetición de la frase "bajo el sol". Nada en el libro trata con lo que *no* está sujeto a la influencia del sol: el plano invisible y eterno. No obstante, en casi todos los otros libros de la Biblia se hace referencia a este plano invisible y eterno de varios modos; aun en los otros escritos del mismo Salomón.

Percatarnos de esta particular limitación de Eclesiastés, nos ayuda a apreciar mejor las enseñanzas del libro como un todo y también aclara aparentes conflictos entre sus conclusiones y las enseñanzas de otros libros de la Biblia.

Con esto presente, podemos volver al pasaje de Eclesiastés que indica una diferencia entre el destino del cuerpo del hombre a su muerte, y el de su espíritu:

> Dije en mi corazón: Es así, por causa de los hijos de los hombres, para que Dios los pruebe, y para que vean que ellos mismos son semejantes a las bestias. Porque lo que sucede a los hijos de los hombres, y lo que sucede a las bestias, un mismo suceso es: como mueren los unos, así mueren los otros, y una misma respiración tienen todos; ni tiene más el hombre que la bestia; porque todo es vanidad. Todo va a un mismo lugar; todo es hecho del polvo, y todo volverá al mismo polvo. ¿Quién sabe que el espíritu de los hijos de los hombres sube arriba, y que el espíritu del animal desciende abajo a la tierra?
>
> Eclesiastés 3:18-21

De acuerdo con el tema del libro entero, Salomón pone su enfoque principal sobre la parte física, material del hombre: su cuerpo. Muy correctamente, por lo tanto, él señala que en este respecto no hay diferencia, en el tiempo de su muerte, entre el destino del hombre y el de las bestias. A su muerte, el cuerpo del hombre, tal como el de cualquier otro animal, regresa a la tierra de donde vino y allí se descompone otra vez en sus elementos componentes.

Sin embargo, Salomón prosigue a señalar que esta semejanza de su muerte entre el destino del hombre y el de las bestias termina con el cuerpo físico. No se aplica al espíritu del hombre. El espíritu del hombre —su parte inmaterial— tiene un destino diferente del de las bestias: *...el espíritu de los hijos de los hombres sube arriba, y (...) el espíritu del animal desciende abajo a la tierra?* (Eclesiastés 3:21).

Salomón presenta este versículo con una pregunta "¿Quién sabe...?" Es como si dijera: "Reconocemos que hay una diferencia entre el hombre y las bestias, pero está fuera del marco de estos estudios. Por lo tanto, sólo podemos mencionarlo brevemente; no podemos proseguir más allá."

¿Qué podemos entender por la frase de Salomón respecto al espíritu del hombre cuando muere su cuerpo? El dice: "el espíritu de los hijos de los hombres sube arriba."

Primero, vemos que está de acuerdo con el relato de la creación, que el cuerpo del hombre vino de abajo, de la tierra, pero su espíritu vino de arriba, de Dios (ver Génesis 2:7). Puesto que en la muerte el espíritu queda libre del cuerpo, la dirección en que va el espíritu es otra vez hacia arriba; hacia Dios:

> Y el polvo vuelva a la tierra, como era, y el espíritu vuelva a Dios que lo dio.
>
> Eclesiastés 12:7

De esta forma, la enseñanza de Salomón en Eclesiastés con respecto al destino del espíritu del hombre en su muerte es breve, pero clara, y concuerda con las indicaciones dadas en muchos otros pasajes de la Escritura. A su muerte, el cuerpo del hombre regresa al polvo, pero el destino de su espíritu es hacia arriba, hacia Dios.

¿Qué sucede cuando el espíritu del hombre, en su muerte, es liberado del cuerpo y traído ante Dios, el Creador?

Parece no haber una revelación definida en la Escritura con respecto a este punto. Sin embargo, la Biblia nos permite establecer dos principios definidos. Primero, esta comparecencia del espíritu del hombre ante Dios no es el juicio final, que tendrá lugar sólo después de la resurrección. Segundo, los espíritus de los impíos y los malvados no pueden tener acceso permanente a la presencia de Dios.

Podemos, por lo tanto, concluir que la comparecencia del espíritu del hombre ante Dios inmediatamente después de su muerte obedece a un propósito principal: escuchar la sentencia divina designando a cada espíritu el estado y lugar que debe ocupar desde el momento de la muerte hasta el de la resurrección y juicio final. A partir de entonces, cada espíritu es conducido al estado y lugar que le ha sido asignado y continúa allí hasta que sea llamado otra vez en la resurrección del cuerpo.

## Los justos separados de los malvados

¿Cuál es la condición de los espíritus de los difuntos, en este período que transcurre entre la muerte y la resurrección?

Indudablemente hay mucho referente a esto que Dios no ha considerado apropiado revelar en la Biblia. No obstante, dos factores están claros: 1) Después de la muerte hay una separación completa y permanente entre los espíritus de los justos y el de los malvados. 2) La condición de los espíritus de los justos difuntos en el período anterior a la muerte y resurrección de Cristo era distinta de su condición ahora, en esta dispensación actual.

Más allá de estos dos hechos claramente establecidos, la Biblia de vez en cuando levanta una punta del velo entre este mundo y el próximo, dándonos un vistazo fugaz de lo que hay al otro lado.

Un ejemplo es el relato bíblico del juicio de Dios sobre el opresor rey de Babilonia:

> El Seol abajo se espantó de ti; despertó muertos que en tu venida saliesen a recibirte, hizo levantar de sus sillas a todos los príncipes de la tierra, a todos los reyes de las naciones. Todos ellos darán voces, y te dirán: ¿Tú también te debilitaste como nosotros, y llegaste a ser como nosotros?
>
> Isaías 14:9-10

Esta narración revela ciertos hechos definidos acerca de la condición de los espíritus de los difuntos. No indica que tengan conciencia de los sucesos que están ocurriendo en la tierra. No obstante, revela que hay al menos algún recuerdo de los sucesos que tuvieron lugar durante el tiempo en que vivieron en la tierra.

Más allá de eso, está claro que la personalidad permanece intacta después de la muerte; las personas se reconocen unas a otras, y hay comunicación entre ellas; y hay conciencia de las condiciones actuales del lugar donde están los espíritus de los difuntos. Además, hay cierta medida de correspondencia entre el estado de un hombre en este mundo y su estado en el próximo. Porque quienes fueron reyes en este mundo, todavía se les reconoce como tales en el próximo.

Tenemos una descripción parecida del descenso al Seol del espíritu del difunto faraón de Egipto (ver Ezequiel 32;17-32).

> Hijo de hombre, laméntate por la multitud de Egipto, hazla descender, a ella y a las hijas de las naciones poderosas, a las profundidades de la tierra, con los que descienden a la fosa; "¿A quién superas en hermosura? Desciende, y yace con los incircuncisos".
>
> Ezequiel 32:18-19 (BLA)

El faraón de Egipto fue recibido por el espíritu de otros grandes hombres que descendieron a la fosa antes que él:

> Los fuertes entre los poderosos hablarán de Egipto y de sus auxiliares de en medio del Seol: "Han descendido, yacen los incircuncisos muertos a espada".
>
> Ezequiel 32:21

Un examen cuidadoso de este pasaje muestra que reproduce las mismas características ya observadas en el pasaje de Isaías. Persiste la personalidad; hay reconocimiento entre las personas; comunicación entre ellas; y conciencia de las condiciones en ese lugar.

Ahora vayamos al Nuevo Testamento y veamos cuánta más luz arroja sobre el destino de la parte espiritual del hombre después de su muerte.

El primer pasaje del Nuevo Testamento que vamos a examinar es la conocida historia del mendigo Lázaro quien yacía a la puerta del hombre rico (ver Lucas 16:19-31). No se sugiere que esta historia sea una mera parábola. La relata Cristo mismo como un incidente de la vida real ocurrido antes de ese momento en su ministerio terrenal; es decir, en la dispensación anterior a la muerte y resurrección de Cristo. A continuación la descripción que Jesús hace de los destinos de Lázaro y del hombre rico después de morir:

> Aconteció que murió el mendigo, y fue llevado por los ángeles al seno de Abraham; y murió también el rico, y fue sepultado. Y en el Hades alzó sus ojos, estando en tormentos, y vio de lejos a Abraham, y a Lázaro en su seno. Entonces él, dando voces, dijo: Padre Abraham, ten misericordia de mí, y envía a Lázaro para que moje la punta de su dedo en agua, y refresque mi lengua; porque estoy atormentado en esta llama. Pero Abraham le dijo: Hijo, acuérdate que recibiste tus bienes en tu vida, y Lázaro también males; pero ahora éste es consolado aquí, y tú atormentado. Además de todo esto, una gran sima está puesta entre nosotros y vosotros, de manera que los que quisieren pasar de aquí a vosotros, no pueden, ni de allá pasar acá.
>
> Lucas 16:22-26

Hay mucho en este pasaje que confirma las conclusiones que ya hemos formado del Antiguo Testamento. En la muerte, el cuerpo sepultado regresa a la tierra, pero el espíritu se traslada a una clase nueva de existencia. En esta existencia después de la muerte, hay persistencia de la personalidad; hay reconocimiento entre las personas; hay conciencia de las condiciones en que están. También hay ciertos recuerdos de la vida anterior en la tierra. Esto se evidencia en las palabras de Abraham al hombre rico: "Hijo, acuérdate..."

Todo esto concuerda con la descripción dada en el Antiguo Testamento.

No obstante, este relato en Lucas añade un dato más, muy importante. Después de la muerte el destino del espíritu de los justos es muy diferente al del espíritu de los malvados.

Tanto Lázaro como el hombre rico se encontraban en la región donde iban los espíritus de los difuntos que en hebreo se llama "Seol" y en griego "Hades", pero sus destinos allí eran muy diferentes. El hombre rico estaba en un lugar de tormento; Lázaro, en un lugar de descanso. Entre estos dos lugares había una gran sima que no podía cruzarse desde ninguno de los dos lados.

El lugar de descanso, apartado para los espíritus de los difuntos justos, se llama aquí "el seno de Abraham". Este título indica que ha sido preparado para todos los que en su peregrinaje terrenal siguieron los pasos de fe y obediencia marcados por Abraham, quien por esta razón es llamado "el padre de todos los creyentes."

# 42

# Cristo, el modelo
# y la prueba

Hasta ahora, los hechos que hemos recogido de la Escritura concernientes al destino de los espíritus de los difuntos, tratan todos con sucesos que ocurrieron antes de la muerte y resurrección de Cristo. Ahora veremos lo que la Biblia revela acerca de la experiencia de Cristo mismo durante el período entre su muerte y resurrección.

## Entre la muerte y la resurrección

El primer pasaje que examinaremos es una anticipación profética de la muerte, entierro y resurrección de Cristo:

> Al Señor he puesto continuamente delante de mí;
> porque está a mi diestra, permaneceré firme.
> Por tanto, mi corazón se alegra y mi alma se regocija;
> también mi carne morará segura,
> pues tú no abandonarás mi alma en el Seol,
> ni permitirás a tu Santo ver corrupción.
> Me darás a conocer la senda de la vida;
> en tu presencia hay plenitud de gozo;
> en tu diestra, deleites para siempre.
>
> Salmo 16:8-11

En Hechos 2:25-28 Pedro cita estos versículos completos. En Hechos 13:35 Pablo cita uno. Tanto Pedro como Pablo por igual interpretan que estas palabras son una profecía directa de la sepultura y resurrección de Cristo. Pedro señala que, aunque fue David quien dijo estas palabras, ellos no se las aplican porque su alma fue dejada por muchos siglos en el Seol y su cuerpo sufrió el proceso de corrupción. Por consiguiente esta es una de la profecías mesiánicas del Antiguo Testamento, dichas por David, aunque refiriéndose no a sí mismo, sino a la prometida simiente de David, el Mesías, Jesucristo.

Aplicadas de este modo a Cristo, estas palabras de David en el Salmo 16 revelan dos cosas que sucedieron en la muerte de Cristo. Primero, su cuerpo yació en la tumba, pero no sufrió proceso alguno de corrupción. Segundo, su Espíritu descendió al Seol (el lugar para los espíritus de los difuntos) pero no permaneció allí más que el período entre su muerte y su resurrección.

Esta revelación del Antiguo Testamento se confirma por la más detallada revelación del Nuevo Testamento. Jesús dijo al ladrón arrepentido que estaba crucificado junto a él:

De cierto te digo que hoy estarás conmigo en el paraíso.

Lucas 23:43

La palabra *paraíso* significa literalmente "un jardín" y es uno de los nombres dados al lugar en el mundo venidero reservado para los espíritus de los justos en su muerte.

Entonces Jesús, clamando a gran voz, dijo: "Padre, en tus manos encomiendo mi espíritu." Y habiendo dicho esto, expiró.

Lucas 23:46

Con las palabras "Padre, en tus manos encomiendo mi espíritu", entendemos que Jesús encomendaba el destino de su espíritu a la hora de su muerte en las manos de su Padre celestial. El sabía que su cuerpo iba a yacer en la tumba; pero el destino de su espíritu sería decidido por Dios, su Padre.

En todo esto vemos que Jesús, habiendo tomado sobre sí, además de su naturaleza divina, la naturaleza humana, pasaba por las mismas experiencias que esperan a cada alma humana en su muerte. Su cuerpo era entregado a la tumba, sepultado en manos de los hombres; pero su espíritu era encomendado en las manos de Dios, y su destino sería fijado por la sentencia de Dios.

¿Qué sucedió al espíritu de Cristo después que fue liberado por su muerte de la envoltura terrenal de su cuerpo? Pablo dice, con respecto a Cristo:

> Y eso de que subió, ¿qué es, sino que también había descendido primero a las partes más bajas de la tierra? El que descendió, es el mismo que también subió por encima de todos los cielos para llenarlo todo.
>
> Efesios 4:9-10

En 1 Pedro 3:18-20 volvemos a leer:

> Porque también Cristo padeció una sola vez por los pecados, el justo por los injustos, para llevarnos a Dios, siendo a la verdad muerto en la carne, pero vivificado en Espíritu; en el cual también fue y predicó a los espíritu encarcelados, los que en otro tiempo desobedecieron, cuando una vez esperaba la paciencia de Dios en los días de Noé.

Si combinamos las revelaciones contenidas en estos pasajes, podemos formar el siguiente resumen de las experiencias a través de las que pasó el espíritu de Cristo.

Su espíritu descendió al Seol, el lugar para los espíritus de los difuntos. El día de su muerte en la cruz, fue primero donde estaba el espíritu de los justos, llamado "Paraíso" o "seno de Abraham". Puesto que el relato del Evangelio indica que la muerte de Cristo en la cruz precedió a la muerte de los dos ladrones, parece natural suponer que Cristo estaba en el Paraíso para darle la bienvenida al espíritu del ladrón arrepentido que lo siguió allí.

Desde el Paraíso Cristo fue más abajo, hasta la región del Seol reservada para el espíritu de los malvados. Parece que su descenso hasta este lugar de tormento era necesario para que él consumara su obra de expiación por el pecado del hombre, puesto que habría de sufrir plenamente, no sólo las consecuencias físicas del pecado, sino también las espirituales.

En alguna etapa, mientras estaba en este nivel más bajo del Seol, Cristo le predicó a los espíritus de los que habían vivido impíamente en los días de Noé —es decir, en la era antediluviana— y que en consecuencia habían sido destinados a un lugar especial de encarcelamiento en el Seol. (El verbo griego traducido "predicar" está directamente asociado con el nombre griego *heraldo*. Por lo tanto, esto no indica necesariamente que Cristo "predicó el evangelio" a los espíritus encarcelados, sino que les hizo alguna clase de proclamación, como la que un heraldo hubiera hecho.)

Entonces, en el momento designado por Dios, cuando todos los propósitos divinos se habían cumplido, el espíritu de Cristo ascendió otra vez desde la región del Seol a este mundo temporal. Al mismo tiempo su cuerpo, que había yacido inerte en la tumba, fue levantado de los muertos, y el espíritu y cuerpo se reunieron otra vez para formar una personalidad completa:

> Mas ahora Cristo ha resucitado de los muertos; primicias de los que durmieron es hecho (...) Porque así como en Adán todos mueren, también en Cristo todos serán vivificados.
>
> 1 Corintios 15:20,22

Pablo indica que la resurrección de Cristo de los muertos sienta un patrón que debe ser seguido por todos los hombres. En este patrón podemos distinguir dos hilos principales: 1) la parte inmaterial del hombre —su espíritu— ha de volver otra vez del lugar donde esperan los espíritus de los difuntos; 2) su parte material —su cuerpo— ha de ser resucitado de los muertos.

De este modo el espíritu y el cuerpo han de reunirse otra vez, reconstituyendo así la personalidad completa del hombre, con sus partes material y espiritual; sus tres elementos de espíritu, alma y cuerpo.

## El destino del cristiano en su muerte

A fin de completar nuestro breve resumen de este tema, es necesario llevar nuestro estudio más allá del tiempo de la muerte y resurrección de Cristo, y examinar lo que el Nuevo Testamento revela con respecto al destino del verdadero cristiano después de su muerte en la presente dispensación. Veremos que el Nuevo Testamento indica una importante diferencia entre el período que precedió a la resurrección de Cristo y el que la siguió.

Como ya hemos visto, antes de la resurrección de Cristo, los espíritus de los justos difuntos eran enviados a una cierta parte del Seol, el otro mundo inferior llamado "Paraíso" o "seno de Abraham". No obstante, a partir del momento en que la muerte y resurrección de Cristo consumaron la expiación total por el pecado, el camino quedó abierto para que los espíritus de los justos ascendieran inmediata y directamente al cielo, a la presencia de Dios.

Muchos pasajes del Nuevo Testamento, incluido el relato de la lapidación de Esteban, el primer mártir cristiano ponen esto en claro (ver Hechos 7):

> Pero Esteban, lleno del Espíritu Santo, puestos los ojos en el cielo, vio la gloria de Dios, y a Jesús que estaba a la diestra de Dios, y dijo: He aquí veo los cielos abiertos, y al Hijo del Hombre que está a la diestra de Dios.
>
> Hechos 7:55-56

Entonces el relato termina como sigue:

> Y apedreaban a Esteban, mientras él invocaba y decía: Señor Jesús, recibe mi espíritu. Y puesto de rodillas, clamó a gran voz: Señor, no les tomes en cuenta este pecado. Y habiendo dicho esto, durmió.
>
> Hechos 7:59-60

En los momentos finales antes de morir, Esteban tuvo una visión de Cristo en gloria a la diestra de Dios. Su oración: "Señor Jesús, recibe mi espíritu", expresa su seguridad de que inmediatamente después de morir su cuerpo, su espíritu ascendería al cielo a la presencia de Dios.

Esto se confirma por la forma en que Pablo también habla de la muerte:

> Así que vivimos confiados siempre, y sabiendo que entre tanto que estamos en el cuerpo, estamos ausentes del Señor (...) pero confiamos, y más quisiéramos estar ausentes del cuerpo, y presentes al Señor.
>
> 2 Corintios 5:6.8

Estas palabras de Pablo implican dos cosas: 1) Mientras el espíritu del creyente permanece en su cuerpo, no puede estar en la presencia inmediata de Dios. 2) Tan pronto como el espíritu del creyente es liberado del cuerpo por la muerte, tiene acceso directo a la presencia de Dios.

Pablo regresa a la misma idea en Filipenses, donde sopesa los méritos relativos de ser liberado de su cuerpo físico por la muerte o de permanecer más tiempo en su cuerpo, a fin de acabar su ministerio terrenal:

> Porque para mí el vivir es Cristo, y el morir es ganancia. Mas si el vivir en la carne resulta para mí en beneficio de la obra, no sé entonces qué escoger. Porque de ambas cosas estoy puesto en estrecho, teniendo deseo de partir y estar con Cristo, lo cual es muchísimo mejor; pero quedar en la carne es más necesario por causa de vosotros.
>
> Filipenses 1:21-24

Aquí Pablo considera la alternativa ante él: 1) permanecer en la carne —es decir, continuar más tiempo su vida aquí en la tierra en su cuerpo físico, o 2) partir y estar con Cristo; es decir, que por la muerte su espíritu quede libre de su cuerpo y así entrar directamente en la presencia de Cristo en el cielo.

Estos ejemplos de Esteban y Pablo dejan claro que en esta dispensación, cuando un verdadero cristiano muere, su espíritu queda libre de su cuerpo y va inmediata y directamente a la presencia de Cristo en el cielo. Este acceso directo para el creyente cristiano a la presencia de Dios en el cielo, fue hecho posible sólo mediante la muerte y resurrección de Cristo, que lograron una expiación total y final por el pecado.

Antes de la expiación de Cristo, los espíritus de los justos difuntos estaban consignados en una región especial del Seol, el otro mundo inferior. Esta región especial era un lugar de descanso y consuelo, no de tormento o castigo. Sin embargo, estaba muy lejos de la presencia inmediata de Dios.

Ahora podemos aplicar nuestras conclusiones a la doctrina de la resurrección. El modelo para todos los hombres lo estableció la resurrección del mismo Cristo. Es decir, los espíritus de los difuntos son llamados del lugar a que han sido consignados por la sentencia de Dios; sea en los dominios del cielo o en el otro mundo inferior. Al mismo tiempo, el cuerpo es levantado por la resurrección de los muertos. El espíritu y el cuerpo se reúnen así, y se reconstituye la personalidad completa del hombre.

## La resurrección reconstruye el cuerpo original

En este punto hay una dificultad que con frecuencia preocupa a la mente carnal respecto a la resurrección del cuerpo físico del hombre.

Supongamos que un hombre ha estado muerto dos o tres mil años, y que su cuerpo ha sido totalmente disuelto en sus elementos materiales originales. O supongamos que un hombre muere en una guerra por la explosión de una bomba o una mina, y su cuerpo ha quedado totalmente desintegrado por la fuerza de la explosión de modo que no haya quedado trazas humanas recuperables del cuerpo. ¿Es razonable esperar que, en tales circunstancias, en el momento de la resurrección, los elementos materiales de cuerpos como esos sean recogidos, reconstituidos y resucitados completos otra vez?

La respuesta tiene que ser, para quienes reconocen la ilimitada sabiduría, conocimiento y poder de Dios, que no hay nada increíble o imposible en esta doctrina. Además, cuando nos tomamos el tiempo de examinar lo que la Biblia revela respecto de la sabiduría y el conocimiento de Dios, desplegados en la creación original del cuerpo del hombre, la doctrina de la resurrección del hombre parece no sólo natural, sino lógica.

En el Salmo 139 David habla del proceso original por el que Dios formó el cuerpo físico del hombre. Casi todo este salmo está dedicado a ensalzar la insondable sabiduría, conocimiento y poder de Dios. En muchos versículos David trata en particular de estos atributos de Dios, expuestos en la formación de su cuerpo humano, físico.

> Porque tú formaste mis entrañas
> Tú me hiciste en el vientre de mi madre.

Te alabaré; porque formidables, maravillosas son tus
obras;
Estoy maravillado,
Y mi alma lo sabe muy bien.
No fue encubierto de ti mi cuerpo,
Bien que en lo oculto fui formado,
Y entretejido en lo más profundo de la tierra
Mi embrión vieron tus ojos,
Y en tu libro estaban escritas todas aquellas cosas
Que luego fueron formadas
Sin faltar una de ellas.

Salmo 139:13-16

Aquí David no está hablando de la parte inmaterial de su naturaleza —su espíritu y su alma— sino de la material —su cuerpo físico— que menciona: "mi cuerpo" y "mi embrión".

Con respecto al proceso por el que Dios formó su cuerpo físico, David revela dos hechos de gran interés e importancia: 1) Los elementos materiales, terrenales que formaran el cuerpo de David, habían sido especialmente asignados y preparados con mucha antelación por Dios, mientras que estos estaban todavía en la parte más profunda de la tierra. 2) Dios había señalado el material preciso, las dimensiones y el número de todos los elementos que constituyeron los miembros del cuerpo de David mucho tiempo antes que su cuerpo hubiese llegado a existir siquiera.

El relato de David del proceso que produjo los materiales para su cuerpo ha sido extraordinariamente confirmado por las conclusiones del doctor Fujita, un prominente farmacólogo japonés que dedicó muchos años a buscar una respuesta a la pregunta: ¿Qué es la vida? Su investigación estuvo circunscrita al reino material. Dentro de este reino, analizó muchas diferentes formas de vida, tanto animales como vegetales. Finalmente concluyó que los minerales son el material básico que constituyen todas estas formas.

No obstante, la revelación de la Escritura va más allá de estos hechos científicos expuestos. La Biblia descubre que Dios mantiene un registro completo y detallado de todos los elementos con que hace nuestro cuerpo. Ninguna parte es demasiado pequeña o demasiado insignificante para no ser incluida en el registro de Dios. Jesús nos dice:

Pues aun vuestros cabellos están todos contados.

Mateo 10:30

A la luz de esta revelación, encontramos que hay un estrecho e iluminador paralelo entre el proceso original por el que Dios formó el cuerpo físico del hombre, y el proceso por el que resucitará a ese cuerpo de la muerte.

En el proceso original, Dios primero designó y preparó los muchos elementos materiales mientras estaban todavía en la tierra. Entonces, mientras estos se reunían para constituir el cuerpo del hombre, Dios guardaba un registro preciso y cuidadoso de cada parte y cada miembro.

Después de la muerte el cuerpo se descompone en sus elementos materiales. Pero Dios, que por anticipado los ordenó especialmente para cada cuerpo individual, todavía mantiene un registro de cada elemento. En el momento de la resurrección, por su mismo poder creador, volverá a reunir cada uno de los elementos originales y así reconstituirá el mismo cuerpo.

La única diferencia importante es que el proceso original de formar el cuerpo fue aparentemente gradual, mientras que el proceso de reconstituirlo en la resurrección será instantáneo. No obstante, teniendo en cuenta el supremo y soberano control de Dios sobre el tiempo y el espacio, el lapso de tiempo real que se requiera no tiene importancia alguna.

Si no aceptamos este relato bíblico del destino del cuerpo del hombre, entonces no tenemos derecho de hablar de la resurrección; es decir, de un proceso de volver a la vida una segunda vez. Si los elementos que constituyen el cuerpo del hombre en la resurrección no son los mismos con que originalmente estaba hecho su cuerpo, entonces no hay correlación lógica o causal entre el primer y el segundo cuerpo. Los dos cuerpos no están correlacionados en modo alguno entre sí, ni en tiempo ni en espacio. En ese caso no podríamos decir que Dios resucitó (o levantó) el cuerpo del hombre. Tendríamos que decir, en su lugar, que Dios habilitó al espíritu del hombre con un cuerpo totalmente nuevo, sin correlación de ninguna clase con el cuerpo anterior.

Esto no es lo que la Biblia enseña. La Biblia enseña que hay una continuidad directa entre el cuerpo original del hombre y el cuerpo que se le proporcionará en la resurrección. La continuidad consiste en esto: que los mismos elementos materiales que formaron el cuerpo original, serán reunidos otra vez para formar el cuerpo de la resurrección.

La confirmación de esta maravillosa verdad se encuentra primero y sobre todo en la resurrección del mismo Cristo. Cuando Jesús apareció primero a sus discípulos reunidos después de resucitar, ellos se asustaron, suponiendo que lo que veían era un fantasma, un espíritu desencarnado. Pero Jesús los tranquilizó inmediatamente, y les dio pruebas positivas de su identidad y de que su cuerpo era real:

> Mirad mis manos y mis pies, que yo mismo soy; palpad, y ved; porque un espíritu no tiene carne ni huesos, como veis que yo tengo. Y diciendo esto, les mostró las manos y los pies.
>
> Lucas 24:39-40

Uno de los discípulos, Tomás, no estaba presente en esta ocasión, y no quería aceptar el relato del incidente que los otros discípulos le hicieron. Pero una semana después, estando Tomás también presente, Jesús apareció de nuevo a sus discípulos, y esta vez se dirigió directamente a Tomás:

> Luego dijo [Jesús] a Tomás: Pon aquí tu dedo, y mira mis manos; y acerca tu mano, y métela en mi costado; y no seas incrédulo, sino creyente.
>
> Juan 20:27

Por estos pasajes vemos que Jesús tuvo mucho cuidado de darle a sus discípulos la evidencia más clara de que después de resucitar, él tenía un cuerpo real, y que su cuerpo era el mismo que había sido crucificado. La evidencia estaba en sus manos y pies y en su costado, que todavía llevaban las marcas de los clavos y la lanza.

En otros aspectos su cuerpo había experimentado cambios importantes: ya no estaba sujeto a las limitaciones de un cuerpo mortal en este orden de mundo actual. Jesús ahora podía aparecer y desaparecer a voluntad; podía entrar en una habitación cerrada; podía pasar entre la tierra y el cielo. No obstante, con las debidas concesiones hechas para estos cambios, todavía era en otros aspectos el mismo cuerpo que había sido crucificado.

Además, Jesús prometió a sus discípulos que sus cuerpos resucitarían tan completos como el suyo. En Lucas 21 Jesús advierte primero a sus discípulos de la gran oposición y persecución que les esperaba. En particular les advierte que algunos de ellos serían en realidad entregados a muerte. Sin embargo, prosiguió dándoles una clara promesa de la resurrección de sus cuerpos:

> Mas seréis entregados aun por vuestros padres, y hermanos, y parientes, y amigos; y matarán a algunos de vosotros; y seréis aborrecidos de todos por causa de mi nombre. Pero ni un cabello de vuestra cabeza perecerá.
>
> Lucas 21:16-18

Observemos cuidadosamente lo que dice Jesús aquí. Los discípulos serán odiados, perseguidos y muertos. Pero, al final de todo, "ni un cabello de vuestra cabeza perecerá". Esto no se refiere a la preservación intacta de sus cuerpos físicos en esta vida. Sabemos que muchos de los primeros cristianos —como también otros de siglos posteriores— sufrieron muerte violenta, mutilación, incineración y otros procesos que dañaban y destruían sus cuerpos físicos. Por consiguiente, la promesa de que cada cabello sería perfectamente preservado no se refiere a esta vida presente sino a la resurrección de sus cuerpos de entre los muertos.

En la resurrección cada elemento y miembro de sus cuerpos físicos originales, ordenado de antemano, numerado y registrado por Dios, será reunido y reconstituido de nuevo por la omnipotencia de Dios; un cuerpo perfecto, glorificado, pero todavía el mismo cuerpo que previamente sufrió la muerte y la descomposición.

Tal es el cuadro que ofrece la Biblia de la resurrección del cuerpo del hombre; maravilloso en su revelación de la ilimitada sabiduría, conocimiento y poder de Dios, aunque perfectamente consecuente con la lógica y los principios de la Escritura.

# 43

# La resurrección anunciada en el Antiguo Testamento

Proseguiremos ahora a mostrar que la divina promesa de la resurrección viene como un hilo continuo a lo largo de toda la Biblia, el Antiguo y el Nuevo Testamentos.

En 1 Corintios 15:4 Pablo hace la siguiente declaración respecto a la sepultura y resurrección de Cristo:

> Y que fue sepultado, y que resucitó al tercer día, conforme a las Escrituras.

Hay que tener presente que durante el período en que se escribieron estas palabras, las únicas Escrituras completas y reconocidas eran las del Antiguo Testamento. Por consecuencia, cuando se afirma aquí que Cristo se levantó de los muertos al tercer día "conforme a las Escrituras", quiere decir que la resurrección de Cristo fue un cumplimiento de las Escrituras del Antiguo Testamento.

Además, Pablo se refiere a las Escrituras del Antiguo Testamento como la primera autoridad fundamental para la doctrina de la resurrección. Prosigue a citar la evidencia de los hombres todavía vivos en aquel tiempo que fueron testigos presenciales del Cristo resucitado. No obstante, en la presentación de esta doctrina, la evidencia de los testigos presenciales contemporáneos es secundaria a la de las Escrituras del Antiguo Testamento.

Por lo tanto, examinemos algunos de los principales pasajes del Antiguo Testamento que predicen la resurrección.

## Los Salmos

En el capítulo anterior ya hemos demostrado que hay una clara promesa de la sepultura y resurrección de Cristo en el Salmo 16:8-11. Señalamos que, aunque estos versículos aparecen en primera persona dichos por David, en realidad no pueden aplicarse a él mismo, sino más bien a la simiente prometida de David, el Mesías, Jesucristo. También Pedro y Pablo las aplican a Cristo en el Nuevo Testamento.

El Salmo 71:20-21, un pasaje similar, predice la resurrección de Cristo. David aquí le habla directamente a Dios y le dice:

Tú, que me has hecho ver muchas angustias y males,
Volverás a darme vida,
Y de nuevo me levantarás de los abismos de la tierra,
Aumentarás mi grandeza,
Y volverás a consolarme.

Este pasaje es otro ejemplo de la profecía mesiánica. Es decir, David habla en primera persona, pero sus palabras no pueden aplicarse en primer lugar a él, sino a su simiente prometida, el Mesías, Jesús.

Entendido de este modo, el pasaje declara proféticamente cinco etapas sucesivas por las que Cristo pasaría al expiar el pecado del hombre. Estas pueden resumirse como sigue:

1. Grandes y graves problemas: rechazo, sufrimiento y crucifixión.
2. Cristo descendería a las profundidades de la tierra: al Seol o Hades, el lugar donde van los espíritus de los difuntos.
3. Cristo habría de ser revivido: vuelto a la vida.
4. Cristo sería de nuevo levantado del Seol: es decir, resucitado.
5. Después de resucitar, Cristo sería engrandecido y consolado: es decir, restaurado otra vez a su lugar de confraternidad y autoridad suprema a la diestra de Dios su Padre.

El tiempo y el espacio no alcanzan para citar los muchos pasajes en el Nuevo Testamento que confirman que esta profecía se cumplió por entero en Cristo.

Sin embargo, los dos pasajes del Antiguo Testamento que hemos examinado hasta ahora, el Salmo 16 y el Salmo 71, se refieren primordialmente a la resurrección de Cristo mismo como el Mesías. Examinemos ahora otros pasajes del Antiguo Testamento que predicen la resurrección de otros además de Cristo.

## El Génesis

Empecemos examinando una de las promesas que Dios le hizo a Abraham:

> Y te daré a ti, y a tu descendencia después de ti, la tierra en que moras, toda la tierra de Canaán en heredad perpetua.
>
> Génesis 17:8

Hay dos puntos importantes que observar en esta promesa. Primero, el orden de posesión es importante: "a ti, y a tu descendencia después de ti". Es decir, primero, el mismo Abraham poseería la tierra, y entonces sus descendientes después de él.

Segundo, la extensión y la duración de la posesión son importantes. Dios dice: "...toda la tierra de Canaán en heredad perpetua." Esta promesa no puede cumplirse con una ocupación parcial o temporal de la tierra. Su cumplimiento exige una completa y permanente posesión de toda la tierra.

Está claro, por lo tanto, que hasta ahora la promesa de Dios a Abraham nunca se ha cumplido. La única parte de la tierra que Abraham mismo hasta ahora ha recibido como posesión permanente es el espacio cabal en que fue enterrado; es decir, su sepultura en la cueva de Macpela, en el campo de Efrón el hitita, cerca de Hebrón.

En cuanto a la simiente de Abraham, la nación de Israel, hasta ahora ha disfrutado de la ocupación temporal o parcial de la tierra, pero jamás ha conocido la completa y permanente posesión prometida por Dios. Ahora el Estado de Israel —enfrentando toda clase de oposición— se aferra tenazmente a un área que es una pequeña fracción de la posesión total prometida por Dios.

Incluso, si en los años por venir Israel hubiera de continuar extendiendo su área de ocupación hasta ganar el control de toda la tierra prometida por Dios, esto todavía no constituiría un cumplimiento completo de la promesa original a Abraham, que fue "a ti y a tu descendencia después de ti". Es decir, que Abraham mismo tiene que disfrutar primero la posesión de toda la tierra, y entonces sus descendientes después de él.

Así, esta promesa de Dios no puede cumplirse sin la resurrección. La cueva de Macpela tiene primero que entregar su muerto. Abraham mismo tiene que resucitar. Sólo de esta forma puede él alguna vez entrar en posesión total de la tierra en la que ahora yace enterrado. Si no hay resurrección, entonces la promesa de Dios jamás podrá cumplirse. La promesa a Abraham presume, y depende, de la resurrección.

La posesión perpetua de la tierra de Canaán incluye dentro de sí la promesa de la resurrección del propio Abraham. De este modo, la verdad de la resurrección queda revelada ya en Génesis, el primer libro del Antiguo Testamento.

## Job

Otro libro del Antiguo Testamento que se atribuye por lo general a una fecha muy antigua es el libro de Job. En medio de la abrumadora aflicción y tristeza, cuando su futuro terrenal parece no ofrecer ni un rayo de esperanza, Job hace una sorprendente confesión de fe con respecto al destino eterno de su alma y la resurrección de su cuerpo:

> Yo sé que mi Redentor vive
> Y al fin se levantará sobre el polvo;
> Y después de deshecha esta mi piel,
> En mi carne he de ver a Dios;
> Al cual veré por mí mismo,
> Y mis ojos lo verán, y no otro.

Job 19:25-27

El lenguaje de Job es tan sucinto y tan cargado de significado que es difícil encontrar una traducción que reproduzca toda la fuerza del original. A continuación otra versión de la parte central del pasaje recién citado:

> Después que yo despierte, aunque este mi cuerpo sea destruido, aunque fuera de mi carne, yo veré a Dios...

Cualquier traducción que prefiramos, ciertos hechos se destacan con absoluta claridad en este pasaje. Job sabe que su cuerpo físico sufrirá el proceso de la descomposición. Sin embargo, él anticipa un período al final de los tiempos cuando esté otra vez cubierto con un cuerpo de carne y en ese cuerpo comparezca directamente ante Dios. Esta seguridad de Job está basada en la vida de uno a quien él llama "mi Redentor".

Así todo el pasaje es una clara anticipación de la resurrección final del cuerpo de Job, hecha posible a través de la resurrección del Redentor, Jesucristo.

# Isaías

El profeta Isaías, vivió unos setecientos años antes de Cristo. Isaías hace una confesión de fe en la resurrección, bastante parecida a la de Job:

> Tus muertos vivirán; sus cadáveres resucitarán [la versión antigua dice: "junto con mi cuerpo muerto resucitarán"]. ¡Despertad y cantad, moradores del polvo! porque tu rocío es cual rocío de hortalizas, y la tierra dará sus muertos.
>
> Isaías 26:19

Isaías habla aquí acerca de su propio cuerpo muerto levantándose del polvo, y junto con éste, asocia a un grupo que llama, al principio del versículo, "Tus muertos", y otra vez, más general, al final del versículo "sus muertos". Está claro que Isaías contempla una resurrección general de muchos, si no de todos, los muertos.

El prospecto llena de alegría a los implicados, porque Isaías dice: "¡Despertad y cantad, moradores del polvo!" Parecería por lo tanto que el mensaje de Isaías está dirigido primordialmente a los justos que han muerto, quienes, al resucitar, serán llevados a su eterna recompensa final.

De acuerdo con las conclusiones a que hemos llegado en estudios anteriores, observamos que la visión de Isaías influye primeramente en la parte material del hombre: su cuerpo. El habla acerca de los "moradores del polvo". El cuadro que presenta es el de los cadáveres de los hombres levantándose o despertándose de su sueño en el polvo.

Isaías también describe el poder sobrenatural que influirá en la resurrección como "rocío":

> Porque tu rocío es cual rocío de hortalizas, y la tierra dará sus muertos.
>
> Isaías 26:19

La ilustración es como de semillas secas que yacen enterradas en el polvo y requieren humedad para que germinen y salga la planta.

Esta humedad la proporciona el rocío que se deposita sobre ellas. En muchos pasajes de la Escritura, el rocío —como la lluvia— es una figura de la operación del Espíritu Santo. Así Isaías predice que la resurrección del cuerpo de los creyentes muertos se efectuará por medio del poder del Espíritu Santo.

Pablo confirma esto:

> Y si el Espíritu de aquel que levantó de los muertos a Jesús mora en vosotros, el que levantó de los muertos a Cristo Jesús vivificará

también vuestros cuerpos mortales por su Espíritu que mora en vosotros.

Romanos 8:11

Pablo declara que el mismo poder del Espíritu Santo que levantó el cuerpo muerto de Jesús de la tumba, también levantará los cuerpos muertos de los que creen en Jesús y tienen el Espíritu Santo morando en ellos.

## Daniel

La siguiente profecía importante sobre la resurrección de los muertos en el Antiguo Testamento que examinaremos, se encuentra en Daniel 12:1-3. Estos versículos son parte de una larga revelación profética relativa a los últimos días, que el ángel Miguel anunció a Daniel, pues Dios le había enviado con ese propósito especial. Esta parte de la revelación, que trata específicamente de la resurrección, es como sigue:

> En aquel tiempo se levantará Miguel, el gran príncipe que está de parte de los hijos de tu pueblo; y será tiempo de angustia, cual nunca fue desde que hubo gente hasta entonces; pero en aquel tiempo será libertado tu pueblo, todos los que se hallen escritos en el libro. Y muchos de los que duermen en el polvo de la tierra serán despertados, unos para vida eterna, y otros para vergüenza y confusión perpetua. Los entendidos resplandecerán como el resplandor del firmamento; y los que enseñan la justicia a la multitud, como las estrellas a perpetua eternidad.

La primera parte de esta revelación se refiere específicamente al propio pueblo de Daniel, Israel, y habla de un tiempo de angustia todavía mayor del que hubiese hasta entonces soportado. Este es indudablemente el mismo tiempo de angustia a que se refiere Jeremías:

> ¡Ah, cuán grande es aquel día! tanto, que no hay otro semejante a él; tiempo de angustia para Jacob; pero de ella será librado. (30:7).

Jeremías indica que aunque este tiempo de angustia será mayor que cualquier otro que haya atribulado a Israel antes, saldrá de él a salvo y no destruido. Daniel 12:1 concuerda en esta declaración:

> Pero en aquel tiempo será libertado tu pueblo, todos los que se hallen escritos en el libro.

En este tiempo de gran tribulación el mismo Dios intervendrá en última instancia y salvará al remanente escogido de Israel a quien en su gracia él ha conocido de antemano y destinado para salvación.

Sin dudas este tiempo de angustia para Israel es una fase principal del período total de intensa angustia destinada a caer sobre el mundo entero, llamada en el Nuevo Testamento "la gran tribulación".

Directamente asociado con este período final de tribulación está una profecía de la resurrección, porque en Daniel 12:2 Gabriel dice:

> Y muchos de los que duermen en el polvo de la tierra serán despertados, unos para vida eterna, y otros para vergüenza y confusión perpetua.

El lenguaje empleado en Daniel es paralelo al de Isaías. Ambos hablan de los que "yacen en el polvo"; ambos hablan de la resurrección como un "despertar" del polvo. No obstante, la revelación de Daniel va más allá que la de Isaías, porque indica que habrá dos fases distintas de la resurrección: una para los justos, que serán conducidos a vida eterna, y otra para los malvados, que serán condenados a vergüenza y confusión perpetua.

La recompensa para los justos en la resurrección se basará en su fidelidad en servir a Dios y en dar a conocer su verdad mientras estuvieron en la tierra:

> Los entendidos resplandecerán como el resplandor del firmamento; y los que enseñan la justicia a la multitud, como las estrellas a perpetua eternidad.
>
> Daniel 12:3

Aquí hay una distinción entre los que son sabios para la salvación de sus propias almas, y los que van más allá y convierten a muchos otros también a la justicia. Ambos por igual entrarán en la gloria, pero la recompensa de los últimos será mucho mayor que la de los primeros.

Del pasaje que hemos examinado, vemos que el tema de la resurrección pasa como un hilo por todo el Antiguo Testamento. Los detalles de esta revelación se vuelven poco a poco más claros hasta que en Daniel se nos dice que la resurrección estará muy íntimamente ligada con el período de gran tribulación y que eso tendrá lugar en dos fases distintas: una para los justos y otra para los malvados.

Antes que terminemos este estudio de las profecías del Antiguo Testamento sobre la resurrección, hay otro punto más de gran interés e importancia que necesita ser establecido.

## Oseas

En el pasaje ya citado de 1 Corintios 15:4, Pablo dice que Cristo "resucitó al tercer día conforme a las Escrituras". En el Antiguo Testamento no solamente se predijo la resurrección de Cristo, sino incluso se profetizó que Cristo resucitaría *al tercer día*. Podemos preguntar: ¿Dónde en el Antiguo Testamento se puede encontrar esta profecía específica de que Cristo se levantaría otra vez al tercer día? La respuesta está en Oseas:

> Venid, volvamos al Señor. Pues El nos ha desgarrado, y nos sanará; nos ha herido, y nos vendará. Nos dará vida después de dos días, al tercer día nos levantará y viviremos delante de El. Conozcamos, pues, esforcémonos por conocer al Señor. Su salida es tan cierta como la aurora, y él vendrá a nosotros como la lluvia, como la lluvia de primavera que riega la tierra.
>
> Oseas 6:1-3 (BLA)

Esta profecía comienza con una promesa de perdón y sanidad para los que regresarán al Señor arrepentidos y con fe. Entonces, en el segundo versículo, viene el claro anuncio de la resurrección en el tercer día: "Al tercer día nos levantará, y viviremos delante de El" (Oseas 6:2). Esta promesa es dada en plural, no en singular: *"Nos* levantará y *viviremos* delante de El."* Es decir, la promesa se refiere no sólo a la resurrección de Cristo, sino que también incluye a todos los que obedecen la exhortación de regresar a Dios arrepentidos y con fe.

A fin de comprender todas las implicaciones de esta profecía, tenemos que ir a la revelación completa del evangelio tal como Dios la da a la Iglesia por medio de Pablo en el Nuevo Testamento.

## Todos los creyentes están incluidos en la resurrección de Cristo

En Romanos 6:6 Pablo dice:

> Nuestro viejo hombre fue crucificado juntamente con él [con Cristo].

Por otra parte, en Gálatas 2:20, dice:

> Con Cristo estoy juntamente crucificado.

Estos y otros pasajes revelan que en la expiación por el pecado del hombre, Cristo deliberadamente se hizo a sí mismo uno con el pecador: El tomó la culpa del pecador. Se identificó con la naturaleza corrupta y caída del pecador. Murió la muerte del pecador. Pagó el castigo del pecador. A partir de entonces, queda para nosotros los pecadores aceptar por fe nuestra identificación con Cristo. Cuando lo hacemos, encontramos que estamos identificados con él no sólo en su muerte y sepultura, sino también en su resurrección de los muertos y en la nueva vida inmortal de resurrección de la que ahora él está disfrutando:

> Dios (...) nos dio vida juntamente con Cristo (...) y juntamente con él nos resucitó [de la muerte], y asimismo nos hizo sentar en los lugares celestiales con Cristo Jesús.
>
> Efesios 2:4-6

Tan pronto estamos dispuestos, por fe, a aceptar nuestra identificación con Cristo en su muerte por nuestros pecados, encontramos que también somos identificados con él en su resurrección y en su vida victoriosa en el trono de Dios. Al entrar mediante su muerte, nos convertimos en partícipes de su resurrección.

En breves pero poderosas palabras, Jesús les expuso la misma verdad a sus discípulos:

> Porque yo vivo, vosotros también viviréis.
>
> Juan 14:19

Por esto la revelación profética de Oseas 6:2 establece:

> En el tercer día nos resucitará, y viviremos delante de El.

Esta profecía revela no sólo que Cristo sería levantado al tercer día, sino también que, de acuerdo con el propósito eterno de Dios en el evangelio, todos los que creyeron en Cristo serían identificados con él en su resurrección. Con respecto a esto la profecía de Oseas es característica de la profecía del Antiguo Testamento en su totalidad. No sólo predice un suceso que tendrá lugar, sino al mismo tiempo también revela el verdadero significado espiritual de ese suceso y su relación con todo el propósito de Dios en el evangelio.

No obstante, Oseas también advierte que este propósito secreto de Dios en la resurrección de Cristo será revelado sólo a los que están dispuestos a buscar la verdad con fe y diligencia, porque en el siguiente versículo dice:

> Conozcamos, pues, esforcémonos por conocer al Señor.
>
> Oseas 6:3 (BLA)

Esta revelación es sólo para quienes "se esfuerzan por conocer al Señor".

Para quienes lo hacen, continúa Oseas: *Su salida es tan cierta como la aurora* (Oseas. 6:3). Es decir, que la resurrección de Cristo de los muertos es tan segura y cierta en el propósito de Dios como la salida del sol después de la oscuridad de la noche. Esto está muy estrechamente unido a la profecía de la resurrección de Cristo en Malaquías:

> Mas a vosotros los que teméis mi nombre, nacerá el Sol de justicia, y en sus alas traerá salvación.
>
> Malaquías 4:2

Además, observamos una limitación para quienes se concede esta revelación del Cristo resucitado: no es para todos los hombres, sino para "vosotros los que teméis mi nombre".

Finalmente Oseas indica que la resurrección de Cristo será seguida de cerca por el derramamiento del Espíritu Santo, porque continúa:

> Y El vendrá a nosotros como la lluvia, como la lluvia de primavera que riega la tierra.
>
> Oseas 6:3 (BLA)

La lluvia aquí es una figura del derramamiento del Espíritu Santo, dividida en dos visitaciones principales: la lluvia temprana y la lluvia tardía.

En exacto cumplimiento de esta profecía, el Nuevo Testamento anota que el día de pentecostés, cincuenta días después de la resurrección de Cristo, la lluvia temprana del Espíritu Santo empezó a derramarse sobre sus discípulos que esperaban: los que habían buscado el conocimiento del Señor.

Cuando miramos las profecías del Antiguo Testamento de la resurrección de los justos citadas en este capítulo, se destaca una característica que es común a todas ellas: Todos los santos del Antiguo Testamento serán incluidos en ella.

Vemos, por ejemplo, que la promesa de Dios de que Canaán sería una posesión perpetua se la hizo a Abraham primero, y a su simiente (descendientes) después de él. Pablo dice a los cristianos: *Linaje [descendientes] de Abraham sois* (Gálatas 3:29). La resurrección de estos descendientes neotestamentarios de Abraham, no precederá a la de éste.

Job dice respecto de sí mismo: "Yo sé que mi Redentor vive (...) en mi carne he de ver a Dios (Job 19:25-26). Por la fe en su Redentor él anticipaba participar en la resurrección de los justos.

De la misma forma, Isaías habló de la gozosa resurrección de los justos muertos en que él estaba incluido: "Tus muertos vivirán. Junto con mi cuerpo muerto resucitarán. ¡Despertad y cantad, moradores del polvo!" (Isaías 26:19).

Gabriel le dijo a Daniel que habría una resurrección tanto de los justos como de los malvados (ver Daniel 12:2-3). Entonces el ángel le dijo respecto de su persona:

> Y tú irás hasta el fin, y reposarás, [en la tumba] y te levantarás [serás resucitado] para recibir tu heredad al fin de los días.
>
> Daniel 12:13

Está claro que Daniel sería incluido en la resurrección de los justos. En la predicción de Oseas sobre la resurrección él dice:

> *Nos* dará vida después de dos días; y el tercer día *nos* resucitará, y *viviremos* delante de El.
>
> Oseas 6:2 (BLA, cursivas del autor)

Oseas se incluyó él mismo en la resurrección anunciada.

Para confirmación en el Nuevo Testamento, podemos volver a las palabras de Jesús:

> Y os digo que vendrán muchos del oriente y del occidente, y se sentarán con Abrahán e Isaac y Jacob en el reino de los cielos.
>
> Mateo 8:11

Jesús habla de los creyentes de muchas naciones y antecedentes diferentes, juntándose en la resurrección con los tres patriarcas del Antiguo Testamento: Abraham, Isaac y Jacob. Esto indica que tanto los creyentes del Antiguo como del Nuevo Testamento participarán juntos de la resurrección de los justos.

Todos los que participarán en esta resurrección tienen una cualidad en común: la fe en el sacrificio expiatorio de Cristo. Pero hay una diferencia entre los santos del antiguo y los del nuevo pacto. Bajo el antiguo, los creyentes esperaban en el futuro —por varias revelaciones proféticas— un sacrificio que todavía no se había ofrecido. Bajo el nuevo pacto los creyentes miran atrás a los hechos históricos de la muerte y resurrección de Cristo.

Durante lo que resta de estos estudios daremos por sentado, como un hecho establecido, que la resurrección de los justos incluirá a los creyentes o santos del antiguo pacto, así como los del nuevo.

# 44

# Cristo,
# las primicias

En el último capítulo examinamos algunos de los principales pasajes del Antiguo Testamento que anuncian la resurrección. Vimos que el Antiguo Testamento profetiza los siguientes tres sucesos principales: 1) Cristo será levantado de los muertos. 2) Los que crean en Cristo compartirán su resurrección. 3) También habrá una resurrección de los malvados para su juicio y castigo.

En el Nuevo Testamento, encontramos que la revelación respecto de la resurrección de los muertos concuerda exactamente en estos tres puntos principales con la del Antiguo Testamento. Pero también nos da mucha más información, a fin de que el cuadro se vuelva más claro y detallado.

## Tres fases sucesivas de la resurrección

El primer pasaje del Nuevo Testamento que examinaremos se encuentra en Juan. Jesús dice:

> De cierto, de cierto os digo: Viene la hora, y ahora es, cuando los muertos oirán la voz del Hijo de Dios; y los que la oyeren vivirán.
>
> Juan 5:25

> No os maravilléis de esto; porque vendrá hora cuando todos los que están en los sepulcros oirán su voz; y los que hicieron lo bueno, saldrán a resurrección de vida; mas los que hicieron lo malo, a resurrección de condenación.
>
> Juan 5:28-29

Jesús aquí emplea dos frases diferentes. En el versículo 25 dice "los muertos"; en el v. 28 "todos los que están en los sepulcros". El contexto parece indicar que estas dos frases no son idénticas, sino que están en contraposición.

De ser así, entonces la primera frase, "los muertos", debe tomarse para describir no a quienes están muertos físicamente, sino a los que están espiritualmente muertos en pecado. Esto concuerda con Efesios 2:1 donde Pablo dice:

> Y él os dio vida a vosotros, cuando estabais muertos en vuestros delitos y pecados.

Aquí el contexto es claro que no habla de personas muertas físicamente, sino de quienes, como resultado del pecado, están espiritualmente muertos y alienados de Dios.

Por otra parte, Pablo habla como Isaías para exhortar a los pecadores:

> Despiértate, tú que duermes, Y levántate de los muertos, Y te alumbrará Cristo.
>
> Efesios 5:14

Aquí también, la exhortación es a despertar y levantarse de los muertos no física sino espiritualmente al que está muerto en pecado.

Parecería, por lo tanto, que deberíamos aplicar esta interpretación a las palabras de Jesús:

> De cierto, de cierto os digo: Viene la hora, y ahora es, cuando los muertos oirán la voz del Hijo de Dios; y los que la oyeren vivirán.
>
> Juan 5:25

Jesús está hablando aquí de la reacción a la voz de Cristo de los que están muertos en pecado, traída a ellos mediante la predicación del evangelio: "los que la oyeren vivirán". Es decir, los que reciban el mensaje del evangelio con fe por medio de él recibirán perdón y vida eterna.

Esto lo confirma lo que Jesús dice: "Viene la hora, y ahora es". Es decir, la predicación del evangelio a los hombres muertos en pecado ya había comenzado en el momento de decir estas palabras.

Observemos el contraste con lo que dice Jesús en Juan 5:28-29:

> Vendrá hora cuando todos los que están en los sepulcros oirán su voz; y los que hicieron lo bueno, saldrán a resurrección de vida; mas los que hicieron lo malo, a resurrección de condenación.

Este pasaje difiere del anterior en tres aspectos importantes.

Primero, Jesús dice: "Vendrá la hora" pero no añade "y ahora es". Es decir, que los sucesos a los que se refiere están aún por entero en el futuro; todavía no han empezado a cumplirse.

Segundo, Jesús usa la frase "todos los que están en los sepulcros". Está claro que se refiere a los que realmente han muerto y están enterrados. Además, dice que *todos* éstos, sin excepción, oirán; mientras que en el pasaje anterior, con respecto a los muertos, indicó que sólo algunos oirían, no todos.

Tercero, en este segundo pasaje Jesús realmente emplea el término *resurrección*. Dice que todos los que están en los sepulcros "saldrán a resurrección".

Concluimos por lo tanto que en el primer pasaje Jesús está hablando de la respuesta de los que están espiritualmente muertos en pecados; mientras que en el segundo, acerca de la resurrección literal de los que realmente murieron y fueron enterrados.

En este segundo pasaje Jesús habla acerca de dos aspectos distintos de la resurrección: 1) la resurrección de vida; 2) la resurrección de condenación. Esto concuerda con la revelación del Antiguo Testamento en Daniel 12:1-3.

En cada caso se habla de la resurrección en dos fases distintas, la de los justos y la de los malvados; y en cada caso la resurrección de los justos precede a la de los malos.

Además, nos enteramos por las palabras de Jesús de otro punto más no revelado en Daniel: la voz que llamará a todos los muertos para resucitar será la del mismo Cristo, el hijo de Dios.

Si ahora vamos a 1 Corintios 15, encontramos allí otra descripción todavía más detallada de la resurrección:

> Porque así como en Adán todos mueren, también en Cristo todos serán vivificados. Pero cada uno en su debido orden: Cristo, las primicias; luego los que son de Cristo, en su venida. Luego el fin, cuando entregue el reino al Dios y Padre, cuando haya suprimido todo dominio, toda autoridad y potencia.
>
> 1 Corintios 15:22-24

Observemos la frase "cada uno en su debido orden". El término traducido "orden" se usa para describir una fila de soldados. Así Pablo aquí describe la resurrección que ocurre en tres fases sucesivas, como tres filas de soldados, desfilando una tras otra.

La primera fase consiste en Cristo mismo: "Cristo, las primicias."

La segunda fase está compuesta de los verdaderos creyentes cuando Cristo regrese: "los que son de Cristo, en su venida." Esto corresponde a la resurrección de los justos anunciada en Daniel y por el mismo Cristo.

La tercera fase es llamada "el fin": es decir, el fin del reino terrenal de Cristo de mil años, al final del cual él entregará el reino a Dios Padre. De los resucitados en esta etapa, la mayoría pertenecerá —pero no todos— a la resurrección de los malvados como profetizaron Daniel y Cristo. Con respecto a esta tercera fase Pablo no dice nada más aquí en 1 Corintios. Pero veremos a su debido tiempo que en Apocalipsis 20 se revelan más detalles relativos a esto.

Mientras tanto, examinemos más de cerca lo que Pablo dice acerca de las primeras dos fases.

## Tipología de las primicias

Esta primera fase, es "Cristo, las primicias". Por esta frase Pablo compara la resurrección de Cristo con la ceremonia de presentación de las primicias de las cosechas al Señor, ordenada para los hijos de Israel bajo la ley de Moisés:

> Habla a los hijos de Israel y diles: Cuando entréis en la tierra que yo os daré, y seguéis su mies, entonces traeréis al sacerdote una gavilla de las primicias de vuestra cosecha. Y él mecerá la gavilla delante del Señor, a fin de que seáis aceptados; el día siguiente al día de reposo la mecerá.
>
> Levítico 23:10-11

Esta gavilla de las primicias mecida ante el Señor es una descripción de Cristo saliendo de los muertos como el representante de los pecadores y como el principio de una nueva creación.

Observemos cuán exacta es la descripción. La gavilla de las primicias era el primer fruto completo que brotaba de la semilla que había sido enterrada. Moisés les dijo a los hijos de Israel que el sacerdote debía mecer esta gavilla ante el Señor "a fin de que fueran aceptados".

En Romanos 4:25 Pablo dice que Cristo "fue entregado por nuestras transgresiones, y resucitado para nuestra justificación."

La resurrección de Cristo no sólo reclamó su propia justicia, sino que también hizo posible que el creyente fuera reconocido igualmente justo con Cristo ante Dios.

Además, esta gavilla de primicias debía ser mecida ante el Señor "el día siguiente al día de reposo". Puesto que el día de reposo era el séptimo o último día de la semana, el día después del sábado era el primer día de la semana: el día en que Cristo se levantó de los muertos.

Finalmente, mecer las primicias era un acto de adoración y de triunfo, porque la aparición de las primicias en la estación señalada daba seguridad de que el resto de la cosecha se recogería ciertamente. De la misma forma, la resurrección de Cristo da seguridad de que todos los muertos restantes a su debido tiempo también resucitarán.

Pero todavía hay otra revelación profética relativa a la resurrección de Cristo, contenida en esta ceremonia de las primicias del Antiguo Testamento. Jesús habló proféticamente de su inminente muerte y sepultura, y la comparó a un grano de trigo que es plantado en la tierra. Y dijo:

> De cierto, de cierto os digo, que si el grano de trigo no cae en la tierra y muere, queda solo; pero si muere, lleva mucho fruto.
>
> Juan 12:24

De esta forma Jesús enseñó que el fruto de su ministerio de reconciliación entre Dios y el hombre podía ser realidad únicamente como resultado de la expiación en su propia muerte y resurrección. Si él se detuviera antes de llegar a la muerte en la cruz, no saldría fruto de su ministerio. Sólo mediante su muerte, entierro y resurrección podía salir el fruto de una gran cosecha de pecadores justificados y reconciliados con Dios. El presentó esta verdad a sus discípulos en la descripción del grano de trigo que cae en la tierra, germinando y brotando otra vez como una fructífera espiga que sale de la tierra.

En lo natural, aunque se plante un solo grano en la tierra, el tallo que brota de éste nunca lleva un solo grano, sino toda una espiga o cabeza de granos en ese solo tallo. Como Jesús indicó en la parábola del sembrador, el porcentaje de aumento de un solo grano puede ser de treinta, de sesenta o de ciento por uno.

Esta verdad en la ley natural se aplica también en la contraparte espiritual de la resurrección de Cristo. Jesús fue enterrado solo, pero no se levantó solo. Es sorprendente que este hecho haya recibido tan poca atención de la mayoría de los comentaristas bíblicos, pero está claramente declarado en Mateo 27:50-53. Estos versículos relatan la muerte de Jesús en la cruz y varios sucesos que siguieron a su muerte y resurrección.

> Mas Jesús, habiendo otra vez clamado a gran voz, entregó el espíritu. Y he aquí, el velo del templo se rasgó en dos, de arriba abajo; y la tierra tembló, y las rocas se partieron; y se abrieron los sepulcros, y muchos cuerpos de santos que habían dormido, se levantaron; y saliendo de los sepulcros, después de la resurrección de él, vinieron a la santa ciudad, y aparecieron a muchos.

Aunque estos sucesos se presentan aquí en sucesión, uno tras otro, está claro que el período total de tiempo en que tuvieron lugar se extendió por tres días. La muerte de Jesús en la cruz sucedió en la víspera del sábado, pero su resurrección tuvo lugar temprano en la mañana del primer día de la nueva semana. Con relación a esto, Mateo establece:

> Se abrieron los sepulcros, y muchos cuerpos de santos que habían dormido, se levantaron; y saliendo de los sepulcros, después de la resurrección de él (...) aparecieron a muchos.
>
> Mateo 27:52-53

No sabemos en qué preciso momento se abrieron los sepulcros; pero sí sabemos que fue sólo después de la resurrección del mismo Cristo que estos santos resucitados se levantaron y salieron de sus tumbas.

De este modo el tipo de las primicias del Antiguo Testamento quedó perfectamente cumplido por la resurrección de Cristo. Jesús fue enterrado; un solo grano de trigo cayendo en la tierra. Pero cuando se levantó otra vez de los muertos, ya no estaba solo; ya no era un solo grano. Ahora, había un puñado —una gavilla de primicias— saliendo de la tumba junto con él y mecidos en triunfo ante Dios como un símbolo de la derrota de la muerte y el infierno y Satanás, y como una reafirmación de que todos los creyentes que habían sido enterrados resucitarían también, a su debido tiempo.

Respecto de estos santos del Antiguo Testamento resucitados junto con Jesús, surgen naturalmente dos interesantes preguntas:

La primera es: Estos santos resucitados ¿comprendían a todos los creyentes justos del Antiguo Testamento? ¿Resucitaron junto con Jesús todos los santos del Antiguo Testamento?

La respuesta parece ser "no". Mateo dice: "Muchos cuerpos de santos (...) se levantaron." esta frase, "muchos (...) de santos)" en el uso normal indicaría que no *todos* los santos se levantaron.

Esta conclusión está respaldada por las palabras de Pedro el día de pentecostés:

> Varones hermanos, se os puede decir libremente del patriarca David, que murió y fue sepultado, y su sepulcro está con nosotros hasta el día de hoy.
>
> Hechos 2:29

Pedro aquí está hablando cincuenta días después de la resurrección de Cristo. Pero sus palabras sugieren que el cuerpo de David estaba todavía en su tumba en ese momento. Esto indicaría que David, uno de los más grandes santos del Antiguo Testamento, no había sido resucitado todavía el día de pentecostés en el momento que Pedro habló. Por lo tanto, esta resurrección de santos del Antiguo Testamento en la mañana del primer Domingo de Resurrección fue de algunos, no de todos.

La segunda pregunta interesante relativa a estos santos del Antiguo Testamento resucitados es: ¿Qué fue de ellos después de su resurrección?

Por el relato podría colegirse que fueron "resucitados" en el verdadero sentido de la palabra; es decir, que fueron levantados de una vez y para siempre del dominio de la muerte y la tumba, para no volver a morir. Respecto de esto, hay una total diferencia entre estos santos y la gente que Jesús levantó de la muerte durante su ministerio terrenal.

Los que Cristo levantó de la muerte tuvieron que volver a la misma clase de vida terrenal natural que habían llevado antes. Todavía estaban sujetos a todas las debilidades de la carne mortal, y a su debido tiempo volvieron a morir y fueron sepultados. Estas personas fueron restauradas simplemente a la vida terrenal natural; no habían resucitado de los muertos. Por otra parte, los santos que se levantaron junto con Jesús compartieron su resurrección con él. Entraron en una clase de vida totalmente nueva; recibieron nuevos cuerpos espirituales, iguales al que Jesús mismo recibió.

> Y saliendo de los sepulcros, después de la resurrección de él, vinieron a la santa ciudad, y aparecieron a muchos.
>
> Mateo 27:53

Estas palabras indican que esos santos tenían cuerpos de la misma clase que Jesús después de resucitar. Podían aparecer o desaparecer a voluntad. Ya no estaban sujetos a las limitaciones físicas de un cuerpo terrenal normal.

De ser así, entonces no cabe la idea que pudieran haber regresado a sus tumbas a someterse de nuevo al proceso de descomposición. Cuando se vistieron de estos cuerpos de resurrección salieron de una vez por todas de la sombra y del dominio de la muerte y la tumba, para no regresar allí jamás.

¿Qué sucedió con estos santos después? El Nuevo Testamento no da una respuesta definida o final a esta pregunta. Pero parece natural suponer que habiendo compartido con Jesús su resurrección, también compartieran con él su ascensión al cielo. Por lo tanto, echemos un vistazo a la descripción de la ascensión de Jesús al cielo:

> Y habiendo dicho estas cosas, viéndolo ellos, fue alzado, y le recibió una nube que le ocultó de sus ojos.
>
> Hechos 1:9

Observamos que Jesús desapareció de la vista de sus discípulos dentro de una nube y que dentro de esta nube él continuó su ascensión al cielo. Inmediatamente después de esto, dos ángeles aparecieron a los discípulos y les dieron la siguiente seguridad con respecto al regreso de Cristo:

> Este mismo Jesús, que ha sido tomado de vosotros al cielo, así vendrá como le habéis visto ir al cielo. Hechos 1:11.

Esto indica que habrá una gran semejanza entre el ascenso de Cristo al cielo y su regreso del cielo otra vez a la tierra. Vendrá de la misma forma en que le vieron ascender.

¿Qué implica esto? En Marcos 13:26 (y en otros pasajes también) se establece que Cristo vendrá otra vez en las nubes. Y también en Zacarías 14:5 y en Judas versículo 14 se revela que Cristo vendrá con sus santos.

Combinando estas dos declaraciones, encontramos que Cristo vendrá "en las nubes con sus santos." Sabemos también que la ascensión de Cristo al cielo y su regreso, son muy parecidos. Además sabemos que Cristo ascendió al cielo "en una nube." Por lo tanto estamos completando el parecido si sugerimos que Cristo ascendió al cielo junto con sus santos que habían sido resucitados entonces.

Hay otro punto de interés que observar con respecto a esto:

> Por tanto, nosotros también, teniendo en derredor nuestro tan grande nube de testigos, despojémonos de todo peso y del pecado que nos asedia, y corramos con paciencia la carrera que tenemos por delante.
>
> Hebreos 12:1

¿Cuál es esta "nube de testigos" a que se refiere el escritor de Hebreos? El contexto deja bien claro que se está refiriendo a los santos del Antiguo Testamento cuyas hazañas de fe han sido registradas en el capítulo anterior: Hebreos 11.

Se les describe como una nube de testigos rodeando a cada creyente cristiano que emprende la carrera de la fe en esta dispensación. De este modo la figura de una nube está de nuevo ligada a los santos del Antiguo Testamento.

De todas estas consideraciones parece no sólo bíblico sino lógico sugerir que, en el día de su ascensión, Jesús fue llevado al cielo en una nube donde también iban los santos del Antiguo Testamento que habían sido resucitados con él. De esta forma, la resurrección y ascensión de Cristo llenaría exacta y completamente todo lo que está indicado en la tipología de la ceremonia del Antiguo Testamento para las primicias. También sería exactamente paralelo al método de su prometido regreso del cielo a la tierra.

No obstante, esta conclusión no debe ser tenida en cuenta más que como una inferencia lógica por varios indicios de la Escritura. No debe presentarse dogmáticamente como una doctrina establecida.

# 45

# Los que son de Cristo, en su venida

En el último capítulo examinamos la primera fase de la resurrección, llamada "Cristo, las primicias". En el relato de la resurrección de Cristo en el Nuevo Testamento, vimos qué exacta y completamente cumplió la tipología profética de la ceremonia de las primicias, tal como estaba mandada para Israel en el Antiguo Testamento.

Ahora procederemos a examinar la segunda fase importante de la resurrección; a que Pablo se refiere como "los que son de Cristo, en su venida" (1 Corintios 15:23).

## Marcas de los verdaderos creyentes

Observemos con cuidado las frases exactas empleadas con respecto a esta segunda fase de la resurrección. Primero, el griego traducido aquí "venida" es *parousia*. Este es el término principalmente usado en el Nuevo Testamento para denotar ese aspecto de la segunda venida de Cristo que concierne primeramente a la Iglesia; es decir, la venida de Cristo, el Novio, para tomar a su novia, la Iglesia.

Segundo, tenemos que observar con qué cuidado Pablo especifica quiénes tomarán parte en esta segunda fase de la resurrección. El dice: "los que son de Cristo". Esto ciertamente no incluye a todos los que hacen profesión de fe en Cristo. Cubre únicamente a quienes se han entregado de manera tan total y sin reservas a Cristo que son enteramente suyos. Ya no se pertenecen a sí mismos; pertenecen a Cristo.

Pablo describe un doble "sello" que marca a los que llenan estos requisitos:

> Pero el fundamento de Dios está firme, teniendo este sello: Conoce el Señor a los que son suyos; y: Apártese de iniquidad todo aquel que invoca el nombre de Cristo.
>
> 2 Timoteo 2:19

En última instancia, sólo el Señor mismo conoce exactamente quiénes son los que le pertenecen a él. En su conducta externa, sin embargo, todos esos creyentes tienen una característica común: "se apartan de iniquidad". Cualquiera que carezca de este segundo sello externo, no está entre los que el Señor reconoce como suyos.

En Gálatas, Pablo da una marca más que distinguen a esas personas:

> Pero los que son de Cristo, han crucificado la carne con sus pasiones y deseos. (5:24)

Los que profesan ser cristianos y llevan una vida negligente, carnal, egoísta, no serán contados entre los que Cristo recibirá como suyos.

Cristo viene, es verdad, "como un ladrón", pero ciertamente no viene a robar. El tomará consigo solamente los que ya son suyos.

Con esta advertencia en mente, consideremos qué ocurrirá en esta segunda fase principal de la resurrección. Puesto que está establecido que tendrá lugar "a la venida de Cristo", es claro que la segunda fase está directamente asociada con su regreso.

El regreso de Cristo es uno de los principales temas de la profecía bíblica. Alguien ha estimado que por cada promesa en la Biblia relativa a la primera venida de Cristo, hay por lo menos cinco relativas a su segunda venida. Esto demuestra qué parte tan grande desempeña el tema de la segunda venida de Cristo en el total de la revelación de la Escritura. Por esta razón queda fuera del alcance de nuestros estudios debatir en detalle cada cuestión relacionada con la segunda venida de Cristo.

Sin embargo, vale señalar que, en el propósito eterno de Dios, la segunda venida de Cristo está ordenada para llevar a cabo muchos propósitos diferentes. Estos propósitos son, en cierto sentido, distintos unos de otros, mas todos están interrelacionados en el plan total de Dios. Cada uno constituye un aspecto principal de la segunda venida de Cristo, una parte importante de todo el acontecimiento, según se anuncia en la Escritura.

## Los cinco propósitos de la segunda venida de Cristo

Brevemente, podemos mencionar los cinco propósitos principales por los que Cristo vendrá otra vez:

1. Cristo vendrá por la Iglesia. Vendrá como el Novio para recibir a todos los verdaderos creyentes como su novia. Ellos se unirán con Cristo, por resurrección o por cambio instantáneo de sus cuerpos todavía vivos. Jesús prometió a sus discípulos:

> Y si me fuere y os preparare lugar, vendré otra vez, y os tomaré a mí mismo, para que donde yo estoy, vosotros también estéis.
>
> Juan 14:3

2. Cristo vendrá para la salvación nacional de Israel. El remanente nacional de Israel, que ha sobrevivido los fuegos de la gran tribulación, reconocerá a Jesús como el Mesías y así se reconciliará con Dios y será restaurado a su favor y bendición. Esto se predice en la promesa de Dios a través de Isaías, citada por Pablo:

> Y luego todo Israel será salvo, como está escrito:
> Vendrá de Sion el Libertador,
> Que apartará de Jacob la impiedad.
> Y este será mi pacto con ellos,
> Cuando yo quite sus pecados.
>
> Romanos 11:26-27

3. Cristo volverá para destronar al Anticristo y al mismo Satanás:

> Y entonces se manifestará aquél inicuo [el Anticristo], a quien el Señor matará con el espíritu de su boca, y destruirá con el resplandor de su venida [parousia].
>
> 2 Tesalonicenses 2:8

4. Cristo vendrá para juzgar a las naciones gentiles. El mismo hizo esta predicción:

> Cuando el Hijo del Hombre venga en su gloria, y todos los santos ángeles con él, entonces se sentará en su trono de gloria, y serán reunidas delante de él todas las naciones; y apartará los unos de los otros, como aparta el pastor las ovejas de los cabritos.
>
> Mateo 25:31-32

En los versículos que siguen, Jesús describe en detalle el procedimiento del juicio.

5. Cristo vendrá para el establecimiento de su reino milenial sobre la tierra. Esto está incluido en el pasaje en Mateo 25 y predicho en Isaías:

> Entonces la luna se abochornará, y el sol se avergonzará, porque el Señor de los ejércitos reinará en el monte Sion y en Jerusalén, y delante de sus ancianos estará su gloria.
>
> Isaías 24:23 (BLA)

También es profetizado en Zacarías:

> Y el Señor será rey sobre toda la tierra; aquel día el Señor será uno, y uno Su nombre.
>
> Zacarías 14:9 (BLA)

El tiempo en que Cristo reinará así aparece en Apocalipsis 20:4, donde se habla de los mártires del período de la tribulación:

> Y vivieron y reinaron con Cristo mil años.

(*Milenio* es una palabra que proviene del latín y significa "un período de mil años.")

Así podemos resumir brevemente los cinco propósitos principales por los que Cristo vendrá:

1. **Cristo** vendrá por la Iglesia, para recibir para sí mismo a todos los **verda**deros cristianos.
2. Cristo vendrá para la salvación nacional de Israel.
3. Cristo vendrá para derrocar al Anticristo y al mismo Satanás.

4. Cristo vendrá para juzgar a las naciones gentiles.
5. Cristo vendrá para establecer su reino milenial sobre la tierra.

Si bien hay un acuerdo general entre todos los creyentes en la Biblia respecto de estos propósitos principales de la segunda venida de Cristo, ha habido mucho debate y controversia en los detalles y la relación precisa de cada uno con todo el resto. Algunas de las principales interrogantes que se han presentado son: ¿Todos estos propósitos para el regreso de Cristo se llevarán a cabo simultáneamente o habrá un tiempo intermedio entre unos y otros? Si es así, ¿en qué orden tendrán lugar? ¿Es posible que algunos coincidan con otros?

En este estudio evitaremos entrar innecesariamente en cuestiones controversiales, y nos circunscribiremos al aspecto particular del regreso de Cristo que está directamente relacionado con la resurrección de los justos.

## La resurrección y el arrebatamiento de los verdaderos cristianos

Pablo describe la resurrección de los cristianos para recibir a Cristo en su venida:

Tampoco queremos, hermanos, que ignoréis acerca de los que duermen, para que no os entristezcáis como los otros que no tienen esperanza. Porque si creemos que Jesús murió y resucitó, así también traerá Dios con Jesús a los que durmieron en él. Por lo cual os decimos esto en palabra del Señor: que nosotros que vivimos, que habremos quedado hasta la venida del Señor, no precederemos a los que durmieron. Porque el Señor mismo con voz de mando, con voz de arcángel, y con trompeta de Dios, descenderá del cielo; y los muertos en Cristo resucitarán primero. Luego nosotros los que vivimos, los que hayamos quedado, seremos arrebatados juntamente con ellos en las nubes para recibir al Señor en el aire, y así estaremos siempre con el Señor. Por tanto, alentaos los unos a los otros con estas palabras.

1 Tesalonicenses 4:13-18

El propósito primordial de la enseñanza aquí es consolar a los creyentes cristianos en lo relativo a otros cristianos —parientes u otros seres queridos— que han muerto. Estos cristianos que han muerto son descritos como "los que durmieron", o, más exactamente, "los que durmieron en él". Esto significa los que murieron en la fe del evangelio. El mensaje de consuelo se basa en la seguridad de que éstos, y todos los otros verdaderos creyentes, resucitarán.

La descripción real de esta fase de la resurrección es como sigue: Primero, se oirán tres sonidos impresionantes que la precederán. El primero será la voz de mando del mismo Señor Jesucristo, tal como él mismo predijo:

> Todos los que están en los sepulcros oirán su voz; y los que hicieron lo bueno, saldrán a resurrección de vida; mas los que hicieron lo malo, a resurrección de condenación.
>
> Juan 5:28-29

Unicamente la voz de Cristo tiene poder para hacer que los muertos salgan de sus tumbas. Pero en este momento particular él llamará sólo a los muertos justos; a los que han muerto en la fe. El llamado a los muertos injustos se reservará para la última fase de la resurrección.

Los otros dos sonidos que se escucharán en ese momento serán la voz de un arcángel y la trompeta de Dios. El arcángel aquí mencionado será probablemente Gabriel, pues pareciera que su ministerio especial es proclamar sobre la tierra las inminentes intervenciones de Dios en los asuntos de los hombres.

El uso principal de la trompeta en la Biblia es para reunir al pueblo de Dios en algún momento especial de crisis. El sonido de la trompeta en esta ocasión sería la señal para que todo el pueblo de Dios se juntara a él en su descenso del cielo.

Sobre la tierra ocurrirán dos grandes sucesos en rápida sucesión. Primero, todos los verdaderos creyentes que han muerto en la fe resucitarán. Segundo, todos los verdaderos creyentes que estén vivos en la tierra en ese momento, sufrirán un cambio instantáneo y sobrenatural en sus cuerpos.

Entonces ambas compañías de creyentes —los que resucitaron y los que fueron transformados en su cuerpo sin haber muerto— juntos serán arrebatados rápidamente, por el poder sobrenatural de Dios, en el aire. Allí serán recibidos en las nubes, y en esas nubes se reunirán con su Señor y unos con otros. De ahí en adelante el Señor y sus creyentes redimidos permanecerán unidos para siempre en inalterable armonía y confraternidad.

Hay un significado especial en dos de los términos griegos que usados en este pasaje. Donde dice "seremos arrebatados", el verbo griego traducido "arrebatados" es *arpazö*. Este significa quitar con violencia o tomar con precipitación. En el Nuevo Testamento se usa cuatro veces para describir la forma en que la gente es arrebatada hasta el cielo.

Además se usa en Hecho 8:39, donde leemos que "el Espíritu del Señor arrebató a Felipe" de donde estaba con el eunuco etíope. Jesús lo usa en Juan 10:12 para describir el lobo "arrebatando" las ovejas. También lo usa en Mateo 13:19 para describir a los pájaros llevándose las semillas sembradas junto al camino. Se usa en Judas versículo 23 para describir el acto de sacar gente del fuego.

Tradicionalmente, los comentadores de la Biblia han traducido *arpazö* con el vocablo *arrebatamiento* como nombre y *arrebatar* como verbo. *Arrebatar* se deriva de un verbo latino que significa precisamente lo mismo que *arpazö*: "quitar o tomar alguna cosa con violencia y fuerza." En el resto de estos estudios, usaremos *arrebatar* en este sentido, equivalente de *arpazö*. El uso que hace Pablo del verbo *arpazö* es deliberado y tiene la intención de dar la impresión de un acto violento y rápido. En realidad, sugiere el acto particular de un ladrón. Con respecto a eso, concuerda con otras escrituras, que comparan este aspecto de la venida de Cristo con el de un ladrón:

> He aquí, yo vengo como ladrón.
>
> Apocalipsis 16:15

> Velad, pues, porque no sabéis a qué hora ha de venir vuestro Señor. Pero sabed esto, que si el padre de familia supiese a qué hora el ladrón habría de venir, velaría, y no dejaría minar su casa.
>
> Mateo 24:42-43

Observemos la sugerencia de violencia en la frase "no dejaría minar su casa".

Podemos decir, por lo tanto, que la venida de Cristo por su iglesia en este punto será como la de un ladrón en los siguientes aspectos. Será súbita, inesperada, sin advertencia; culminará en un solo acto violento de arrebatamiento. Además, lo que será arrebatado será el más valioso tesoro de la tierra: los verdaderos cristianos. Sin embargo, como ya hemos dicho, la venida de Cristo será diferente que la de un ladrón en un aspecto sumamente importante: Cristo se llevará únicamente lo que ya es suyo por derecho de redención.

Primera de Tesalonicenses 4:17 contiene otra muy importante palabra griega. Dice que nos encontraremos con el Señor "en el aire". El vocablo griego usado aquí es *aër*.

Este es uno de los dos términos griegos normalmente traducidos "aire". El otro es *aithêr*. La diferencia entre los dos es que *aër* denota el aire más bajo, la atmósfera que está en contacto con la superficie de la tierra; *aithêr* denota el aire más allá de la atmósfera, a considerable distancia de la superficie de la tierra.

Pablo se refiere otra vez a este mismo momento de la resurrección y arrebatamiento en 1 Corintios:

He aquí, os digo un misterio: No todos dormiremos; pero todos seremos transformados, en un momento, en un abrir y cerrar de ojos, a la final trompeta; porque se tocará la trompeta, y los muertos serán resucitados incorruptibles, y nosotros seremos transformados.

1 Corintios 15:51-52

Pablo da a conocer "un misterio"; un secreto del plan de Dios para la iglesia que no ha sido revelado antes. El secreto descubierto es este: Todos los verdaderos creyentes juntos serán arrebatados a la venida del Señor, pero no todos habrán muerto y resucitado.

Aquellos que estén vivos cuando venga el Señor, no morirán, pero sus cuerpos sufrirán un cambio instantáneo y milagroso. En este cambio sus cuerpos quedarán exactamente como los de los otros creyentes que han sido resucitados de la muerte.

El siguiente versículo resume la naturaleza del cambio que tendrá lugar:

Porque es necesario que esto corruptible se vista de incorrupción, y esto mortal se vista de inmortalidad.

1 Corintios 15:53

En vez de ser mortal y corruptible, el nuevo cuerpo de cada creyente será inmortal e incorruptible.

¿Constituye esta descripción de Pablo un cuadro completo de la resurrección de todos los creyentes antes del establecimiento del reino de Cristo en el milenio?

La respuesta a esta pregunta parecería ser no. Porque parecería que al menos dos etapas más de la resurrección de los justos están anotadas en el libro de Apocalipsis.

## Los testigos y los mártires

En Apocalipsis 11 leemos el relato de dos testigos de Dios durante el período de la tribulación y su martirio final por "la bestia que sube del abismo": el Anticristo.

Y los de los pueblos, tribus, lenguas y naciones verán sus cadáveres por tres días y medio, y no permitirán que sean sepultados. (...) Pero después de tres días y medio entró en ellos el Espíritu de vida enviado por Dios, y se levantaron sobre sus pies (...) Y oyeron una gran voz del cielo que les decía: Subid acá. Y subieron al cielo en una nube; y sus enemigos los vieron.

Apocalipsis 11:9,11-12

La referencia deja bien claro que esta fue una resurrección en todo el sentido de la palabra. Aunque sus cuerpos no fueron enterrados, estos dos mártires habían estado muertos por tres días y medio. Entonces, a la vista de todos sus enemigos, sus cuerpos fueron resucitados, y ascendieron al cielo. Es interesante observar que su ascensión al cielo es similar a cada uno de los casos que ya hemos examinado pues ocurre en una nube.

Parece claro que la resurrección de los dos testigos es distinta de la de los cristianos descrita en 1 Tesalonicenses 4:16-17. No está asociada con el descenso de Cristo de los cielos, ni se menciona otro acompañamiento, como de una trompeta o la voz de un arcángel.

Si ahora volvemos a Apocalipsis, encontramos el relato de lo que parece ser una etapa posterior a la resurrección de los justos:

> Y vi tronos, y se sentaron sobre ellos los que recibieron facultad de juzgar; y vi las almas de los decapitados por causa del testimonio de Jesús y por la palabra de Dios, los que no habían adorado a la bestia ni a su imagen, y que no recibieron la marca en sus frentes ni en sus manos; y vivieron y reinaron con Cristo mil años. Pero los otros muertos no volvieron a vivir hasta que se cumplieron mil años. Esta es la primera resurrección. Bienaventurado y santo el que tiene parte en la primera resurrección; la segunda muerte no tiene potestad sobre éstos, sino que serán sacerdotes de Dios y de Cristo, y reinarán con él mil años.
>
> Apocalipsis 20:4-6

La resurrección descrita aquí es de los que fueron decapitados y fueron mártires de Jesús durante el período de gobierno del Anticristo. Muestra que estos santos de la tribulación han sido resucitados al final de la gran tribulación, precisamente antes del establecimiento del reino milenial de Cristo. Ellos así comparten con el mismo Cristo, y con todos los otros santos resucitados, el privilegio de gobernar y juzgar a las naciones de la tierra durante el milenio.

Algunos comentaristas creen que estos mártires de la tribulación están incluidos en la resurrección de los cristianos descrita en 1 Tesalonicenses 4:16-17. Otros lo ven como una etapa distinta y subsecuente en la resurrección de los justos. Hay poco que ganar haciendo de estas diferencias un punto de controversia.

Juan cierra el relato de la resurrección de estos mártires con las palabras:

> Esta es la primera resurrección. Bienaventurado y santo el que tiene parte en la primera resurrección.
>
> Apocalipsis 20:5-6

Con estas palabras Juan aparentemente indica que "la primera resurrección" está terminada. Todos los que toman parte en esta resurrección son "bienaventurados y santos". Es decir, todos son creyentes justos. (Hasta este punto, ninguno de los injustos ha sido resucitado. La segunda resurrección, en que los injustos tienen su parte, la describe Juan en la última parte de Apocalipsis 20.)

Si ahora combinamos las revelaciones dadas por Pablo y Juan, podemos ofrecer el siguiente sumario de la resurrección de los justos:

La resurrección total de los justos, desde el momento que Cristo mismo resucitó hasta la resurrección de los mártires de la tribulación precisamente antes del milenio, Juan la llama "la primera resurrección". Todos los que tomen parte en esta resurrección son "bienaventurados y santos"; es decir, todos son creyentes justos.

Sin embargo, dentro de esta resurrección total de los justos, podemos discernir al menos cuatro sucesos distintos:

1. "Cristo, las primicias": Cristo mismo y los santos del Antiguo Testamento que fueron resucitados en ese momento que Cristo resucitó.
2. "Aquellos que son de Cristo, a su venida": Los verdaderos cristianos que están listos para encontrarse con Cristo a su regreso, junto con los que murieron en la fe. Todos éstos juntos, arrebatados en las nubes para encontrarse con Cristo en el aire.
3. Los "dos testigos" del período de la tribulación, que dejan muertos pero sin enterrar durante tres días y medio, y que entonces son resucitados y ascienden al cielo en una nube.
4. Los que queden de los mártires de la tribulación, resucitados al final del período de la tribulación, para compartir con Cristo y otros santos el privilegio de gobernar y juzgar a las naciones de la tierra durante el milenio.

Tal es, en breve, el cuadro de la resurrección de los justos que se encuentra en el Nuevo Testamento.

En el siguiente capítulo procederemos a examinar la tercera y última fase de la resurrección.

# 46

# Luego viene
# el fin

Ahora examinaremos la fase final de la resurrección. Pablo indica que ésta será precedida de la resurrección de los verdaderos creyentes —"los que son de Cristo, en su venida"— y coincidirá con la consumación del reino milenial de Cristo:

> Pero cada uno a su debido orden: Cristo, las primicias; luego los que son de Cristo, en su venida. Luego el fin, cuando entregue el reino al Dios y Padre, cuando haya suprimido todo dominio, toda autoridad y potencia. Porque preciso es que él reine hasta que haya puesto a todos sus enemigos debajo de sus pies. Y el postrer enemigo que será destruido es la muerte.
>
> 1 Corintios 15:23-26

## Al final del milenio

En el versículo 24 Pablo prosigue hasta la fase final de la resurrección. A esto se refiere él en la frase "Luego el fin". Sigue adelante para indicar los otros sucesos importantes asociados con esta fase final de la resurrección.

440

Para entonces Cristo habrá completado su reino terrenal de mil años, al final del cual Dios el Padre habrá puesto a todos sus enemigos en sujeción a Cristo. El último de estos enemigos será la muerte.

Después de esto, Cristo el Hijo, a su vez le ofrecerá su reino a Dios el Padre. De acuerdo con su posición de Hijo, voluntariamente pondrá su reino y su persona en sujeción a su Padre.

Este acontecimiento final del reino terrenal de Cristo lo describe Pablo dos versículos después:

> Pero luego que todas las cosas le estén sujetas, entonces también el Hijo mismo se sujetará al que le sujetó a él todas las cosas, para que Dios sea todo en todos.
>
> 1 Corintios 15:28

Mientras estudiamos este cuadro profético del fin, observamos la perfecta armonía que existe dentro de la Divinidad entre el Padre y el Hijo. Primero Dios el Padre, durante el milenio, establecerá a Cristo el Hijo como su representante designado y gobernador sobre todas las cosas. Al final de este período el Padre habrá puesto a todos los enemigos de Cristo en sujeción a él; el último enemigo será la muerte. Después, Cristo el Hijo a su vez, sujetará bajo su Padre, su persona y todo lo que su Padre puso en sujeción bajo él. De este modo, dice Pablo, Dios el Padre, mediante Cristo, será "todo en todos".

Este ofrecimiento de su reino completo que hace Cristo al Padre, representa el clímax y culminación del plan de Dios para todas las edades. Pablo también describe esta gloriosa culminación del propósito de Dios:

> Dándonos a conocer [Dios] el misterio de su voluntad, según su beneplácito, el cual se había propuesto en sí mismo, de reunir todas las cosas en Cristo, en la dispensación del cumplimiento de los tiempos, así las que están en los cielos, como las que están en la tierra.
>
> Efesios 1:9-10

Esto que hace Dios el Padre, de reunir todas las cosas en Cristo, traerá "la dispensación del cumplimiento de los tiempos"; es decir, el período que marcará la culminación y consumación de los planes de Dios, que han ido madurando gradualmente a lo largo de todas las edades precedentes.

Si ahora volvemos a Apocalipsis 20, veremos exactamente la manera en que la resurrección final de todos los muertos restantes se relaciona con las otras partes del plan de Dios para la consumación del reino milenial de Cristo.

Juan describe el último intento de Satanás de oponerse a la autoridad de Dios y de Cristo, y de provocar una rebelión contra ella. Esto sucede al final del milenio:

> Cuando los mil años se cumplan, Satanás será suelto de su prisión, y saldrá a engañar a las naciones que están en los cuatro ángulos de la tierra, a Gog y a Magog, a fin de reunirlos para la batalla; el número de los cuales es como la arena del mar. Y subieron sobre la anchura de la tierra, y rodearon el campamento de los santos y la ciudad amada; y de Dios descendió fuego del cielo y los consumió. Y el diablo que los engañaba fue lanzado en el lago de fuego y azufre, donde estaban la bestia y el falso profeta; y serán atormentados día y noche por los siglos de los siglos.
>
> Apocalipsis 20:7-10

Juan usa las frases "el campamento de los santos" y "la ciudad amada" para describir la ciudad de Jerusalén y el territorio que la rodea. Durante el milenio, Jerusalén será el centro terrenal de la administración y gobierno de Cristo sobre las naciones de la tierra.

Durante este período, Satanás permanecerá prisionero en un abismo sin fondo, pero al final le será permitido salir sólo lo suficiente para provocar esta rebelión final entre las naciones gentiles, que culminará en un intento de atacar Jerusalén.

Pero Dios intervendrá con fuego del cielo. La rebelión será totalmente derrotada. Y el mismo Satanás será echado en el lago de fuego eterno, para ser atormentado allí junto con la bestia (el Anticristo) y el falso profeta. Estos dos últimos ya habrán sido echados en el lago de fuego cuando regrese Cristo a la tierra y comience el milenio.

## La resurrección final

Después, Juan describe la resurrección final de todos los muertos restantes:

> Y vi un gran trono blanco y al que estaba sentado en él, de delante del cual huyeron la tierra y el cielo, y ningún lugar se encontró para ellos. Y vi a los muertos, grandes y pequeños, de pie ante Dios; y los libros fueron abiertos, y otro libro fue abierto, el cual es el libro de la vida; y fueron juzgados los muertos por las cosas que estaban escritas en los libros, según sus obras. Y el mar entregó los muertos que había en él; y la muerte y el Hades entregaron los muertos que había en ellos; y fueron juzgados cada uno según sus obras. Y la muerte y el Hades

fueron lanzados al lago de fuego. Esta es la muerte segunda. Y el que no se halló inscrito en el libro de la vida fue lanzado al lago de fuego.

Apocalipsis 20:11-15

En este relato observamos que la resurrección viene primero, y después el juicio. Este mismo principio se observa en cada etapa de la resurrección. Puesto que en sus cuerpos los hombres han cometido los actos buenos o malos, es en sus cuerpos también que tendrán que presentarse ante Dios para escuchar su juicio sobre esos actos.

Ya hemos visto que todos los que han confiado en Cristo para su salvación, serán resucitados antes del milenio. Esto incluirá los santos del antiguo pacto y los del nuevo pacto. Pareciera, por lo tanto, que la mayoría de los que resuciten al final del milenio, serán personas que han muerto en pecado e incredulidad.

En relación con esto es significativo que Juan se refiera a los resucitados al final del milenio como "los muertos": *Y vi a los muertos, grandes y pequeños, de pie ante Dios.* Este lenguaje es diferente del que emplea para describir la resurrección de los justos muertos al principio del milenio. Respecto de éstos dice:

*Y vivieron y reinaron con Cristo por mil años* (Apocalipsis 20:4).

Respecto de los justos resucitados, Juan dice no sólo que fueron resucitados, sino también que "vivieron"; estaban vivos en el sentido más completo y verdadero. Por otra parte, los que Juan vio resucitar al final del milenio estaban todavía "muertos". Aunque resucitados del sepulcro en sus cuerpos, estaban espiritualmente muertos, en delitos y pecados, alejados y excluidos de la presencia y confraternidad de Dios. Son llevados ante Dios por última vez, sólo para oír su sentencia final de condenación sobre ellos. A partir de entonces, su destino es el lago de fuego, "la muerte segunda", el lugar de destierro final, eterno de la presencia de Dios, el lugar donde no hay esperanza ni cambio ni regreso.

Entre todos estos, sin embargo, la Escritura indica que habrá al menos dos categorías de personas que saldrán a la resurrección de vida y no de condenación.

Una de estas categorías incluye a gente como la reina del Sur (Sabá) y los hombre de Nínive a que alude Jesús:

La reina del Sur se levantará en el juicio con los hombres de esta generación, y los condenará; porque ella vino de los fines de la tierra para oír la sabiduría de Salomón, y he aquí más que Salomón en este lugar. Los hombres de Nínive se levantarán en el juicio con esta generación, y la condenarán; porque a la predicación de Jonás se arrepintieron, y he aquí más que Jonás en este lugar.

Lucas 11:31-32

443

En cada uno de estos ejemplos está claro que los hombres de esta generación (que rechazaron la misericordia que Jesús les ofrecía) se levantarán (resucitarán) para el juicio de condenación. Pero junto con ellos resucitarán dos grupos que recibirán misericordia en el juicio: la reina del Sur y los hombres de Nínive.

A diferencia de los santos del antiguo pacto, estos dos grupos no recibieron una revelación del sacrificio expiatorio de Cristo, anunciado en tipo y en profecía, en que ellos pudieran confiar para salvación. Consecuentemente no estarán incluidos en la resurrección de los que son de Cristo a su venida. Sin embargo, ellos respondieron en fe a la limitada luz que les llegó. Al fin del milenio, por lo tanto, serán liberados de condenación y entrarán en la resurrección de vida.

¿Habrá otros de la misma categoría de la reina del Sur y los hombres de Nínive? Si así es, ¿quiénes? ¿Y cuántos? Las respuestas a estas preguntas pueden venir solamente de la omnisciencia del mismo Dios. No obstante, una cosa es cierta: los que han escuchado y rechazado el evangelio de Cristo se han excluido para siempre de la misericordia de Dios.

Una segunda categoría de gente que será librada de la condenación en la resurrección final serán los justos que hayan muerto durante el reino milenial de Cristo sobre la tierra.

Con respecto a este período milenial, encontramos el siguiente relato profético en Isaías:

> No habrá más allí niño que muera de pocos días, ni viejo que sus días no cumpla; porque el niño morirá de cien años, y el pecador de cien años será maldito.
>
> Isaías 65:20

El cuadro que Isaías ofrece aquí de la vida en la tierra durante el milenio, indica que aunque el lapso de la vida humana será extendido mucho, de todas formas, tanto el justo como el pecador todavía estarán sujetos a la muerte. De esto podemos concluir que el justo que muera durante el milenio será resucitado a su final, pero que no estará sujeto al juicio de Dios sobre los injustos que resucitarán al mismo tiempo.

Si ahora volvemos a Apocalipsis 20, observamos lo completo y lo final que es la resurrección descrita por Juan:

> Y el mar entregó los muertos que había en él; y la muerte y el Hades entregaron los muertos que había en ellos; y fueron juzgados cada uno según sus obras.
>
> Apocalipsis 20:13

No habrá excepciones a esta resurrección final de los muertos restantes. Incluye a "cada uno". Nadie es omitido. A cada dominio del universo creado por Dios se le exige con autoridad divina, que entregue a los muertos que tiene. Las tres palabras que Juan emplea en relación con esto son "el mar", "la Muerte" y "el Hades".

El vocablo griego *Hades* corresponde al término hebreo *Seol* empleado en el Antiguo Testamento. El Hades o Seol es un lugar de confinamiento temporal para los espíritus de los difuntos, antes de su resurrección y juicio final. Después de la resurrección y juicio final, todos los injustos están condenados al lago de fuego. La palabra hebrea usada en el Antiguo Testamento para este lago de fuego no es *Seol* sino *Gehena* (infierno).

Por lo tanto hay una clara distinción entre Seol, o Hades, y Gehena, o lago de fuego. El Seol es un lugar de confinamiento temporal al que están condenados los espíritus —pero no los cuerpos— de los difuntos. El Gehena es un lugar de castigo final infinito, al que está condenada, después de la resurrección, la personalidad total de cada persona injusta: espíritu, alma y cuerpo juntos.

En Apocalipsis 20:14 se pone de manifiesto esta distinción entre Seol y Gehena:

> Y la muerte y el Hades fueron lanzados al lago de fuego.

## La Muerte y el Hades son personas

¿Cuál es exactamente la verdadera naturaleza de la Muerte y el Hades, según la revela el Nuevo Testamento? La famosa visión de los cuatro jinetes del Apocalipsis arroja luz sobre esta pregunta. Con respecto a los cuatro jinetes Juan dice:

> Miré, y he aquí un caballo amarillo, y el que lo montaba tenía por nombre Muerte, y el Hades le seguía.
>
> Apocalipsis 6:8

Es obvio que a Juan le fue revelado que la Muerte y el Hades eran personas. Sólo una persona puede montarse en un caballo, y sólo otra persona puede seguir a la primera. Por lo tanto, este pasaje arroja luz sobre la naturaleza de la Muerte y el Hades, revelados en las Escrituras.

En un sentido la muerte es un estado o condición. Es la cesación de la vida, lo que ocurre al separarse el espíritu del cuerpo. No obstante, La muerte es también una persona. Muerte es un ángel de las tinieblas, un ministro de Satanás, que reclama el espíritu de toda persona injusta que se separa del cuerpo cuando muere.

Una verdad similar se aplica también al Hades. En un sentido el Hades es un lugar de confinamiento para los espíritus de los difuntos. Pero en otro sentido, Hades es una persona. Hades, como Muerte, es un ángel de las tinieblas, un ministro de Satanás, que sigue a los talones de Muerte. Hades se encarga del espíritu de los injustos que han sido reclamados por Muerte y los lleva al dominio de los espíritus de los difuntos, del que recibe su nombre: o sea, Hades.

Así Muerte y Hades son ambos ángeles de las tinieblas, ministros del dominio infernal de Satanás. Pero la diferencia entre ellos es esta: Muerte reclama primero los espíritus de todos los que mueren en injusticia; Hades los recibe de Muerte y los lleva a su lugar designado de encarcelamiento. Por esta razón Juan los vio moviéndose entre los hombres en ese orden: primero Muerte, reclamando los espíritus de los muertos; después Hades, llevándoselos a su prisión en el mundo inferior.

Esta escena de Apocalipsis arroja luz sobre las palabras de Jesús:

> De cierto, de cierto os digo, que el que guarda mi palabra, nunca verá muerte.
>
> Juan 8:51

Jesús no habla aquí que el creyente no padecerá la muerte física. El dice que el creyente no "verá muerte". No se está refiriendo a la condición física resultado de la separación del espíritu y el cuerpo, sino a la persona del ángel de las tinieblas cuyo nombre es Muerte, y al otro ángel de las tinieblas, su acompañante, cuyo nombre es Hades.

Jesús quiere decir que el espíritu del verdadero creyente, al separarse del cuerpo, jamás caerá bajo el dominio de estos dos ángeles de las tinieblas, Muerte y Hades. Más bien, como el mendigo Lázaro, el espíritu de un verdadero creyente difunto se encontrará con los ángeles del Señor —los ángeles de luz— y ellos lo escoltarán al Paraíso.

Con esto presente, podemos comprender también la declaración de Juan que "el último enemigo que será destruido será la muerte" (Apocalipsis 20:14).

En cada uno de estos pasajes la referencia primordial es a Muerte y Hades como personas, ángeles de las tinieblas, ministros de Satanás y enemigos de Dios y de la humanidad. El último de los enemigos de Dios que recibirá la sentencia que merece será Muerte. Junto con Hades será arrojada dentro del lago de fuego, para reunirse allí con su señor, Satanás, y todo el resto de sus siervos y seguidores, tanto angélicos como humanos.

Con este acto final de juicio, el último de los enemigos de Dios será expulsado para siempre de su presencia.

# 47

# ¿Con cuál cuerpo?

En los últimos tres capítulos hemos examinado en sucesión las tres fases principales de la resurrección establecidas por el apóstol Pablo (ver 1 Corintios 15:23-24).

1. "Cristo, las primicias" — La resurrección personal de Cristo, junto con los santos del Antiguo Testamento que resucitaron con él.
2. "Los que son de Cristo en su venida" — Todos los creyentes que han muerto durante las edades precedentes y que serán resucitados en la segunda venida de Cristo, antes del establecimiento de su reino milenial.
3. "El fin" — La resurrección final de todos los muertos restantes al término del milenio.

Dedicaremos la mayor parte de este capítulo final a examinar lo que la Escritura revela acerca de la naturaleza del cuerpo con el que los creyentes cristianos serán resucitados.

En nuestros primeros estudios sobre este tema, ya hemos señalado que hay una continuidad directa entre el cuerpo que muere y es enterrado, y el cuerpo que más tarde es resucitado. El material básico del cuerpo que será resucitado es el mismo con que es enterrado. Es decir, la resurrección es el levantamiento del mismo cuerpo que fue enterrado, y no la creación de un cuerpo completamente nuevo.

Sin embargo, una vez establecido este hecho, tenemos que añadir que, en el caso del creyente cristiano, el cuerpo que es resucitado sufre cambios tremendos y definitivos.

## La analogía del grano

Pablo plantea y discute todo este asunto:

> Pero dirá alguno: ¿Cómo resucitarán los muertos? ¿Con qué cuerpo
> vendrán? Necio, lo que tú siembras no se vivifica, si no muere antes.
> Y lo que siembras no es el cuerpo que ha de salir, sino el grano
> desnudo, ya sea de trigo o de otro grano; pero Dios le da el cuerpo
> como él quiso, y a cada semilla su propio cuerpo.
>
> 1 Corintios 15:35-38

La analogía es de un grano de trigo plantado en tierra, para ilustrar la relación entre el cuerpo que es enterrado y el que es levantado en resurrección. De aquí surgen tres hechos que pueden aplicarse a la resurrección del cuerpo:

1. Hay una continuidad directa entre la semilla que es plantada en la tierra y la planta que más tarde crece de la semilla. El material básico de la semilla original está aún contenido en la planta que crece de ella.
2. La planta que brota de la semilla original sufre, en el proceso, ciertos cambios definitivos y obvios. La forma y apariencia exterior de la nueva planta es diferente de la semilla original.
3. La naturaleza de la semilla original determina la naturaleza de la planta que crece de ella. Cada género de semilla puede producir sólo el género de planta que le corresponde. Una semilla de trigo sólo puede producir un tallo de trigo; una semilla de cebada únicamente produce un tallo de cebada.

Apliquemos ahora estos tres hechos tomados de la analogía de la semilla a la naturaleza del cuerpo que será resucitado.

1. Hay una continuidad directa entre el cuerpo que es enterrado y el cuerpo que es resucitado.
2. El cuerpo resucitado sufre, en el proceso, ciertos cambios definitivos y obvios. La forma y apariencia exterior del nuevo cuerpo resucitado son diferentes de las del cuerpo original que fue enterrado.
3. La naturaleza del cuerpo que es enterrado determina la naturaleza del cuerpo que es resucitado. Habrá una relación directa, lógica y causal entre la condición del creyente en esta

presente existencia terrenal y la naturaleza de su cuerpo resucitado.

Pablo da más detalles acerca de la naturaleza de los cambios que sufrirá el cuerpo del creyente al resucitar:

> No toda carne es la misma carne, sino que una carne es la de los hombres, otra carne la de las bestias, otra la de los peces, y otra la de las aves. Y hay cuerpos celestiales, y cuerpos terrenales; pero una es la gloria de los celestiales, y otra la de los terrenales. Una es la gloria del sol, otra la gloria de la luna, y otra la gloria de las estrellas, pues una estrella es diferente de otra en gloria. Así también es la resurrección de los muertos. Se siembra en corrupción, resucitará en incorrupción. Se siembra en deshonra, resucitará en gloria; se siembra en debilidad, resucitará en poder. Se siembra cuerpo animal, resucitará cuerpo espiritual. Hay cuerpo animal, y hay cuerpo espiritual.
>
> 1 Corintios 15:39-44

Para completar este cuadro, debemos añadir la declaración del versículo 53:

> Porque es necesario que esto corruptible se vista de incorrupción, y esto mortal se vista de inmortalidad.

Este análisis sobre la naturaleza de los cambios que sufrirá el cuerpo del creyente al resucitar, puede expresarse en la forma de una sucesión de afirmaciones:

1. Pablo señala que, incluso entre los cuerpos de las criaturas con que estamos familiarizados en el presente orden natural, hay diferencias de naturaleza y constitución. El menciona las siguientes clases principales: hombres, animales, peces y aves. Esto concuerda con las conclusiones de la ciencia moderna, que no hay diferencia perceptible en la estructura química de la sangre de los diferentes grupos raciales dentro de la familia humana, pero que hay una diferencia entre la estructura química en la sangre de seres humanos y la de otros órdenes del reino animal.

2. Pablo señala que, por encima y sobre todos los cuerpos del orden con que estamos familiarizados aquí en la tierra, hay otro orden de cuerpos superior, que él llama el orden "celestial". Una vez más, esto concuerda con los recientes descubrimientos científicos. La ciencia ahora ha puesto a hombres en

el espacio. Pero a fin de mantenerlos vivos, tiene que confinarlos en una cápsula y rodearlos con la atmósfera y condiciones de la tierra. Para sentirse verdaderamente en su elemento a cualquier distancia de la superficie de la tierra, el hombre tiene que estar facultado con un cuerpo de un orden completamente diferente de éste que tiene al presente. Pero para eso, tiene que depender de Dios; él no puede hacerlo por sí mismo.

3. Pablo señala que, entre los varios cuerpos celestes que podemos ver —o sea, el sol, la luna y las estrellas— hay diferencias de naturaleza y de brillantez. El sol produce su propia luz; la luna sólo refleja la luz del sol. Entre las estrellas, hay muchos diferentes órdenes de brillantez. Pablo afirma que igual será con los cuerpos de los creyentes cuando sean resucitados de los muertos. Habrá muchos diferentes órdenes de gloria entre ellos.

Esto lo anticipa la profecía de Daniel 12:2-3 sobre la resurrección:

> Y muchos de los que duermen en el polvo de la tierra serán despertados, unos para vida eterna, y otros para vergüenza y confusión perpetua. Los entendidos resplandecerán como el resplandor del firmamento; y los que enseñan la justicia a la multitud, como las estrellas a perpetua eternidad.

Aquí Daniel predice las diferencias en recompensa y en gloria entre los santos resucitados. Los que han sido más fieles y diligentes en dar a conocer la verdad de Dios a otros, brillarán mucho más.

Este cuadro de los santos resucitados con cuerpos gloriosos como las estrellas es también el cumplimiento de la promesa de Dios a Abraham:

> Y lo llevó afuera, y le dijo: "Mira ahora los cielos, y cuenta las estrellas, si las puedes contar." Y le dijo: "Así será tu descendencia".
> Génesis 15:5

Incluidos por Dios en la simiente de Abraham están todos los que creen y obedecen la palabra de la promesa de Dios tal como hizo Abraham; los que aceptan por fe en sus corazones la divina semilla de la palabra de Dios. En realidad, es esta incorruptible semilla de la palabra de Dios, recibida por fe en el corazón de cada creyente, lo que hace posible su resurrección con los justos.

En el día del cumplimiento final de la promesa de Dios, en la resurrección, todos los creyentes levantados entonces en base a su fe en la palabra de Dios, serán como las estrellas que Dios mostró a Abraham: tan numerosas, tan gloriosas y tan diversas unas de otras en su gloria.

## Cinco cambios característicos

En este análisis de la naturaleza del cuerpo de resurrección del creyente, Pablo concluye enumerando una sucesión de cambios específicos que tendrán lugar:

1. El cuerpo presente es corruptible, sujeto a corrupción; a enfermedad, decadencia y vejez. El nuevo cuerpo será incorruptible; libre de todos esos males.
2. El cuerpo presente es mortal; sujeto a muerte. El nuevo cuerpo será inmortal; incapaz de morir.
3. El presente es un cuerpo de deshonra. En Filipenses 3:21 se le llama "cuerpo de la humillación nuestra". El cuerpo presente del hombre es el producto de su pecado y desobediencia a Dios. Es una fuente de continua humillación; un continuo recordatorio de la caída y de la resultante fragilidad e insuficiencia. No importa cuán grandes sean los logros del hombre en las artes o la ciencia, continuamente es humillado por las necesidades físicas y limitaciones de su cuerpo. Sin embargo, el nuevo cuerpo de la resurrección, será un cuerpo de belleza y gloria, libre de todas las presentes limitaciones.
4. El cuerpo presente está condenado al sepulcro por su debilidad. El acto del entierro es el reconocimiento final de la debilidad del hombre. Pero el nuevo cuerpo será levantado de la tumba por el poder de Dios todopoderoso, y la resurrección será así un testimonio de la omnipotencia de Dios, que sorbe el poder de la muerte y la tumba.
5. El cuerpo presente es un cuerpo natural; literalmente, un cuerpo "animal" ["psicogénico"]. (El vocablo griego traducido natural es *psuquikos,* directamente derivado de *psuque,* el término para "alma" o "ánima". Es una lástima que no se use el adjetivo correspondiente *psicogénico.*)

De acuerdo con el modelo original de Dios en la creación, el hombre iba a ser un ser trino, compuesto de espíritu, alma y cuerpo. De estos tres elementos, el espíritu del hombre era capaz de comunicarse directamente y confraternizar con Dios, y estaba destinado a controlar los elementos más bajos de la naturaleza del hombre: el alma y el cuerpo. Sin embargo, como resultado de haber cedido a la tentación en la caída, estos elementos inferiores de su naturaleza —el alma y el cuerpo— ganaron el control. Esto produjo cambios de largo alcance, tanto en su personalidad interna como en su cuerpo físico. Su cuerpo se volvió "animal". A partir de entonces, sus órganos y funciones se dedicaron a expresar y satisfacer los más bajos deseos de su alma pero fueron incapaces de expresar las más altas aspiraciones del espíritu.

En cierto sentido este cuerpo "animal" es una prisión; un lugar de confinamiento y restricción para el espíritu del hombre. Sin embargo, el cuerpo de la nueva resurrección será "espiritual". Estará perfectamente adaptado para expresar y cumplir las más altas aspiraciones del espíritu del hombre. Vestido de este nuevo cuerpo, el espíritu volverá a ser el elemento controlador, y la personalidad completa del creyente resucitado funcionará en armonía y perfección bajo el control del espíritu.

Pablo resume las diferencias entre el antiguo y el nuevo cuerpo comparando el cuerpo de Adán con el de Cristo, y diciendo que el cuerpo resucitado del creyente será similar al del Señor:

El primer hombre es de la tierra, terrenal; el segundo hombre, que es el Señor, es del cielo. Cual el terrenal, tales también los terrenales; y cual el celestial, tales también los celestiales. Y así como hemos traído la imagen del terrenal, traeremos también la imagen del celestial.

1 Corintios 15:47-49

Es decir, el cuerpo presente del hombre es similar, en su naturaleza terrenal, al cuerpo del primer hombre creado, Adán, de quien descienden todos los otros hombres. Pero el cuerpo de resurrección del creyente será similar al de Cristo, quien, mediante la nueva creación, se ha convertido en la cabeza de una nueva raza, en la que están incluidos todos los redimidos del pecado y sus consecuencias mediante la fe en él.

Pablo da un cuadro similar del cuerpo de resurrección del creyente:

Mas nuestra ciudadanía está en los cielos, de donde también esperamos al Salvador, al Señor Jesucristo; el cual transformará el cuerpo de la humillación nuestra, para que sea semejante al cuerpo de la gloria suya, por el poder con el cual puede también sujetar a sí mismo todas las cosas.

Filipenses 3:20-21

Traducido más literalmente, este último versículo afirma que Cristo es capaz de transformar el cuerpo de nuestra humillación para que se vuelva similar en forma al cuerpo de su gloria.

En 1 Juan 3:2, echamos un vistazo a una figura similar de la transformación del creyente al regreso de Cristo:

Amados, ahora somos hijos de Dios, y aún no se ha manifestado lo que hemos de ser; pero sabemos que cuando él se manifieste, seremos semejantes a él, porque le veremos tal como él es.

Aun los cuerpos de los cristianos que estén vivos al regreso de Cristo y que por consiguiente no necesitarán resucitar, en ese momento sufrirán un cambio similar, instantáneo y milagroso.

He aquí, os digo un misterio: No todos dormiremos; pero todos seremos transformados, en un momento, en un abrir y cerrar de ojos, a la final trompeta; porque se tocará la trompeta, y los muertos serán resucitados incorruptibles, y nosotros seremos transformados.

1 Corintios 15:51-52

Donde dice, "No todos dormiremos" quiere decir, "No todos moriremos". Entonces prosigue diciendo, "pero todos seremos transformados". En otras palabras, todos los verdaderos creyentes, los resucitados y los arrebatados vivos, sufrirán el mismo cambio instantáneo y milagroso en sus cuerpos.

Con respecto a la naturaleza del propio cuerpo de Cristo después de su resurrección, los evangelios nos dan ciertas indicaciones interesantes. Parecería que él ya no estaba sujeto a esas limitaciones de tiempo y espacio con que estamos familiarizados en nuestro presente cuerpo terrenal. Podía aparecer o desaparecer a voluntad; podía pasar a través de puertas cerradas; podía aparecer en diferentes formas en distintos lugares. Pudo incluso ascender al cielo y descender otra vez a la tierra. En estos y en otros respectos que quizás todavía no han sido revelados, después de la resurrección o el arrebatamiento, el cuerpo del creyente redimido será como el de su Señor.

Hasta ahora hemos hablado sólo acerca del cuerpo de la resurrección del creyente redimido. ¿Y qué será del injusto? ¿Los que no están redimidos? ¿Los que mueren en pecados?

La Escritura revela claramente que éstos, también, en su orden propio, serán resucitados para juicio y para castigo. ¿Con qué clase de cuerpos estarán revestidos en su resurrección?

En la Biblia no se encuentra una respuesta clara o aun una indicación. Tenemos por lo tanto que contentarnos con dejarla sin contestar.

## La importancia singular de la resurrección

Hay tres razones principales para que la doctrina de la resurrección ocupe un lugar especial y central en la fe cristiana.

La primera razón es que la resurrección es la reivindicación divina de Jesucristo:

> [Cristo] que fue declarado Hijo de Dios con poder, según el Espíritu de santidad, por la resurrección de entre los muertos.
>
> Romanos 1:4

Previamente Cristo había sido presentado ante dos cortes humanas: primero, la corte religiosa del Sanedrín judío, y después la corte secular del gobernador romano Poncio Pilato. Ambas cortes habían rechazado la afirmación de Jesús de ser el Hijo de Dios y lo habían condenado a muerte. Además, ambas cortes se habían unido para impedir que alguien abriera la tumba de Jesús. Con este fin, el concilio judío había proporcionado su sello especial, y el gobernador romano, una guardia de soldados armados.

Pero al tercer día intervino Dios. El sello fue roto, la guardia armada fue paralizada, y Jesús salió de la tumba. Con ese acto Dios invertía las decisiones del concilio judío y del gobernador romano, y públicamente respaldaba la afirmación de Cristo de ser el inocente Hijo de Dios.

La segunda razón principal para la importancia de la resurrección es que es el sello seguro sobre la oferta de perdón y salvación a todo pecador arrepentido que ponga su fe en Cristo:

> [Cristo] fue entregado por nuestras transgresiones, y resucitado para nuestra justificación.
>
> Romanos 4:25

Esto demuestra que la justificación del pecador dependía de que Cristo fuera levantado de los muertos. Si Cristo hubiese permanecido en la cruz o en la tumba, la promesa de salvación y vida eterna que Dios le hizo al pecador, no hubiera podido ser cumplida jamás. Unicamente el Cristo resucitado, recibido y confesado por fe, puede traer al pecador perdón, paz, vida eterna y victoria sobre el pecado.

> Si confesares con tu boca que Jesús es el Señor, y creyeres en tu corazón que Dios le levantó de los muertos, serás salvo.
>
> Romanos 10:9

La salvación depende de dos cosas: 1) confesar abiertamente a Jesús como Señor; 2) creer en el corazón que Dios lo levantó de entre los muertos. Así, la fe salvadora incluye la fe en la resurrección. No puede haber salvación para los que no creen en la resurrección de Cristo.

# ¿Con cuál cuerpo?

La lógica y la honestidad intelectual no permiten otra conclusión: Si Cristo no se levantó de los muertos, entonces no tiene poder para perdonar o salvar al pecador. Pero si él resucitó, como afirma la Escritura, entonces es prueba lógica de su poder para perdonar y salvar:

> Por lo cual puede también salvar perpetuamente a los que por él se acercan a Dios, viviendo siempre para interceder por ellos.
>
> Hebreos 7:25

La resurrección de Cristo es una necesidad lógica y absoluta, como base para que Dios nos ofrezca la salvación:

> Y si Cristo no resucitó, vana es entonces nuestra predicación, vana es también vuestra fe.
>
> 1 Corintios 15:14

> Y si Cristo no resucitó, vuestra fe es vana; aún estáis en vuestros pecados.
>
> 1 Corintios 15:17

La condición del cristianismo contemporáneo confirma con amplitud esta clara afirmación de la Escritura. Los teólogos que rechazan la resurrección personal y física de Cristo pueden moralizar y teorizar todo lo que les plazca, pero una cosa que jamás podrán conocer por experiencia personal es la paz y el gozo de los pecados perdonados.

Finalmente, la tercera razón para la importancia de la resurrección es que ella constituye la culminación de todas nuestras esperanzas como cristianos y el objetivo supremo de nuestra vida de fe aquí en la tierra.

Pablo dice que la resurrección es el supremo objetivo y consumación de todos sus esfuerzos terrenales. Hablando del propósito que lo motiva en esta vida cristiana, dice:

> A fin de conocerle, [a Cristo] y el poder de su resurrección, y la participación de sus padecimientos, llegando a ser semejante a él en su muerte, si en alguna manera llegase a la resurrección de entre los muertos. No que lo haya alcanzado ya, ni que ya sea perfecto; sino que prosigo, por ver si logro asir aquello para lo cual fui también asido por Cristo Jesús.
>
> Filipenses 3:10-12

Observemos particularmente las frases "a fin de conocerle y el poder de su resurrección" y "si en alguna manera [yo] llegase a la resurrección de entre los muertos". Pablo no permitirá que cosa alguna en este mundo le impida alcanzar la consumación de todas sus creencias y trabajos: la resurrección de los muertos. En este respecto, la actitud de cada creyente cristiano debe ser la misma de Pablo.

Si no hay resurrección, entonces la fe cristiana y la vida cristiana son un patético engaño:

> Si en esta vida solamente esperamos en Cristo, somos los más dignos de conmiseración de todos los hombres.
>
> 1 Corintios 15:19

Por otro lado, si realmente creemos en la resurrección, el objetivo y propósito de nuestra vida será como el de Pablo: alcanzarla.

# Parte VII

# El Juicio Eterno

*Eterno es todo juicio de tu justicia.*

Salmo 119:160

# 48

# Dios el Juez
# de todos

En el transcurso de este estudio hemos examinado sistemáticamente las seis doctrinas fundamentales de Cristo, que Hebreos 6:1-2 enumera:

1. El arrepentimiento de obras muertas
2. La fe en Dios
3. La doctrina de bautismos
4. La imposición de manos
5. La resurrección de los muertos
6. El juicio eterno

Ahora estudiaremos la sexta y última de estas doctrinas fundamentales: el juicio eterno.

En este capítulo analizaremos los siguientes dos aspectos del juicio divino: 1) la revelación general de la Escritura respecto de Dios el Juez de todos; 2) Los principios más importantes de acuerdo con que se administra el juicio de Dios.

## El juicio moderado por la misericordia

Para una introducción a las enseñanzas de la Biblia relativas a Dios el Juez, volvemos a Hebreos:

> Sino que os habéis acercado al monte de Sion, a la ciudad del Dios vivo, Jerusalén la celestial, a la compañía de muchos millares de ángeles, a la congregación de los primogénitos que están inscritos en los cielos, a Dios el Juez de todos, a los espíritus de los justos hechos perfectos, a Jesús el Mediador del nuevo pacto, y a la sangre rociada que habla mejor que la de Abel.
>
> Hebreos 12:22-24

Estos tres versículos presentan un cuadro de Dios en su morada celestial y de los santos y los redimidos que moran con él allí. La clave para el análisis adecuado de estos versículos es el número tres.

Primero, los versículos encajan naturalmente en tres partes principales: 1) una descripción del lugar donde mora Dios, 2) una enumeración de los que moran allí con Dios, y 3) una presentación de Dios mismo.

Entonces, cada una de estas tres partes principales cae naturalmente en otras tres subdivisiones.

La descripción de la morada de Dios es triple: 1) "Monte de Sion", 2) "la ciudad del Dios vivo", y 3) "la Jerusalén celestial".

La enumeración de los que moran allí es también triple: 1) "la compañía de muchos ángeles", 2) "la congregación de los primogénitos que están inscritos en los cielos", y 3) "los espíritus de los justos hechos perfectos". Respecto de estos tres grupos, podemos ofrecer la siguiente breve explicación.

Los "ángeles" a que se alude aquí son los que guardaron su propio dominio, sin unirse ni a la primera rebelión de Satanás a la maldad universal de los hombres ni de los ángeles en el período anterior al diluvio. La "congregación de los primogénitos" representa a los santos del nuevo pacto, que por su nuevo nacimiento, tienen sus nombres registrados en el cielo, y así se han convertido en las primicias de la nueva creación de Dios en Cristo. Los "espíritus de los justos hechos perfectos" representan los santos de las edades anteriores, que mediante una vida entera de andar en fe, fueron gradualmente perfeccionados.

Finalmente, la presentación de Dios mismo es también triple: 1) "Dios el Juez de todos", 2) Jesús el Mediador del nuevo pacto, y 3) la "sangre rociada [la sangre rociada de Jesús], que habla mejor que la de Abel".

Con el ojo de la fe y a la luz de la Escritura, consideremos esta escena celestial. En el centro de todo vemos una figura solemne, majestuosa, infundidora de temor reverente: "Dios el Juez de todos". Aquí se nos revela Dios en su soberana y eterna autoridad de Juez; el Juez de todos, el Juez de los cielos y la tierra, el Juez de los ángeles y el Juez de los hombres.

Sin embargo, si Dios se nos revelara sólo como Juez, no habría lugar alguno para los pecadores; ni para los espíritus perfeccionados del Antiguo Testamento, ni para los santos renacidos del Nuevo. En misericordia, por lo tanto, la revelación de la palabra de Dios nos lleva de la figura de Dios el Juez a la figura de Jesús el Mediador; el Unico que puede ponerse entre un Dios justo y santo y los hombres perdidos y pecadores, y reconciliarlos uno con otro. El cuadro se completa con la revelación de la sangre de Jesús, que ha sido el medio y el precio que consiguió esa reconciliación.

En este cuadro, la sangre de Jesús se compara con la de Abel. Hay tres puntos principales de contraste:

1. La sangre de Abel fue derramada contra su voluntad y consentimiento, por el súbito golpe de un asesino; la sangre de Jesús la entregó él de su propia voluntad y consentimiento, como precio por la redención del hombre.
2. La sangre de Abel fue rociada sobre la tierra; la sangre de Jesús fue rociada ante propiciatorio en el cielo.
3. La sangre de Abel clamaba a Dios venganza de su asesino; la sangre de Jesús ruega por misericordia y perdón para el pecador.

Vemos, por lo tanto, que esta revelación de Dios, el Juez de todos, está templada por la revelación de la misericordia y la gracia de Dios, manifestada en la función mediadora y la sangre derramada de Cristo. Esta revelación de un Dios de juicio moderada por la gracia y la misericordia, está de acuerdo con la revelación total de la Escritura acerca de este tema.

La Biblia entera revela que, por derecho eterno y soberano, la función de juez le pertenece a Dios. Este tema discurre por todo el Antiguo Testamento. Por ejemplo, Abraham dice al Señor:

> El Juez de toda la tierra, ¿no ha de hacer lo que es justo?
>
> Génesis 18:25

Otras fuentes del Antiguo Testamento dicen:

> Que el Señor, el Juez, juzgue hoy.
>
> Jueces 11:27 (BLA)

> Ciertamente hay Dios que juzga en la tierra.
>
> Salmos 58:11

El salmista le dice a Dios:

> Engrandécete, oh Juez de la tierra.
>
> Salmos 94:2

Porque el Señor es nuestro Juez...

Isaías 33:22

Pero la más verdadera y perfecta expresión de la naturaleza eterna de Dios, no está en el juicio sino en la gracia; no en la ira, sino en la misericordia. Esta verdad se ilustra en la descripción dada en Isaías 28:21, de la ira de Dios y del inminente juicio:

Porque el Señor se levantará como en el monte Perazim, se enojará como en el valle de Gabaón, para hacer su tarea, su extraña tarea, y para hacer su obra, su *extraordinaria* obra.

Isaías 28:21 (BLA)

Aquí el profeta Isaías describe al Señor levantándose para administrar ira y juicio sobre sus adversarios. Sin embargo, él describe este acto de extraño y extraordinario.

La administración de la ira y el juicio es extraña a la naturaleza de Dios. No es algo que él naturalmente desee hacer. Es más bien la inevitable reacción de Dios al comportamiento impío y desagradecido del hombre. Es por causa del carácter pervertido y la conducta torcida del hombre, la criatura, que Dios, el Creador, manifiesta esta extraña ira y juicio.

Pasando del Antiguo Testamento al Nuevo, entramos en una revelación más plena de los motivos y métodos del juicio de Dios. El enfoque renovado se pone en la realidad que la ira y el juicio son extraños a la constante naturaleza y propósito de Dios.

Porque no envió Dios a su Hijo al mundo para condenar al mundo, sino para que el mundo sea salvo por él.

Juan 3:16

El Señor no retarda su promesa, según algunos la tienen por tardanza, sino que es paciente para con nosotros, no queriendo que ninguno perezca, sino que todos procedan al arrepentimiento.

2 Pedro 3:9

Estas escrituras —y muchas otras— revelan que Dios se deleita en ofrecer misericordia y salvación pero que es renuente para administrar ira y juicio. No obstante, la revelación del Nuevo Testamento nos lleva todavía más allá en esta línea de verdad. La renuencia de Dios para administrar juicio encuentra su expresión también en la forma de llevar a cabo su juicio en última instancia.

# El Padre, el Hijo, la palabra

En primera instancia y por eterno derecho soberano, el juicio pertenece a Dios el Padre. El apóstol Pedro habla del "Padre, (...) que sin acepción de personas juzga según la obra de cada uno" (1 Pedro 1:17).

Aquí se declara que la función de Dios el Padre es juzgar a todos los hombres. Sin embargo, en Juan 5 Cristo revela que el Padre ha decidido en su soberana sabiduría dejar todo juicio en manos del Hijo:

> Porque el Padre a nadie juzga, sino que todo el juicio dio al Hijo, para que todos honren al Hijo como honran al Padre. El que no honra al Hijo, no honra al Padre que le envió.
>
> Juan 5:22-23

> Porque como el Padre tiene vida en sí mismo, así también ha dado al Hijo el tener vida en sí mismo; y también le dio autoridad de hacer juicio, por cuanto es el Hijo del Hombre.
>
> Juan 5:26-27

Aquí está explícitamente afirmado que la función de juicio ha sido transferida del Padre al Hijo. Se dan dos razones: 1) porque la función de juez también lleva consigo el honor debido a un juez, y de este modo todos los hombres estarán obligados a mostrar el mismo honor hacia Dios el Hijo que muestran hacia Dios el Padre; 2) porque Cristo es también el Hijo del Hombre lo mismo que el Hijo de Dios. Es decir, que él comparte al mismo tiempo la naturaleza humana y la divina, y así en su juicio es capaz de hacer concesiones a todas las debilidades y tentaciones de la carne humana, por experiencia propia.

Pero la naturaleza divina del Hijo, como la del Padre, es tan benévola y misericordiosa, que Cristo tampoco está dispuesto a administrar juicio. Por esta razón él, a su vez, ha transferido la autoridad final del juicio, de su propia Persona a la palabra de Dios, y dice:

> Al que oye mis palabras, y no las guarda, yo no le juzgo; porque no he venido a juzgar al mundo, sino a salvar al mundo. El que me rechaza, y no recibe mis palabras, tiene quien le juzgue; la palabra que he hablado, ella le juzgará en el día postrero.
>
> Juan 12:47-48

La autoridad final de todo juicio está investida en la palabra de Dios. Esta es la norma inmutable, imparcial a que todos los hombres deberán responder algún día.

En el Antiguo Testamento, David da la misma revelación relativa a la palabra de Dios, porque dice a Dios:

La suma de tu palabra es verdad,
Y eterno es todo juicio de tu justicia.

Salmos 119:160

Es decir, todas las normas y principios del juicio de Dios están contenidos en su palabra; y permanecen inmutables para siempre como la palabra de la que son parte.

## Los cuatro principios del juicio por la palabra

Entonces, ¿cuáles son los principios del juicio divino revelado en la palabra de Dios? Pablo descubre cuatro que pueden resumirse como sigue: Primero, el juicio de Dios es según la verdad:

Por lo cual eres inexcusable, oh hombre, quienquiera que seas tú que juzgas; pues en lo que juzgas a otro, te condenas a ti mismo; porque tú que juzgas haces lo mismo. Mas sabemos que el juicio de Dios contra los que practican tales cosas es según verdad.

Romanos 2:1-2

Pablo se refiere primero a las personas religiosas que juzgan al resto de la gente por una norma y a sí mismas por otra. Dice que ése no es el modo que juzga Dios. El juicio de Dios es según la verdad. Si vemos y reconocemos la verdad del juicio de Dios aplicado a otros, tenemos que aplicarnos precisamente la misma verdad a nosotros mismos y a nuestra vida. Las normas de Dios no varían. Siempre es la verdad; la verdad revelada de la palabra de Dios.

Jesús mismo le dice al Padre: *tu palabra es verdad* (Juan 17:17). Esta norma revelada de la verdad de Dios se aplica tanto al que juzga como al que es juzgado.

Segundo, el juicio de Dios es según las "obras": [Dios] *pagará a cada uno conforme a sus obras* (Romanos 2:6).

Este principio de justicia divina se repite muchas veces en la Escritura:

[El Padre] (...) sin acepción de personas *juzga según la obra de cada uno*.

1 Pedro. 1:17 (cursivas del autor).

Otra vez, en la descripción del juicio final en Apocalipsis 20:12 leemos:

> Los libros fueron abiertos, (...) y fueron juzgados los muertos por las cosas que estaban escritas en los libros, según sus obras.

El uso de la palabra *libros* relacionada con esto es interesante e ilustrativo. En lenguaje moderno *libro* normalmente significa un número de hojas de papel reunidas en un volumen encuadernado. Pero en la época del Nuevo Testamento, un libro normalmente tenía la forma de una larga hoja de pergamino, piel u otro material que se guardaba enrollado y se desenrollaba a fin de leerlo. Un rollo de esta clase, sellado con siete sellos sucesivos, tiene un prominente papel en las imágenes del libro de Apocalipsis.

Entre los diferentes medios desarrollados por la tecnología moderna para registrar y transmitir información, hay uno que se parece más a un antiguo rollo que a un libro moderno, y son las grabaciones en cinta magnetofónica. Esta se guarda enrollada precisamente de la misma forma que un antiguo rollo, y tiene que ser desenrollada para transmitir la información grabada.

Si tiene esta figura presente, es más fácil comprender que en el cielo se mantiene un registro individual de la vida entera de cada ser humano. Tal como las palabras de un hombre pueden ser grabadas y preservadas en la tierra mediante la cinta magnetofónica, así mismo en un "libro" especial o rollo, Dios mantiene en el cielo un registro completo y perfecto de la vida entera de cada persona. Cada persona será juzgada algún día de acuerdo con este registro de sus obras, preservadas en este rollo celestial.

Sin embargo, debemos tener cuidado de no limitar el significado de la palabra *obras* a meros actos externos, como los que pueden cumplir los otros seres humanos. En toda la Biblia está bien claro que Dios, en su juicio del hombre, toma en cuenta no solamente los actos externos, sino también los más profundos y más secretos pensamientos, impulsos y motivos del corazón.

> ...el día en que Dios juzgará por Jesucristo los secretos de los hombres, conforme a mi evangelio.
>
> Romanos 2:16

> Así que, no juzguéis nada antes de tiempo, hasta que venga el Señor, el cual aclarará también lo oculto de las tinieblas, y manifestará *las intenciones de los corazones;* y entonces cada uno recibirá su alabanza de Dios.
>
> 1 Corintios 4:5, (cursivas del autor)

Esta misma verdad está contenida en la revelación de que el juicio será por la palabra de Dios:

> Porque la palabra de Dios es viva (...) y penetra hasta partir el alma y el espíritu, (...) y *discierne los pensamientos y las intenciones del corazón.* Y no hay cosa creada que no sea manifiesta en su presencia; antes bien todas las cosas están desnudas y abiertas a los ojos de aquel a quien tenemos que dar cuenta.
>
> Hebreos 4:12-13, (cursivas del autor).

Vemos, por lo tanto, que el registro de las obras de los hombres cubre no sólo sus acciones externas, observables, sino también sus pensamientos e intenciones, los más profundos motivos e impulsos de su mente y corazón. En este sentido que todo lo abarca, es que el juicio de Dios sobre los hombres será de acuerdo con sus obras.

En Romanos 2:11 está establecido el tercer principio del juicio de Dios: *Porque no hay acepción de personas para con Dios.*

La frase "acepción [literalmente rostro] de personas" implica que Dios no se deja influir en su juicio por las características externas de una persona, pues éstas no necesariamente dan una indicación correcta de su carácter y conducta real.

Los hombres con frecuencia se dejan influir en sus juicios por cosas tales como raza, religión, profesión, posición social, apariencia física, riqueza, educación y esas cosas. Sin embargo, el juicio de Dios no se deja desviar por esas cosas:

> Dios no ve como el hombre ve, pues el hombre mira la apariencia exterior, pero el Señor mira el corazón.
>
> 1 Samuel 16:7

No sólo no se mueve por la acepción de personas, Dios también ordena estrictamente a todos los que juzgan en asuntos humanos, que nunca cedan a este influencia. Escasamente habrá un principio en las Escrituras que se declare con más frecuencia que este. Se menciona nueve veces en el Antiguo Testamento y siete veces en el Nuevo; un total de dieciséis veces.

El cuarto principio del juicio de Dios es: "según la luz".

> Porque todos los que sin ley han pecado, sin ley también perecerán; y todos los que bajo la ley han pecado, por la ley serán juzgados.
>
> Romanos 2:12

En términos generales, esto significa que cada persona será juzgada según la medida de luz y entendimiento moral que ha podido alcanzar. Los que han tenido todo el conocimiento de las normas morales de Dios, reveladas a ellos mediante la ley de Moisés, serán juzgados por esa ley. Pero los que no tuvieron toda la revelación de la ley de Moisés, no serán juzgados por esa ley, sino sólo de acuerdo con la revelación de Dios concedida a toda la humanidad, mediante las maravillas de la creación.

> Porque las cosas invisibles de él, su eterno poder y deidad, se hacen claramente visibles desde la creación del mundo, siendo entendidas por medio de las cosas hechas, de modo que no tienen excusa.
>
> Romanos 1:20

Se afirma aquí que a todos los hombres, en todas partes, independientemente de su raza o religión, les es dada, mediante la creación, una revelación de la naturaleza de Dios —es decir, de su eterno poder y Divinidad— al alcance del entendimiento normal.

Esta es, por lo tanto, la norma básica por la que todos los hombres serán juzgados. Sin embargo, los que reciben una revelación especial, adicional mediante la palabra de Dios, serán juzgados por la norma más alta de conocimiento moral que así se les concedió. Por eso, el juicio es según la luz; de acuerdo con la medida de conocimiento moral concedido a cada persona.

Este mismo principio de juicio según la luz, está contenido en las palabras de Jesús a la gente de su tiempo:

> Entonces empezó a reconvenir a las ciudades en las cuales había hecho muchos de sus milagros, porque no se habían arrepentido, diciendo: ¡Ay de ti, Corazín! ¡Ay de ti, Betsaida! Porque si en Tiro y en Sidón se hubieran hecho los milagros que han sido hechos en vosotras, tiempo ha que se hubieran arrepentido en cilicio y en ceniza. Por tanto os digo que en el día del juicio, será más tolerable el castigo para Tiro y para Sidón, que para vosotras. Y tú, Capernaum, que eres levantada hasta el cielo, hasta el Hades serás abatida; porque si en Sodoma se hubieran hecho los milagros que han sido hechos en ti, habría permanecido hasta el día de hoy. Por tanto os digo que en el día del juicio, será más tolerable el castigo para la tierra de Sodoma, que para ti.
>
> Mateo 11:20-24

Jesús muestra que las ciudades pecadoras del mundo antiguo —Tiro, Sidón y Sodoma— serán juzgadas según la medida de conocimiento moral que estaba a su alcance. Por otro lado, las ciudades de su propia época —Corazín, Betsaida y Capernaum— serán juzgadas de acuerdo con la mucho mayor medida de conocimiento que se les había concedido mediante su presencia y ministerio personal. Por esta razón, el juicio de estas últimas ciudades sería mucho más severo que el juicio de las primeras.

Traslademos este principio a nuestros días. Los que estamos vivos hoy, seremos juzgados por la medida de luz y conocimiento moral disponibles a nuestra generación. Para quienes vivimos en países con una larga historia de cristianismo, como Estados Unidos o Gran Bretaña, es probable que haya una mayor medida de conocimiento moral más fácilmente disponible de lo que hubo jamás en generaciones anteriores en la historia de la tierra. Por esta razón, las normas por las que seremos juzgados serán las más altas de todas. Las siguiente palabras de Jesús se aplican a nosotros, en nuestra generación:

> A todo aquel a quien se haya dado mucho, mucho se le demandará; y
> al que mucho se le haya confiado, más se le pedirá.
>
> Lucas 12:48

Así que estos son los cuatro principios del juicio, según la palabra de Dios:

1. Según la verdad.
2. Según las obras.
3. Sin parcialidad (o acepción de personas).
4. Según la luz que recibieron los juzgados.

# 49

# Los juicios de Dios
# en la historia

Habiendo establecido en el capítulo 48 los principios generales del juicio divino, procederemos ahora a señalar dos etapas distintas y separadas en que se administra el juicio de Dios a la humanidad.

## Juicios históricos frente a juicios eternos

La primera de estas dos etapas es el juicio de Dios en el tiempo; que se lleva a cabo en el escenario de la historia humana. La segunda de estas dos etapas es el juicio de Dios en la eternidad, llamada "juicio eterno" (Hebreos 6:2). No se lleva a cabo en el escenario del tiempo ni de la historia humana. El juicio eterno es el que espera a cada alma humana en la eternidad, después que el tiempo y la historia hayan terminado.

El propósito principal de este estudio es examinar la enseñanza de la Escritura con respecto al juicio de Dios en la eternidad. No obstante, será útil empezar con un breve examen de la primera etapa: el juicio de Dios en la historia. De este modo, en tanto observamos muy cuidadosamente esta distinción lógica y bíblica entre los dos juicios, podremos reconciliar ciertas afirmaciones de la Escritura que parecen inconsecuentes unas con otras. Tomemos, por ejemplo, el siguiente mandamiento y advertencia de Dios a Israel:

No te harás ídolo, ni semejanza alguna de lo que está arriba en el cielo, ni abajo en la tierra, ni en las aguas debajo de la tierra. No los adorarás ni los servirás; porque yo, el Señor tu Dios, soy Dios celoso, que castigo la iniquidad de los padres sobre los hijos hasta la tercera y cuarta generación de los que me aborrecen, y muestro misericordia a millares, a los que me aman y guardan mis mandamientos.

Exodo 20:4-6 (BLA)

Jeremías le recuerda al Señor no sólo su promesa sino su advertencia a Israel:

Que muestras misericordia a millares, pero que castigas la iniquidad de los padres en sus hijos después de ellos, oh grande y poderoso Dios, el Señor de los ejércitos es Su nombre.

Jeremías 32:18 (BLA)

Estos y otros pasajes de la Escritura dejan bien claro que —en ciertos casos al menos— los pecados de una generación son la causa de que el juicio de Dios caiga sobre generaciones sucesivas, aun hasta la tercera o cuarta generación. A la inversa, la justicia de una generación puede ser la causa de que la bendición de Dios se derrame sobre miles de sus descendientes. Pasajes como éstos tratan todos del juicio de Dios en el tiempo; es decir, en la historia.

No obstante, a fin da obtener un cuadro completo del juicio total de Dios, tenemos que examinar muchos otros que tratan con el juicio de Dios en la eternidad. En el mensaje del Señor a Su pueblo Israel por medio del profeta Ezequiel se da una visión muy clara de esto:

Y vino a mí la palabra del Señor, diciendo: "¿Qué queréis decir al usar este proverbio acerca de la tierra de Israel, que dice: 'Los padres comen las uvas agrias, y los dientes de los hijos tienen dentera'? "Vivo yo", declara el Señor Dios, "que no volveréis a usar más este proverbio en Israel. He aquí, todas las almas son mías; tanto el alma del padre como el alma del hijo mías son. El alma que peque, ésa morirá".

Ezequiel 18:1-4 (BLA)

Este pasaje indica que, cuando Dios reprendió a Israel por medio de sus profetas, por haberse alejado de la fe, la gente trató de excusarse echándole la culpa de su condición a los pecados de las anteriores generaciones. Implicaban que la decadencia nacional de Israel en sus días se debía a los pecados de sus antecesores y que por eso Dios no podía responsabilizarlos de su condición moral. Sin embargo, Dios, con este mensaje por medio de Ezequiel, rechaza por entero esta forma de excusa.

# EL JUICIO ETERNO

Aunque la decadencia nacional pudo haber sido causada por el fracaso de las anteriores generaciones, Dios les advierte que El hace responsable a cada uno de ellos individualmente por su propia condición moral y que cada uno será juzgado —en la eternidad— únicamente por su propio carácter y conducta, y no por algo que sus antepasados pudieron haber hecho o no. Esta advertencia se repite, aunque más enfáticamente, un poco después.

> El alma que pecare, esa morirá; el hijo no llevará el pecado del padre, ni el padre llevará el pecado del hijo; la justicia del justo será sobre él y la impiedad del impío será sobre él.
>
> Ezequiel 18:20

Todas las aplicaciones de este pasaje son individuales y personales. "*El alma* que pecare morirá." Este no es el juicio de una nación o una familia; es el juicio de cada alma individual; el juicio por el que se decide el destino de cada alma para toda la eternidad.

Este punto sale a relucir otra vez en el versículo 24 del mismo capítulo:

> Mas si el justo se apartare de su justicia y cometiere maldad, e hiciere conforme a todas las abominaciones que el impío hizo, ¿vivirá él? Ninguna de las justicias que hizo le serán tenidas en cuenta; por su rebelión con que prevaricó, y por el pecado que cometió, por ello morirá.

Las palabras finales de este versículo, "por ello morirá", indican que Dios está hablando de la condición en que cada alma individual pasa desde el plano del tiempo. La condición de cada alma en ese momento determinará su destino en la eternidad. El alma que muere en pecado nunca puede ser admitida en la presencia de Dios a partir de ese momento. En Eclesiastés se presenta la misma verdad representada por un árbol que cae:

> Si el árbol cayere al sur, o al norte, en el lugar que el árbol cayere, allí quedará.
>
> Eclesiastés 11:3

El árbol que cae representa a un hombre que muere. "En el lugar que el árbol cayere, allí quedará". La posición en que cae el árbol decide la posición en que yacerá. La condición en que un hombre muere —la condición de su alma al morir— decide cuál será su condición a lo largo de la eternidad. Con respecto a esto, cada alma responde por sí misma y es responsable sólo de su propia condición.

Estos pasajes en Ezequiel y Eclesiastés tratan con el juicio eterno de Dios sobre cada alma individual. El destino de cada alma es decidido por la condición en que muere.

Por otra parte, los pasajes que examinamos antes en Exodo y Jeremías, trataban con el juicio de Dios en la historia, pasado de generación a generación, en la experiencia de familias, de naciones y de razas completas.

Visto en esta luz, no hay conflicto o inconsecuencia entre estas dos presentaciones del juicio de Dios. En la historia, la conducta de una generación tiene un efecto importante, para bien o para mal, sobre el curso de generaciones sucesivas. Esto es parte del juicio de Dios en la historia. Pero en la eternidad, después que el tiempo y la historia terminen, cada alma responderá a Dios únicamente por su propio carácter y conducta. Ningún alma será justificada por la justicia de otra, y ningún alma será condenada por la maldad de otra. Este es el juicio de Dios para la eternidad.

## Ejemplos de juicios históricos

Examinaremos ahora brevemente algunos ejemplos bíblicos de juicios de Dios en la historia.

Hay muchos de esos juicios registrados en la Escritura que ponen de manifiesto la actitud de Dios hacia ciertos actos o condiciones pecaminosos en una forma tan clara e impresionante que constituyen una advertencia para todas las generaciones futuras que pudieran sentirse tentadas a seguir en pecados de cierta clase.

Un ejemplo claro de esta clase es el juicio de Dios sobre las ciudades de Sodoma y Gomorra:

> Entonces el Señor hizo llover sobre Sodoma y Gomorra azufre y fuego, de parte del Señor desde los cielos; y destruyó aquellas ciudades y todo el valle y todos los habitantes de las ciudades y todo lo que crecía en la tierra.
>
> Génesis 19:24-25 (BLA)

Los escritores del Nuevo Testamento hacen referencia a este suceso muchas veces:

> [Dios] condenó por destrucción a las ciudades de Sodoma y de Gomorra, reduciéndolas a ceniza y poniéndolas de ejemplo [o de modelo] a los que habían de vivir impíamente.
>
> 2 Pedro 2:6

Pedro señala que la súbita, espectacular y completa destrucción de Sodoma y Gomorra fue un ejemplo, un modelo, que expuso la actitud de Dios hacia los pecados de que esas ciudades eran culpables.

Ezequiel nos da una descripción muy interesante de la moral básica y las condiciones sociales que produjeron la decadencia de Sodoma, porque Dios dice a Jerusalén:

> He aquí que esta fue la maldad de Sodoma tu hermana: soberbia, saciedad de pan, y abundancia de ociosidad tuvieron ella y sus hijas; y no fortaleció la mano del afligido y del menesteroso.
>
> Ezequiel 16:49

Dios aquí especifica cuatro causas básicas de la decadencia moral: soberbia, saciedad de pan, abundancia de ociosidad y falta de preocupación por los pobres y menesterosos en su medio. De esas causas básicas surgió esa particular forma de perversión sexual que desde entonces se ha llamado "sodomía".

La asombrosa exactitud de la Biblia se confirma una vez más cuando observamos en muchos de los grandes centros de población de nuestra moderna civilización, las mismas causas morales y sociales están produciendo la misma forma de perversión sexual. La Biblia no sugiere que esta forma de pecado sufrirá el mismo juicio espectacular cada vez que vuelva a surgir, pero nos enseña que la actitud inalterable de Dios hacia esa forma de pecado ya ha sido demostrada de una vez por todas con Su juicio sobre Sodoma.

A la luz de este juicio de Dios revelado, todos los que a partir de ese momento se desvíen en esa forma de perversión sexual no tendrán excusa alguna. Aunque no caiga sobre ellos juicio abierto de Dios en el escenario del tiempo, se sabe que su juicio en la eternidad será sumamente severo.

Otro caso espectacular del juicio de Dios se ofrece en la historia de Ananías y Safira (ver Hechos 5:1-10).

Ananías y su esposa, Safira, eran lo que pudiéramos llamar hipócritas religiosos. Vendieron una posesión y trajeron parte del precio a los apóstoles de ofrenda para la obra de Dios. Esto, por sí, era encomiable. No obstante, su pecado consistió en pretender que el dinero que habían entregado representaba el total de la suma que habían obtenido en la venta de su posesión. Hicieron eso a fin de ganar la alabanza y el favor de los apóstoles y sus hermanos cristianos.

Pero por revelación sobrenatural, Pedro discernió su hipocresía y acusó primero a Ananías, y después a Safira, de mentir y tratar de engañar al Espíritu Santo. Tan intensa convicción de pecado vino sobre ellos que cayeron al piso muertos a los pies de Pedro. Este juicio de Dios tuvo un fuerte efecto sobre todos los que lo oyeron:

Y vino gran temor sobre toda la Iglesia, y sobre todos los que oyeron estas cosas.

Hechos 5:11

Por supuesto no se sugiere que Dios siempre juzgará esta clase de conducta de los que profesan ser cristianos en una forma tan fulminante y espectacular. Pero este ejemplo es una advertencia para todas las generaciones futuras de la Iglesia, donde se demuestra la actitud inalterable de Dios hacia la mentira e hipocresía de los que se dicen cristianos.

En mayor escala, la crónica de Israel, el pueblo de Dios, desde los tiempos de Moisés hasta el presente, abunda con ejemplos de juicios de Dios en la historia. Cuando Dios dio por primera vez la ley a Israel, antes de entrar en la tierra prometida, Dios les advirtió, por medio de Moisés, los juicios que haría caer sobre ellos si en el futuro se apartaban de El en desobediencia y rebelión.

Uno de esos pasajes de advertencia profética a Israel se encuentra en Levítico 26:14-45. Dios primero le advierte a Israel de los juicios por desobediencia que él hará caer sobre ellos mientras estén todavía en su propia tierra. Después les advierte que la desobediencia continua, traerá sobre ellos juicios mucho más severos, por los cuales serán dispersados en el mundo, exilados de su tierra:

> Si aun con esto no me oyereis, sino que procediereis conmigo en oposición, yo procederé en contra de vosotros con ira, y os castigaré aún siete veces por vuestros pecados. Y comeréis la carne de vuestros hijos, y comeréis la carne de vuestras hijas. Destruiré vuestros lugares altos, y derribaré vuestras imágenes, y pondré vuestros cuerpos muertos sobre los cuerpos muertos de vuestros ídolos, y mi alma os abominará. Haré desiertas vuestras ciudades, y asolaré vuestros santuarios, y no oleré la fragancia de vuestro suave perfume. Asolaré también la tierra, y se pasmarán por ello vuestros enemigos que en ella moren; y a vosotros os esparciré entre las naciones, y desenvainaré espada en pos de vosotros; y vuestra tierra estará asolada, y desiertas vuestras ciudades.
>
> Levítico 26:27-33

Cada detalle de esta profecía se cumplió exactamente en la invasión de Israel por los ejércitos bajo el mando de Tito en el año 70 D.C. y en subsecuentes invasiones.

En el sitio que Tito puso a Jerusalén, los judíos fueron reducidos a tales extremos de hambre, que literalmente se comieron la carne de sus hijos e hijas. Después, todos sus santuarios y centros religiosos fueron destruidos. Gran número de ellos fueron masacrados; otros fueron vendidos de esclavos y exiliados y dispersados en el mundo. Los gentiles de los países vecinos invadieron la tierra abandonada y tomaron posesión de ella. Dios advierte a Israel de su lastimosa situación durante los siglos que seguirán a su dispersión entre los gentiles:

> Y a los que queden de vosotros infundiré en sus corazones tal cobardía, en la tierra de sus enemigos, que el sonido de una hoja que se mueva los perseguirá, y huirán como ante la espada, y caerán sin que nadie los persiga. Tropezarán los unos con los otros como si huyeran ante la espada, aunque nadie los persiga; y no podréis resistir delante de vuestros enemigos.
>
> Levítico 26:36-37

Al mirar la historia de Israel, vemos que cada una de estas profecías se ha cumplido una y otra vez en la vergüenza, el miedo, la degradación y las persecuciones que han marcado dieciocho siglos de diáspora.

Sin embargo, antes de que termine la profecía, Dios también da una promesa de que Su misericordia nunca será completa o irrevocablemente retirada de Israel:

> Sin embargo, a pesar de esto, cuando estén en la tierra de sus enemigos no los desecharé ni los aborreceré tanto como para destruirlos, quebrantando mi pacto con ellos, porque yo soy el Señor su Dios.
>
> Levítico 26:44 (BLA)

Tan seguramente como se han cumplido las advertencias de juicio de Dios, así se ha cumplido Su promesa de misericordia, incluso en medio del juicio.

Visto así a la luz de la Escritura profética, toda la historia de Israel se convierte en una demostración a escala mundial, tanto del juicio como de la misericordia de Dios; porque incluso en medio del juicio, Dios se deleita en administrar misericordia.

Quizás el ejemplo más impresionante está en la historia de Rahab, en Josué capítulos 2 y 6.

Desde el punto de vista de antecedentes y de su ambiente, Rahab lo tenía todo en contra de ella. Era una ramera, pertenecía a una raza condenada a juicio y vivía en una ciudad sentenciada a la destrucción total. Pero con humildad y fe, se atrevió a ponerse en las manos de la misericordia de Dios, con el resultado de que ella y toda su familia fueron perdonados, y ella misma, mediante el matrimonio con un israelita, se convirtió en un miembro en línea directa de la genealogía de Cristo.

Por eso el caso de Rahab prueba que ningún alma será condenada necesariamente por sus antecedentes o su ambiente. No importa lo tenebroso de sus antecedentes, o lo corrompido del ambiente, el arrepentimiento personal y la fe de cualquier individuo cancelarán el juicio de Dios y en su lugar, propiciará su misericordia.

Encontramos, pues, que la historia, iluminada por la Escritura, descubre los resultados, tanto del juicio como de la misericordia de Dios, en los asuntos humanos. Por esta razón, en el Salmo 107:43 se resume la revelación de Dios obrando en el acontecer del hombre:

> ¿Quién es sabio? Que preste atención a estas cosas, y considere las bondades [más exactamente, las misericordias el guardar el pacto] del Señor. (BLA)

Para el creyente, la suprema lección de la historia es la revelación de la inalterable fidelidad de Dios en guardar sus pactos de gracia y misericordia. No obstante, no podemos cometer el error de suponer que el juicio total y final sobre las acciones de los hombres se administrará en el escenario del tiempo. Pablo advierte:

> Los pecados de algunos hombres se hacen patentes antes que ellos vengan a juicio, mas a otros se les descubren después. Asimismo se hacen manifiestas las buenas obras; y las que son de otra manera, no pueden permanecer ocultas.
>
> 1 Timoteo 5:24-25

En Eclesiastés 8:11 aparece una advertencia similar:

> Como la sentencia contra una mala obra no se ejecuta enseguida, por eso el corazón de los hijos de los hombres está en ellos entregado enteramente a hacer el mal. (BLA).

Estos dos pasajes nos advierten que los juicios de Dios no se revelan completamente mientras transcurre el tiempo. Esto se aplica tanto al castigo del malo como a la recompensa del justo. Para la revelación completa del juicio final de Dios, tenemos que salir del tiempo y entrar en la eternidad.

# 50

# El tribunal
de Cristo

El Nuevo Testamento revela tres escenarios principales y sucesivos en los que se llevará a cabo el juicio eterno. Cada uno se distingue de los otros por una característica especial: el tipo de tribunal en que se sentará el Juez mientras está llevando a cabo el juicio.

El primero, es llamado "el tribunal de Cristo". Los juzgados aquí serán los propios seguidores y siervos de Cristo, los verdaderos cristianos.

El segundo es "el trono de gloria [de Cristo]". Los juzgados aquí serán las naciones gentiles que permanezcan sobre la tierra al terminar la gran tribulación, antes del establecimiento del reino milenial de Cristo sobre la tierra.

El tercero es "un gran trono blanco". Los juzgados aquí serán todos los muertos restantes que resucitarán al final del milenio.

## Los cristianos serán juzgados primero

Empezaremos por examinar la descripción que da el Nuevo Testamento del tribunal de Cristo. Como ya hemos dicho, los que sean juzgados aquí serán los verdaderos cristianos. Para algunos quizás parezca sorprendente que los cristianos tengan que ser juzgados en absoluto; todavía más, que sean los primeros en ser juzgados. Sin embargo, este principio se basa en la Escritura.

> Porque es tiempo de que el juicio comience por la casa de Dios; y si primero comienza por nosotros, ¿cuál será el fin de aquellos que no obedecen al evangelio de Dios? Y: Si el justo con dificultad se salva ¿En dónde aparecerá el impío y el pecador?
>
> 1 Pedro 4:17-18

Aquí Pedro, escribiendo en su calidad de cristiano, dice que el juicio tiene que empezar por "nosotros": la casa de Dios. Es obvio por estas dos frases que se está refiriendo a los cristianos, a quienes compara con "aquellos que no obedecen al evangelio de Dios"; o sea, los incrédulos. Pedro aclara, por lo tanto, que el primer juicio será el de los verdaderos cristianos.

En dos diferentes pasajes de sus epístolas, Pablo se refiere dos veces, con lenguaje muy similar, al escenario en que tendrá lugar este juicio de los cristianos:

> Pero tú, ¿por qué juzgas a tu hermano? O tú también, ¿por qué menosprecias a tu hermano? Porque todos compareceremos ante el tribunal de Cristo.
>
> Romanos 14:10

> De manera que cada uno de nosotros dará a Dios cuenta de sí.
>
> Romanos 14:12

La frase "tu hermano", que aparece dos veces, y la frase "cada uno de nosotros" aclara que Pablo está hablando sólo del juicio de los cristianos. La idea es que los cristianos no deberíamos pasar juicio final uno sobre otro, porque Cristo mismo lo hará sobre cada cual, y cada uno de nosotros tendrá que responder por sí mismo ante él.

Como siempre, donde se examina el juicio eterno, es un asunto enteramente individual. El enfoque de la frase: "cada uno de nosotros" recalca esto. Pablo usa un lenguaje muy similar para describir este juicio de los cristianos en otros pasajes:

> Porque es necesario que todos nosotros comparezcamos ante el tribunal de Cristo, para que cada uno reciba según lo que haya hecho mientras estaba en el cuerpo, sea bueno o sea malo.
>
> 2 Corintios 5:10

Una vez más, tanto el lenguaje como el contexto establecen claramente que está hablando solamente de los cristianos. Además, también, hay el mismo enfoque en el individuo: "cada uno".

Pablo también afirma que se traerán al juicio esta vez, "las cosas hechas mientras estaba en el cuerpo"; los actos y la conducta de cada cristiano durante su vida aquí en la tierra.

Indica, también, que todo acto ejecutado por un cristiano mientras estaba en la tierra tiene que caer dentro de una de dos categorías: debe ser "bueno" o "malo". No hay una tercera categoría, ni neutralidad. Cada uno de sus actos tiene un valor definido de alguna clase; positiva o negativa. Todo acto que no se lleva a cabo en fe y obediencia, para la gloria de Dios, es inaceptable para Dios, y por lo tanto, malo. Es en esta simple base, claramente revelada, que cada uno de nosotros los cristianos tiene que esperar ser juzgado.

En ambos pasajes, hablando del lugar que Cristo ocupará mientras juzgue a los cristianos, se emplea la frase "el tribunal de Cristo". El vocablo griego aquí traducido como "tribunal" es *bëma;* este término sugiere una plataforma alta usada para discursos públicos. En otros pasajes del Nuevo Testamento denota el lugar de juicio usado por el emperador romano o por uno de sus delegados, para escuchar y pronunciar juicio en casos traídos ante él.

Por ejemplo, cuando Pablo ejerció su derecho de ciudadano romano de ser juzgado por el emperador, dijo:

> Ante el tribunal de César estoy, donde debo ser juzgado.
>
> Hechos 25:10

La palabra para el tribunal de César es *bëma;* la misma que se usa en todas partes para el lugar desde donde Cristo juzgará a todos los cristianos.

## No para condenación
## sino para recompensa

¿Cuál será la naturaleza del juicio administrado a los cristianos por Cristo desde su tribunal?

Primero tenemos que afirmar clara y enfáticamente que este juicio de los cristianos no será un juicio de condenación. Esta realidad de importancia vital, que el verdadero creyente en Cristo está exonerado de todo temor a la condenación final, se afirma en varios pasajes del Nuevo Testamento. Jesús dice:

El que en él cree, no es condenado; pero el que no cree, ya ha sido condenado, porque no ha creído en el nombre del unigénito Hijo de Dios.

Juan 3:18

Aquí hay una clara y marcada distinción: el verdadero creyente en Cristo no es condenado; el incrédulo está condenado ya por causa de su incredulidad.

Más adelante en el Evangelio de Juan, Cristo da la misma seguridad a cada cristiano sincero:

De cierto, de cierto os digo: El que oye mi palabra, y cree al que me envió, tiene vida eterna; y no vendrá a condenación, mas ha pasado de muerte a vida.

Juan 5:24

Aquí Cristo da una seguridad triple, definida a cada creyente que en fe acepte su palabra por medio del evangelio. Ese creyente ya tiene vida eterna; ya ha pasado de muerte espiritual a vida eterna; nunca vendrá a condenación. Pablo repite la misma seguridad de liberación de la condenación:

Ahora, pues, ninguna condenación hay para los que están en Cristo Jesús, los que no andan conforme a la carne, sino conforme al Espíritu.

Romanos 8:1

Todos estos pasajes ponen en claro que los verdaderos creyentes en Cristo nunca tendrán que enfrentar un juicio cuyo resultado final será la condenación. En realidad, el verdadero creyente en Cristo nunca necesitará ser juzgado en absoluto por los pecados que haya cometido. Cuando una persona viene en calidad de pecador y en fe a Cristo, recibiéndolo como Salvador y confesándole como Señor, Dios borra inmediata y eternamente todo el historial de pecados pasados de esa persona, para no recordarlos nunca más. Dos veces, en dos capítulos sucesivos de Isaías, Dios da esta promesa a los que ha redimido:

Yo, yo soy el que borro tus rebeliones [transgresiones] por amor de mí mismo, y no me acordaré de tus pecados.

Isaías 43:25

Yo deshice como una nube tus rebeliones [transgresiones], y como niebla tus pecados; vuélvete a mí, porque yo te redimí.

Isaías 44:22

Ambos pasajes mencionan los pecados y las rebeliones [o transgresiones]. "Pecados" son actos censurables que se cometen sin una referencia necesaria a una ley conocida; "rebeliones" [o "transgresiones"] son actos censurables cometidos en abierta desobediencia a una ley conocida. Por lo tanto, los pecados se comparan con "una niebla", pero las rebeliones [o transgresiones], con "una nube" es decir, las rebeliones son las más densas de las dos. Sin embargo, la gracia y el poder de Dios son más que suficientes para borrarlas a ambas.

En el capítulo anterior afirmamos que hay un historial completo mantenido en el cielo de la vida que lleva cada alma humana aquí en la tierra. Comparamos este tipo de "libro" en que se registra este historial con una cinta electromagnética. El paralelo se extiende no sólo en la forma en que se hace el registro, sino también en la forma en que puede ser borrado.

Si en la cinta queda algún error, puede ser completamente borrado en pocos momentos, pasando por segunda vez esa extensión particular de la cinta por la cabeza de grabación.

Hay incluso un instrumento llamado "borrador de masa" que puede eliminar por completo en pocos segundos todo el contenido grabado en una cinta completa. El resultado es una cinta completamente limpia, en que puede grabarse un nuevo mensaje sin que queden indicios del mensaje anterior.

Así es con el historial celestial de la vida del pecador. Cuando un pecador viene a Cristo por primera vez arrepentido y lleno de fe, Dios le aplica su "borrador de masa" celestial. Todo el historial de sus antiguos pecados se borra instantánea y completamente y queda disponible una "cinta" limpia, sobre la que se puede grabar una nueva vida de fe y justicia. Si en algún momento después, el creyente cayera otra vez en pecado, sólo necesita arrepentirse y confesar su pecado. Dios borra esa particular sección del historial, y una vez más la cinta queda limpia.

> Si confesamos nuestros pecados, él es fiel y justo para perdonar nuestros pecados, y limpiarnos de toda maldad.
>
> 1 Juan 1:9

> Hijitos míos, estas cosas os escribo para que no pequéis; y si alguno hubiere pecado, abogado tenemos para con el Padre, a Jesucristo el justo. Y él es la propiciación por nuestros pecados; y no solamente por los nuestros, sino también por los de todo el mundo.
>
> 1 Juan 2:1-2

Estos pasajes enseñan que si un creyente en Cristo peca y después se arrepiente, el registro de su pecado es borrado, y él mismo es limpiado de toda injusticia.

Por eso el verdadero creyente no necesita temer la condenación final. La provisión de Dios tanto para limpiar al pecador mismo, como para borrar el registro de sus pecados, significa que no habrá referencia alguna de pecado que quede, sobre la que pudiera basarse cualquier justo juicio de condenación.

Entonces, si no hay posibilidad de una condenación final para los verdaderos creyentes, ¿para qué se juzgará a los cristianos?

La respuesta es que el juicio de los cristianos será para determinar sus recompensas. El verdadero creyente será juzgado no con respecto de su justicia o rectitud, sino del servicio prestado a Cristo.

La razón por qué el creyente no será juzgado con respecto de su justicia es simple y lógica: la justicia del verdadero creyente no es la suya propia, sino la del mismo Cristo, imputada a él por Dios en base a su fe.

> Cristo (...) nos ha sido hecho por Dios sabiduría, justificación, santificación y redención.
>
> 1 Corintios 1:30

Ninguno otro que Cristo mismo se ha convertido en nuestra justicia de Dios:

> Al que no conoció pecado, por nosotros lo hizo pecado, para que nosotros fuésemos hechos justicia de Dios en él.
>
> 2 Corintios 5:21

Por medio de este intercambio nos hemos convertido en la justicia de Dios en Cristo. Obviamente, donde el creyente recibe la salvación partiendo de esta base, sería totalmente ilógico que Dios juzgara, o aun pusiera en duda, su propia justicia impartida al creyente.

Por lo tanto, concluimos que el juicio de los cristianos no tratará de su justicia, sino del servicio prestado a Cristo. El propósito de este juicio no será para decidir absolución o condena, sino para asignar las recompensas debidas a cada creyente por sus servicios a Cristo mientras estaban en la tierra.

## La prueba de fuego

Pablo describe este juicio para adjudicar las recompensas de los creyentes:

> Porque nadie puede poner otro fundamento que el que está puesto, el cual es Jesucristo. Y si sobre este fundamento alguno edificare oro,

plata, piedras preciosas, madera, heno, hojarasca, la obra de cada uno se hará manifiesta; porque el día la declarará, pues por el fuego será revelada; y la obra de cada uno cuál sea, el fuego la probará. Si permaneciere la obra de alguno que sobreedificó, recibirá recompensa. Si la obra de alguno se quemare, él sufrirá pérdida, si bien él mismo será salvo, aunque así como por fuego.

1 Corintios 3:11-15

Este es un juicio no del alma, sino de la obra de cada hombre. Incluso si las obras de un hombre se queman totalmente, su alma será salva. El primer versículo de este pasaje explica por qué el alma de ese hombre está segura:

Porque nadie puede poner otro fundamento que el que está puesto, el cual es Jesucristo. (v. 11).

Este juicio tiene que ver sólo con quienes han edificado su fe no sobre sus propias obras o su propia justicia, sino sobre el fundamento de Jesucristo y su justicia. En tanto su fe permanezca inconmovible sobre este fundamento, sus almas son eternamente salvas.

Cuando se llega a los logros de las obras de los creyentes, Pablo las coloca en una de dos categorías. En un lado hay "oro, plata, piedras preciosas". Por otra parte, hay "madera, heno, hojarasca".

Para separarlas en estas dos categorías se las hace pasar por la prueba del fuego. La primera categoría —oro, plata, piedras preciosas— pasarán a través del fuego sin ser consumidas. La segunda categoría —madera, heno, hojarasca— serán consumidas por el fuego.

Inmediatamente surge una idea en la comparación de estas dos categorías: para Dios la calidad tiene infinitamente más importancia que la cantidad. El oro, la plata y las piedras preciosas son artículos que normalmente se encuentran en pequeñas cantidades pero tienen gran valor. La madera, el heno y la hojarasca ocupan mucho espacio y se obtienen en grandes cantidades, pero tienen relativamente poco valor.

¿Qué es el fuego que probará las obras de los cristianos?

Recordemos que el Cristo glorificado estará sentado en su tribunal y que cada uno de nosotros comparecerá ante él. Lo veremos como Juan lo vio en su visión en la isla de Patmos:

Su cabeza y sus cabellos eran blancos como blanca lana, como nieve; sus ojos como llama de fuego; y sus pies semejantes al bronce bruñido, refulgente como en un horno; y su voz como estruendo de muchas aguas.

Apocalipsis 1:14-15

En esta visión los pies de Cristo "como bronce bruñido" en un horno tipifican los fuegos de la tribulación con que él juzgará los actos pecaminosos de los impíos mientras que sus ojos "como llama de fuego" tipifican el conocimiento penetrante y consumidor con que él juzgará las obras de su propio pueblo creyente. En los ardientes rayos de esos ojos, mientras cada uno comparezca ante su tribunal, todo lo que es bajo, insincero y sin valor en las obras de su pueblo, será instantánea y eternamente consumido. Sólo lo que tiene valor perdurable y verdadero sobrevivirá, purificado y refinado por el fuego.

Mientras examinamos estas escena del juicio, cada uno de nosotros necesita preguntarse: ¿Cómo puedo servir a Cristo en esta vida para que mis obras resistan la prueba del fuego en ese día?

Hay tres puntos con respecto a lo que cada uno de nosotros debe examinarse a sí mismo: motivo, obediencia y poder.

1. Debemos examinar nuestros motivos. ¿Es el objetivo de nuestro servicio complacernos, es para nuestra propia satisfacción y gloria, o lo hacemos sinceramente para glorificar a Cristo y hacer su voluntad?

2. Debemos examinarnos en el punto de la obediencia. ¿Procuramos servir a Cristo de acuerdo con los principio y métodos revelados en la palabra de Dios? ¿O estamos forjando nuestras propias formas de adoración y servicio y entonces agregándoles el nombre de Cristo y los títulos y frases de la religión del Nuevo Testamento?

3. Debemos examinarnos respecto del poder. Pablo nos recuerda: *Porque el reino de Dios no consiste en palabras, sino en poder* (1 Corintios 4:20). ¿Procuramos servir a Dios con nuestras propias fuerzas carnales, inadecuadas? ¿O hemos sido renovados y fortalecidos por el Espíritu Santo? Si es así, entonces podemos decir como Pablo: *Para lo cual también trabajo, luchando según la potencia de él,* la cual actúa poderosamente en mí (Colosenses 1:29).

De las respuestas a estas preguntas sobre motivo, obediencia y poder dependerán los planteamientos de nuestro juicio en ese día, cuando cada uno de nosotros comparezca ante el tribunal de Cristo.

# 51

# El juicio del
# servicio cristiano

Ahora examinaremos en mayor detalle los principios por los que serán recompensados los creyentes por sus servicios. Cristo los expone en la forma de dos parábolas: la parábola de los talentos (ver Mateo 25:14-30) y la parábola de las minas (ver Lucas 19:11-27).

## La evaluación del servicio cristiano

El tema central de ambas parábolas es el mismo. Cada una se refiere a un hombre con riqueza y autoridad, que encarga cierta suma a cada uno de sus siervos para que la administre en su provecho y sale de viaje a un país distante. Después de mucho tiempo, el hombre rico vuelve y pide cuentas a cada siervo por separado, acerca de la forma en que manejó el dinero que les encomendó.

En ambas parábolas se mencionan individualmente tres siervos: los primeros dos son fieles en la administración del dinero de su señor; el tercero, es infiel. En la parábola de los talentos el dinero se distribuyó así:

> A uno dio cinco talentos, y a otro dos, y a otro uno, a cada uno conforme a su capacidad.
>
> Mateo 25:15

(Un talento era una considerable cantidad de dinero, quizás equivalente a quince años de salario.)

Observemos que este versículo revela el principio de acuerdo con el que se distribuyeron los talentos: "a cada uno conforme a su capacidad". Es decir, Dios distribuye a cada creyente el máximo de talentos que sus facultades personales le permitirán usar con efectividad.

Los primeros dos siervos consiguieron cada uno un aumento de 100 por ciento. El que había recibido cinco talentos ganó cinco más; el que recibió dos talentos ganó dos más. El señor valoró la fidelidad de estos siervos no por su ganancia neta, sino por el porcentaje de aumento. El que ganó cinco talentos no fue considerado más fiel que el que había ganado dos, aunque su ganancia neta en talentos fue mayor. Más bien, cada uno de estos siervos fue considerado igualmente fiel, porque cada uno había logrado el mismo aumento proporcional: 100 por ciento.

Esto se indica por las palabras de alabanza que se les dirigen, que aparecen en Mateo 25:21 y 23, que son exactamente las mismas en cada versículo:

> Y su señor le dijo: "Bien, buen siervo y fiel; sobre poco has sido fiel, sobre mucho te pondré; entra en el gozo de tu señor.

Cada uno había recibido originalmente la cifra máxima de talentos que su capacidad le hubiese permitido usar eficazmente; cada uno había conseguido la máxima ganancia posible: 100 por ciento. El juicio sobre ellos se basa en su fidelidad, expresada en el porcentaje de incremento obtenido. Que un hombre originalmente recibiera cinco talentos y otro dos, no es la base en que se valora su fidelidad.

En esta parábola de los talentos el tercer siervo se limitó a esconder el único talento que recibió y después lo devolvió a su señor en la misma condición exacta que lo había recibido. Por eso no sólo fue privado de cualquier recompensa, sino también, total y terminantemente rechazado y echado fuera de la presencia de su señor:

> Respondió su señor y le dijo: Siervo malo y negligente, sabías que siego donde no sembré, y recojo donde no esparcí. Por tanto, debías haber dado mi dinero a los banqueros, y al venir yo, hubiera recibido lo que es mío con los intereses. Quitadle, pues, el talento, y dadlo al que tiene diez talentos. Porque al que tiene, le será dado, y tendrá más; y al que no tiene, aun lo que tiene le será quitado. Y al siervo inútil echadle en las tinieblas de afuera; allí será el lloro y el crujir de dientes.
>
> Mateo 25:26-30

No puede haber duda alguna acerca del significado de estas palabras. Este tercer siervo no sólo no recibió recompensa; sino que en realidad se le quitó el único talento que al principio había recibido, y él mismo fue arrojado de la presencia de su señor.

Vayamos ahora a la parábola de las minas en Lucas 19. (Una mina era una cantidad de dinero equivalente a unos tres meses de salario.)

En esta parábola se mencionan diez siervos, aunque sólo se describen en detalle los casos de tres de ellos. Originalmente, el señor encargó a los diez siervos la misma suma: una mina a cada uno.

De estos tres siervos cuyos casos se describen, el primero ganó diez minas, el segundo ganó cinco minas, y el tercero se limitó a esconder su mina y al final la trajo en la misma condición que la había recibido.

Aparentemente, los tres poseían la misma habilidad, puesto que a cada uno se le encomendó la misma cantidad. Sin embargo, no fueron igualmente fieles. El primero ganó con su mina el doble que el segundo, por esa razón su recompensa fue el doble que la del otro:

> Vino el primero, diciendo: Señor, tu mina ha ganado diez minas. El le dijo: Está bien, buen siervo; por cuanto en lo poco has sido fiel, tendrás autoridad sobre diez ciudades. Vino otro, diciendo: Señor, tu mina ha producido cinco minas. Y también a éste dijo: Tú también sé sobre cinco ciudades.
>
> Lucas 19:16-19

Observemos que la recompensa del primer siervo fue mayor que la del segundo en dos aspectos. Primero, el primer siervo fue específicamente alabado por su señor de buen siervo; el segundo no recibió esa especial alabanza. Segundo, el primer siervo recibió autoridad sobre diez ciudades; el segundo recibió autoridad sólo sobre cinco ciudades. Es decir, sus recompensas correspondieron exactamente a la proporción del aumento que cada cual había obtenido.

De esta parábola podemos sacar otra conclusión: que las recompensas por servir a Cristo fielmente en esta era, consistirán en posiciones de autoridad y responsabilidad en la administración del reino de Cristo en la próxima era. Para los que verdaderamente aman a Cristo no puede haber mayor gozo o privilegio que continuar sirviendo al Señor. Para los que son fieles, este privilegio, que empezó aquí en la dimensión del tiempo, se extenderá hasta las eras de la eternidad.

En esta parábola de las minas, como en la de los talentos, el tercer siervo fue condenado por ser infiel y no usar del todo la mina encomendada a él:

> Entonces él le dijo: Mal siervo, por tu propia boca te juzgo. Sabías que yo era hombre severo, que tomo lo que no puse, y que siego lo que no

sembré, ¿por qué, pues, no pusiste mi dinero en el banco, para que al volver yo, lo hubiera recibido con los intereses? Y dijo a los que estaban presentes: Quitadle la mina, y dadla al que tiene las diez minas.

Lucas 19:22-24

En esta parábola, como en la de los talentos, el siervo infiel no sólo no recibió recompensa, sino que incluso se le quitó la única mina que había recibido al principio. El destino final del siervo con una mina no se revela en esta parábola. No obstante, parece razonable concluir que, como el siervo infiel en la parábola de los talentos, fue rechazado y echado fuera de la presencia de su señor.

En ambas parábolas por igual, no hacer uso efectivo del talento o la mina encomendada a cada siervo, se describe con la fortísima palabra *malo*. En cada caso el señor inicia su juicio del siervo infiel con la frase "siervo malo".

De esto deducimos que, según las normas de Dios, la maldad consiste no sólo en hacer activamente lo que es malo, sino también en permanecer pasivamente sin hacer lo bueno que está dentro de nuestras posibilidades:

Y al que sabe hacer lo bueno, y no lo hace, le es pecado.

Santiago 4:17

En otras palabras: los pecados de omisión no son menos graves que los pecados de comisión.

La misma idea está contenida en la revelación profética de Malaquías acerca del juicio de Dios:

Entonces os volveréis, y discerniréis la diferencia entre el justo y el malo, entre el que sirve a Dios y el que no le sirve.

Malaquías 3:18

Aquí encontramos una clara y marcada distinción hecha por Dios entre el justo y el malo. Los justos se definen como los que sirven a Dios; los malos, los que no lo sirven. Además la lección está clara: No servir a Dios es malo en sí mismo.

Fue esta maldad la que llevó a la condenación y al rechazo del siervo infiel en cada una de las dos parábolas que hemos estudiado. Ninguno de los siervos rechazados hizo algo malo; en cada caso, la causa de su rechazo fue haber dejado de hacer el bien que tenía a su alcance. En ambas parábolas Cristo indica que este mismo criterio de juicio se aplicará a todos los que proclaman ser sus seguidores y servidores.

En el capítulo anterior examinamos el pasaje que habla acerca del cristiano cuyas obras son rechazadas y quemadas en el fuego del juicio, aunque él mismo se salve (ver 1 Corintios 3:11-15). Por otra parte, en las parábolas que acabamos de examinar, parece que el siervo infiel no sólo fue privado de su recompensa, sino que él mismo es rechazado y echado fuera de la presencia de su señor para siempre.

Esto lleva naturalmente a plantearse una importante pregunta: ¿Cuál es la diferencia, en la evaluación de Dios, de estos dos casos? ¿Por qué sería que en el caso descrito por Pablo, las obras del hombre son rechazadas pero él mismo se salva, mientras que en la parábola de Jesús el siervo infiel no sólo pierde su recompensa, sino que él mismo también es rechazado y echado fuera?

La diferencia parece ser ésta: en el caso descrito por Pablo, el hombre en realidad trató de hacer algo eficaz para su Señor; en realidad los ejemplos de la madera, el heno y la hojarasca sugieren que hizo mucho. Pero su trabajo no era de la clase o calidad que soportaría la prueba del fuego. A pesar de ello, esa actividad suya —aunque mal encaminada y sin frutos— al menos sirvió para probar que su fe en Cristo era genuina. Por esa razón la salvación de su alma estaba asegurada incluso cuando sus obras se quemaron.

Por el otro lado, el siervo infiel con un talento nada hizo por su señor; ni bueno ni malo. Esta falta absoluta de acción demostró que su profesión de fe y servicio era vana e insincera.

> También la fe sin obras está muerta.
>
> Santiago 2:26

Una fe que no provoca una actividad de cualquier clase, es una fe muerta; está vacía, es insincera, no tiene valor. No sólo deja de producir alguna obra de servicio que pueda ser recompensada; incluso es incapaz de asegurarle la salvación de su propia alma al que la profesa. Una persona que dice tener fe en Cristo sin procurar servirlo en algo, es un hipócrita.

Por esta razón, el juicio de esa persona es "ser echado en las tinieblas de afuera. Allí será el lloro y el crujir de dientes." Un examen cuidadoso de los pasajes relacionados con juicios similares (ver Mateo 24:51 y Lucas 12:46) muestra que este lugar de las tinieblas de afuera, con su lloro y crujir de dientes, es el lugar reservado para los hipócritas y los incrédulos. El siervo infiel que no hace nada en absoluto por su señor tiene que ocupar su lugar en esta misma categoría; es en realidad un hipócrita y un incrédulo. El lugar destinado para él son las tinieblas de afuera.

## Los ángeles eliminarán a todos los hipócritas

Este juicio sobre los siervos hipócritas nos lleva a otra importante conclusión relacionada con los sucesos que conducirán al tribunal de Cristo. Antes que los verdaderos cristianos sean admitidos al lugar del tribunal de Cristo, todos los hipócritas y falsos cristianos primero serán separados de entre el pueblo creyente de Dios y recibirán el juicio que se merecen por su hipocresía y falsedad.

Este juicio de los hipócritas se describe en dos parábolas relativas al reino de los cielos (ver Mateo 13). Estas son la parábola del trigo y la cizaña, y la de la red echada en el mar.

Con el estudio de éstas y otras parábolas en este capítulo es importante determinar qué significa la frase "el reino de los cielos". En Mateo 12:25-28 y en Lucas 11:17-20 Jesús habla acerca de dos reinos que están en oposición, uno contra el otro: el reino de Dios (o de los cielos) y el reino de Satanás. Hasta que se termine la era presente, estos dos reinos continuarán coexistiendo. El reino de Dios incluye a todos los seres creados que están sometidos a su gobierno justo; el reino de Satanás incluye a todos los que están en rebelión contra el gobierno de Dios.

En Efesios Pablo revela dos niveles del reino de Satanás. El describe a una multitud de ángeles malos que han seguido a Satanás en su rebelión inicial contra Dios (ver Efesios 6:12). Pablo también habla de seres humanos que están en rebelión contra Dios. A estos últimos los llama "los hijos de desobediencia" e indica que están controlados por Satanás, "el príncipe de la potestad del aire" (Efesios 2.2).

El "evangelio del reino" proclamado por Jesús y sus apóstoles, es una invitación extendida por Dios a los hombres rebeldes —pero jamás a los ángeles rebeldes— para que escapen del reino de Satanás y entren en el reino de Dios. Todos los que deseen aceptar esta invitación deben llenar dos condiciones: Tienen que arrepentirse de su rebelión y someterse en fe a Cristo el gobernante nombrado por Dios.

Estas dos parábolas —el trigo y la cizaña, y la red— revelan que algunos que parecen pertenecer al reino de Dios, en realidad no han llenado estas dos condiciones. Han hecho una farsa externa de arrepentimiento y sumisión, pero no provino de un corazón sincero. En consecuencia, no produjo la profunda reforma interna del carácter que es la única apropiada al reino de Dios. El propósito principal de ambas parábolas es revelar el juicio especial de Dios que vendrá sobre esos hipócritas al final de la era actual.

En la **primera** de las dos parábolas, los siervos preguntan al dueño del campo si ellos deben arrancar la cizaña:

El les dijo: "No, no sea que al arrancar la cizaña, arranquéis también con ella el trigo".

Mateo 13:29

Esto indica que hubiera sido muy difícil para los siervos distinguir la cizaña del trigo. Obviamente no sería así de no ser que la cizaña representara a la gente que no ha hecho profesión de fe en Cristo. Jesús prosigue a dar una interpretación completa de toda la parábola:

> Respondiendo él, les dijo: El que siembra la buena semilla es el Hijo del Hombre. El campo es el mundo; la buena semilla son los hijos del reino, y la cizaña son los hijos del malo. El enemigo que la sembró es el diablo; la siega es el fin del siglo; y los segadores son los ángeles. De manera que como se arranca la cizaña, y se quema en el fuego, así será en el fin de este siglo. Enviará el Hijo del Hombre a sus ángeles, y recogerán de su reino a todos los que sirven de tropiezo, y a los que hacen iniquidad. Y los echarán en el horno de fuego; allí será el lloro y el crujir de dientes, entonces los justos resplandecerán como el sol en el reino de su Padre. El que tiene oídos para oír, oiga.

Mateo 13:37-43

Jesús identifica la cizaña como "los hijos del malo". Su presencia en el campo no es accidental. Han sido deliberadamente plantados entre el trigo por el diablo. En otras palabras, es parte de la estrategia de Satanás plantar hipócritas entre los verdaderos cristianos. Es un modo con el que busca desacreditar el testimonio de la iglesia.

Jesús prosigue diciendo que, en el juicio al final de esta era, los ángeles recogerán primero a todos los falsos cristianos de entre los verdaderos, y los arrojarán en un lugar de fuego, donde hay lloro y crujir de dientes. Después que esto se haga, "*entonces* los justos resplandecerán como el sol en el reino de su Padre." En otras palabras, los falsos cristianos serán separados primero y arrojados a un lugar de juicio ardiente. Después, los verdaderos cristianos se manifestarán en su resurrección de gloria.

La parábola de la red contiene la misma revelación:

> Asimismo el reino de los cielos es semejante a una red, que echada en el mar, recoge de toda clase de peces; y una vez llena, la sacan a la orilla; y sentados, recogen lo bueno en cestas, y lo malo echan fuera. Así será al fin del siglo; saldrán los ángeles, y apartarán a los malos de entre los justos, y los echarán en el horno de fuego; allí será el lloro y el crujir de dientes.

Mateo 13:47-50

En esta parábola, la red echada en el mar representa el evangelio del reino proclamado en todo el mundo. Las diferentes criaturas recogidas en la red representan a todos los que han respondido positivamente a la invitación del evangelio. Esto incluye a gente de toda clase: tanto buenos como malos; tanto justos como injustos.

Al final de esta era, los ángeles separarán a los malos de los justos, y los echarán en un lugar de castigo. Sólo después de esto recibirán los justos y buenos las bendiciones y recompensas de la eternidad con Cristo.

En esta revelación vemos todavía otra razón por la que el juicio celebrado ante el tribunal de Cristo no terminará en condenación final para ninguno de los que se presenten allí: Antes que tenga lugar este juicio de los verdaderos creyentes, los ángeles ya habrán separado y arrojado a un lugar de castigo a todos los hipócritas y falsos cristianos. Así, los que comparecerán ante el tribunal de Cristo para recibir sus recompensas serán únicamente los verdaderos y justos creyentes, la salvación de cuyas almas está eternamente asegurada mediante su sincera fe basada en la propia justicia de Cristo.

Los Salmos se refieren proféticamente a este proceso de separar los hipócritas y los falsos creyentes antes del juicio de los verdaderos cristianos:

> No así los malos,
> Que son como el tamo que arrebata el viento.
> Por tanto, no se levantarán los malos en el juicio,
> Ni los pecadores en la congregación de los justos.
>
> Salmo 1:4-5

En esta profecía los malos son comparados al tamo, mientras que —por implicación— los justos son comparados al trigo. Antes que el trigo se recoja y guarde en el granero, primero se avienta y se echa lejos el tamo. Antes que los justos entren a tomar posesión de su recompensa eterna, primero los malos serán cortados de entre ellos y arrojados fuera a un lugar de castigo.

Por esta razón, el salmista prosigue diciendo que a los malos y a los pecadores jamás se le permitirá ocupar un lugar en el juicio de los justos (ante el tribunal de Cristo), ni serán jamás admitidos en la congregación de los verdaderos creyentes en la eternidad.

Podemos establecer esta conclusión como sigue: Solamente los creyentes verdaderos y sinceros se presentarán ante el tribunal de Cristo. Antes, por intervención de los ángeles, todos los hipócritas y falsos cristianos habrán sido eliminados y arrojados fuera a un lugar de castigo ardiente.

# 52

# Los tres
# juicios finales

En el capítulo 50 señalamos que los juicios eternos de Dios se llevarán a cabo en tres etapas sucesivas.

La primera será el juicio de los creyentes cristianos ante el tribunal de Cristo.

La segunda será el juicio de las naciones gentiles al final de la gran tribulación, que tendrá lugar ante el trono de gloria de Cristo.

La tercera será el juicio de los muertos restantes al final del milenio, llevado a cabo ante un gran trono blanco.

Ya hemos examinado el primero de estos, el juicio de los cristianos ante el tribunal de Cristo. Ahora proseguiremos al siguiente escenario: el juicio de los gentiles al final de la gran tribulación.

No obstante, primero necesitamos considerar los principales sucesos que conducirán a este juicio. Esto nos ayudará a comprender por qué Dios ha ordenado un juicio especial reservado sólo para las naciones gentiles.

Pablo se refiere a tres categorías distintas en las que Dios ha dividido a la humanidad:

> No seáis tropiezo ni a judíos, ni a gentiles, ni a la iglesia de Dios.
>
> 1 Corintios 10:32

Los judíos son una nación especial, apartada por Dios para sus propios propósitos. Los gentiles son todas las naciones restantes, excepto Israel. La iglesia de Dios consiste de todos los verdaderos cristianos que han nacido de nuevo mediante la fe en Jesucristo. Estos ya no son reconocidos por Dios de acuerdo con su antigua nacionalidad, igual judíos que gentiles, sino como "una nueva nación" en Cristo.

Las Escrituras aclaran bien que el juicio que examinaremos ahora ante el trono de gloria de Cristo, será únicamente para los gentiles. Ningún miembro de uno u otro de los otros dos grupos, aparecerá aquí para ser juzgado. No habrá judíos ni cristianos. Esto concuerda con la revelación general de la Escritura con respecto al final de esta era.

No habrá cristianos en este juicio porque todos ellos habrán sido ya juzgados ante el tribunal de Cristo.

No habrá judíos presentes en este juicio porque para entonces Israel, como nación, habrá pasado ya por su propio juicio especial. Todos los judíos que sobrevivan a este juicio especial se habrán reconciliado con Dios mediante el reconocimiento de Jesús como Salvador y Mesías.

Los tratos finales de Dios con Israel en este tiempo completarán el proceso de juicio a través del que Dios los ha llevado por casi cuatro mil años. El subsecuente juicio de las naciones gentiles marcará una transición del juicio histórico al eterno.

## El juicio de tribulación de Israel

Al examinar este juicio especial de Israel, es útil observar dos principios generales de acuerdo con los que Dios trata con la humanidad: en bendiciones y en juicios. Esto puede expresarse brevemente como sigue:

1. *Un principio de bendición.* Dios normalmente bendice a los gentiles a través de los judíos, pero bendice a los judíos directamente.
2. *Un principio de castigo.* Dios normalmente castiga a los judíos a través de los gentiles, pero castiga a los gentiles directamente.

Estos dos principios regirán los tratos de Dios con la humanidad al final de la era actual.

Primero, en las etapas finales de la gran tribulación, Dios juzgará y castigará a Israel por última vez como nación, sirviéndose de los gentiles como instrumentos. Cuando termine este juicio final de Israel, Dios mismo intervendrá directamente en juicio sobre los gentiles. Jeremías describe este juicio final sobre Israel después que han regresado como pueblo a su propia tierra:

> "Porque, he aquí, vienen días", —declara el Señor— "cuando restauraré el bienestar de mi pueblo, Israel y Judá." El Señor dice: "También los haré volver a la tierra que di a sus padres, y la poseerán." Estas son las palabras que el Señor habló acerca de Israel y de Judá:
>
> > Porque así dice el Señor:
> > "He oído voces de terror,
> > de pánico, y no de paz.
> > Preguntad ahora, y ved
> > si da a luz el varón.
> > ¿Por qué veo a todos los hombres
> > con las manos sobre sus lomos, como mujer de parto
> > y se han puesto pálidos todos los rostros?
> > ¡Ay! porque grande es aquel día,
> > no hay otro semejante a él;
> > es tiempo de angustia para Jacob,
> > mas de ella será librado.
> > Y acontecerá en aquel día" —declara el Señor de los ejércitos— "que quebraré el yugo de su cerviz y romperé sus coyundas, y extraños no lo esclavizarán más, sino que servirán al Señor su Dios, y a David su rey, a quien yo levantaré para ellos".
>
> Jeremías 30:5-9 (BLA)

Observemos el orden de sucesos que Jeremías predice aquí:

1. Dios traerá a Israel otra vez a su tierra.
2. Habrá para Israel un tiempo de peligro y angustia nacional, más terrible que ningún otro que hayan atravesado antes.
3. El Señor mismo intervendrá al fin contra los extranjeros —los gentiles enemigos de Israel— y los salvará de ellos.
4. El reino nacional de Israel será restaurado otra vez sobre el trono de David, bajo el supremo gobierno del mismo Señor Jesús. Este período del reino restaurado será el milenio.

Esta reunión de las naciones gentiles contra Israel al final de los tiempos, y la intervención directa del Señor en favor de su pueblo, la describe más ampliamente Zacarías:

> Y en aquel día yo pondré a Jerusalén por piedra pesada a todos los pueblos; todos los que se la cargaren serán despedazados, bien que todas la naciones de la tierra se juntarán contra ella.
>
> Zacarías 12:3

> Y yo reuniré a todas las naciones en batalla contra Jerusalén; (...) Entonces saldrá el Señor y peleará contra aquellas naciones, como cuando El peleó el día de la batalla. Sus pies se posarán en aquel día en el monte de los Olivos.
>
> Zacarías 14:2-4 (BLA)

Aquí vemos otra vez que la era actual terminará con un ataque concertado contra Israel y Jerusalén por parte de las naciones gentiles, pero que el mismo Señor intervendrá para salvar a Israel. Esta intervención culminará en su regreso personal al Monte de los Olivos... el mismo punto de donde ascendió al cielo al principio de la presente dispensación.

Como resultado de este período final de peligro y zozobra nacional, todos los elementos rebeldes serán finalmente expurgados de Israel, y los que sobrevivan a esta eliminación final, estarán listos para reconciliarse con su Dios, arrepentidos y humillados.

Ezequiel 20:37-38 describe este proceso final de la depuración de Israel. Aquí el Señor primero predice que los volverá a juntar en su propia tierra y entonces describe cómo tratará con ellos allí:

> Os haré pasar bajo la vara, y os haré entrar en los vínculos del pacto; y apartaré de entre vosotros a los rebeldes, y a los que se rebelaron contra mí.

La frase "os haré pasar bajo la vara" hace referencia al proceso por el que un pastor acostumbra a inspeccionar a cada una de sus ovejas antes de admitirlas en el redil. Como resultado de este proceso, todos los rebeldes serán expurgados de Israel, y los que queden, entrarán en una nueva relación con el Señor: mediante el nuevo pacto en Jesucristo.

Zacarías describe con más detalle la intervención del Señor contra las naciones gentiles que los persiguen y su reconciliación final con Israel:

> Y en aquel día yo procuraré destruir a todas las naciones que vinieren contra Jerusalén. Y derramaré sobre la casa de David, y sobre los moradores de Jerusalén, espíritu de gracia y de oración; y mirarán a mí, a quien traspasaron, y llorarán como se llora por hijo unigénito, afligiéndose por él como quien se aflige por el primogénito.
>
> Zacarías 12:9-10

Este es el Señor hablando en primera persona respecto de Israel, y dice: "Mirarán a mí, a quien traspasaron..." Esta es una de las más claras predicciones, en toda la Escritura, del rechazo y crucifixión de Cristo. No obstante, en este punto Israel reconocerá al fin su terrible error, y en gran aflicción y arrepentimiento, se reconciliarán con su Mesías, a quien han rechazado por tanto tiempo.

En el Nuevo Testamento Pablo describe esta reconciliación final de Israel con Dios:

> Y luego todo Israel será salvo, como está escrito:
> "Vendrá de Sion el Libertador,
> Que apartará de Jacob la impiedad".
>
> Romanos 11:26

Después que Israel haya pasado así a través de los fuegos de la gran tribulación y se haya reconciliado con Dios por medio de Jesucristo, ya no habrá necesidad de que Dios lo juzgue. A partir de entonces, cuando Cristo establezca su reino terrenal y se siente sobre el trono de su gloria, sólo necesitará juzgar a las naciones gentiles que permanezcan vivas sobre la tierra al final de la gran tribulación.

## El juicio de las naciones gentiles

Jesús nos da una descripción gráfica del juicio de las naciones gentiles (ver Mateo 25:31-46). No hay sugerencia que esta sea una parábola. Es una predicción profética directa, usando la analogía de un pastor tratando con su rebaño. Examinemos la primera escena:

> Cuando el Hijo del Hombre venga en su gloria, y todos los santos ángeles con él, entonces se sentará en su trono de gloria, y serán reunidas delante de él todas las naciones; y apartará los unos de los otros, como aparta el pastor las ovejas de los cabritos. Y pondrá las ovejas a su derecha, y los cabritos a su izquierda.
>
> Mateo 25:31-33

El propósito del juicio que sigue es separar las ovejas (los que Dios acepta) de los cabritos (los que rechaza). Las ovejas serán recibidas en el reino que Dios ha preparado para ellas —es decir, el reino milenial de Cristo—. Las cabras escucharán el irrevocable juicio pronunciado sobre ellas, con el que serán expulsadas hasta el fuego eterno preparado para el diablo y sus ángeles.

Estos gentiles rechazados serán enviados no al Seol o al Hades, sino directamente al lugar de castigo final de todos los rebeldes: el lago de fuego. Dentro de este lago, ya habrán sido arrojados la bestia —el Anticristo— y su falso profeta.

La separación entre las ovejas y las cabras se basa en un asunto decisivo: la forma en que los juzgados han tratado a los hermanos de Jesús; es decir, el pueblo judío.

Muchos pasajes de la Escritura dejan bien claro que al final de esta era habrá una hostilidad mundial hacia el pueblo judío y el estado de Israel. No sólo se concentrará un ataque de las naciones gentiles contra Israel, sino que en otros países los judíos serán víctimas de diversas formas de persecución. En medio de todo esto, sin embargo, habrá algunos gentiles que tomarán su posición —como individuos o como naciones— al lado del pueblo judío. Estos harán todo lo que esté en sus posibilidades para proteger a los judíos y aliviar su sufrimiento. En el juicio que siga, esto los marcará como ovejas consideradas dignas de entrar en el reino de Cristo establecido sobre la tierra.

Joel presenta un cuadro similar de la reunión de las naciones para el juicio de Dios en el final de los tiempos:

> Porque he aquí que en aquellos días, y en aquel tiempo en que haré volver la cautividad de Judá y de Jerusalén, reuniré a todas las naciones, y las haré descender al valle de Josafat, y allí entraré en juicio con ellas a causa de mi pueblo, y de Israel mi heredad, a quien ellas esparcieron entre las naciones, y repartieron mi tierra.
>
> Joel 3:1-2

Dios declara que primero volverá a traer a los cautivos de Judá y Jerusalén; es decir, que reunirá en su propia tierra al pueblo judío dispersado. Entonces reunirá a todas las naciones gentiles y traerá juicio sobre ellas.

La base para este juicio es la misma que describe Jesús en Mateo 25. Dios dice que él entrará en juicio con las naciones "a causa de mi pueblo Israel". En esta etapa de la historia, cuando el antisemitismo se esté volviendo más extendido y agresivo, es sumamente importante que todas las naciones sean advertidas que serán juzgadas por Dios basándose en la forma en que traten al pueblo judío.

Una vez que las ovejas sean separadas de las cabras, el juicio de las naciones gentiles habrá terminado. Para entonces, todos los que hayan sido encontrados dignos de entrar en el período del reino milenial de Cristo habrán pasado a través de los juicios purificadores de Dios. Primero, Israel será depurado en los fuegos purificadores de la gran tribulación. Después, al final de la tribulación, los gentiles serán depurados por la intervención personal, directa y juicio de Cristo.

Después de estos juicios purificadores sobre judíos y gentiles, habrá un período de mil años de paz y prosperidad, mientras Cristo gobierna como Rey sobre toda la tierra.

Al terminar este período de mil años, Satanás hará un intento final de organizar una rebelión de las naciones gentiles contra Cristo y su reino, pero esta rebelión fracasará por la intervención directa de Dios.

Esta vez Satanás mismo será por fin expulsado para siempre de la tierra y arrojado en el lago de fuego, donde se reunirá con el Anticristo y el falso profeta que ya estarán allí.

Con esta derrota de la insurrección final de Satanás, quedarán eliminados todos los rebeldes de entre los vivientes en esa época sobre la tierra, y quedarán por juzgar únicamente los muertos de todas las épocas anteriores. Para este propósito, todos los muertos que no han sido previamente resucitados, serán llamados a juicio. Así se preparará la escena para el tercer y final juicio eterno de Dios.

## El gran trono blanco

> Y vi un gran trono blanco y al que estaba sentado en él, de delante del cual huyeron la tierra y el cielo, y ningún lugar se encontró para ellos. Y vi a los muertos, grandes y pequeños, de pie ante Dios; y los libros fueron abiertos, y otro libro fue abierto, el cual es el libro de la vida; y fueron juzgados los muertos por las cosas que estaban escritas en los libros, según sus obras. Y el mar entregó los muertos que había en él; y la muerte y el Hades entregaron los muertos que había en ellos; y fueron juzgados cada uno según sus obras. Y la muerte y el Hades fueron lanzados al lago de fuego. Esta es la muerte segunda. Y el que no se halló inscrito en el libro de la vida fue lanzado al lago de fuego.
>
> Apocalipsis 20:11-15

Aquí está el final decisivo de todo pecado y rebelión contra la autoridad y santidad del Dios todopoderoso: ser arrojado en el lago del fuego eterno. Sólo aquéllos cuyos nombres estén inscritos en el libro de la vida escaparán a este juicio final. Los nombres registrados en este libro son de quienes durante su vida en la tierra alcanzaron —mediante la fe— la misericordia y la gracia de Dios. Estos caen dentro varias categorías.

Todos los que pusieron su fe en el sacrificio expiatorio de Cristo en beneficio de la humanidad, ya habrán resucitado al comienzo del milenio. Ya habrán pasado por su propio juicio ante el tribunal de Cristo; no para condenación, sino para determinar su recompensa.

Parece cierto que la mayoría de los que aparezcan ante el gran trono blanco no habrán cumplido las condiciones para recibir la misericordia de Dios y por lo tanto serán lanzados al lago de fuego. No obstante, como señalábamos en el capítulo 46, habrá definitivamente al menos dos categorías de gente ante el gran trono blanco que escaparán a la condenación y entrarán a la vida eterna.

La primera categoría consistirá en gente como la reina del Sur y los hombres de Nínive, quienes alcanzaron la misericordia que Dios les ofreció por una breve, pero decisiva revelación de sí mismo. La Escritura no indica cuántos otros hubo en el curso de la historia a quienes se les dio una oportunidad parecida.

La segunda categoría estará compuesta de los que mueran en fe durante el milenio.

¿Podemos anticipar que habrá otros a quienes Dios extenderá su misericordia desde su gran trono blanco? La respuesta está reservada dentro de la omnisciencia de Dios. Para nosotros, con nuestro limitado conocimiento y estrecha perspectiva, es insensato especular.

Más bien adoptemos la actitud expresada por Abraham:

El Juez de toda la tierra ¿no ha de hacer lo que es justo?

Génesis 18:25

Los que han gustado de la misericordia infinita de Dios están seguros de que él nunca retendrá su misericordia de quien sea digno de ella.

Cuidémonos, no obstante, de presumir que podemos comprender completamente todo lo que está incluido en la ejecución de los juicios de Dios. Los estudios en este libro sólo han tocado ciertos aspectos que Dios ha decidido registrar en la Escritura. Todavía quedan muchos aspectos de este amplio tema que están totalmente más allá de nuestros poderes de comprensión.

En último recurso, sólo podemos compartir el asombro y la maravilla expresados por Pablo:

¡Oh profundidad de las riquezas de la sabiduría y de la ciencia de Dios!
¡Cuán insondables son sus juicios, e inescrutables sus caminos!

Romanos 11:33

Esto concluye apropiadamente el estudio sistemático de las seis doctrinas fundamentales de la fe cristiana que han sido el tema de este libro.

Mediante su estudio, hemos colocado cuidadosamente el cimiento bíblico de la doctrina sobre el que se debe edificar sólidamente la fe de todo cristiano. Con estos cimientos en posición, es posible obedecer la exhortación de Hebreos 6:1:

Vamos adelante a la perfección.

Continuemos edificando sobre estos fundamentos hasta que hayamos conseguido erigir en nuestra vida un edificio terminado de doctrina y práctica cristianas. La misma palabra de Dios que proporciona el cimiento básico, también nos muestra cómo podemos seguir perfeccionando el edificio terminado. Por lo tanto, a todos los que han seguido conmigo estos estudios, les ofreceré estas palabras finales de exhortación, tomadas de la vida de Pablo:

> Y ahora, hermanos, os encomiendo a Dios, y a la palabra de su gracia, que tiene poder para sobreedificaros y daros herencia con todos los santificados.
>
> Hechos 20:32